KB143850

유리꽃을 품다

Embracing the Yuri Flower

한유정 장편소설

2

유리꽃을 품다 2

펴낸날 2018년 11월 21일 초판 1쇄
지은이 한유정
책임편집 이현지

펴낸이 차보현
펴낸곳 주식회사 연필
출판등록 제2017—000009호
전화 070—7566—7406
팩스 0303—3444—7406
전자우편 bookhb@bookhb.com
홈페이지 bookhb.com

Copyright (C) 한유정, 2018
ISBN 979—11—6276—216—5 (2권)
      979—11—6276—217—2 04810 (전 2권)

유리꽃을 품다
Embracing the Yuri Flower

한유정 장편소설

2

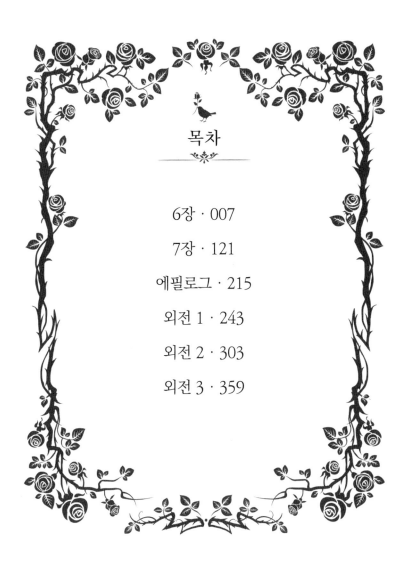

목차

6장

"사람이 정말 많네요."

시간은 흘러 어느덧 바야흐로 연회 첫날이 되었다. 바론과 함께 입장한 유리는 회장을 가득 채운 인파에 깜짝 놀랐다. 이번 연회는 준비 기간이 얼마 되지 않는 것으로 알고 있었다. 한데 참가 인원은 이전의 연회보다도 더 많은 것 같았다.

"우리 아버지가 널 예뻐한단 소문이 돈 거지. 네가 어디까지 올라갈지 모르니, 눈도장을 찍어두겠다는 것도 있고."

바론이 만족스럽게 웃으며 가느다란 허리를 끌어안았다. 유리를 보는 남빛의 눈동자엔 만족스러운 애정이 그득했다.

"그렇군요."

버림받은 사생아가 황자의 약혼녀가 되고, 황제의 총애까지 받게 된 이 놀라운 신분 상승은 많은 사람의 관심을 끌었다. 유리는 제 행동 하나하나에 쏟아지는 시선에 마치 늪을 걷는 것 같단 생각을 했다. 걸음마다 부러움과 질투, 시기와 탐욕이 뒤섞인 눈빛들이 진득하게 달라붙었다.

'피곤하다, 정말.'

보는 눈이 많을수록, 흠 잡힐 일을 만들지 않기 위해 더 완벽하게 행동해야 했다. 유리는 몇 시간 동안이나 처음 보는 사람들을 향해 웃어주어야 했다. 연회장에 온 내내 억지웃음을 지었더니 볼이 아프기까지 했다.

"황자 전하, 약혼을 진심으로 경하드립니다. 반려를 고르시는 안목이 참으로 탁월하십니다."

"저는 프리우스 공녀를 처음 뵌 순간 알았습니다. 폐하의 총애를 담뿍 받으시리라는 걸요."

"그래, 맞아. 큭큭. 얘가 원래 예쁜 짓만 골라서 해."

유리와는 달리 바론은 술에 취해 허랑방탕하게 늘어진 채 제 수하들의 아부에 푹 빠져 있었다. 그럴수록 유리는 더욱 꼿꼿하게 허리를 세워야 했다. 조금이라도 흐트러진 모습을 보였다간 멀리서 그녀를 노려보고 있는 드펜이 득달같이 달려올 것 같았기 때문이었다.

"바론, 잠시 나갔다 와도 될까요?"

제게 다가오는 사람들이 어느 정도 줄어들자 유리가 조심스럽게 물었다. 잠깐이라도 이 긴장에서 벗어나고 싶었다.

"주인공이 어디를 간다는 거야."

벌겋게 취기가 오른 바론이 헤실헤실 웃으며 유리를 끌어안았다. 손에 닿는 여자의 몸이 평소보다도 훨씬 달았다.

"머리가 조금 아파서요. 바람 좀 쐬고 올게요."

"안 돼. 가지 마. 내 옆에 있으면 나을 거야."

그는 키들거리며 유리의 어깨에 얼굴을 묻었다. 훅, 체향을 들이마시는 그의 입매가 나른하게 풀렸다. 그의 손이 제법 깊은 곳까지 파고들었다. 지나치게 내밀한 접촉에 유리가 조심스레 그를 밀어냈다. 이곳엔 보는 눈이 너무 많았다.

"바론. 사람들이 봐요."

"곧 결혼할 거잖아. 뭐 어때."

바론은 아랑곳하지 않고 하던 일을 계속했다. 낯 뜨거운 애정행각에 근처 귀족들이 민망한 듯 고개를 돌렸다. 바론은 그 시선들을 뻔히 알면서도 과시라도 하듯 유리에게 지분대었다. 다른 사람 눈치를 볼 이유가 전혀 없었다. 유리는 황제가 인정한, 황제가 총애하는 약혼녀였다. 황제가 아끼는 며느리를, 약혼자인 제가 좀 예뻐하겠다는데, 대체 누가 막는단 말인가?

"바론 전하, 황후 마마께서 찾으십니다."

뭐, 예외가 있기는 했다. 한창 좋을 때 찬물을 끼얹은 궁인을 향해 바론이 흥이 확 깬 얼굴로 물었다.

"어머니께서? 왜?"

"긴히 하실 말씀이 있다 하십니다."

"기다려. 연회 끝나고 찾아뵐 테니까."

"매우 급한 일이니 지금 당장 모셔 오라 하셨습니다."

궁인의 단호한 태도에 바론이 확 인상을 구겼다. 궁인 뒤로 멀찍이 드펜이 사납게 저를 노려보는 모습이 보였다. 그 먼 거리에서도 시선의 싸늘함이 느껴질 정도였다. 바론이 짜증을 이기지 못하고 이를 으득, 갈았다. 드펜은 바론과 눈이 마주치자마자 휙 돌아 회장을 빠져나갔다.

"급한 일은 무슨. 웃기고 있네."

불만을 터트리면서도 결국 바론은 자리에서 일어났다. 경험상 제 어미가 저리 나올 땐 무시하면 안 되었다. 안 그래도 요즘 드펜의 히스테리가 극에 달하고 있었다. 오늘은 저에게, 제 약혼녀에게 매우 중요한 날이었다. 이 좋은 날 고성이 오가는 건 딱 질색이었다.

"리디아, 얌전히 기다리고 있어."

"빨리 와요. 너무 화 내지 말고요."

"알겠어. 걱정하지 마."

짜증이 나는 와중에도 곱게 차려입은 채 저만 보는 여자를 보니 기분이 좋아졌다. 그는 피식 웃으며 유리의 볼을 살짝 꼬집고는 궁인의 뒤를 따라갔다. 유리는 아쉬운 듯 그를 붙잡으며 완벽한 약혼녀를 연기해냈다. 바론이 회장을 빠져나간 것을 확인하자마자 얼른 자리에서 일어났다.

"공녀님, 어디 가십니까?"

"잠시 찬바람 좀 쐬고 올게요. 머리가 아파서요."

"안녕하십니까, 공녀님. 저는 플로브 자작 가문을 이끄는……."

"정말 죄송해요. 자작님. 제가 좀 바빠서요. 이따 다시 인사드릴게요."

유리가 혼자 남자, 슬금슬금 그녀에게 접근하려는 귀족들이 생겼다. 유리는 그들이 다가오기 전에 얼른 회장을 빠져 나왔다. 겨우 얻게 된 자유의 시간을 흘려보내고 싶지 않았다.

"하아."

여름비가 온 직후인지라 밤하늘이 무척이나 맑았다. 늦여름 바람이 제법 서늘하기까지 했다. 정원에 나선 유리가 깊게 숨을 들이마셨다. 가슴 속 깊이 차오르는 청량감에 기분이 좋아졌다. 유리는 느리게 정원을 걸었다. 자박거리는 발걸음 소리에 풀벌레 소리가 섞여 들었다. 요 근래 늘 사람들에게 둘러싸여 있는지라 요즘은 이런 고요가 참 반가웠다. 가끔 그녀를 알아보고 먼저 인사를 건네는 사람들도 있었다. 전부 모르는 얼굴이었다. 느긋하게 걷던 유리가 고개를 갸웃했다. 길 가 나무의 배치가 유독 눈에 익었다.

"이곳은……."

유심히 주변을 살피던 유리가 낮은 탄성을 내질렀다. 이곳은 유리에게 너무도 익숙한 곳이었다.

'이 근처에서 처음 카사르를 만났었지.'

데뷔 날 카사르와 처음 마주한 것이 바로 이 즈음이었다. 저를 알아볼 뻔한 카사르의 모습에 얼마나 놀랐던지. 심장이 떨어지는 게 이런 것인가 싶었다. 그 뒤로 리사가 준 충격에 비하면 아무것도 아니었지만.

'그동안 정말 많은 일이 있었네.'

굉장히 오래 전 일인 것 같은데, 불과 두세 달 전이었다. 그 와중에도 몇 번이나 위태로운 고비를 넘겨야만 했었다.

'이젠 정말 끝이 얼마 남지 않았구나.'

처음이 너무 힘들었기에 끝도 더 고될 줄 알았다. 그런데 끝이 다가올수록 오히려 마음이 편했다. 모든 것은 그녀가 계획했던 대로 순조롭게 흘러가고 있었다. 바론은 그녀에게 푹 빠져 있었고, 황제는 그녀를 위한 무도회를 열었다. 그녀가 황자비가 되어 황실의 일원이 될 날도 얼마 남지 않았다.

'황제가 왜 그랬는지…… 알 수 있는 날이 올까.'

유리는 요즘 부쩍 황제에 대해 생각했다. 궁인들의 말대로 황제는 제 사람은 확실히 챙기는 이였다. 사생아 출신의 며느리에게 제대로 된 무도회를 열어주려는 것만 봐도 그러했다. 그랬던 사람이 제 부모에겐 왜 그리 잔인했을까. 시간이 지날수록 궁금해졌다.

유리는 물끄러미 새까만 밤하늘을 응시했다. 끝이 멀지 않았기 때문일까. 요즘엔 황제를 떠올려도 딱히 화가 나지 않았다. 어쩌면 황제의 병세를 직접 보았기 때문일지도 모른다. 병색이 완연한 그의 모습에 유리는 죽음의 냄새를 맡았다. 아비의 명줄이 얼마 남지 않았다는 바론의 악담은 허언이 아니었다.

"복수라…… 황제가, 곧 죽는다니……."

바론은 황제가 몇 달도 버티지 못할 거라고 했다. 그마저도 길게 본 것이라며 최대한 빨리 국혼을 하고 후사를 갖자고 했다. 황제가 죽기 전에 판을 뒤집을 방법은 그뿐이라는 말도 했다. 유리는 분명 황제의 죽음을 바랐다. 한데 막상 상대의 목숨이 얼마 남지 않았다는 것을 알자 마음이 묘했다. 유리가 굳이 복수의 칼날을 들이밀지 않아도 그는 곧 죽게 될 게 분명했다.

어느덧 원망이 자리하던 곳에 궁금증이 싹트기 시작했다. 대체 부모님을 배신한 이유가 무엇인지, 알고 싶었다. 황제가 죽게 되면 영영 그 이유를 알 수 없을 테니까. 하늘에 계신 부모님을 떠올리는 유리의 눈빛이 깊어졌다. 만일 황제의 행동에 타당한 이유가 있었다면, 그녀는 황제를 용서할 수 있을까. 카사르와, 함께 할 수 있을까. 유리가 고요히 젖은 시선을 떨구었다. 이제 와 이런 가정은 의미가 없다. 카사르와는, 완벽하게 끝났으니까. 카사르는 그녀의 장례식을 준비 중이고, 곧 태자비를 맞이할 예정이었다. 유리에게 어울리는 자리는 빈 관이지, 그의 옆자리가 아니었다.

"루한."

한참을 그리 생각에 잠겨 있을 때였다. 바로 건너편 풀숲에서 들리는 목소리에 유리가 놀라 고개를 들었다.

"아무래도 태온이 와야 할 것 같아."

목소리의 주인은 카사르였다. 유리는 그가 너무도 가까이 있었다는 것에 놀라 숨을 죽였다. 말의 내용도 놀라웠다. 태온이라니. 그의 증상을 전담하는 태온이, 왜 이곳에 와야 한다는 걸까?

"앞이 안 보이네."

그녀의 의문은 순식간에 해결되었다. 맙소사. 너무 놀란 유리가 하마터면 그 말을 입 밖으로 낼 뻔했다. 가까스로 입을 막는데, 낭패한 루한의 목소리가 들렸다.

"이를 어쩌지. 테온은 연회 참석을 안 했어."

"알아. 발티에르 궁까지 가야 할 거야."

"미치겠네. 정말. 하필 이럴 때. 연회 중이라 돌아다니는 사람도 많을 텐데."

"걱정하지 마. 근처엔 사람이 없을 테니까. 누가 오면 자고 있다고 둘러댈게."

카사르의 너스레에 유리의 안색이 하얗게 질려갔다. 그는 지금 빛 한 점 없는 어둠에 갇힌 터였다. 사람이 이토록 많은 연회장에서, 그의 증상이 시작되었단다. 혹시라도 증상이 들킬까 얼마나 두려울까. 그럼에도 여유로운 듯 농담을 건네는 모습에 가슴이 미어졌다.

"알겠어. 최대한 빨리 돌아올게."

풀 밟는 소리와 함께 인기척이 가까워졌다. 유리는 루한이 풀숲에서 나오기 직전 아슬아슬하게 몸을 숨겼다. 다급하게 연회장 쪽으로 가는 뒷모습을 보며 유리는 초조함에 입술을 깨물었다.

'이를 어쩌지.'

머리로는 이곳을 떠나야 한다는 걸 알았다. 오늘 연회는 그녀를 위한 것이고, 주인공이 오래 자리를 비워서는 안 되었다. 그러나 도저히 발이 떨어지지 않았다. 카사르를 홀로 어둠 속에 버려둘 수 없었던 것이다. 이도저도 못 하던 유리는 결국 제 자리에 멈추어 섰다. 그의 곁을 지키진 못 해도 최소한 루한이 올 때까진 이곳에 있을 셈이었다. 혹시라도 다른 사람이 이쪽으로 오면 카사르에게 알려주기 위해서였다.

"거기 누굽니까."

그때, 풀숲 안쪽에서 낮은 목소리가 들려왔다. 흠칫 놀란 유리가 숨조차 멈춘 채 우거진 덤불을 바라보았다. 유리가 대답을 못 하자 묵직한 침묵이 내려앉았다. 잠시 후 그가 물었다.

"루한? 벌써 온 거야? 루한?"

조금 떨리는 듯한 목소리엔 두려움이 선명했다. 유리가 낭패감에 입술을 깨물었다. 더 이상 입을 다물고 있을 수 없었다. 침묵이 계속될수록 그의 불안이 깊어질 게 분명했다.

"저예요."

결국, 유리는 그에게 자신을 밝히기로 했다.

"저예요. 리디아 프리우스."

치맛자락을 들어 올린 후 조심스레 덤불 안으로 들어갔다. 얇은 잎들이 바스락거리는 소리와 함께 긴장으로 뻣뻣하게 굳은 그의 얼굴이 보였다. 유리는 두려운 듯 제 허리 즈음을 응시하는 짙푸른 눈동자를 보며 입술을 달싹였다.

"놀라게 해서 죄송해요."

"하아."

그녀의 말이 끝나기가 무섭게 그가 참았던 숨을 내쉬며 질끈 눈을 감았다. 길게 움직이는 목울대 아래로 잡풀을 움켜쥔 주먹이 하얗게 질려 있었다. 그를 놀라게 한 게 무척이나 미안했다. 유리는 조심스레 그의 곁으로 다가가 무릎을 꿇었다.

"앞이 안 보이시는 거죠?"

"······다 들었군."

그는 민망한 듯 웃으며 나무에 머리를 기대었다. 떨리는 미소 아래로 뻣뻣한 긴장의 여운이 남아 있었다. 그 모습을 보는 유리의 코끝이 시큰해졌다. 홀로 어둠 속을 걷는 이 사람이 너무도 안쓰러웠다. 얼마나 무서울까. 그의 손을 잡고, 과거처럼 그를 달래 주고 싶었다.

—내가 곁에 있을 거예요. 약속해요. 절대로 당신을 떠나지 않아요.

희게 질린 주먹을 내려다보는 유리의 눈시울이 붉어졌다. 욕심을 이기지 못한 그녀의 손이 그의 손등 언저리까지 다가갔다. 결국엔 차마 닿지 못하고 주먹만 말아쥐었다.

"심장 떨어지는 줄 알았소."

"많이 놀라셨죠. 죄송해요. 조금 더 조심했어야 했는데."

"아니야. 괜찮소. 정말."

한결 여유로워진 그의 목소리와 함께 그의 주먹이 스르르 풀렸다. 그 덕에 살짝 손이 맞닿았다. 그 온기가 마치 불꽃처럼 뜨겁게 느껴졌다. 유리는 물끄러미 나란히 놓인 그와 자신의 손을 내려다보았다. 활활 타오르는 불꽃은 끝내, 거부할 수 없는 유혹이 되어 그녀의 마음을 훔쳤다.

"전하, 괜찮으시다면 손을 잡아 드릴까요?"

"손 말이오?"

"무섭지 않으세요?"

유리는 대답을 기다리지 않고 살며시 그의 손등을 덮었다. 그는 놀란 듯 미간을 움찔하더니, 이내 한결 편안해진 얼굴로 그녀를 향해 웃었다.

"정말 고맙소."

유리는 느리게 눈을 깜빡이며 그의 미소를 눈에 담았다. 푸른 눈동자가 슬쩍 그녀의 얼굴 쪽으로 향하는 것이 보였다. 비록 시선은 맞지 않았지만, 유리도 마주 미소를 지었다. 쉽게 오지 않는 기회였기에 모든 것이 다 소중했다.

쏴아아. 가벼운 바람과 함께 달콤한 꽃내음이 느껴졌다.

'천국이 이런 걸까.'

유리는 그리 생각하며 하염없이 그의 미소를 눈에 담았다. 맞닿은 체온에 몸이 아리도록 행복했다. 그 역시 편한 미소를 지으며 눈을 감았다.

'카사르.'

입모양만으로 그를 부른 유리가 떨리는 손을 들어올렸다. 제 손으로 그를 만지고, 그를 안고 싶었다. 그의 뺨을 감싼 채 입을 맞추고 싶었다.

'나예요. 카사르.'

차마 닿지 못한 마음이 떨리는 숨결에 섞여 공기 중에 흩어졌다. 애써 그의 얼굴 윤곽만 덧그리는데 그가 슬쩍 눈을 떴다. 무척이나 깊고, 아름다운 눈동자가 모습을 드러냈다. 그리고 그 순간, 나직한 부름이 들렸다.

"유리야."

깜짝 놀란 유리는 숨도 못 쉬고 그 동작 그대로 굳어 버렸다. 스치듯, 시선이 마주쳤다. 깊은 눈빛에 허공에 있는 손끝이 감전이라도 된 듯 떨렸다.

"유리야……."

그는 다시 한숨처럼 읊조렸다. 제 손을 감싼 유리의 손을 모아 쥐었다. 이내 몸을 숙여 그 위에 입을 맞추었다. 손등에 닿는 뜨거운 온기에 유리가 뒤늦게 정신을 차리고 잡힌 손을 빼려 했다. 그는 그녀의 손을 놓아주지 않은 채 고개를 들었다.

"유리라고 불러도 된다고 하지 않았소."

유리의 눈이 커졌다. 그가 빙긋 웃으며 말을 이었다.

"가끔만 유리가 되어 주기로, 그렇게 약속했잖소."

그 와중에도 그는 마치 보석처럼 유리의 손을 다루었다. 제 어깨 즈음에 머물러 있는 시선에 유리가 참았던 숨을 내쉬었다. 잔뜩 굳어 있던 어깨에서 스르르 힘이 풀렸다. 맞다, 그랬다. 그와 그런 약속을 했었다.

"죄송해요. 잠시 잊었어요."

"그럼 정말 괜찮은 거요?"

"네?"

"그대에게, 유리에게 할 말을 전해도 되는 거요?"

그리 묻는 그의 목소리가 무척이나 간절했다. 유리는 긴장의 여운이 가시지 않은 채로 고개를 끄덕였다.

"네. 괜찮아요."

"그럼, 그대를 안아 봐도 되겠소?"

그의 목소리가 한층 낮아졌다. 유리는 기다렸다는 듯 겹치는 추억에 굳어 버렸다.

─유리야, 너를 안아 봐도 될까. 알고 싶어. 네가 어떤 사람이지.

밀려오는 아찔함에 유리가 할 말을 잃고 입술을 달싹였다. 무슨 대답을, 어찌해야 하나. 그는 대답을 기다리지 않고 그녀의 어깨를 감쌌다. 단단한 온기에 유리가 치밀어 오르는 것을 참으며 그의 가슴에 얼굴을 묻었다. 훅, 끼쳐오는 익숙한 체향에 심장이 둔중하게 울렸다.

"유리야."

한층 깊어진 부름에 유리가 질끈 눈을 감았다. 가느다란 몸을 감싼 팔에 힘이 들어가는 것이 느껴졌다. 꼭 그녀를 제 품 안에 묻어 버리려는 양 절박한 포옹이었다. 유리 역시 같은 마음이었다. 아무리 닿아도 부족하여 이대로 그의 품속에 녹아 버리고 싶었다. 유리는 온 힘을 다해 고른 숨을 내쉬기 위해 애썼다. 너무 설레서, 행복해서, 아파서, 제대로 숨을 쉬는 것이 어려웠다.

"사랑한다, 유리야, 모든 걸 다 주고 싶을 정도로."

그 달콤한 고백과 함께 그가 그녀의 얼굴을 감쌌다. 마치 깃털을 쥐듯 섬세한 손길이었다.

유리는 차마 그를 마주하지 못하고 시선을 떨구었다. 그의 눈을 다시 보면 눈물을 참지 못할 것 같았다. 깨물린 입술이 하얗게 질려 갔다. 그 모습을 바라보는 그의 눈빛이 낮게 가라앉았다. 앞을 볼 수 없다던 그의 시선은 너무도 정확하게 그녀에게 향해 있었다.

"사랑한다."

그는 온 마음을 다하여 제 진심을 고백했다. 내리간 녹안에 금세 맑은 눈물이 고이는 것이 보였다. 그는 궁금했다. 그 눈물이, 과연 저를 향한 애정 때문인 걸까. 아니면 지나간 연인을 향한 미안함 때문인 걸까. 어느 쪽이든 상관없었다. 지금 이 순간 이 여자와 함께한다는 것으로 충분했다. 그가 조심스레 고개를 숙여 그녀의 이마에 입술을 대었다. 마치 여신을 대하듯 숭고하기까지 한 입맞춤이었다. 유리는 어깨를 움찔했지만 그를 밀어내지는 않았다. 약속을 지키기 위해 노력하는 모습이 너무도 사랑스러워, 그는 그녀를 속이는 중이라는 것도 잊고 슬쩍 입매를 올렸다.

"고맙소."

잠시 후 그가 입술을 떼어 내며 말했다. 이마를 간질이는 숨결에 유리가 살짝 몸을 떨었다. 멀어지는 체온에 마법이 깨진 듯한 상실감에 밀려왔다. 끝내 그녀의 눈에 눈물이 차올랐다. 유리는 고개를 숙인 채 고요히 땅 위로 눈물을 떨구었다. 그 모습을 물끄러미 바라보던 그가 나직하게 물었다.

"혹시 우는 겁니까?"

"……아니에요."

유리는 가까스로 떨리는 목소리를 내었다. 그 와중에도 애달픈 눈물은 또 한 번 땅을 적셨다. 몸이, 마음이 너무 아팠다. 더 이상 이곳에 있어서는 안 될 것 같단 생각이 들었다. 한 번만 더 그와 닿았다간 참고 있던 모든 것들을 놓아 버릴 듯싶었다. 그럼에도 유리는 자리에서 일어날 수 없었다. 손 하나 까딱하지 못한 채 몰아치는 것을 버티는 것도 힘겨웠다.

"그대에게 잠시 보여 줄 것이 있소."

그런 유리는 물끄러미 보던 그가 제 손을 내밀었다. 굳은살 박인 손바닥 한가운데를 가로지르는 긴 흉이 있었다. 그녀에게도 익숙한 상처에, 유리가 입술을 깨물었다.

"이 상처, 보입니까? 유리가 남겨준 유일한 선물이오."

그는 나직하게 지난 과거를 풀어 놓았다.

"유리와 만나고 하루가 지났을 때였소. 함께 살자는 제안을 받아들이긴 했지만 그때까진 그 여자를 믿지 못했었지. 유리가 내 물건을 사야 한다고 마을로 내려간다며 집을 비웠소. 텅 빈 집 안에서 혼자 온갖 생각을 하다 보니 두려움은 극에 달했지."

눈이 보이지 않으니 이성이 완전히 망가졌다. 암흑 속에서 그는 자신의 숨소리만 들으며 순식간에 공포를 키워갔다. 혹시라도 그녀가 저를 고발하는 것은 아닐까, 바론의 수하들과 돌아오는 것은 아닐까, 물건을 산다는 것도 저를 방심시키기 위한 계책은 아닐까 그리 의심했었다.

"결국 못 견디고 그 집을 뛰쳐나왔지. 몇 번이나 땅에 처박히다 보니 어느샌가 손은 이 지경이 되었소. 앞을 못 보니 간단한 상처 치료도 불가능했고."

태어나 처음 겪는 무력감이었다. 끔찍했다. 탈출구가 없는 지옥속에 빠진 것 같아 숨이 막혔다.

"차라리 이대로 죽어 버리겠다고 발악을 하는데 누가 날 와락 끌어안았소."

저를 끌어안고 엉엉 울던 유리를 기억한다. 그 따뜻한 눈물이 제손등을 적시던 순간, 갈 곳 잃고 날뛰던 마음이 순식간에 순한 양처럼 가라앉았다.

—미안해요, 카사르. 윽. 내가 빨리 돌아왔어야 했는데. 당신을
혼자 두는 게 아니었는데.

낯선 여자에게 안긴 채 그는 홀린 듯 그녀의 울먹임을 들었다. 그
의 상처를 제것처럼 아파하는 모습에 분노가 사라지고 다른 감정이
그 자리를 채웠다. 유리가 처음으로 그의 마음에 스민 순간이었다.
집을 나올 때와는 달리, 그는 그녀의 부축을 받고 얌전히 돌아왔다.
찢어진 상처의 아픔보다도 그를 부축한 온기가 더욱 신경 쓰였다.

—많이 아파요? 미안해요. 흑. 정말 미안해요.

상처를 치료받는 내내 눈물 참는 소리가 들렸다. 그에겐 그 소리
가 마치 아름다운 음악처럼 들렸다. 아프냐는 물음에 그는 고개를
저으며 말했다.

—아프지 않아. 괜찮아. 정말 괜찮아.

그리고 사실은 그렇게 말하고 싶었다. 당신 목소리, 정말 사랑스
러워. 그래서 더 알고 싶어. 당신을 내게 알려 주었으면 좋겠어.

그렇게 그날의 기억은 그에게 또 한 번 빛나는 보석이 되었다.

"유리가 내게 그러더군. 소중한 것을 모두 잃었기 때문에, 나만
은 반드시 지키고 싶다고."

그는 아직도 궁금했다. 유리가 잃은 소중한 것이 대체 무엇이었
는지. 지금은 대체 무엇이 눈앞의 여자를 울리고 있는지도, 전부다.

그가 풀어 놓는 옛 기억에 유리의 뺨이 소리 없이 젖어들어 갔다.
그의 눈빛이 깊어졌다. 그날도 분명 저리 눈물을 흘렸을 것이다.

"다들 이 흉터를 지우라 말했지. 황태자 손에 있기엔 너무 흉한
상처라고. 얼마든지 희미하게 만들 수 있을 거라고. 다 무시했소.
지울 수가 없었지. 이건 그 여자 흔적이니까. 그 여자를 추억할 수
있는 유일한 수단이니까."

"전하."

그때, 유리가 그의 말을 자르며 고개를 돌렸다. 눈물 젖은 옆얼굴이 하얗게 질려 있었다.

"저, 이만 가볼게요."

그는 가까스로 탄식을 삼켰다. 하고 싶은 말이 많건만, 더 밀어붙일 수가 없었다. 그는 아쉬움을 뒤로한 채 한 걸음 물러섰다.

"미안하오. 내가 너무 말이 길었군."

"아니에요. 시간이 많이 늦어서요. 이젠 가 봐야 할 거 같아요."

자신이 너무 성급했던 것은 아닐까. 서둘러 떠나려는 그녀의 모습에 그런 마음이 들었다. 한편으론 조금 원망스럽기도 했다. 대체 무슨 급한 일이 있기에 이 소중한 시간을 이리 쉽게 흘려보내는 걸까.

'아직 시간은 많아. 일단 참자.'

그는 그녀를 붙잡으려는 손을 억지로 말아 쥐었다. 발갛게 달아오른 녹안이 제게로 향하는 것이 느껴졌다. 그는 앞이 보이지 않는 척, 비스듬히 시선을 기울였다. 그러면서도 그녀에게 닿지 못한 시선이 너무도 애탔다. 오늘은 여기까지만 하자. 그가 가까스로 제 자신을 다스릴 때였다.

"전하."

자리에서 일어나려던 유리가 다시 그의 곁에 앉았다.

"머리에 뭐가 묻었어요."

나직한 속삭임과 함께 유리가 그의 머리 쪽으로 손을 뻗었다.

그녀의 쇄골 즈음에 머물러 있던 그의 시선이 슬쩍 올라갔다. 흰 목덜미가 보이자 그의 목울대가 길게 움직였다.

"나뭇잎인가 봐요."

그의 머리칼을 슬쩍 매만지던 유리가 그를 내려다보았다. 그녀 역시 하고 싶은 말이 너무 많았다. 그 욕심을 더는 참고 싶지가 않았다. 유리는 두 팔에 그의 머리를 가둔 채 천천히 몸을 숙였다. 불쑥 가까워지는 유리의 모습에 그의 어깨가 딱딱하게 굳었다. 유리가 그와 눈높이를 마주한 것이 보였다. 그는 최대한 자연스럽게 시선을 떨군 채 느린 숨을 내쉬었다. 들숨에 훅 그녀의 향이 느껴졌다. 심장이 터질 것만 같았다. 그리고, 유리가 비스듬히 고개를 기울였다. 그녀가 점점 가까워졌다. 전혀 예상치 못한 상황에 그는 완전히 얼어붙었다. 슬쩍, 떨리는 시선을 들어올렸다. 바로 앞으로 다가온 붉은 입술에 마른침을 삼켰다. 그녀와의 거리가 불과 손가락 한마디 정도였다. 그는 초인적인 힘으로 시선을 옮겼다. 그러면서도 입술을 간질이는 숨결에 인내의 끝을 느꼈다. 마른 장작에 불이 붙은 양 속이 활활 탔다.

유리는 입술이 닿을 듯 말 듯 한 상태로 그를 보기만 했다. 이 상태가 조금만 계속되면 어쩔 수 없이 이 여잘 안아 버릴 것이다. 그는 저도 모르게 그녀를 끌어안기 위해 손을 들어올렸다. 그의 손이 가느다란 허리를 휘감기 직전, 그녀가 속삭였다.

"사랑해요."

그리고 그는 그 상태로 굳어 버렸다. 도저히 제 눈을 믿을 수가 없었다. 유리가, 그를 향해, 사랑한다 말했다. 바론이 아니라, 바로 그를. 설마 헛것을 본 것인가 싶어 붉은 입술만 뚫어져라 바라보는데 유리가 훅 멀어졌다. 그는 황급히 제 손을 거두어들였다. 찬물을 뒤집어 쓴 듯 정신이 얼떨떨했다.

유리는 방금의 고백이 거짓인 양, 무척이나 차분한 음색으로 다른 사내의 이름을 입에 담았다.

"바론 전하가 찾으셔서요. 저는 이만 가 볼게요. 전하."

*

"리디아, 어디 갔었어. 한참 찾았잖아!"

회장으로 돌아오자마자 거친 손이 그녀를 잡아끌었다. 사납게 일렁이는 남색 눈에 유리가 살짝 미간을 찌푸렸다. 그에게 잡힌 팔이 무척이나 아팠다. 유리는 애써 불편한 티를 내지 않으며 바론을 보았다. 불과 몇십 분 전까지만 하더라도 헤실거리기 바빴던 그가 지금은 무척이나 화가 나 보였다.

"잠깐 산책 좀 했어요. 무슨 일 있었어요?"

"산책이고 뭐고, 이곳에, 후, 있으랬잖아!"

바론이 이를 으득 갈며 그녀를 끌어안았다. 씨근덕거리는 숨소리를 들으며 그녀가 옅은 한숨을 내쉬었다.

'그 사람 흔적이 참 쉽게도 지워지는구나.'

살짝 젖은 시선이 힐끔 회장 입구 쪽으로 향했다. 당연하게도 카사르는 보이지 않았다.

'……다행이다. 그 사람이 지금 여기 없어서.'

유리는 진심으로 그의 증상이 고마웠다. 지금만큼은 바론과 함께 있는 모습을 보여 주고 싶지 않았다.

"미안해요. 무슨 일이에요. 안 좋은 일 있었던 거죠?"

유리는 바론의 머리를 쓰다듬으며 그를 달랬다. 저를 안고 있는 것이 그 사람이라면 참 좋겠다는 헛된 소망과 함께였다.

"빌어먹을. 다, 꼴 보기 싫어. 내게 이래라 저래라 난리들이야. 자기들이 뭐라도 되는 줄 알지!"

이를 갈며 으르렁거리던 바론이 종래엔 악을 썼다. 연회장엔 삽시간에 묵직한 침묵이 썰물처럼 퍼져나갔다. 유리는 그런 반응이 보이지 않는다는 듯 그의 등을 토닥였다. 바론이 변덕을 달래는 것 따위, 그녀에겐 예삿일도 아니었다.

"어서 말해 봐요. 들어 줄게요."

"황후만 지랄인 게 아니었어."

"그럼요?"

"황제가…… 빌어먹을 그 늙은이가! 너에 대해서 물었어. 너를 어디서 만났냐고! 네 과거에 대해서 아는 게 있느냐고! 제기랄! 그 딴 게 왜 중요한다는 거야!"

그가 화를 낼 때마다 훅, 짙은 술 냄새가 풍겨왔다. 남색의 눈동자엔 맹렬한 적의가 번뜩였다. 유리는 물끄러미 취기에 달아 오른 그의 얼굴을 올려다보았다. 이내 달래듯 그의 눈썹을 덧그렸다. 이 손에 닿는 것이, 카사르이기를 또 한 번 소망했다.

"황제 폐하께서요? 왜요?"

그리 묻는 유리의 목소리가 무척이나 달콤했다.

"널 트집 잡으려는 거겠지! 이제 와, 네가 마음에 들지 않겠다는 말을 하려고! 그럴 거였으면 연회는 왜 열어. 희망은, 후, 왜 주는 건데. 나를 병신 취급 하겠다, 이거냐고. 어?"

바론의 성난 으르렁거림에 유리의 눈이 조금 커졌다.

"폐하께서 저를 왜……. 바론?"

"이젠 못 참아."

그녀의 놀람은 오래가지 않았다. 바론이 거칠게 그녀의 허리를 끌어안은 것이다. 다른 손으론 그녀의 뺨을 감싼 채였다. 그녀를 내려다보는 남색의 눈동자엔 짙은 소유욕으로 가득 차 있었다.

"절대로 참지 않을 거야."

곧 다가올 일을 예감한 유리가 허탈한 웃음을 삼켰다. 그래, 이럴 줄 알았다. 사랑하는 이에겐 차마 닿지도 못한 입술을, 원수에게 참으로 쉽게 빼앗겼다.

"지금 당장, 모두에게 보여 줄 거야. 네가 내 여자라는걸."

사납게 속삭이던 그가 그녀를 향해 고개를 숙였다. 유리는 화살처럼 쏟아지는 주위의 시선을 느끼며 눈을 감았다. 입술이 닿는 순간, 가슴에 뻥 구멍이 뚫린 듯한 허전함이 밀려왔다. 카사르가 이곳에 없는 것이 감사하면서도 슬펐다. 거친 입맞춤은 그녀의 호흡이 다 하고 나서야 겨우 끝이 났다. 유리가 가슴을 들썩이며 바론을 올려다보았다. 광기가 일렁이는 그의 시선이 어딘가로 향해 있었다.

"그 누구도 이 결혼을 막을 순 없어. 그게 설령 황제라도 말이지."

이내 다시 한번 바론이 입술을 겹쳤다. 시위라도 하듯 맹렬한 입맞춤이었다. 아스라이 환호성 소리가 들려왔다. 내 마음은 지옥인데 저들은 무에 그리 즐거운 걸까. 얌전히 그의 입술을 받아들이던 유리의 눈꼬리에 눈물이 맺혔다. 그리고 그 눈물을, 카사르가 보고 있었다.

*

"참 신기하네요. 바론 전하가 여인을 저리 아끼시다니 말이에요."

"이번엔 황후 마마도 좀 힘드시겠어. 황자 전하 고집 꺾기가 쉽지 않겠는 걸."

"어쨌든 어울리기는 합니다."

"공개 입맞춤이라니, 쉽게 보기 힘든 일이긴 하죠."

사람들의 웅성거림이 마치 천둥소리 같았다. 카사르는 제자리에 못 박힌 채 유리를 보기만 했다. 방금까지 그에게 사랑한다 말했던 여자가, 지금은 다른 사내와 입을 맞추고 있다.

—사랑해요.

그 고백의 충격에 한동안 움직일 수조차 없었다. 유리가 바론이 아니라, 나를 사랑한다고? 정말 그렇다고? 다시 물어야 했다. 확인해야 했다.

—바론 전하가 찾으셔서요. 저는 이만 가 볼게요. 전하.

그리고 그 순간, 유리가 바론에게 가야 한다 말했다. 그 말이 그에겐 더 충격이었다. 사랑을 고백하자마자 다른 사내에게 간다는 여잘 도저히 이해할 수 없었다. 한참이나 멍하니 유리가 사라진 덤불만 바라보았다. 그 와중에도 속은 몇 번이고 뒤집혔다.

당장 뒤쫓아가야 한다, 아니, 참아야 한다. 그녀는 자신이 앞을 보지 못하는 줄 안다. 그러니 참아야, 아니, 따져야, 나를 사랑한다 했으니까, 내게 입 맞추려 했으니까. 아니, 그저 유리를 한 번 만 더 안아 보고 싶었다. 그런데 아스라이 사람들의 환호성 소리가 들렸다. 그와 동시에 바론이 고개를 들었다. 카사르가 볼 수 있는 건 유리의 뒷모습뿐이었다. 뒤틀리는 속에 그의 입매가 일그러졌다.

—유리야, 사랑한다.

오랜만에 전한 고백에 얼마나 심장이 떨렸는지 모른다. 그녀에게 처음 입 맞추던 그날처럼 무척이나 설레었다. 그리고 몇 분도 채 지나지 않아 저 꼴을 보았다. 순식간에 천국에서 지옥으로 내동댕이쳐진 듯 정신이 얼얼했다. 짙푸른 눈동자엔 고통이 어렸다. 사랑한다는 말은 거짓이었나. 또, 같잖은 희망을 보여 준 뒤 지옥으로 밀어넣으려 하나. 너는 대체 내가 무엇을 잘못 했다고 이리 잔인한가. 기쁨이 컸던 만큼 속이 끓어 견딜 수가 없었다. 그가 성큼 두 사람 쪽으로 걸음을 옮겼다. 이제 더 이상은, 참을 수가 없었다. 그리고 그때, 뭔가를 본 그의 눈이 커졌다.

'뭐지? 저게, 대체 어떻게 된 거지?'

바론이 다시 고개를 숙이며 또 한 번 입술을 겹쳤다. 카사르는 황급히 인파 주위를 빙 돌아 반대쪽으로 향했다. 사람의 벽 사이로 두 사람이 입을 맞추고 있는 모습이 빠르게 지나갔다. 이전에도 여러 번 본 적이 있는 모습이었다. 입맞춤이 끝나면 유리는 늘 세상에서 가장 행복하다는 듯 웃었다. 하여 다른 생각을 한 적이 없었다. 유리가 사랑하지도 않는 사내와 함께하고 있을 거란 생각은……. 유리의 얼굴이 보이는 자리에 다다랐을 때, 그의 걸음이 점점 느려졌다. 온 시야에 유리뿐인 듯 그는 그 여자를 담았다.

그리고 그 순간, 그는 그녀의 눈물을 보았다. 살짝 일그러진 미간 아래로 눈물 젖은 속눈썹이 반짝였다. 긴 입맞춤이 이어지는 동안 그는 눈 하나 깜빡하지 못했다. 바론이 고개를 드는 순간, 방금의 눈물이 거짓인 양 그녀의 얼굴에 환한 미소가 어렸다. 그는 거세게 박동하는 심장 소리를 들으며 떨리는 시선을 내렸다. 유리의 치맛자락을 쥔 손은 여전히 희게 질려 있었다. 그는 황급히 다시 유리의 얼굴을 보았다. 그녀는 여전히 웃었다. 그 미소 아래로 아주 괴로운 무언가를 참는 기색이 역력했다. 벼락 같은 깨달음에, 그는 숨조차 쉴 수 없었다.

유리는, 바론을 사랑하지 않았다.

*

유리는 물끄러미 창밖을 내려다보았다. 불과 몇 시간 전까지만 하더라도 화려한 연회가 열렸던 게 무색하게 수도는 여전히 고요했다. 짙은 어둠이 물러가고 푸르스름한 여명이 익숙한 풍광 위로 퍼져나갔다. 낮게 가라앉은 녹안이 불 꺼진 황궁 언저리를 맴돌았다. 애달팠던 연회의 여운이 아직도 가슴에 생생했다.

어제 연회에서 바론은 평소보다 훨씬 거칠게 행동했다. 그가 무척이나 화가 났다는 증거였다. 지나가는 사람에게 시비를 걸고 고함을 쳤다. 이내 유리를 붙잡고 제 부모 욕을 퍼부었다. 말이 붙잡은 거지, 기실 매달리는 꼴에 가까웠다. 그를 달래보려 했지만 혼자 힘으로는 역부족이었다. 결국 곁방으로 이동해 극으로 그가 만취해 쓰러질 때까지 기다리고 나서야 상황은 끝났다.

그 와중에도 유리의 신경은 온통 카사르에게 쏠려 있었다. 바론의 화를 받아주면서도 틈만 나면 그가 돌아왔는지 확인했다. 치료는 잘 끝났는지, 앞은 잘 보이는지 궁금했다. 그가 돌아오지 않는 시간이 길어지자 혹시라도 지나가는 이에게 중상이 발각된 것은 아닐까 걱정이 되기도 했다. 금방이라도 뛰쳐나가 그가 있던 곳으로 돌아가고 싶었다. 한편으론 그가 보고 싶기도 했다. 그의 따뜻한 체온이, 너른 품이, 저를 향하던 미소가 사무치게 그리웠다. 왜 그리 빨리 그곳을 떠나야 했을까. 유리는 짧은 시간에도 수도 없이 자책했다. 조금만 더 그의 곁에 있을 걸. 사랑한다는 말을, 조금만 더 많이 해 줄걸. 그 아쉬움이 너무 커 황제가 자신에게 묘한 관심을 보였다는 건 신경 쓸 여유가 없었다.

다행히 카사르는 연회 중간에 회장으로 돌아왔다. 유리는 가까스로 환한 미소를 참았다. 다시 본 그의 미소가 기쁘면서도 안타까웠다. 그가 너무 멀리 있었던 것이다. 연회장에 돌아온 그는 사람들과 외따로 떨어진 채 유리 쪽은 쳐다보지도 않았다. 미소 한 번 보는 것이 왜 이리 어려 울까. 틈틈이 그를 훔쳐보는 와중에도 애가 타들어갔다. 그러다 어느 순간, 바론은 안중에도 없이 카사르만 쫓게 되었다.

—리디아. 대체 어디에 그렇게 정신이 팔려 있는 거야.

그러던 중 사나운 으르렁거림을 듣고 나서야 정신을 차렸다. 얼른 웃으며 바론을 달래면서도 그 순간만큼은 심장이 철렁 내려앉았다. 설마, 이자가 제 마음을 눈치챈 것인가 싶었던 것이다.

—이 와중에 나 말고 다른 인간들에게 눈이 가? 어?

물론 그렇지는 않았다. 단지 제게 집중하지 않는 게 마음에 들지 않을 뿐이었다.

다시 헌신적인 약혼녀 노릇을 하면서도 슬슬 불안해지기 시작했다. 평소보다도 훨씬 격렬하게 그를 그리는 제 마음이 당황스러웠던 것이다. 내가 대체 왜 이러는 걸까. 오늘따라 그를 향한 열망을 감추기가 힘들었다. 아니 사실 오늘이 아니라, 늘 그랬다. 다만 온 힘을 다해 눌러두었을 뿐. 그러다 그의 품에 안겨 사랑한다는 말을 듣고 나니 누르고 있던 것이 터졌다. 다시 열심히 누르려 했지만 소용이 없었다. 유리는 제 통제를 벗어난 마음이 점점 무서워지기 시작했다. 이러다 제가 제 마음에 굴복해 버리고 말 것 같아 두려움이 밀려들었다. 그 뒤론 연회 내내 가시방석이었다. 한 번만 더 카사르의 얼굴을 보았다간 큰일 나겠다는 생각에 그쪽은 쳐다보지도 못했다.

등 뒤론 땀이 배어 나왔다. 연회장의 공기가 너무도 숨 막혔다. 빨리 이곳을 벗어나고만 싶었다. 이런 상태는, 받아들일 수가 없었다. 그와 자신은 절대 이루어질 수 없고, 이루어져서도 안 되니, 욕심내서도 안 되었다. 연회가 끝난 후 무슨 정신으로 저택에 돌아왔는지 모르겠다. 텅 빈 방 안에서 몇 시간이고 혼자 마음을 가다듬었다. 모든 일이 잘 흘러가고 있다고 여겼는데 아닐 수도 있단 생각이 들기 시작했다. 가장 큰 변수는 카사르도, 바론도, 황제도 아닌 그녀 자신이었다. 자신이 오래 버틸 수 없을지도 모른단 생각이 들자 어떻게든 이 문제를 빨리 마무리짓고자 펜을 들었다.

―나야. 부탁이 있어서 이렇게 편지를 써. 네가 준 독을 잃어버렸어. 독을 다시 보내 줄 수 있을까? 이전처럼, 내 것도 잊지 말고 보내 줘. 지금도 내 선택은 달라지지 않았으니까…… 어려운 부탁 해서 미안하고, 고마워.

유리는 지친 얼굴로 자신이 방금 쓴 편지를 내려다보았다. 그녀가 그를 향한 마음에서 가장 빨리 벗어나는 방법은 복수를 완수하는 것이다. 그러기 위해서는 잃어버린 독을 다시 마련해야만 했다.

유리가 바론과 떠나기 전, 리디아는 자신의 도움이 필요하면 언제든 연락하라며 신신당부를 했다. 물론 유리는 그 말을 들을 생각이 없었다. 만에 하나 제 정체가 밝혀졌다간 자신과 연락이 닿은 이들이 모두 화를 입을 수 있기 때문이었다.

독을 잃어버린 후, 유리는 처음으로 그 결심을 깨야 하나 고민을 했다. 어떻게든 저 혼자 문제를 해결해 보려 했지만 쉽지 않았던 것이다. 황자의 약혼녀이기에 보는 눈이 너무 많았다. 황실의 인정을 코앞에 둔 상황이었기에 행동이 더욱 조심스러워졌다. 자칫 잘못했다간 이 모든 일이 수포로 돌아갈 수 있었다. 하여 유리는 약혼이 확정될 때까지 기다리기로 했다. 예식만 지나고 나면 운신의 폭이 조금은 넓어질 것 같았기 때문이었다.하지만 결국 오늘, 그 결심을 깼다.

─이전처럼, 내 것도 잊지 말고 보내 줘. 지금도 내 선택은 달라지지 않았으니까

제가 쓴 문구를 내려다보며 유리는 생각에 잠겼다. 리디아는 늘 그녀의 죽음을 반대했다. 그렇게 죽고 싶으면 죽어도 되니까 일단 복수는 하라며 등을 떠밀었지만……. 사실 그녀가 살길 바란다는 걸 유리도 잘 알았다. 독을 줄 때도, 유리의 것은 자꾸만 주지 않으려 하는 걸 독이 아니어도 죽을 방법은 많다고 반쯤 협박을 하여 받아왔다.

'리디아가 과연 이번에도 나를 도울까.'

유리가 심란한 한숨을 내 쉬며 두 손을 모았다. 기도하듯 깍지를 낀 채 어떻게 하면 리디아를 설득할 수 있을지 고민했다. 그때, 소

리도 없이 문이 열리며 지나가 모습을 드러냈다.

"어, 벌써 일어나셨어요?"

들어온 지나도, 방 안에 있던 유리도 모두 놀랐다. 하인이 잠든 주인의 방에 들어오기엔 너무도 이른 새벽이었던 것이다. 지나는 그녀가 깨어 있을 거라곤 생각도 안 했는지 어물거리다 손에 든 쟁반을 내밀어 보였다.

"아침에 드실 자리끼를 가져왔어요."

"아, 그랬니."

"지금 놓고 갈게요, 공녀님."

"그래. 고맙구나."

유리는 아무렇지 않은 듯 웃으며 편지를 뒤집었다. 지나가 침대 옆 서랍장에 쟁반을 내려 두었다. 소녀의 시선이 힐끔, 책상 위 빈 종이에 맺혔다.

"뭘 쓰시는 거예요?"

"응?"

"종이요. 누구에게 편지라도 쓰세요?"

유리는 부드럽게 웃으며 고개를 저었다.

"아니. 엘레나 언니에게 보낼 편지를 쓰려 했는데, 안 되겠네. 나중에 써야겠다. 너무 피곤하구나."

유리는 부드럽게 웃으며 빈 종이를 접어 한쪽에 밀어 두었다. 소녀의 시선이 잉크가 마르지 않은 펜촉에 맺혔다.

"이른 새벽인데, 벌써 일어났구나. 피곤하겠다."

"아니에요. 제가 당연히 해야 할 일인걸요. 그럼, 어서 쉬세요. 오늘은 좀 늦게 깨워 드릴게요."

"그래. 고마워."

지나가 나간 후 유리는 밀어두었던 편지를 반으로 접었다. 봉투에는 넣었지만 밀봉을 하지는 않았다. 아무래도 리디아를 설득할 말을 조금 더 생각해 봐야 할 것 같았다. 편지는 서랍장 가장 깊은 곳에 넣어 두었다. 작정하지 않고는 절대 찾을 수 없는 곳이었다. 정리를 끝낸 유리가 물끄러미 동이 터 오는 창밖을 바라보았다. 밤을 샜더니 새삼 피로가 몰려왔다. 각성상태가 왔는지, 잠은 오지 않았다. 뜨거운 물에 잠시라도 몸을 담그면 조금 나아질 것 같았다. 그리고 목욕을 마치고 돌아왔을 때, 그녀는 자신이 꿈을 꾸는 줄 알았다. 유리는 멍하니 편지를 든 지나를 바라보았다. 이게 어떻게 된 일일까? 지나가 왜, 제 방을 뒤진 걸까?

"고, 공녀님."

"⋯⋯이게 무슨 짓이니!"

지나는 반쯤 넋이 나가 유리를 보았다. 그녀의 손에 들려 있던 청소 도구가 바닥으로 툭 떨어졌다. 어처구니가 없었다. 청소를 하려고 서랍을 뒤졌다고? 그게 말이 되나?

"도, 독이라니."

폭풍처럼 몰아치던 질문은 떨리는 목소리를 들은 순간 뚝 끊어졌다. 머릿속이 텅 빈 듯했다. 유리는 얼어붙은 눈으로 지나의 손에 들린 편지를 응시했다. 가까스로 다가가 그녀의 손에 들린 편지를 빼앗았다.

"공녀님!"

유리는 빼앗은 편지를 얼른 벽난로에 집어 던졌다. 활활 타오르는 불길이 편지를 날름 삼키는 모습을 보며 유리가 이를 악물었다.

지나가 왜 서랍을 뒤진 걸까. 어째서 그런 짓을 했을까. 대체 무엇을 찾기 위해 그랬을까. 아니, 이제 이유 따윈 중요하지 않았다. 어떻게든 엎질러진 물을 되돌릴 방법을 찾아야 했다.

"대체, 왜 독을⋯⋯."

"아무것도 아니야."

유리는 부드럽게 웃으며 고개를 돌렸다. 침착해야 했다. 그래야만 어떻게든, 상황을 수습할 수 있었다.

"수도에 올 때, 호신용으로 독을 준비했었어. 아무래도 날 노리는 사람들이 많으니까. 돌아가신 오라버니도 날 미워하셨잖니. 그런데 그걸 잃어버렸지 뭐야. 내가 직접 독을 구하러 다니긴 모양새가 좀 그렇더구나. 그래서 고향 친구에게 부탁을 했어. 그런데 이제는 뭐, 다 지난 일이야. 폐하께서 인정한 날 누가 해치려 하겠니?'

급조된 변명치고는 그럴듯했다. 귀족 영애 중엔 실제로 호신용 단검을 지닌 이들이 꽤 되었다. 미하엘의 위협을 받던 리디아가 독을 준비한 것도 있을법한 일이었다. 유리는 여유롭게 입매를 끌어올렸다. 진심을 숨기는 데 워낙 익숙했기에 가능한 일이었다. 문제는 지나가 유리의 변명을 전혀 믿는 얼굴이 아니라는 것이었다. 소녀의 침묵이 무척이나 불길했다. 유리는 치밀어 오르는 불안을 누르며 생각했다.

저 아이가 누군가에게 말해도 상관없어. 편지는 다 사라졌잖아. 무조건 잡아떼면 그만이야. 그리 생각하니 나름 침착을 찾을 수 있었다. 그때, 안색이 하얗게 질린 채 유리를 보던 지나가 말했다.

"……공녀님. 죽여야 할 사람이 있으신 거죠?"

"무슨 소리니, 이미 다 지난 일이라니까 왜……."

"그자를 죽이고, 공녀님께서도 죽을 생각하신 거죠?"

움켜쥔 주먹에 힘이 들어갔다. 유리는 가까스로 미소를 유지했다. 충격에 입술이 다 떨렸다. 지나는 그런 유리를 물끄러미 바라보다 속삭였다.

"제가 도와드릴까요?"

"뭐?"

"제가 독을 구할 수 있어요. 제가 도와드릴게요."

지나가 저런 얼굴로 말할 수 있는 아이였던가. 다갈색 눈동자에 어린 집념에 유리가 움찔했다. 소녀는 유리가 대답하기도 전에 다가와 무릎을 꿇곤 치맛자락을 움켜쥐었다.

"저, 독 만들 수 있어요. 어릴 적에 부모님께서 약방을 하셨어요. 어깨너머로 많은 약을 배웠어요. 사람을 살리는 것도, 죽이는 것도 모두 할 수 있어요. 공녀님께서 바라시는 독, 제가 만들어드릴게요."

"나, 나는……."

유리가 당황하여 입술을 달싹였다. 머리로는 이 아이를 밀어내야 한다는 걸 알면서도 그럴 수가 없었다. 그만큼 지나의 제안은 유혹적이었다. 유리는 필사적으로 그 유혹을 떨쳤다. 제 비밀은 그 누구에게도 밝혀선 안 될 것이었다. 아무리 충성스러운 지나라 하여도 예외는 아니었다.

"지나야, 그건 다 오해……."

"공녀님, 제발요! 공녀님은 절대 죽으시면 안 된다고요!"

그때, 지나가 왈칵 눈물을 터트리며 유리에게 매달렸다. 상대의 격렬한 감정에 유리는 완전히 페이스를 잃었다.

"공녀님께선 절 살려주셨잖아요! 그러니 절대로 죽으시면 안 된단 말이에요!"

눈물 젖은 다갈색 눈동자가 간절히 그녀를 올려다보았다. 그 절박함에 홀린 듯, 그녀는 눈을 뗄 수가 없었다.

"제가 도와드릴게요. 제가 은혜를 갚을 수 있게 허락해 주세요."

*

'빨리 가라, 빨리!'

전서구가 힘찬 날갯짓을 하며 하늘로 날았다. 그 위로 아스라이 먼동이 터 오고 있었다. 푸르스름한 하늘을 보며 지나는 초조하게 입술을 짓씹었다. 새 대신 자신이 직접 황궁으로 날아가고 싶을 만큼 마음이 급했다. 유리는 결국 지나의 도움을 거절했다. 독을 구하려던 건 전부 옛 일이라며, 오해하지 말라며 웃었다. 그 환한 웃음을 보며 지나는 말문이 막혔다. 바론의 곁에서 유리가 짓던, 바로 그 미소였다.

―내가 죽으려 한다니, 지나야, 왜 그런 생각을 해. 내가 그럴 이유가 어디에 있니? 이제 곧 약혼이고, 전하 사랑받으면서 행복하게 살 일만 남았는데. 안 그래?

지나는 그 순간 확신했다. 유리는 무조건 독을 구할 것이다. 누군가를 죽이고 저 역시 죽게 될 것이다. 유리의 마음을 돌리기 위해 울고 불고 애원을 했다. 제발 그런 선택은 마시라며, 절 믿으시라고 읍소를 했다. 마지막엔 거짓말 마시라고, 오늘 쓴 편지가 맞지 않냐고 따지기까지 했다.

―네가 착각한 거야. 예전에 써 놓은 편지야. 보낼 생각도 없었어. 이젠 그만하자. 지나야. 큰일도 아니잖니. 이제 쉬렴. 나도 좀 쉬고 싶구나. 연회 때문에 많이 지쳤거든.

그래도 아무 소용이 없었다. 꼭 두꺼운 벽을 마주한 듯 말이 통하지 않았다. 끝내는 반쯤 쫓겨나다시피 하여 방을 떠나야 했다. 전서구를 바라보는 지나의 눈빛이 절박하게 변했다. 절대로 이대로 두어서는 안 된다. 유리가 직접 독을 구했다간 돌이킬 수 없는 일이 벌어질 테니까. 황궁으로 빨려 들어가는 전서구를 보며 지나는 간절히 바랐다. 부디 주인께서 반드시 그분을 살리실 수 있기를 기도했다.

그리고 같은 시간, 유리는 홀로 남은 방에서 재가 되어버린 편지를 내려다보며 힘없이 웃었다.

"결국 또 이렇게 되었구나."

지나와의 실랑이가 끝나자 온몸에 힘이 빠져 아무것도 할 수 없었다. 무릎을 모아 앉은 채 새까만 잿더미만 바라보았다.

"쉬운 게 아무것도 없네."

유리가 피식 웃으며 소매로 발갛게 달아오른 눈매를 꾹 눌렀다. 이내 무릎에 이마를 댄 채 뜨거운 숨을 내쉬었다.

생각하자, 생각하자. 유리엘. 어떻게든 방법이 있을 거야. 독을 구할 방법이, 리디아에게 연락할 방법이 있을 거야……. 만일 지나가 아까의 일을 발설하면 어떻게 해야 할까. 말한다면 과연 누구에게 말할까. 제일 먼저 떠오른 건 바론의 얼굴이었다.

유리가 피식 웃었다. 그녀가 아는 바론이라면 그녀가 죽고 싶어 한다는 말에 콧방귀나 뀔 것이다. 저와 결혼해 온갖 부귀영화를 누릴 여자가 왜 그런 선택을 하겠냐며 지나를 비웃을 게 분명했다. 그러니 유리는 불안해할 필요가 없었다. 그래. 지나의 말은 아무도 믿지 않을 거고, 증거는 모두 사라졌으니, 이제 다른 방법으로 독을 구해서 복수를 완성하기만 하면 된다. 그러려면…….

'모르겠다. 이젠 정말, 아무것도 모르겠다.'

유리가 왈칵 치밀어 오르는 것을 삼키며 눈을 감았다. 웅크린 몸이 바르르 떨려 왔다. 솔직히 이젠 정말 지쳤다. 지금처럼 마음 쓰는 일이 한 번씩 생길 때마다 피가 말랐다. 맨몸으로 세찬 파도 위에 선 듯, 요동치는 삶이 너무나도 힘겨웠다.

'아가.'

유리가 기댈 곳은 죽은 아이밖에 없었다.

'네가 너무 보고 싶어. 아가.'

유리의 눈시울이 뜨겁게 달아올랐다. 아이가 저를 떠난 지 벌써

삼 년이 훌쩍 넘었다. 그 삼 년 동안 해 준 것이 아무것도 없었다. 주는 것은 없으면서, 기대기만 하는 못난 엄마지 싶었다.

'그러고 보니 제대로 널 보내 주지도 못했구나.'

그동안은 차마 그 아픈 죽음을 되새길 엄두도 못 냈다. 죽은 자의 평안을 비는 꽃도 뿌리지 못했다. 그럴 자격도, 없다고 생각했다.

—어머니, 우리가 기도하면 정말 벤 할아버지가 좋은 곳에 가실 수 있어요?

—그럼, 그러니 열심히 기도해야 해, 유리엘. 그분이 평화롭게 잠드실 수 있게 말이야. 그럼 벤 할아버지도 천국에서 더 행복하게 사실 수 있을 거야.

아주 어릴 적, 어머니와 함께 나누었던 대화가 꿈처럼 흩어졌다. 유리가 흐린 눈을 들어 재가 된 편지를 바라보았다. 바늘 떨어지는 소리도 들릴 법한 고요 속에서, 유리는 생각했다.

아가, 널 보내 주고 싶어. 나도 널 위해서, 기도해 주고 싶어.

왜 이 생각을 이제야 했을까. 유리는 홀린 듯 자리에서 일어나 외출 준비를 시작했다. 참 묘한 일이었다. 밤을 샜음에도 불구하고, 아이 생각을 하니 오히려 힘이 솟았다. 검은색과 하늘색 원피스 중 밝은 것을 골랐다. 아이에게 보여 줄 것이니 밝은 것을 입고 싶었다. 거울에 제 모습을 비쳐보는 유리의 입가에 어느새 미소가 맺혔다. 꼭 새 옷을 입은 듯 마음이 설레었다. 외출 준비를 끝낸 유리가 방을 나서기 전 창밖을 바라보았다. 멀리 보이는 하늘이 참 맑고 고왔다. 유리의 입가에 어느새 고운 미소가 어렸다.

'아가, 널 보내 주기엔 참 좋은 날인 것 같아.'

유리가 방을 나섰다.

*

유리는 그 누구에게도 행선지를 밝히지 않은 채 저택을 나섰다. 무슨 좋은 일이 있냐는 하인들의 물음에 그저 웃기만 했다. 그녀의 밝은 미소에 다들 바론을 만나러 가겠거니, 지레 짐작만 했다.

"공녀님, 마부를 불러올 테니 잠시만 기다려 주세요."

"괜찮아요. 혼자 나갈 거예요. 잠깐 근처 둘러만 보고 올 거예요."

"그럼 지나라도……."

"아니에요. 금방 돌아올게요."

유리는 제게 수행원을 붙이려는 집사를 향해 부드러우면서도 단호하게 거절의사를 밝혔다. 오늘만큼은 누구의 방해도 받고 싶지 않았다. 그녀의 소망을 하늘이 돕기라도 한 걸까. 곁에 있었다면 조잘조잘 물었을 지나도 보이지 않았다. 술술 풀려가는 일에 기분이 좋아진 유리가 웃으며 저택을 나섰다.

"아가. 오늘 날씨가 참 좋다. 그렇지?"

오늘 날씨는 흠잡을 곳이 없었다. 구름 한 점 없는 맑은 하늘 아래 깃털 같은 산들바람이 볼을 스쳤다. 융단처럼 보드라운 햇살은 그 아래 서있는 것만으로 기분이 좋아졌다. 참 좋은 날, 아이를 위한 기도를 하게 되었던 생각에 유리의 입가에 배시시 웃음이 맺혔다. 주말의 시작이었다. 좋은 날씨 덕분인지 거리에는 사람이 넘쳤다. 나들이 나온 부부, 즐겁게 뛰노는 아이들, 사랑을 속삭이는 연인, 장사꾼들, 그리고 각종 공연을 하는 예술가들까지. 사람 구경만 해도 오늘 하루가 훌쩍 지나갈 것 같았다. 유리는 북적거림 속 고독을 즐기며 느긋하게 목적지로 향했다.

어릴 적 그녀를 아껴주던 집사가 한 명 있었다. 이름은 벤. 유리는 그를 벤 할아버지라고 부르며 참 따랐었다. 그러던 어느 날, 벤이 지병으로 세상을 떠났다. 유리가 태어나 처음으로 겪은 죽음이었다.

―죽는다는 게 뭐예요? 그럼 벤 할아버지를 이젠 영영 만날 수 없는 거예요?

―유리엘, 영원한 이별은 없어. 우리도 언젠간 벤 할아버지 곁으로 가게 될 거야.

―그럼 우리도 죽는 거예요?

―죽음이 무섭니?

―조금은요.

―무서워할 것 없단다. 오히려 아주 아름다운 일이지. 신은 우리를 위해 멋진 천국을 마련해 놓으셨단다. 그곳엔 늘 향기로운 꽃이 만발하고 아름다운 음악이 흐르지. 벤 할아버지는 그곳에서 행복하게 우릴 지켜보고 계실 거야. 어머니의 말씀대로 죽음이 그리 아름다운 것인지는 잘, 모르겠다. 소중한 이를 잃는 건 늘 속을 갈퀴로 훑어내는 듯 고통스러운 일이었으니까.

그래도 어머니의 말씀이 슬픔을 이겨내는 데 도움은 되었다. 먼저 간 이들이 행복하게 웃고 있다면 사무치는 그리움도 조금은 옅어지는 것 같았다. 벤이 죽고 유리는 그를 장례식장에서 다시 만났다. 그는 생전에 가장 아끼던 연미복을 입고 있었다. 다시 본 벤 할아버지는 창백하고, 차가웠다. 그래도 무섭지는 않았다. 어머니를 따라 할아버지의 이마에 입을 맞춘 뒤 들고 있던 꽃을 그 옆에 두었다. 유리가 벤 할아버지를 위해 준비한 선물이었다.

노오란 꽃 옆엔 벤을 사랑했던 이들이 준비한 다른 물건들도 놓여 있었다. 망자가 죽으면 그 관에 망자를 위한 선물을 함께 담는 것. 이것이 유리의 고향, 발렌타인 영지만의 특별한 장례 풍습이었다. 사람들은 보통 망자가 생전에 좋아했던 물건들을 선물로 골랐다. 유리가 꽃을 고른 건 벤이 그녀가 만들어준 화관에 기뻐한 적이 있기 때문이었다.

유리는 죽은 아이를 가문의 방식대로 보내 주고 싶었다. 관은 없어도, 자신만이 장소에 꽃을 묻고 아이의 무덤을 만들어주고 싶었다. 신전에서 기도를 해 줄 수 있다면 더 좋을 것이다. 그동안은 아살론의 핏줄을 차마 발렌타인의 방식으로 보낼 용기가 나지 않았다. 결국 홀로 속을 끓이다가 삼 년의 시간이 지났다.

'오늘만큼은 내 마음대로 할게요. 나도 많이 참았잖아요. 내 아이예요. 내 마음대로 할래요.'

기다렸다는 듯 또 한 번 밀려오는 죄책감을 유리가 꾹 누르며 걸음을 옮겼다. 대체 언제 이런 용기가 생긴 걸까. 아마 쉴브론 궁에서 그를 만난 직후였던 것 같다. 다시 만난 그는 완벽하게 그녀가 죽었다 여기고 있었다. 그를 그리 만들기까지 얼마나 많은 어려움이 있었나. 제 살을 도려내는 심정으로 그를 고통으로 밀어 넣었다. 그리 많이 아팠으니, 한 번쯤은 제 욕심을 채워도 되지 싶었다.

'아가. 넌 무엇을 좋아했을까?'

유리는 아이가 좋아했을 물건을 상상하며 골똘히 생각에 잠겼다. 그녀의 아이는 채 빛을 보지 못하고 세상을 떠났었다. 좋아하는 물건을 알 수는 없지만, 한번 상상해보기로 했다.

'넌 누구를 닮았을까? 아빠였을까, 엄마였을까?'

카사르는 은근히 첫 아이가 딸이길 바랐었다. 딸이 태어나면 두 명의 공주를 지키는 왕자가 될 수 있을 거라며 웃었다. 첫 딸은 보통 아빠를 닮는다고 했다. 그럼 카사르가 좋아하는 걸 고르는 게 좋지 않을까?

참 신기한 일이었다. 그동안은 아이의 존재를 떠올리는 것만으로 고통이었는데, 조금이라도 해 줄 것이 생기자 아이 생각을 하면 할수록 힘이 솟았다. 유리는 시장을 걸으며 진열된 물건들을 유심히 살폈다. 카사르가 좋아할 만한 것이 있을지 찾아보기 위해서였다. 그러다 금세 피식 웃어 버렸다. 그의 취향에 대해 거의 아는 바가 없다는 걸 깨달은 것이다. 선택의 순간이 오면 그는 늘 그녀의 의견을 먼저 살피곤 했다. 그 무조건적인 애정 속에서 유리는 이전엔 느껴보지 못했던 안온함에 푹 빠질 수 있었다.

'그럼 카사르. 이번에도 내 마음대로 해도 될까요?'

묻지 않아도 그의 대답이 들리는 듯했다. 네가 바라는 건 무엇이든 해도 돼. 그게 내 행복이니까. 그리 말하며 그가 만들어 낼 미소를 떠올리자 가슴께가 간질거렸다. 유리는 배시시 웃음을 짓곤 사고 싶은 것들을 떠올려 보았다. 하나씩 손가락을 꼽아가던 유리가 맑은 웃음을 터뜨렸다. 꼭 생일 선물을 기다리던 어릴 적 유리엘 발렌타인으로 돌아간 것 같았다.

"이거 혹시 진노랑 꽃이에요?"

"맞아요. 어때요? 아주 예쁘게 잘 말랐죠?"

"그러네요. 하나 주세요."

노란 꽃다발을 내려다보는 유리의 눈이 곱게 휘었다. 따스한 지방에서 잘 자라는 이 꽃은 남쪽 지방에서 주로 피었다. 발렌타인 영지도 그중 하나여서, 봄이 되면 영지 곳곳에서 노란 꽃들이 노란 파도가 되어 넘실거렸다.

"달콤한 설탕 과자입니다! 입에 넣기만 하면 사르르 녹아요!"

"한 봉지만 주세요. 얼마예요?"

"단돈 1실버입니다, 아름다운 아가씨. 허허, 고맙습니다. 좋은 하루 되세요!"

유리는 납작한 설탕 과자도 몇 개 샀다. 아이의 입맛에 딱이지 싶었다. 살짝 부러트려 입 속에 넣자 달콤함이 입 안 가득 퍼졌다. 기분이 좋아진 유리의 입가에 흐뭇한 미소가 맺혔다. 한 품에 꽃과 설탕과자를 든 채 유리가 다시 시장 안쪽으로 들어갔다. 또 무엇을 사야 할까. 진열된 상품들에 푹 빠져있던 유리가 웃음을 터트렸다. 다 들고 다닐 수도 없을 텐데, 아이에게 줄 거라 생각하니 자꾸만 더 사고 싶었다. 엄마 욕심이 이런 것인가 싶어 또 웃음이 났다.

"어?"

어느덧 시간은 흘러 점심 즈음이 되었다. 잠시 쉴 곳을 찾아 광장으로 향하는데, 한 존재가 유리의 눈을 잡아끌었다.

"어린아이잖아?"

다섯 살? 네 살? 아니, 어쩌면 그보다 더 어릴지도 모르겠다. 광장 구석에 그녀의 허리에도 닿지 않을 정도고 작은 아이가 앉아 있는 게 보였다. 아이의 흙장난을 물끄러미 바라보던 유리의 얼굴에서 표정이 사라졌다. 언제 빨았는지 모를 더러운 옷 아래로 드러난 손목이 몹시 앙상했다.

'아이 부모는 대체 어디에 있는 거지?'

유리는 얼른 주변을 살폈다. 저리 어린아이가, 보호자도 없이 홀로 있다는 걸 믿을 수가 없었다. 한데 아무리 보아도 아이의 부모처럼 보이는 이는 없었다. 흙을 만지던 아이가 힘없이 고개를 들었다. 축 처진 눈꼬리를 본 순간 심장이 철렁 내려앉았다.

"아니 왜 길 한복판에서 난리야! 저리 안 비켜?"

"애 엄마는 대체 어디 있는 거야?"

"거지 새끼인 것 같은데?"

설상가상으로 지나가던 이들은 어린아이에게 마구 핀잔을 주었다. 큰 소리가 날 때마다 아이가 화들짝 놀라 몸을 웅크렸다.

숨이 턱 막힌 기분으로 그 모습을 보고 있던 유리는 어느새 그 아이 앞에 앉아 있었다.

"아가. 왜 혼자 여기에 있어?"

아이의 맑은 눈이 그녀에게로 향했다. 힘없이 축 처진 어깨가 무척이나 가슴이 아팠다. 유리는 제 아이에게 주려던 물건은 바닥에 내려놓은 채, 처음 보는 아이의 손을 잡았다.

"이곳은 위험하니까, 저쪽으로 가자."

낯선 이를 경계하기 때문일까. 아이가 잔뜩 움츠린 채 손을 빼려는 것이 느껴졌다. 유리는 얼른 설탕 과자 하나를 꺼내 아이에게 보여 주었다.

"과자 좋아하니? 먹어 볼래?"

경계심 가득하던 아이의 눈빛이 처음으로 풀어졌다. 달콤한 냄새를 맡은 아이가 꼴깍 침을 삼켰다. 유리는 빙긋 웃으며 아이의 손에 과자를 쥐여 주었다.

"저쪽으로 가자. 그럼, 언니가 이거 다 줄게."

역시 아이들은 단것에 약하다. 아이는 사슴처럼 큰 눈을 깜빡이며 고개를 끄덕였다. 유리는 조심스레 팔을 뻗어 아이를 끌어안았다. 묵직하게 안기는 느낌에 가슴 한쪽이 지끈거렸다. 만일 우리 아이가 살아 있었다면. 부지불식간에 떠오르는 헛된 꿈에 또 심장이 아팠다.

"먹기 전에 손 먼저 닦자."

유리는 아이를 안전한 곳에 앉힌 후 손수건을 꺼냈다. 세심한 손길로 손에 묻은 흙을 닦아 주었다. 아이는 얌전히 유리가 시키는 대로 손을 내밀고 있었다. 손이 깨끗해진 후 과자를 쥐여 주자, 오물거리며 베어 먹는 모습이 무척이나 귀여웠다.

"밥은 먹었니? 엄마는 어디 계셔?"

"……없어."

유리의 물음에 아이는 절레절레 고개를 저었다. 아이의 머리에 달린 나비 모양 방울이 달랑거렸다.

"그럼 아빠는?"

"어디 갔어."

"어딜?"

"몰라. 이따 와."

다행이다. 아빠는 있구나. 유리는 안도의 한숨을 내쉬었다. 아이는 완전히 과자에 정신이 팔려 있었다. 급하게 먹다 목이 메이진 않을지 걱정이 되었다.

"잠깐만 기다리렴. 언니가 마실 것 좀 가지고 올게."

멀지 않은 곳에 음식을 파는 상점이 늘어져 있었다. 자리에서 일어나려던 유리의 눈에 대로변을 씽씽 달리는 마차가 보였다. 자칫 아이가 혼자 돌아다니다간 큰 사고가 날 수 있겠지 싶었다. 유리는 얼른 아이에게 돌아와 아이와 눈을 마주쳤다.

"저 마차 보이지? 돌아다니다 크게 다칠 수 있어. 언니가 올 때까지, 여기서 얌전히 기다릴 수 있어?"

"응."

"그래. 착하다. 그럼 빨리 올게."

유리는 얼른 가장 가까운 음식점으로 향했다. 그 와중에도 자꾸만 뒤에 두고 온 아이가 눈에 밟혔다.

"따듯한 우유 한 잔 주세요. 아주 뜨겁게는 말고요. 아이가 먹을 거라서요."

마음은 급한데 상인은 주문은 받지 않고 멀뚱히 물었다.

"설마 이 우유를 저 거지에게 주려는 거요?"

"네?"

"아가씨, 어디서 오는지 다 봤소. 에이, 어디 신경 쓸 게 없어서 거지를 신경 써. 그러면 안 되지."

무척이나 퉁명스러운 목소리였다. 유리는 상대의 날 선 반응에 당황하여 되물었다.

"거지라뇨? 설마 저 아이를 보고 하시는 말씀이세요?"

"저게 거지 아니면 뭐란 말이오. 하루종일 흙이나 주워 먹고 사는데. 쟤 아비도 별반 다를 것 없소. 구걸이나 하며 공으로 얻어먹을 생각을 하지."

난데없는 폭언에 유리는 그저 멍했다. 상인은 귀를 후비적거리며 아이를 향해 턱짓했다.

"나라에선 대체 뭘 하는지 모르겠소. 저 꼴 보기 싫은 것들 싹 다 잡아가지 않고 말이오."

"하. 그게 대체 무슨."

아무리 걸인이 싫다 하여도 이건 아니었다. 어린아이에게 대체 무슨 죄가 있단 말인가. 발끈한 유리가 한마디 쏘아붙이려 할 때였다.

"그건……."

"그건 그쪽이 상관할 바가 아니지 않소?"

등 뒤에서 들려오는 익숙한 목소리에 유리가 눈을 깜빡였다. 상인의 의아한 시선이 그녀의 뒤로 향하는 것이 보였다. 나직한 웃음소리와 함께 그녀의 옆으로 긴 그림자가 드리워졌다. 충격에 굳어 있는 그녀의 어깨를 감싸는 손이 있었다. 유리는 가까스로 고개를 돌렸다. 그녀를 내려다보는 짙푸른 눈동자가 부드럽게 휘었다.

"여기서 뵙게 되는군요, 프리우스 공녀."

무척이나 다정한 목소리였다. 유리가 입술을 떨었다. 그의 손이 어깨를 한 번 토닥이고는 멀어졌다. 체온이 떨어져가는 것과 동시에 유리가 참았던 숨을 내쉬었다. 방금의 미소가 거짓인 양 카사르는 싸늘하게 사장을 응시했다.

"잠시 일이 있어 나왔는데 우연히 두 사람의 대화를 듣게 되었소. 저자가 아주, 재미있는 말을 하더군."

"그, 그게."

사장은 카사르와 눈을 마주치지 못하고 어깨를 움츠렸다. 올곧은 시선엔 묘하게 상대를 위축시키는 힘이 있었다. 게다가 공녀라니. 무지랭이로 산 세월이 아무리 길어도 그 말이 어떤 뜻인진 알았다. 공녀에게 말을 낮출 수 있는 사내는 얼마나 대단한 자란 말인가. 까마득히 높은 귀족들의 심기를 거슬렀단 생각에 사내의 얼굴이 사색이 되었다.

"죄, 죄송합니다. 나으리. 제가 높으신 분을 못 알아뵙고. 잠시만, 기다려 주십시오. 제가 얼른 아가씨 주문을 받들도록 하겠습니다."

사내는 단번에 태도를 바꾸어 연신 굽신거렸다. 방금 유리에게 어깃장을 놓은 장본인이 맞나 싶을 정도로 태도 변화가 빨랐다.

유리는 손 하나 까딱하지 못한 채 얼어 있었다. 곁에 있는 그의 존재감이 너무도 컸기 때문이었다. 멍하니 있다가 상인이 우유를 내밀고 나서야 반사적으로 손을 내밀었다.

"아가씨, 여기 있습니다."

"네, 감사……."

"이리 주시오."

그가 먼저 손을 내밀어 우유를 받아들었다. 손등이 살짝 스치자 유리가 흠칫 몸을 떨었다.

그가 부드럽게 웃으며 그녀를 내려다보았다.

"어디로 가면 됩니까?"

"그게……."

유리는 홀린 듯 그의 웃는 얼굴을 바라보았다. 이내 퍼뜩 놀라 고개를 숙였다. 심장이 터질 것만 같았다. 다시 눈을 마주칠 엄두도 내지 못한 채 흰 우유만 바라보았다. 그를 바라볼 땐 늘 가슴이 떨렸지만, 오늘은 유독 그 정도가 심했다. 그의 아이를 추억하는 중이기에, 더 그랬다.

"이리 주세요. 제가, 가져갈게요. 감사합니다."

유리는 겨우 목소리를 내며 우유를 받아들었다. 자연스레 손끝이 닿자 입술을 깨물었다.

"오늘 무슨 나들이라도 하는 겁니까?"

"네?"

"수행원도 없이, 무슨 일인지."

당신의 아이를 보낼 준비를 하는 중이라고 대답할 수 있을 리 없었다. 코끝이 찡해지는 느낌에 유리가 입 안의 살을 세게 깨물었다. 그 필사적인 노력에도 불구하고 끝내 그녀의 눈이 젖어들어 갔다. 카사르가 물끄러미 그 눈물을 응시했다. 그는 그 눈물을 눈치챘다 말하는 대신 가만히 그녀의 대답을 기다렸다.

"아니요. 별일 아니에요. 그저, 바람을 좀 쐬고자."

당신과 아이를 위한 기도를 하고 싶어요. 그렇게 말하고 싶었다. 그러나 말도 안 되는 일이라는 걸 유리도 잘 알고 있었다. 아이의 존재를 밝히지 않으면 기도도 불가능하다. 억지로 삼킨 마음이 불덩이가 되어 속을 휘저었다. 더 이상은 견딜 수 없어진 유리가 휙 몸을 돌렸다.

"이만 가 보겠습니다."

그의 대답도 듣지 않고 몸을 돌렸다. 쫓기듯 걸으면서도 온 신경은 뒤에 쏠려 있었다. 다행히 그의 발걸음 소리는 들리지 않았다. 그게 정말 다행인 걸까. 유리는 불쑥 치밀어 오르는 욕심에 주먹을 움켜쥐었다. 그가 날 따라오길 바라면 안 되는 걸까.

'아가, 혹시 네가 날 위해 선물을 준비한 거니?

왜 하필 그를 지금 만난 걸까. 불쑥 이 모든 게 아이가 저를 위해 준비한 행운은 아닐까 하는 생각이 들었다. 눈물이 고이면서도 한편으론 미소가 지어졌다. 이런 날 우연이라도 함께 할 수 있는 게 참 행운이지 싶었다. 유리는 얼른 옷소매로 눈물을 훔치며 아이에게 다가갔다. 아이는 그녀의 말대로 얌전히 제 자리를 지키고 있었다.

"아가, 우유 마실 수 있지?"

"응."

"과자는 천천히 먹고. 알겠지?"

"응."

아이는 참 순했다. 배가 많이 고플 텐데도, 유리가 시키는 대로 한 입 한 입 꼼꼼히 먹었다. 유리는 조심스레 아이의 입가에 묻는 과자를 닦아내었다. 아이가 간지러운 듯 어깨를 움츠리며 웃음을 터트렸다.

"킥, 간지러워."

멈칫하며 아이를 바라본 유리의 눈이 커졌다. 천진한 웃음 위로 다른 이의 얼굴이 겹친 것이다. 금빛 고수머리, 새파란 눈동자, 발그레한 볼까지. 늘 그녀가 상상해오던 그의 아이였다. 그를 닮은 아이가 까르르 웃으며 그녀를 향해 손을 뻗었다. 홀린 듯 아이를 안으려던 유리가 눈을 깜빡였다. 달콤한 환영은 아지랑이인 양, 순식간에 사라져 버렸다.

'내가 대체 지금 무슨 생각을⋯⋯.'

멍하니 낯선 얼굴을 보던 유리가 어깨를 늘어트렸다. 온몸에 힘이 쭉 빠져나가는 듯했다. 상실감에 코끝이 찡해졌다. 삼 년간 그 많은 눈물을 흘렸건만, 아직도 눈물이 남아 있었다.

"언니, 울어?"

"아니. 아니야."

"왜 울어?"

유리는 애써 웃으며 고개를 저었다. 그 사람이 너무도 보고 싶었다. 그는 이미 이곳을 떠났을 텐데, 알면서도 붙잡고 싶었다.

나 힘들다고, 그러니 같이 있자고, 함께 아이를 그리자고 애원이라도 하고 싶었다.

'그냥. 돌아가야겠다. 저택으로……'

물끄러미 아이를 보던 유리가 고개를 떨구었다. 헛된 꿈을 바라는 게 너무 아팠다.

'내가 괜한 짓을 했네. 삼 년이 지났는데. 이제 와서.'

설레었던 감정은 거짓인 양 가슴속엔 찬바람이 불었다. 흐린 눈으로 손에 들린 꽃을 바라보던 유리가 힘없이 자리에서 일어났다. 그저 돌아가서 쉬고 싶었다. 흙바닥을 내려다보며 멍하니 걸음을 옮길 때였다.

히이잉! 찢어지는 말 울음소리와 함께 강한 힘이 그녀의 팔을 잡아당겼다. 거의 동시에 코앞에서 나무 판이 훅 지나갔다. 거센 힘에 그녀의 몸이 회전하며 시야가 어둑하게 변했다. 어느 샌가 저를 감싼 온기에 유리가 눈을 깜빡였다.

"이게 대체 무슨 짓이야!"

잔뜩 떨리는 목소리.

"죽고 싶어? 지금 대체 뭐 하는 거야!"

그 사람이다.

"아……"

거친 숨소리를 들으며 유리가 멍하니 고개를 들었다. 강렬한 햇살이 눈을 찌르며 시야가 새하얗게 변했다. 잠시 후 그림자가 드리워지며 잔뜩 굳어 있는 그의 얼굴이 보였다.

"어떻게 이따위 짓을……!"

이게 대체 어떻게 된 일인 걸까. 카사르가, 왜 저런 표정으로 날 보는 걸까. 영문을 몰라 눈을 깜빡이는 그녀의 모습에 그의 입매가 일그러졌다. 그녀의 어깨를 잡은 손이 부들부들 떨렸다. 그는 무어

라 말을 할 듯 말 듯 입을 벌리다가, 이내 잔뜩 억눌린 목소리로 말
했다.

"너, 아니, 프리우스 공녀, 지금 당신, 마차 앞으로……. 얼마나
위험했는지……."

뚝뚝 끊어지는 말에 유리의 눈이 커졌다. 그 순간 깨달은 것이
다. 그가 위험에서 자신을 구했다는 것을. 그가 자신을, 걱정하고
있다는 것을.

"전하, 부탁이 있어요."

그와 동시에 그녀의 속에 있던 금기가 뚝 부러졌다.

"오늘 하루만요."

모르겠다. 이젠 정말 모르겠다. 넘쳐흐르는 마음을 도저히 어쩔
수가 없었다. 유리가 그에게 매달렸다. 놀란 듯, 저를 바라보는 그
의 눈이 커지는 것이 보였다.

"오늘 하루만, 저와 있어 주시면 안 될까요?"

*

카사르는 처음엔 유리를 향해 화를 내려고 했다.

네가 지금 대체 얼마나 위험한 행동을 했는지 알고 있느냐고. 아
무 생각도 없이 마차로 뛰어들다니 죽고 싶은 거냐고 따지려 했다.

몰래 그녀의 뒤를 따르기로 했다는 것도 잊은 채 그리 윽박지르
려 했다.

─오늘 하루만, 저와 있어 주시면 안 될까요?

한데 막상 제게 매달린 유리를 본 순간 그런 생각은 싹 사라졌다.
유리가 너무도 가까웠다. 그는 저도 모르게 숨을 멈추었다. 코끝에
스미는 체향에 머리가 아찔해졌다.

"……알겠소."

반쯤 넋이 나가 고개를 끄덕인 뒤에야 아차 싶었다. 유리가 마차에 뛰어들려 했단 걸 잠시 잊었던 것이다. 뒤늦게 따지려고 했지만 유리의 환한 미소에 다시 말문이 막혔다.

"감사해요. 전하. 정말요."

세상에. 이 여자가 이렇게 어여삐 웃을 수 있었나. 그는 홀린 듯 유리의 얼굴에 미소가 어리는 걸 보았다. 곱게 휜 녹안이 무척이나 아름다웠다. 그 순간 그는 깨달았다. 지금 그에게 이 미소를 깨는 건 불가능했다. 결국 그는 더 따질 의욕을 잃은 채 유리의 손에 들린 꽃을 바라보았다.

"그 꽃은 뭡니까?"

"이거요?"

유리가 생글거리며 마른 꽃을 내려다보았다.

"선물이에요."

"선물이라. 좋은 일이라도 있는 겁니까?"

"좋은 일…… 맞는 거 같아요. 점점 더 좋아지는 거 같아요."

영문 모를 말을 하며 유리가 더욱 진하게 미소지었다. 그는 본능적으로 유리가 뭔가를 숨기고 있다는 걸 깨달았지만, 더 캐묻진 못했다. 이미 더 중요한 질문들도 삼키고 있었다. 물을 엄두를 내지 못하고 있을 뿐이었다.

—사랑해요.

그는 어제 유리가 바론이 아닌 자신을 사랑하고 있다는 걸 알게 되었다. 그 말을 듣기 전까지만 하더라도 그는 유리가 저를 사랑하기만 하면 모든 문제가 해결될 거로 생각했다. 한데 막상 닥친 현실은 기대와는 전혀 달랐다.

팔 개월. 유리와 바론이 교제한 것이 무려 팔 개월이었다. 제 짐

작이 맞다면, 유리는 사랑하지도 않는 사내와 그 긴 시간을 부대껴
지냈단 소리였다. 일핏 보기에도 바론이 유리에게 퍼붓는 애정은
무척이나 농밀했다. 그때마다 유리는 환히 웃으며 바론의 지분거
림을 받아 주었다.

그는 그 모습을 보며 자연스레 유리가 바론을 사랑한다 확신했
었다. 한데, 그 모든 것이 거짓이었다면?

그동안 유리의 심정이 어땠을지 상상한 순간, 심장이 쿵하고 내
려앉았다. 아찔했다. 사랑하지도 않는 사내와 입을 맞추고, 웃어주
는 것이 얼마나 힘들었을까? 숨이 막힐 것 같았다. 일이 그 지경이
되니 그는 차라리 자신이 본 유리의 눈물이 착각이길 바라는 마음
까지 들었다. 결국 그는 연회 내내 유리에게 다가가지도, 멀어지지
도 못한 채 그녀 곁을 맴돌았다. 그러던 중 유리가 자꾸 연회장을
두리번거리는 것이 보였다. 혹시나 그를 찾고 있는 건 아닐까. 생각
이 그리 이르자 그는 더 버티지 못하고 회장을 나와 버렸다. 그곳에
더 있다간 자신이 무슨 짓을 할지 알 수가 없었다.

밤새 뜬 눈으로 이 일을 어찌 해야 하나 고민했다. 그러던 중 유
리가 독을 구한다는 지나의 서신을 받았다. 한동안 충격에 꼼짝도
할 수 없었다. 어지럽게 흩어져 있던 퍼즐들이 그제야 제 자리를 찾
았다. 유리는 누군가를 죽이고 싶어 한다. 그리고 그 복수를 위해
바론의 힘을 빌렸다. 대체 왜? 지나의 서신을 받고 그는 도저히 참
을 수가 없어졌다. 유리가 도망가든 말든, 저를 떠나려 하든 말든
진실을 알아야 했다. 네가 하려는 짓이 대체 뭐냐고, 네가 쓸 독을
구한다는 건 대체 뭐냐고. 설마, 죽기라도 하려는 거냐고, 따져야만
했다.

한달음에 프리우스 저택으로 달려왔다. 마침 유리는 수행원도
없이 홀로 저택을 나서는 중이었다. 하늘을 보는 그녀의 미소가 무

척이나 편해 보였다. 그 미소를 담는 그의 눈빛이 얼어붙었다. 유리가 그리 편하게 웃는 모습을, 오늘 처음 보았던 것이다. 진실을 물어야 한다는 마음과 그 미소를 깨고 싶지 않다는 욕심이 싸웠다. 결국, 그는 그 어떤 선택도 하지 못한 채 유리의 뒤만 쫓았다. 그리고 유리와 함께하게 되었다.

"오늘, 날씨가 정말 좋네요. 그렇죠?"

그와 함께한 후 유리는 무척이나 기분이 좋아 보였다. 그는 힐끔 콧노래를 흥얼거리는 유리를 바라보았다. 유리가 마른 꽃에 코를 묻은 채 생긋 웃었다. 티 한 점 없이 맑은 미소에 그의 눈빛이 혼란스럽게 변했다.

'유리야, 너 대체 무엇을 하려는 거야? 정말 독을 구하려 했어? 그게 사실이야?'

저리 행복한 미소를 짓는 여자가 어쩜 독을 구하는 서신을 썼단다. 심지어 '자신을 위한 독'을 구하고 있다 했다. 그게 어떤 의미인지 다시 되새기기도 싫었다. 결국 그는 더 참지 못하고 입을 열었다.

"대체 왜……."

그러나 그의 질문은 밖으로 나오지 못했다. 유리가 생글거리던 그 미소 그대로 그를 바라본 것이다. 순간 말문이 턱 막혔다. 그는 입술을 짓씹으며 고개를 돌렸다. 유리가 의아하게 그를 바라보았다.

"전하?"

"아무것도 아니오."

그는 땅만 노려본 채 걸음을 옮겼다. 유리에게 지금 독에 대해서 물으면, 과연 솔직히 말해 줄까?

아니, 그럴 리 없다는 걸 그는 누구보다 잘 알았다. 그럼 남은 방법은 하나뿐이었다. 닦달하지 말고 기다려야 한다. 그렇지 않으면

이 여잔, 분명 또 도망가 버릴 것이다.

'그러다 내 눈이 닿지 않는 곳에서 끔찍한 선택이라도 한다면?'

빌어먹을. 그는 가까스로 욕을 삼켰다. 그따위 삿된 생각을 떠올린 자신이 너무도 짜증스러웠던 것이다. 입 안을 잘못 씹었는지 피 맛이 났다. 이 모든 것이 그놈의 서신 때문이었다.

유리가 '자신이 쓸 독'을 구한다니. 대체 그 독으로 하려는 짓이 무엇인가? 설마 정말 죽기라도 하려는 걸까?

'침착해야 해. 진정해. 아직, 아무 일도 없어. 확실한 건 아무것도 없다고.'

또 한 번 울컥 말을 쏟아낼 뻔했다. 어떻게 그따위 짓을 할 생각을 하느냐고. 그는 온 힘을 다해 날뛰는 속을 가다듬었다. 유리가 제게 먼저 손을 내민 건 오늘이 처음이었다. 쉽게 얻기 힘든 기회였다. 이런 기회는 절대 놓쳐서는 안 되었다.

"전하, 혹시 근처에 신전이 있을까요?"

뒤엉키는 속을 알 리 없는 유리가 곱게 눈을 접으며 물었다.

"신전 말입니까?"

그는 애써 아무렇지 않은 척 입매를 끌어 올렸다. 억지로 웃었더니 입매가 다 푸들거렸다. 제 웃음이 얼마나 엉망일지는 생각하고 싶지도 않았다. 이젠 제 얄팍한 인내가 저주스럽기까지 했다. 유리는 멀쩡해 뵈는데, 저는 불 위에 선 듯 안달복달이었다.

"네. 기도를 좀 하고 싶어서요."

유리가 잠시 말끝을 흐리며 고개를 돌렸다. 반사적으로 그러겠노라 대답하려던 그가 멈칫했다. 부드러운 미소 아래로 유리의 눈가가 살짝 젖어 있었던 것이다. 물끄러미 마른 꽃을 내려다보던 유리가 속삭이듯 말했다.

"전하께서도 함께, 기도를 해 주셨으면 좋겠어요."

*

유리는 처음 그를 만났을 때만 하더라도 함께 기도를 하는 것까진 바라지 않았다. 과한 욕심이라 여겼던 것이다. 그저, 아이를 추억하는 오늘을 함께 보낼 수 있기만 하면 되었다. 그러다 거듭된 행운에 마음이 들뜨기 시작했다. 오늘만큼은 욕심을 내도 될 것 같았다.

"어렵지 않은 일이지요. 알겠습니다. 그나저나 특별히 생각한 신전이 따로 있습니까?"

놀랍게도 카사르는 그녀의 부탁에 또 한 번 고개를 끄덕였다. 정말 기적이 일어나기라도 하는 걸까. 유리는 자꾸만 두근거리는 심장 언저리를 꾹 누르며 입을 열었다.

"아니, 그렇지는 않아요. 기도만 할 수 있으면 될 것 같아요."

"이 근처에 여신 모리아의 신전이 있습니다. 정원이 매우 아름다운 곳이지요."

정원이 아름다운 곳. 유리는 대번에 그 신전이 마음에 들었다.

"좋아요. 그럼 그쪽으로 가요."

카사르는 반 걸음쯤 앞서 그녀를 안내했다. 그의 너른 어깨를 훔쳐보던 유리가 볼을 붉혔다. 이렇게 나란히 걷는 게, 꼭 데이트를 하는 것처럼 느껴졌던 것이다. 그게 너무 좋아 자꾸만 웃음이 새어 나왔다.

'너무 좋아하면 안 돼. 이 사람이 분명 이상하게 생각할 거야.'

그러면서도 설레는 마음을 어쩔 수가 없었다. 아무리 생각해도 오늘은 정말 운이 좋았다. 아이가 그녀를 위해 선물을 준비한 게 맞는 거지 싶다. 유리는 배시시 웃으며 다시금 달큰한 꽃향기를 맡았다. 카사르가 슬쩍 걸음을 늦추었다. 그의 가라앉은 시선이 힐끔 홍

조 띤 볼에 가 닿았다. 그가 미간을 좁혔다. 즐거워하는 모습을 보다 보니 또 그 빌어먹을 서신의 문구가 떠올랐다.

—공녀님께서, 당신께서 사용하실 독을 구하고 계십니다.

숨골을 얻어맞는 듯했다. 그가 이를 사리물었다. 냉탕과 온탕을 왔다갔다 하느라 아주 죽을 지경이었다.

"이곳이 모리아 신전입니다. 수도 주민들에게 가장 사랑받는 곳이지요."

"와, 정말 좋네요."

신전은 두 사람이 만난 곳과 멀지 않은 곳에 있었다. 유리가 얕은 탄성을 내지르며 신전 입구로 들어갔다. 무척이나 정갈한 전망이 쭉 펼쳐져 있었다. 마냥 화려했던 황궁의 정원과는 달리, 단아한 매력이 있었다.

신전 건물로 향하는 길엔 잎이 무성한 나무들이 쭉 늘어서 있었다. 바람이 불 때마다 풍성한 녹음이 파도 소리를 만들어 냈다. 인적도 무척 드물어서 가끔 신관 복장을 한 이들이 기도하며 걷는 것이 전부였다. 절로 마음에 평화가 찾아오는 것 같았다.

유리의 입가에도 어느새 미소가 맺혔다.

이런 곳이라면, 아이를 보내기 더없이 좋은 곳이지 싶었다.

"어렸을 때부터 이런 곳을 좋아했어요. 조용하게 자연을 느낄 수 있는 곳이요. 서 있기만 해도 마음이 정화되는 것 같아서요."

"인파가 많은 곳은 즐기지 않나 봅니다."

"아무래도요. 그리고 이런 곳을 걸으면요."

유리의 얼굴에 깊은 그리움이 묻어났다.

"그리운 사람과 함께 했던 때가 떠오르거든요."

한때 그와의 추억을 모두 버리려 한 적이 있었다. 리디아 역시 그리 말했다. 그녀를 아프게 하는 과거를 모두 버려야 한다고 말이다.

그리고 유리는 그 모든 일이 아무리 노력해도 불가능하다는 걸 깨닫게 되었다. 그와의 추억은 절대로 버릴 수 없는 보석이었다. 소중한 추억과 닮은 풍경에 취했기 때문일까. 유리는 저도 모르게 진심을 내보였다.

"종종 생각해요. 그때로 돌아가고 싶다고."

그는 잠시 아무 말도 하지 않았다. 이내 조금 잠긴 듯한 목소리로 물었다.

"……그 사람이 많이 소중했나 봅니다."

그의 물음에 유리는 물끄러미 펜던트를 내려다보았다. 그 안에 담겨 있을 초상화를 떠올리며 유리가 설핏 웃었다. 오늘은 그의 미소를 그리고자 굳이 초상화를 볼 필요가 없었다. 바로 곁에 사랑하는 사람이 있으니까.

"사랑하는 사람이었어요. 아마 전하께서 그 여자분을 사랑하시는 만큼 사랑했을 거예요."

가슴에 아릿하면서도, 기분 좋은 통증이 느껴졌다. 사랑이라는 말, 이리 달콤한 줄 몰랐다. 그 말의 여운에 손끝까지 노곤하게 풀리는 듯했다.

*

부드럽게 웃으며 걸음을 걷던 유리가 고개를 들었다. 어느 새인가 사위가 무척이나 조용해진 것이다. 별 생각 없이 고개를 돌린 유리가 깜짝 놀라 뒤를 돌아보았다. 나란히 걷던 그가 보이지 않은 것이다.

"전하!"

다행히 그는 몇 걸음 뒤에 서 그녀를 보고 있었다. 심장이 두근거렸다. 그와 떨어진 건 찰나인데, 순간 영영 떨어진 듯 불안했었다. 유리가 안도의 한숨을 내쉬며 얼른 그쪽으로 다가갔다. 이내 그와 눈이 마주치곤 놀라 제자리에 멈추었다. 그의 눈빛이, 너무도 차가워 보였던 것이다.

"……전하?"

당혹스러운 물음에 카사르의 눈빛이 새까맣게 가라앉았다. 튀어나오는 말을 참기 위해 입술을 짓씹었다. 방금의 고백이 그의 속을 마구 휘저어 대고 있었다.

─종종 생각해요. 그때로 돌아가고 싶다고.

─사랑하는 사람이었어요.

그의 입매가 일그러졌다. 유리가 저와 함께했던 때로 돌아가고 싶단다. 자신이 저를 사랑하는 만큼 그를 사랑했단다. 그 말이 기쁘기는커녕 속이 끓었다.

'나와 함께했던 때로 돌아가고 싶다고? 그래놓고 날 떠나? 그러면서 독을 준비해? 나 몰래 죽으려고 해?'

그 앞에선 천진한 얼굴로 사랑을 고백하면서, 한 편으론 그 몰래 죽음을 준비했다. 둘 사이의 간극이 점점 그를 미치게 만들었다. 무슨 수를 써서든 오늘은 참아보려 했다. 하지만 이젠 한계였다.

'어떻게 하면 네가 하는 짓을 멈출 수 있을까? 대체 어떻게 하면!'

그에게 방법이 있긴 할까? 아니, 물을 순 있을까? 물으면 답을 해주기는 할까? 당연히 아니겠지. 제기랄! 이 여자 앞에서 저는 왜 이렇게 무력한 걸까!

'협박을 할까? 너한테 협박이 통하기는 할까?'

이 세상에 제 목숨보다 중한 게 어디 있단 말인가. 그 목숨을 버리려는 이에게 소중한 게 있기는 할까. 그런 여자에게 협박이 통할리가 있을까. 그럼 대체 어찌해야 한단 말인가. 당장 할 수 있는 게 없다는 게 돌아버릴 지경이었다. 입만 열면 폭발해 버릴 것 같아 애써 속을 고르는데, 그의 눈치를 보던 유리가 물었다.

"저, 전하. 무슨 일 있으세요?"

그를 바라보는 눈에 걱정이 가득했다. 끓는 속을 달래느라 그는 아무 말도 할 수 없었다. 그의 침묵에 유리가 와락 겁먹은 표정을 했다. 이내 한 걸음 다가오며 물었다.

"혹시 앞이 잘 안 보이세요?"

"하."

그는 저도 모르게 헛웃음을 쳤다. 어이가 없다 못 해 기가 막혔다. 그는 대답 대신 그녀를 쏘아보았다. 불안한 얼굴로 그를 살피던 유리가 놀란 듯 움찔하며 어깨를 움츠렸다. 그래도 그는 아랑곳하지 않았다.

나를 걱정해? 나 몰래 죽을 생각을 하면서, 나를 걱정한단 말을 해?

오갈 곳 없는 원망이 독이 되어 넘쳐흘렀다. 저 자그마한 여자가, 제 속에 끓는 독을 마시길 바랐다. 그래서 같잖은 걱정은 집어치우고, 제 죽음이 그에게 어떤 의미인지 확실히 깨닫길 바랐다.

"당신에게도 소중한 사람이 있기는 합니까?"

유리는 분명 그를 사랑한다고 했다. 사랑이라, 참 좋은 말이다. 그러나 이제 그는 저 여자의 사랑을 이해조차 하고 싶지 않았다.

나를 사랑한다고? 그럼 어쩌라는 건데. 그 사랑에 감사해하며 내 목숨을 빌미로 협박이라도 하면 되는 걸까? 진실을 말해, 지금 당장 네가 하는 짓을 멈춰, 그렇지 않으면, 내가 확 죽어버릴 수도 있으니까, 뭐 이렇게?

"그 소중한 사람이 죽어 버리면 어떨 것 같습니까?"

반쯤은 진심으로 그리 말했다. 이 여자 앞에서 저가 피 흘리며 쓰러지는 꼴이라도 보여 주고 싶었다. 그럼 조금은 이해하지 않을까?

내 속이 얼마나 지옥 같은지.

"괴롭긴 할 것 같습니까?"

사나운 속삭임에 유리의 얼굴에서 표정이 사라졌다. 꽃다발을 움켜쥔 손이 하얗게 질려갔다. 마냥 환하던 얼굴이 잿빛으로 변했다.

"전하, 갑자기 왜 그러세요."

가까스로 미소를 유지한 유리가 떨리는 목소리로 물었다.

"혹시 제가 그 여자분 이야기를 꺼내서 그러세요? 그 여자분 때문에, 마음이 쓰이시는 거예요?"

그래. 그렇다. 너 때문에 내가 지금 돌아버릴 것 같다. 그는 그리 쏘아붙이는 대신 꾹 입을 다물었다. 사나운 침묵이 긍정임을 눈치챈 유리의 눈빛이 괴롭게 변했다. 죄책감 때문이었다. 그걸 알면서도 그는 아무 말도 하지 않았다. 오히려 그 괴로움을 이기지 못해서라도 제게 진실을 말해 주길 바랐다.

"……소중한 사람을 잃으면, 아주 많이 아프겠지요."

한참 말이 없던 유리가 작게 속삭였다. 머뭇대는 손이 슬쩍 마른 꽃잎을 만졌다. 서글프게 그 꽃을 내려다보던 유리가 흐린 미소를 지으며 그를 바라보았다. 이내 조금 망설이다 그에게 다가왔다. 두어 걸음쯤 앞에서 멈추어 선 뒤 엷게 웃었다. 무척이나 슬퍼 보이는 미소였다.

"너무 아파서 견디기 힘들 거예요."

아주 작은 속삭임.

"사실은 이미 그런 경험을 했어요. 목숨처럼 소중했는데, 아니 목숨보다 소중했는데 지키지를 못했죠. 그래서 정말 아팠어요. 살고 싶지 않을 정도로요. 그래서 오늘은 그 사람을 위한 기도를 하고 싶었어요. 이 꽃도 그 사람을 위한 거예요. 이렇게 해서라도 마음을 갚고 싶었는데……. 아무래도 괜한 욕심이었나 봐요."

유리가 힘없이 웃으며 꽃을 내려다보았다. 유리의 고백에도 그의 표정은 풀릴 줄을 몰랐다. 오히려 더 화가 치밀었다. 소중한 이를 잃고 절망해본 적 있는 네가, 어찌하여 내가 이리 잔인할 수 있나. 네게 소중했던 이가 대체 누구이기에.

─좋은 소식이 있어요.

그리고 불현듯, 옛 기억이 떠올랐다.

─확실해지면 말해 줄게요.

카사르가 눈을 깜빡였다. 날뛰던 분노가 쨍하고 얼어붙었다. 그는 멍하니 유리의 소중한 사람을 생각했다. 그게 대체 누구였을까? 유리가 지켜야 할 사람, 이제는 만날 수 없는, 살고 싶지 않을 정도로 괴로운 상실감을 느꼈다면.

─십 년 전, 어머니께서 돌아가셨을 때 생긴 흉터라 하더군.

─그리 어렸을 때 난 상혼이 이리 깊을 수는 없습니다.

─유리의 건강에 큰 문제는 없나?

─체력이 약하신 것을 제외하면 대부분 괜찮습니다. 아, 아기집에 문제가 좀 있는 것 같더군요. 치료를 받지 않으려 하시는 게 제가 많이 부담스러우신 듯했습니다. 꾸준히 약을 복용키로 하셨으니 곧 좋아지실 겁니다.

그는 부지불식간에 시선을 떨구었다. 소매 아래로 드러난 손목이 유달리 희었다. 그 아래로 숨어 있을 흉터가 돌연 선명하게 다가왔다. 온몸의 피가 훅 아래로 쏟아지는 듯 소름이 끼쳤다.

퍽!

그리고 그와 동시에, 한쪽 어깨에 화끈한 통증이 느껴졌다. 머리보다 몸이 먼저 움직였다. 유리의 눈이 커짐과 동시에 그는 유리를 끌어안고 앞으로 쓰러졌다. 가까스로 등을 받쳤으나 충격을 모두 흡수할 순 없었다. 윽, 유리가 고통스러운 신음을 흘림과 동시에 날카로운 바람이 또 한 번 귓가를 스쳤다. 화살이었다.

"여자를 죽여!"

사나운 고함과 함께 그는 유리를 안고 굴렀다. 몸을 반 바퀴 돌리자마자 그들이 있던 자리에 화살이 박혔다. 파르르 떠는 화살깃을 보자 모골이 송연해졌다. 조금만 더 늦었대도 화살은 그의 목덜미를 꿰뚫었을 것이다.

"아악!"

찢어지는 비명과 함께 지척에 서 있던 여자의 팔에 화살이 박혔다. 그녀가 쓰러지는 모습이 슬로우 모션처럼 느리게 지나갔다. 더 생각할 것도 없이 그는 유리를 붙잡고 뛰었다. 신에게 평화를 빌러 온 사람들은 갑작스러운 날벼락에 비명을 지르며 이리저리 흩어졌다. 그 와중에도 날카로운 살기는 정확히 그와 유리에게 향했다.

'유리를 죽이려는 자, 드펜!'

저들은 분명 여자를 죽이라 하였다. 미하엘이 죽은 지금 유리를 해칠 만한 사람은 딱 하나밖에 없었다. 바로, 드펜 황후였다.

픽! 또 한 번 화살 소리가 그의 곁을 스쳤다. 그는 최대한 유리의 몸을 감싼 채 뛰었다. 제가 화살을 맞는 한이 있더라도 이 여잔 지켜야 했다.

"허억, 헉."

유리는 악착같이 그를 따라 뛰었다. 그러나 약한 체력 탓에 금세 숨이 가빠졌다. 그녀의 걸음이 느려지는 걸 눈치챈 그가 재빨리 방향을 바꾸어 건물 안으로 들어갔다. 복도에 죽 늘어서 있는 문 중 하나를 열고 들어가 걸쇠를 잠갔다. 신관의 숙소인 듯, 방 안엔 작은 침대와 책상 하나가 놓여 있었다. 유리는 방에 들어오자마자 쓰러지듯 자리에 주저앉았다. 명치를 움켜쥔 그녀의 얼굴이 새하얗게 질렸다. 카사르가 얼른 다가와 그녀의 어깨를 펴며 호흡을 도왔다.

"몸을 굽히면 호흡이 줄어. 코로, 숨을 크게 들이마셔 봐. 내쉴 땐 입으로, 천천히, 그렇지."

"하아. 하아."

유리는 온 힘을 다해 그가 이끄는 대로 호흡을 했다. 숨을 쉴 때마다 마른 기도가 찢어질 것처럼 아팠다.

유리의 눈매가 고통스럽게 일그러졌다. 카사르는 침착하게 눈꼬리를 타고 흐르는 눈물을 닦아 내며 속삭였다.

"잘하고 있어. 금방 괜찮아 질 거야. 지금처럼 하면……."

"계집이 이 안으로 숨었어!"

"절대 빠져나가지 못하게 해. 문을 폐쇄해!"

"샅샅이 뒤져. 무조건 죽여야 해!"

지척에서 들려오는 고함에 가까스로 진정되어가던 유리의 호흡이 뚝 멈추었다. 닫힌 문을 바라보던 유리가 사시나무처럼 떨기 시작했다. 카사르는 얼른 유리를 끌어안곤 침착하게 말했다.

"곧 근처에 있던 호위가 올 거야. 걱정하지 마."

그에게 암살 시도란 무척이나 익숙한 일이었다. 이런 일을 대비해 늘 최고의 무사들이 그의 곁을 지켰다. 드펜의 수하들 정도야 얼마든지 처리할 수 있었다. 문제는 유리였다. 그녀에겐 이 상황이 무척이나 공포스러울 것이다. 공포 때문인지 숨도 잘 쉬지 못하는 그녀의 모습에 그의 심장이 다 덜컹거렸다.

"그들이 자객 따윈 금방 처리할 거야. 금방 끝날 테니 걱정하지 마. 네가 다칠 일은 없어. 내가 무조건 널 지킬 테니까."

열심히 유리를 달래면서도 날카로운 시선은 무기가 될 만한 것을 찾았다. 혹시라도 방 안에 자객이 들어왔을 때를 대비하기 위해서였다. 얼른 그쪽으로 손을 뻗는데, 밖에서 날카로운 고함이 들렸다.

"모두 엎드려!"

묘한 느낌에 그가 멈칫하며 유리 쪽으로 몸을 돌렸다.

쾅! 쾨쾅!

고막이 터질 것 같은 굉음과 함께 건물이 울렸다. 곧바로 우르릉, 벽과 지붕이 흔들리기 시작했다. 그는 본능적으로 유리의 몸을 감싸며 엎드렸다. 절 향한 녹안이 크게 팽창하는 것이 보였다. 그와 동시에, 등에 엄청난 충격이 느껴졌다. 이내 온 세상이 까맣게 변했다.

*

"윽."

정신을 잃은 것은 순간이었던 것 같다. 희뿌연 재가 부옇게 가라앉는 것을 보며 그가 쿨럭 기침을 했다. 이내 척추가 끊어질 것 같은 고통에 이를 사리 물었다. 웅크린 채 통증이 가시길 기다리는 와중에도 머릿속엔 여자의 안전뿐이었다.

"유……. 윽, 괜찮아?"

이대로 눈을 감고 쓰러져버리고 싶은 것을 참고 억지로 눈꺼풀을 들어올렸다. 유리가 많이 놀란 듯 희게 질린 채 그를 올려다보고 있었다. 그는 아무렇지 않은 얼굴로 입매를 끌어 올렸다.

"윽, 별일 아니야. 후. 괜찮은 거지? 아픈 곳은 없어?"

"없어요……."

그의 물음에 유리가 울음을 참으며 고개를 저었다. 다행이다. 머리끝까지 가득했던 긴장이 일순 풀리며 몸에서 힘이 빠졌다. 그는 반쯤은 무너지듯 옆으로 털썩 드러누웠다. 깜짝 놀란 유리가 몸을 일으키며 외마디 부름을 내질렀다.

"카사르!"

"아아, 난 괜찮아. 이 정도는, 윽, 별거 아니야."

온몸을 두들겨 맞는 듯한 통증 속에서도 그는 웃었다. 지독하게 아팠지만 움직이지 못할 정도는 아니었다. 사지의 감각도 멀쩡하고, 앞도 잘 보였다. 건물이 무너질 뻔했는데 그 정도면 천만 다행이었다. 만에 하나라도 이런 때 증상이 시작되었다면 제 두 눈을 찔러버리고 싶었을 것이다.

"잠깐 다친 곳 좀 볼게요. 아프면 말해요."

"허억. 윽, 그래."

그가 옆으로 드러눕자 유리가 그의 등 쪽 상처를 살폈다. 그동안 그의 시선은 자연스레 문 쪽으로 향했다. 폭발 때문인지 걸쇠는 완전히 끊어져 있었다. 누가 툭 치면 그대로 열릴 정도였다.

'빌어먹을!'

절로 욕지기가 치밀어 올랐다. 폭발이라니. 자객이 이따위 짓까지 준비할 줄은 상상도 못 했다. 드펜이 유리를 죽이기 위해 정말 작정했다는 걸 알 수 있었다. 머리가 어지러울 정도로 분노가 치밀어 올랐다. 그가 이 자리에 없었다면 유리는 분명 그들의 손에 죽었을 것이다.

"출혈은 없어요. 큰 상처는 없는 것 같아요."

"윽, 후우. 고마워."

그리 말하며 유리는 그의 뺨을 감쌌다. 웃고 있는 두 눈에 자꾸만 눈물이 고였다. 저를 위해, 눈물을 참고 있는 것이리라. 그 모습을 보고 있노라니 상황에 맞지 않게 헤실헤실 웃음이 새어 나왔다.

'내가 네게 소중한 사람인 건 맞구나.'

내 상처에 이렇게 눈물지을 정도로 소중한 사람인 거구나. 내가 다치는 게 너한테도 아픈 일인 거구나. 그리 생각하니 희망이 샘솟았다. 어쩌면 그가 그녀를 살릴 수 있을지도 모른다. 유리가 준비하는 끝을 막고, 그녀를 설득할 수 있을지도 모른다.

"걱정 말아요."

극도로 긴장한 와중에 희망을 맛보았기 때문 일까. 달콤한 목소리가 순식간에 그를 무장해제 시켰다. 그는 호흡을 고르며 저를 보고 웃는 유리를 바라보았다.

"괜찮을 거예요."

눈물 젖은 녹안에 그를 향한 애정이 듬뿍 담겨 있는 게 느껴졌다. 착각이 아니라는 걸 이젠 알았다. 마음이 푹 놓이자 그의 입가에도 미소가 맺혔다.

유리의 목소리가 유난히 차분하다는 건 눈치채지 못한 채였다.

"당신은, 다치지 않을 거예요."

유리가 그리 속삭이며 그의 목을 끌어안았다. 그가 안도의 한숨을 내쉬며 눈을 감았다. 따스한 물에 몸을 눕힌 듯 편안함이 찾아왔다. 지금만큼은 문밖의 자객들도 위협적으로 느껴지지 않았다.

"……저들이 노리는 건 당신이 아니니까요."

묘한 말에 그가 눈을 뜨려고 하자, 보드라운 손이 그의 눈두덩을 덮었다. 시각이 차단되자 유리를 향한 감각이 극도로 예민해졌다. 그와 동시에 코앞을 간질이는 숨결에 그가 흠칫 굳었다. 보이지 않아도, 그녀가 점점 가까워진다는 걸 알 수 있었다.

그는 완전히 긴장으로 굳어 버렸다. 네 호흡이 더 가까워지면, 네가 더 가까워지면, 나는……. 그리고 마침내 그녀의 입술이 제게 와 닿았다. 말캉한 온기에 순간 숨이 멎어 버릴 것 같았다.

유리야, 그는 차마 부르지도 못하고 질끈 눈을 감았다. 그린 듯 아름다운 미소가 눈앞에 보이는 듯했다. 그때까지만 해도 그는 무슨 일이 벌어질지 눈치채지 못했다. 그저 멀어지는 입술이 아쉬울 뿐이었다. 그리고, 밀려오는 한기에 그가 번쩍 눈을 떴다. 열린 문 틈으로 사라지는 치맛자락이 보였다. 소름 끼치는 현실은 한 템포

늦게 입력이 되었다.

"안 돼!"

단말마의 비명과 함께 그가 몸을 일으켰다. 그와 동시에 엄청난 통증이 해일처럼 밀려들었다.

*

"허억, 헉."

유리는 가쁜 숨을 내쉬며 복도를 달렸다. 폭발의 여파 탓에 복도 곳곳이 무너진 것이 보였다. 폭발의 잔해들 사이로 구두 소리가 높게 울렸다. 유리는 부러 더욱 세게 땅을 디뎠다. 소리가 나야, 그들이 그녀 쪽으로 달려올 테니까.

"여자를 찾았어!"

그들이 노리는 게 자신이라는 거, 처음부터 알고 있었다. 사나운 고함에 유리는 구두를 벗어 던지고 치맛자락을 움켜쥐었다. 위치를 들켰으니 이젠 그 사람이 있는 곳에서 최대한 멀리 도망가야 했다. 정신없이 복도를 질러가자 높은 아치로 이루어진 출구가 보였다. 그 안으로 뛰어들자마자 밝은 빛이 시야를 가렸다. 그곳에 있는 것이 나았을까? 아니다. 떠나는 게 옳다. 그 자리에 있었다면, 그는 또 한 번 자신을 지키려 했을 테니까.

"이쪽이야!"

유리는 다급히 녹음이 우거진 정원을 훑어보았다. 그녀를 쫓는 발걸음 소리가 지척에서 들렸다. 그들이 정원으로 들이닥치기 직전, 유리는 가까스로 아름드리나무 뒤로 숨었다. 이내 거친 숨이 터져 나오는 입을 억지로 틀어막았다. 제 숨소리를 참기 위해서였다.

폭발이 일어난 순간 그의 품 안에서 유리는 깨달았다. 그가 저를 지키려다 다치는 걸 보느니 차라리 죽는 게 낫다. 그는 곧 호위가 올 거라 했지만 그것으론 그가 안전할 수 없었다. 그를 완벽하게 지킬 수 있는 방법은 하나뿐이었다.

"계집이 여기에 있어!"

그의 곁을 떠나면 된다.

"잡았다!"

"윽!"

팔이 빠지는 듯한 통증과 함께 훌쩍 몸이 들렸다. 자객은 휘청거리는 유리를 질질 끌고 덤불 밖으로 꺼냈다. 헐떡이는 숨에 비릿한 피 냄새가 와락 밀려들었다.

"망할 년. 너 때문에 전부 죽을 뻔했어! 사생아 주제에 호위를 데리고 다녀?"

"악!"

자객은 욕설을 내뱉으며 유리를 던지다시피 하였다. 넘어진 유리를 노려보는 자객의 눈빛에 광기가 일렁였다. 가까스로 몸을 일으킨 유리의 눈에 높이 솟은 칼끝이 보였다. 두려움보다 안도감이 먼저 밀려왔다. 어쨌든 최악의 끝은 아니었다. 카사르는 안전하고, 그녀는 리디아 프리우스로 죽을 수 있을 것이다.

자객이 칼을 들어올린 자세 그대로 눈을 부릅떴다. 유리의 아연한 시선이 자객의 복부를 뚫고 나온 칼끝에 맺혔다. 유달리 흰 칼이 쑥 빠지며 자객이 휘청 뒤로 물러났다. 뒤이어 폭포처럼 쏟아지는 피에 유리가 부르르 몸을 떨었다.

"너 정말, 어떻게 이따위 짓을 또……!"

자객을 밀치고 나타난 카사르가 와락 유리를 끌어안았다. 반가움보다 한기가 먼저 밀려들었다. 붉은 피의 잔상이 어지러이 그의 얼굴 위로 겹쳤다. 아이를 잃었을 때의 절망이 돌연 떠올랐다. 그때도 지금처럼 모든 것이 붉었다.

"아, 안 돼."

유리는 완전히 공황 상태에 빠져 버렸다. 결국 카사르가 그녀를 쫓아 온 거다. 그녀를 지키기 위해 다치려 하는 거다. 짙은 피 냄새가 공포에 불씨를 지폈다. 유리는 사시나무처럼 떨며 그의 몸을 끌어안았다.

"다, 당신은 안 돼."

"하아."

"당신까지, 다치면, 제발, 윽, 제발……!"

"맙소사."

필사적으로 저를 감싸려는 유리의 모습에 그가 신음을 삼켰다. 맞닿은 몸이 여린 짐승처럼 벌벌 떨었다. 그가 질끈 눈을 감았다. 화가 나서 미치겠는데 그 감정을 쏟아낼 수가 없었다. 그는 깊은 숨을 내쉬며 날뛰는 감정을 가라앉히려 애썼다.

"걱정하지 마. 이젠 다 끝났으니까."

"제발요. 제발. 이 사람만큼은, 제발."

"진정해. 다 끝났어. 이젠 아무 일도 없다고!"

그는 제게 매달리는 유리를 억지로 떼어냈다. 공포에 질린 유리의 눈을 직시하며 새기듯 말했다.

"나 아무렇지도 않아. 잘 봐. 정말 괜찮다고."

녹색 눈동자에서 눈물이 쉼없이 흘러내렸다. 그의 말에도 유리는 안심을 못하고 덜덜 떨다가 또 다른 인기척에 그대로 굳어 버렸다. 카사르가 얼른 놀란 그녀를 달래었다.

"내 호위야. 걱정할 거 없어."

"아……."

"내 사람들이야. 이젠 모두 안전해."

유리가 바들거리며 시선을 돌렸다. 정원으로 들어온 사내들이 그를 전하, 하고 불렀다. 인도감에 순산적으로 온몸에 힘이 쫙 빠져 버렸다. 축 늘어지려는 유리를 그가 단단히 끌어안았다. 유리가 울음을 터트리며 그의 어깨에 얼굴을 기대었다. 카사르가 떨리는 숨을 내쉬며 유리와 뺨을 맞대었다. 뜨거운 눈물이 제 뺨을 적시는 것이 느껴졌다.

"이젠 정말 괜찮아. 다 괜찮아, 유리야."

그는 가녀린 몸을 바스라트릴 듯 끌어안았다. 저를 잃을까 놀라 빠르게 뛰는 맥박 소리에 그가 질끈 눈을 감았다. 가슴이 너무 아팠다. 이 여자를 사랑하는 게 이젠 너무 아팠다. 저를 살리고자 유리가 죽으려고 한 건 더 아팠다. 다시는 그런 짓을 못 하도록 이대로 하나가 되었으면 좋겠다. 이대로 이 여자를, 영원히 내 속에 품으면 좋겠다.

"나도 괜찮아. 네가 있으니까. 이젠 괜찮아."

*

상황은 빠르게 정리되었다. 자객들은 황태자의 호위와 자신들이 상대가 되지 않는다는 걸 깨닫자마자 금세 항복 선언을 했다. 신전에 숨어 있던 자들까지 모두 정리가 되는 덴 반 시간이 채 걸리지 않았다. 유리는 그 뒤로도 한참 동안이나 공포에서 벗어나지 못했다. 루한이 자객의 심문을 맡은 동안 카사르는 유리의 곁을 지켰다.

"그자들이 사용한 화살입니다."

카사르는 기사가 내미는 화살을 받아들었다. 피 묻은 화살촉 끝이 모두 검게 물들어 있었다.

"여기 독이 묻어 있긴 했습니다. 극독은 아니었습니다만."

자객들과 싸우다 다친 호위들의 상처엔 모두 공통점이 있었다. 상처 주변이 검게 물든 것이다. 화살에 스친 카사르의 상처 역시 그러했다. 그러나 그들 모두 멀쩡하게 걸어 다녔다. 웬만한 독에는 내성이 있기 때문이었다.

"그런 것 같더군. 나 역시 아무런 느낌도 없다."

"아무래도 프리우스 공녀를 노린 것이 확실할 것 같습니다."

만일 카사르가 목표였다면 이보다 더 강한 독을 사용했을 것이다. 자객들의 독이 평범하다는 건 그들의 목표가 유리라는 증거였다. 유리가 독에 내성이 있을 리 없으니까 말이다.

"이 일을 사주한 자에 대해서는 알아냈나?"

"아직은 입을 다물고 있습니다만 얼마 버티지 못할 겁니다."

"목격자들은."

"다행히 신전에 사람이 많진 않았습니다. 입단속은 끝냈습니다."

기사의 보고를 들으며 카사르는 힐끔 유리를 바라보았다. 유리는 침대에 웅크린 채 모로 누워 있었다. 차라리 잠이 들면 편해지련만. 그러지도 못하는 그녀의 모습에 그의 눈빛이 아프게 변했다.

"전하께서도 일단 치료를 하시는 게 좋겠습니다."

보고를 마친 뒤 기사가 살에 스친 그의 상처를 보고 말했다. 상처는 그리 심하지 않았다. 피부가 벗겨진 정도라 그가 고개를 저었다.

"큰 상처가 아니야. 그냥 두어도 될 거다."

"그래도 소독은 하시는 게 좋겠습니다."

"되레 번거롭다. 일단 이번 일이 정리가 되고 나서……."

"그 상처, 제가 치료하면 안 될까요?"

기사와 대화를 나누는데, 등 뒤에서 유리의 목소리가 들렸다. 카사르가 천천히 고개를 돌렸다.

"제가, 전하를 치료해 드리면 안 될까요?"

유리는 반쯤 몸을 일으킨 채 그를 보고 있었다. 무척이나 간절한 눈빛이었다. 얼굴은 핏기 하나 없이 창백했다. 키시르가 물끄러미 유리를 응시했다. 그와 눈이 마주치자 유리는 그대로 시선을 피해 버렸다. 그러면서도 잠긴 목소리로 말했다.

"제가, 할 수 있어요. 제가 할게요."

카사르가 말없이 시선을 내렸다. 침대보를 움켜쥔 손이 희게 질려 있는 게 보였다. 그의 눈빛이 깊어졌다.

"그래."

그의 대답에 두 사람의 눈치를 보던 기사가 얼른 방을 나갔다. 유리가 침대에 걸터앉자 그는 의자를 끌고 유리 앞으로 갔다. 그가 소매를 걷는 동안 유리는 가위로 붕대를 자르며 치료 준비를 시작했다. 유리는 여전히 그와 눈을 마주치려 하지 않았다. 물끄러미 그 모습을 보던 그가 상처를 내밀었다. 소독솜을 집어든 유리가 색이 변한 상처에 멈칫했다.

"……상처 색이 변했어요."

그는 아무렇지 않은 어조로 말했다.

"화살에 독이 있어서 그래."

"……독이요?"

"응."

그의 대답에 유리는 마치 목이 졸린 듯한 얼굴을 했다.

"해독은요?"

"괜찮을 거야. 웬만한 독에는 내성이 있으니까."

"……아."

대수롭지 않은 어조에 유리가 고개를 떨구었다. 흰 손이 파르르 떨렸다. 그는 가만히 그 모습을 보며 생각했다. 지금 네가 괴로워하는 이유가 무얼까. 혹시 내 상처를 네 탓이라 자책이라도 하는 걸까.

"치료, 해 줘."

그는 그녀를 위로하는 대신 제 상처를 더욱 드러냈다. 그리고 생각했다. 죄책감이라도 좋다. 널 내 곁에 묶어둘 수 있다면 무엇이든 이용하리라. 널 살릴 수만 있다면, 얼마든지 나를 수단으로 쓰리라.

"궁금한 게 있어."

그는 이제 확신했다. 유리는 그를 사랑한다. 자신의 목숨을 던져서 그를 구하고 싶을 정도로 사랑했다. 그러니 분명 그의 물음에 답해 줄 것이다. 설령 입을 다문다 하여도 상관없었다. 그의 안위를 걸고 협박을 해서라도, 진실을 알아낼 테니까.

"제가 먼저 물을래요."

상처를 소독하던 유리가 잠긴 목소리로 말했다.

"대체, 저를 왜 살리신 거예요?"

그 순간, 카사르는 제 귀를 의심했다. 뭐라고?

"저를 왜 살리셨냐고 물었어요."

그리 말하며 유리가 고개를 들었다. 더는 그의 눈을 피하지 않았다. 무척이나 차가운 시선이었다. 카사르의 얼굴에서 표정이 사라졌다.

"그게, 무슨 소리야?"

"저를 죽게 두셨어야 한다는 뜻이에요."

확고한 선언. 피가 식는 듯했다. 그가 얼어붙은 눈동자를 깜빡였다.

"이 화살, 저를 감싸다가 맞으신 거죠. 내성이 없는 독이었으면, 분명 죽었을 거예요. 대체 왜요? 제가 뭔데요? 전 그냥, 닮은 사람 아니었어요? 그럼 그냥, 죽게 두었어야죠! 제가 죽든 말든! 상관하지 말았어야지, 왜 구하러 와요. 내 말이 틀려요? 안 그래요?"

마구 말을 쏟아내던 유리가 마지막엔 따지듯, 목소리를 높였다. 처음엔 멍하니 그 말을 듣기만 하던 그가 가까스로 입을 열었다.

"지금 뭐랬어?"

묻는 목소리가 마구 떨렸다.

"내가 널, 죽게 두었어야 한다고?"

"그래요."

"너!"

그의 손이 거칠게 그녀의 손목을 움켜쥐었다. 잡힌 부분을 내려다보는 유리의 얼굴이 딱딱하게 굳었다. 손목이 희게 질릴 정도로 강한 힘이었다. 분명 금세 퍼런 멍이 올라올 것이다. 유리가 눈물을 참기 위해 이를 악물었다. 그가 씨근덕거리는 숨을 참으며 말했다.

"너, 어떻게 나한테 그따위 말을……."

"당신이 대체 무슨 상관이에요?"

유리가 느리게 숨을 내쉬며 그를 바라보았다. 이내 한 자 한 자 새기듯 말했다.

"난 어차피 가짜잖아요. 내가 설령 죽는데도 상관하지 말……."

"그 입 다물어."

그리고 이성이 뚝 끊어져 버렸다. 더는 듣고 있을 수가 없었다. 아픈 소리만 골라서 하는 이 여자의 입을 막아야했다. 그는 유리의 두 뺨을 감싼 채 거세게 입을 맞추었다. 잠시 굳었던 유리가 그에게서 벗어나려 했다. 카사르는 힘으로 그녀를 밀어 버렸다. 가느다란 몸이 침대 위로 쓰러지며 결 좋은 흑발이 시트 위에 마구 흩어졌다.

그는 유리의 어깨를 찍어 누르다시피 하여 다시 몸을 숙였다. 그를 피하려 고개를 돌리려는 걸 억지로 턱을 붙잡았다.

"입, 벌려."

"이러지 마…… 윽!"

"벌리라고."

다시금 광포한 입맞춤이 시작되었다. 그녀의 입술 틈을 파고든

붉은 혀가 여린 살을 유린하듯 훑었다. 고통 때문인지 눈물 젖은 녹안이 일그러졌다. 그녀 못지않게, 아니 훨씬 더 아팠기에 카사르는 멈추지 못했다. 유리는 턱에 힘을 주다가도, 끝내 그의 혀를 깨물진 못했다.

"……유리야."

한참 후에야 그는 유리를 놓아주었다. 가쁜 호흡 소리를 들으며 그는 생각했다. 이대로 이 여자를 죽여 버릴까. 우리 함께 죽으면 이 빌어먹을 짓을 끝낼 수 있지 않을까.

"유리야, 큭. 유리야."

그럼 나는 네가 다칠 염려 없이 너를 쫓을 수 있지 않을까.

"유리야……."

애가 타들어가는 것 같았다. 그의 눈매가 붉게 물들어갔다. 제 아래 놓인 그녀의 몸이 딱딱하게 굳는 게 느껴졌다. 그는 킬킬거리며 그녀의 관자놀이에 입술을 대었다. 뜨거운 눈물이 그의 뺨을 지나 그녀의 귓가를 적셨다. 유리가 질끈 눈을 감으며 고개를 돌렸다

"뭐가 그렇게 겁이 나."

카사르가 유리의 목덜미에 얼굴을 묻은 채 말했다.

"우리, 약속했잖아. 나한테 유리가 되어 주기로. 안 그래?"

파들거리는 웃음이 새어 나왔다. 그는 시커먼 불을 삼키는 심정으로 속삭였다.

"알아. 너는 유리가 아니잖아. 그러니까, 약속만 지켜. 유리가 되어서 내 곁에서, 그냥 살아만 있어. 내가 그 여자 잊을 때까지 도와. 반드시 그래야 할 거야. 안 그러면 내가 정말 죽어 버릴지 모르니까."

웃음과 울음이 동시에 나왔다. 유리가 어떤 얼굴을 하는지는 알 수가 없었다. 사랑스러운 만큼 원망스러웠다. 이 여자는 어찌 이리 끝까지 모질기만 할까. 정녕 이 여자를 곁에 둘 방법이, 이것밖엔

없는 걸까.

"유리야, 사랑한다. 유리야, 이대로 우리 둘이 함께 죽어 버렸으면 좋겠을 정도로, 사랑해."

그는 몇 번이고 사랑한다 속삭였다. 끙끙 앓으며 숨겼던 마음을 고스란히 드러냈다. 이젠 숨길 수도 없었다. 피가 흐르던 상처에선 곪아 진물이 흘러내렸다. 너무 아파 감당하는 게 불가능했다.

"약속, 이요?"

유리가 떨리는 목소리로 물었다.

"내게 이러는 게, 그저 약속 때문이라고요?"

도저히 믿을 수 없다는 듯한 목소리였다. 그는 대답 대신 이를 사리물었다.

'흔적이나 쫓으려 다른 여자에게 입 맞추는 취미는 없어. 약속이 아니라, 너이기 때문에 이러는 거다.'

전하지 못한 말에 볼썽사납게도 눈가가 뜨끈해졌다. 이젠 뭘, 어떻게 해야 할지 알 수가 없었다. 그는 웅크린 채 그 모든 것을 감내했다.

"맙소사……."

그때, 유리가 울먹이며 입을 열었다. 덜덜 떨리는 팔이 그의 어깨를 끌어안았다.

"당신, 대체 언제부터 이렇게 참고 있었던 거예요……."

아아. 그 말에 카사르가 질끈 눈을 감았다. 참을 수 없어서 그저 견뎠을 뿐이다. 소리 없는 눈물이 끝내 시트를 적셨다. 유리가 울음을 터트리며 그를 끌어안았다.

"어떻게 해. 흑. 진짜 힘들었겠다. 카사르. 당신, 어떻게……."

유리가 그를 부르는 순간, 참고 있던 모든 것들이 무너졌다. 그는 자신이 무엇을 하는지도 모른 채 젖은 뺨에 입을 맞추었다. 이내 섬세한 손길로 그녀의 눈물을 닦아내었다. 유리가 또 한 번 눈물을 터트렸다. 그는 유리의 두 뺨을 감싼 채 이마를 맞대었다.

"나는 괜찮아."

그리고 입술을 겹쳤다. 아까와는 달리 부드럽게 열리는 입술 사이로 혀를 밀어 넣었다. 자신이 깨물었던 곳에서 비릿한 피맛이 느껴졌다. 말캉한 혀가 달래듯 상처를 훑었다. 그의 키스를 받아들이는 유리의 눈가가 또 한 번 젖어 들어 갔다.

"카사르."

"응."

긴 입맞춤이 끝난 후, 유리가 가쁜 숨을 내쉬며 그의 어깨를 잡았다. 맞닿은 몸으로 그녀의 몸이 잘게 떨리는 게 느껴졌다. 그는 달래듯 뺨을 쓸며 다음 말을 기다렸다.

"나도, 하고 싶은 말 할래요."

"응."

"내가 만일 그 여자라면 말이죠."

채 끝나지 않은 눈물에 그녀의 숨이 파르르 떨렸다.

"안아 달라고 할 거 같아요."

그 말에 그는 물끄러미 유리를 내려다보았다. 말갛게 젖은 눈동자가 그를 똑바로 응시했다.

"안아 줄래요? 카사르."

그리 말하며 유리는 웃었다. 눈물 젖은 미소가 참으로 고왔다. 그의 어깨를 붙잡은 손에서 떨림이 차츰 잦아들어갔다. 그의 입가에도 어느새 미소가 어렸다. 온 세상이 모든 그의 것인 양 행복이 차올랐다.

"그래."

달콤한 속삭임과 함께 그가 유리의 손을 맞잡았다. 드디어 되찾은 사랑에, 가슴이 벅찼다.

*

유리와 처음으로 하나가 된 날을 기억한다. 만나고 얼마 되지 않아 두 사람은 자그마한 침대에서 함께 잠들기 시작했다. 유리가 악몽을 꾸기 시작한다는 것을 알고 난 후 그가 먼저 청한 일이었다. 유리는 처음엔 민망해하며 그런 말 말라 했지만, 한 번 발작을 겪은 후부턴 얌전히 그에게 안겼다. 그의 품속에선 편하게 잘 수 있다는 걸 알게 된 것이다.

그의 마음은 이미 깊어 그녀와 진즉 한몸이 되고도 남았다. 본 적 없는 연인을 꿈속에서나마 얼마나 많이 품었는지 모른다. 그녀를 향한 욕심은 그 자신도 놀랄 정도로 거침없이 자라갔다. 그가 자신을 자제한 것은, 유리를 배려하기 때문은 아니었다. 사랑하는 여자에게 신사적으로 보이고 싶다는 허세에 가까웠다. 그는 처음으로 자각한 제 위선을 기꺼이 품었다. 유리와 조금이라도 더 닿기 위해 온갖 핑계를 만들어냈다. 표정을 보는 대신, 맥박을 들어야겠다며 그녀의 몸에 입술을 묻기도 했다.

유리는 모를 것이다. 얇은 피부 아래로 흐르는 맥을 느끼는 것이 얼마나 달콤하고, 아찔한 일인지. 음흉하다고 손가락질해도 좋았다. 어린 목덜미에 입술을 묻고 있다가 실수인 척 피부를 깨문다. 유리는 진저리를 치며 그를 밀어내다가도 그가 우는소리를 하면 어쩔 수 없이 또 제 몸을 내주었다.

제 입술 아래에서 유리의 몸이 빳빳하게 굳는 게 정말 좋았다. 제 손길에 긴장한 몸이 다시 부드럽게 풀어지는 건 더 좋았다. 유리가 져줄 때마다 웃음을 참는 게 얼마나 힘들었는지 모른다. 유리가 저

를 돕기 위해 얼마나 진지한 얼굴을 하고 있을지를 상상했다. 결국
엔 이 여자가 정말 미치도록 사랑스러워져서, 머리부터 발끝까지
모두 먹어 버리고 싶단 생각을 했다. 키스 마크를 남기면서도 끝없
이 상상했다. 내 입술 아래에서 이 여자의 피부가 어떻게 변했을까?
얼마나 어여삐 붉어졌을까? 그때 이 여자의 표정은 어떨까? 언젠간
이 여자도 내게 먼저 입 맞출 날이 올까? 이 여자의 서투른 입술이
붉은 낙인을 만들 때, 그때의 기분은 어떨까?

그리 사랑에 눈멀었으니 그녀와 함께 잠들 수 있는 기회를 놓칠
리 없었다. 자신이 바란 일임에도 처음에는 조금 후회했다. 사랑하
는 여자를 품을 수도 없으면서 그저 나란히 누워야만 하다니. 색색
거리는 호흡 소리를 들을 때마다 그는 제 인내의 끝을 느꼈다. 까딱
하여 이성을 잃고 짐승이 될까 무서워 밤새 마른침만 삼킨 적도 있
었다. 제 상태를 들키면 어쩌지. 그런 하잘것없는 고민은 하지도 않
았다. 오히려 기꺼운 일이었다. 자신이 힘들어하는 걸 알면 마음 착
한 여자는 결국 망설이다가도 모두 내어주고 말 것이다. 불쑥불쑥
정말 그래 버릴까 하는 충동이 들긴 했다.

그가 제 안의 짐승에게 잠시나마 고삐를 맨 것은, 처음으로 사랑
을 나누는 것만큼은 그녀가 진정으로 원할 때 하고 싶단 욕심 때문
이었다. 그래도 가끔은 저를 믿는다 말하고 무방비하게 몸을 맡긴
그 여자가 조금은 원망스럽기도 했다. 이 여자는 마냥 평온해 보이
는데, 저만 안달복달인 것 같았다. 뜨끈한 몸을 안고만 있는 걸로는
부족해서 밤중에 괜히 입술을 훔치곤 했다. 도둑 입맞춤으로 끝난
적은 거의 없었다. 여린 입술을 잘근잘근 깨물다 보면, 어느새 호흡
이 가빠진 여자가 잠에서 깨고 마는 것이다.

―이건 다 네 잘못이야. 네가 예뻐서 그래.

그럴 때면 그는 심통을 부리며 그녀에게 제 잘못을 떠넘겼다.

자다 깬 것이 제법 짜증이 날 텐데도, 유리는 그저 곱게 웃기만 했다. 잠이 덜 깬 목소리로 나도 당신이 예뻐요, 하며 그의 치부를 끌어안아주기도 했다. 그럼 또 한 번 유리와 진정으로 하나가 될 날을 죽도록 바라게 되었다.

그러던 어느 날, 유리가 아주 심한 악몽을 꾸었다. 하늘에 구멍이 뚫린 양 비가 쏟아지고 천둥 번개가 내리쳤다. 드물었던 악몽이 다시 시작된 게 무척이나 걱정이 되었다. 꿈에서 끙끙 앓던 유리는 깨어난 뒤 그의 품속에서도 한동안 괴로워했다. 소리 없이 제 가슴을 적시는 눈물에 그는 심장이 덜컥 내려앉았다. 무슨 꿈인지 이야기를 해 달라는 그의 채근에도 유리는 말없이 고개를 저었다.

본능적으로 그 악몽이 유리를 눈물짓게 하는 원인과 관련되어 있다는 걸 알았다. 그는 결국 늘 그렇듯 답을 듣지 못했지만, 그날의 유리는 조금 달랐다.

―당신과 하나가 되면…….

한동안 눈물을 흘리던 유리가 그의 품에서 말했다.

―하나가 되면, 조금은 덜 외로울 수 있어요?

그 순진한 물음이 무엇을 바라는지 그는 단번에 깨달았다. 그의 앞섶을 움켜쥔 손이 조금 떨리는 게 느껴졌다. 그의 심장은 그에 비례해 미친 듯이 뛰었다. 북처럼 움직이는 심장 소리에 얼이 빠질 지경이었다.

―네가 외로울 일은 없어. 내가 늘 네 곁에 있을 거니까.

유리의 손목을 쥐고 있던 그는 즉시 그녀 역시 저와 같다는 걸 알았다. 본능인 양 그녀의 목에 입술을 묻었다. 가느다란 목이 사슴의 그것처럼 바르르 떨리는 게 느껴졌다. 그 아래로 팔딱대는 심장 소리가 아찔할 정도로 강렬했다. 손목을 쥐던 손으로 훑듯이 깍지를 꼈다. 손가락이 얽히는 감촉이 이리 야릇할 수 있는지, 처음 알았다.

―나, 무서워요.

떨리는 목소리가 그의 속에 있는 마지막 빗장마저 부러뜨려 버렸다. 신사 따위는 집어치우라지. 그는 겁먹은 여자를 제 아래 눕혔다. 아무것도 보이지 않았기에 더 대담할 수 있었다.

―무섭게 안 할게.

그럴 수 있을까. 아니라는 걸 알았다. 거칠게 옷자락을 내리고 어깨를 깨무는 입술에 유리가 파드득 떨렸다. 불안해 헐떡이는 숨소리가 그의 귓가엔 절정의 신음처럼 달콤했다. 네가 연주하는 또 다른 음악은 아름다울까. 상상만으로 심장이 조여들었다. 그리 짐승 같던 그의 목을 가느다란 팔이 끌어안았다. 이내 서툴게 입을 맞추었다. 눈앞에 불이 번쩍 할 정도로 아찔한 쾌감이 밀려들었다.

―그래도, 당신이 날 안아 주면 좋겠어요.

그리고 삼 년이 지난 지금 또 한 번 유리가 또 한 번 말했다. 안아 달라고. 하나가 되고 싶다고. 그 순간 그는 이 밤을 영원히 잊을 수 없을 거란 확신을 했다. 실제로도 그러했다. 지난날 어둠 속에서 상상했던 그 모든 것들이 그의 눈앞에 펼쳐져 있었다. 말갛게 젖어 있는 녹안을 보며 그는 심장이 터질 것 같은 감동을 느꼈다. 벅참을 이기지 못하고 흰 피부 위에 입술을 묻었다.

"역시, 아름답다."

처음으로 본 그녀의 나신은 눈이 부셨다. 눈 깜빡하는 시간도 아까울 정도로 제 여자의 몸을 눈에 새겼다. 매끄러운 살결을 쓰다듬는 손끝이 파르르 떨렸다. 유리를 처음으로 안았던 초야보다도, 더 떨렸던 것 같다. 이 감동을 그저 애정이라 칭할 수 있을까. 아니, 그럴 리 없었다. 처음에는 제 본능을 조절할 수 있을 거라 생각했다. 얼마 안 가 그는 자신이 이 순간을 완전히 얕봤음을 깨달았다. 입술에 닿는 맨살에 속이 타는 듯했다. 닿을수록 목이 말랐다. 어느 순간 이성을 잃었다. 그렇게 그는, 파도처럼 제 여자에게 밀려들었다.

"유리야."

"응……."

"나는, 네가."

목이 메여 그저 그렇게만 말했다. 유리가 가쁜 호흡을 내쉬며 그를 끌어안았다. 그를 받아들이는 걸 버거워하면서도 그를 달래는 손길은 무척이나 다정했다. 곱게 웃는 유리의 눈가에 눈물이 맺혔다. 그는 새가 부리로 쪼듯 그 눈물을 받아 마셨다. 자꾸만 미끄러지는 몸을 그가 바투 안았다. 아무리 닿아도 목마름은 끝이 없었다. 이대로 녹아버려 하나가 되었다면 좋겠단 생각을 했다. 영원히 박제해 버리고 싶을 만큼 아름다운 시간이었다. 가슴 벅찬 감동 속에서 그는 생각했다.

만일 죽는 순간을 고를 수 있다면, 지금으로 하고 싶다고. 그럼 여한이 없을 것 같다고. 그리고 확신했다. 이 뒤에 무엇이 저를 기다리든, 이 순간만으로 그 어떤 폭풍도 견딜 수 있을 거라고.

"하."

유리가 잠든 모습을 보며 그가 탄성을 내질렀다. 새삼 제 여자의 아름다움이 눈이 부셨다. 마치 예술품을 보듯 그녀를 제 망막에 새겼다. 드러난 어깨를 쓰다듬는 손길이 조금 떨렸다. 그는 슬몃 웃음을 지으며 동그란 어깨에 입술을 대었다. 피부 아래로 팔딱이는 맥이 무척이나 사랑스러웠다.

"유리야."

그가 가만히 그녀를 불렀다. 대답 대신 색색거리는 숨소리가 들려왔다. 긴 손가락이 그녀의 머리카락을 귀 뒤로 넘겼다. 유리조각을 다루는 듯 세심한 손길이었다.

살짝 벌어진 입술은 너무도 유혹적이었다. 그는 본능인 양 고른

호흡을 훔쳐 내었다. 그 입술이 너무도 달아 유리가 잠들었다는 것
도 잊었다.

"으음……."

숨이 찬 듯, 유리가 잠결에 칭얼거렸다. 화들짝 놀라 입술을 떼어
낸 그가 멋쩍게 웃었다. 사랑하는 여인에게 지분대는 모습이 꼭 철
없는 소년 같았다. 그는 제 운명이 또 한 번 유리에게 종속되었음을
느끼며 부드럽게 웃었다.

"전하, 들어가도 되겠습니까?"

문밖에서 들리는 루한의 목소리에 카사르가 움찔하며 유리를 바
라보았다. 혹시 유리가 깨진 않을까 걱정했던 것이다. 다행히 유리
의 눈꺼풀은 여전히 감겨 있었다. 그는 유리의 잠을 방해하지 않도
록 조심스레 침대에서 일어났다. 어깨까지 이불을 덮어준 뒤 가운
을 걸쳤다.

"금방 다녀올게."

그는 그리 속삭이며 그녀의 이마에 입술을 대었다. 그 말을 듣기
라도 한 양 유리가 몸을 웅크렸다. 그 모습이 무척이나 사랑스러웠
다. 따스한 눈으로 잠든 여자를 바라보던 그가 몸을 일으켰다. 이내
유리의 잠을 방해하지 않도록 조명을 낮춘 뒤 문을 열었다.

"허, 흠."

밖에서 기다리고 있던 루한은 카사르의 옷차림을 보며 민망한
듯 헛기침을 했다. 카사르가 씨익 웃으며 문을 닫았다.

"다 알고 있었으면서. 새삼, 왜."

"어, 음. 방해해서 죄송합니다."

"방해는 무슨. 네 덕분이지."

카사르가 씨익 웃으며 감사 인사를 했다. 그는 진심으로 루한이
고마웠다. 유리와 함께할 수 있었던 건 전적으로 이 친구 덕이었다.

그가 자리를 비운 사이에 루한이 모든 상황 정리를 끝낸 것이다.

"자객들의 배후가 밝혀졌어."

카사르의 눈빛이 삽시간에 싸늘하게 변했다.

"역시 드펜인가?"

"응. 맞아. 좀 특이한 게 자기들 수하가 아니라 용병 길드에 암살 의뢰를 했더군. 용병으로도 충분하다 생각한 거겠지."

"꼬리 자르기도 쉬울 거고."

카사르가 으득, 이를 갈았다. 그가 그 자리에 없었다면 유리는 분명 죽었을 것이다. 새삼 드펜에 대한 살의가 들끓어 올랐다. 그동안 드펜, 그 여자가 해친 사람이 한둘이 아니었다. 더러운 탐욕이 그의 어머니를 죽였다. 그의 아비는 평생 동안 반려를 잃은 고통에 시달려야 했고, 아끼는 친우를 제 손으로 베어야 했다. 발렌타인 가문이 그리 된 것도 따지자면 드펜 때문이었다. 그 많은 목숨을 앗아놓고 여전히 또 다른 이에게 칼을 겨누는 그 여자가 너무도 역겨웠다.

"드펜이 움직였으면 더 기다릴 시간이 없어. 리디아 프리우스. 최대한 빨리 그 여자를 찾아야 해."

"단서는 있어?"

"유리가 편지 뒤에 주소를 적었다더군. 가장 발 빠른 자들을 보냈으니 며칠 뒤에 결판이 날 거야."

카사르가 확신이 가득한 눈빛으로 말했다. 그동안은 방향을 몰라서 헤맸지만 이젠 아니었다. 찾아야 할 사람과 그 사람이 살고 있는 곳을 안다. 지리한 기다림도 이제 곧 끝이었다. 게다가 사랑하는 여인과 다시 맺어지기까지 했다. 앞으로 두려워할 것은, 아무것도 없을 거라 여겼다.

다시 방으로 돌아온 카사르가 잠시 숨을 멈추었다. 유리가 여전히 제 곁에 잠들어 있다는 게 믿기지 않았다. 벅차오르는 감동을 느끼며 그가 유리의 곁에 앉았다. 이내 살며시 그녀의 손등을 쓸었다. 선명한 체온에 이 모든 것이 꿈이 아님을 알려주었다. 그의 입매가 스르르 올라갔다. 이제 유리는, 늘 그의 곁에 있을 것이다. 그의 곁에서, 최고로 행복한 여인이 될 수 있을 것이다.

그는 최대한 소리 없이 마른 수건에 물을 묻혔다. 이내 정성스레 그녀의 몸을 닦아내었다. 그 손길이 여신을 대하듯 경건하기까지 했다. 흰 피부 곳곳엔 붉은 꽃물이 들어 있었다. 제가 남긴 흔적을 볼 때마다 이중적인 감정이 밀려왔다. 유리에게 제 자국을 남긴 게 기쁘면서도, 아팠을 그녀를 향한 미안함도 컸다. 안쓰러운 눈으로 부어오른 자국을 내려다보던 그가 느리게 몸을 숙였다. 이내 달래듯 붉은 자국을 머금었다. 음욕이 아닌, 순수한 애정에서 기인한 행동이었다. 입술 끝에 느껴지는 묘한 느낌에 그가 눈을 떴다. 날개뼈 위쪽 부근이었다. 조심스레 근처를 만져본 그의 얼굴이 의아하게 변했다. 아까는 알아채지 못했던 작게 패인 자국이 있었다.

"흉터?"

유리에게 이런 상처가 있었나?

기억을 더듬던 그가 고개를 갸웃했다. 흉터를 조금 더 자세히 보기 위해 이불을 걷어 냈을 때였다.

"어?"

이상하다. 그는 몇 번이고 눈을 깜빡였다. 마냥 고와야 할 등 곳곳에 묘한 자국들이 있었다. 꼭 찢어진 상처가 아문 흔적 같았다.

이게 대체 뭘까. 그는 미간을 좁힌 채 그 자국들을 짚었다. 그 끝을 따라가던 중, 그가 멈칫했다.

"이건 뭐야?"

갈비뼈 부근에 꽤 깊이 패인 자국이 있었다. 그가 미간을 좁혔다. 예전에 이런 것이 있었다면 몰랐을 리가 없었다. 손으로 깊이를 확인하던 그가 서둘러 일어나 등을 가져왔다. 그의 몸에도 비슷한 흉터가 있긴 했다. 어렸을 때 부러진 뼈가 잘못 붙어 생긴 것이었다. 검을 쓰는 기사들이나, 노예들은 종종 이런 흉터를 가지고 있었다.

"에이, 설마 아니겠지."

그때까지만 해도 그는 자신이 착각했다 여겼다. 유리가 그리 크게 다칠 이유가 어디있단 말인가. 그가 없는 곳에서 늘어난 상처는 손목의 상흔으로 족했다. 일렁이는 불빛 아래로 그녀의 고운 얼굴이 드러났다. 그 빛 아래로 웅크린 어깨가 드러났을 때, 그의 눈이 커졌다. 흉터는, 하나가 아니었다.

*

연락을 받은 태온은 한달음에 신전으로 달려왔다. 태온이 유리를 처음 본 그날처럼 오늘도 비가 쏟아졌다. 빗줄기를 뚫고 온 태온이 젖은 우비를 벗었다. 마른 망토를 내미는 루한의 얼굴이 무척이나 어두웠다. 심상치 않은 일이 벌어지고 있음을 직감한 태온이 얼른 망토를 갈아입었다.

"정확히 무슨 일입니까?"

"직접 보시는 것이 좋겠습니다."

태온의 질문에 루한은 더 이상 언급을 피했다. 마른 망토로 갈아입은 태온의 손길이 빨라졌다. 얼핏 듣기론 프리우스 공녀와 관련된 일이라 했다. 이런 때일수록 신속하고 정확하게 움직여야 했다. 정신을 바짝 차려야 한다, 그는 다짐했다. 그의 말 한마디에 주인의 마음에 어떤 폭풍이 몰아칠지 몰랐다.

"전하. 접니다. 태온입니다."

테온은 루한의 안내를 받아 신전 안쪽으로 향했다. 노크를 했지만 방 안에선 아무 말도 들리지 않았다. 난감해진 테온이 루한을 바라보았다. 루한은 굳은 얼굴로 고개를 끄덕였다.

"전하께서 오래 기다리셨습니다. 그냥 들어가셔도 됩니다."

삐걱 소리와 함께 신전의 낡은 나무 문이 열렸다. 문 앞으로 보이는 풍경에 테온은 잠시 멈칫했다. 가운 차림의 주인 곁에 흑발의 여인이 침대에 잠들어 있었다. 그것이 무엇을 의미하는지 그는 단박에 알아보았다. 늘 반듯한 주인의 내밀한 사생활을 본 것이 무척이나 당황스러웠지만, 그는 금방 표정을 정리했다. 이내 잠든 여인이 깰까 소리 죽여 발걸음을 옮길 때였다.

"수면제를 복용했으니, 쉽게 깨지는 않을 걸세."

테온은 그 말을 할 때 카사르의 표정과 말의 내용에 두 번 놀랐다. 제 여자에게 수면제를 복용시켰다니. 그리 말하는 그의 얼굴은 무척이나 엄혹했다. 주인의 성장 과정을 쭉 지켜봐 왔지만, 주인께서 저런 얼굴을 하는 건 처음이지 싶었다.

"경이 확인해 주어야 할 것이 있소."

낮게 가라앉은 목소리와 함께 여자의 등을 덮었던 이불이 내려갔다. 어깨 위로 올려져 있던 흑발이 스르르 흘러내리는 게 보였다. 조명 아래로 얼핏 드러난 옆얼굴을 보며 테온의 눈이 커졌다. 그녀가 프리우스 공녀라는 걸 짐작은 하고 있었지만 눈으로 확인하는 건 또 달랐다.

"제가 무엇을 확인하면 되겠습니까?"

"어깨와 등의 흉터."

테온의 표정이 의아하게 변했다. 상처를 치료하란 게 아니라, 흉터를 보라니. 흉터를 자세히 보아야 할 이유가 무엇이란 말인가?

고개를 갸웃하며 등을 살피던 그가 이내 멈칫했다.

"이럴 수가."

세상에. 여인에게 어찌 이런 상흔이 있을 수 있단 말인가. 속이 싸하게 식는 듯했다. 그중 제일 심각해 보이는 건 늑골 쪽 상처였다. 부러진 뼈가 제대로 아물지 못하고 어긋나 붙은 것이 틀림없었다. 정신없이 상처를 살피던 테온이 퍼뜩 놀라 고개를 들었다. 카사르는 그에게 이 흉터의 이유를 찾아내라 했다. 그는 절대로 제 추측을 소리내어 말할 수가 없었다. 카사르와 눈이 마주치는 순간 소름이 쭉 돋았다. 테온의 침묵에 카사르가 피식 웃었다. 무척이나, 서늘한 웃음이었다.

"폭행의 흔적이 맞군."

폭행, 아니 고문이라 불러야 옳을 것이다. 상처의 깊이를 보건대 살과 뼈 뿐 아니라 장기가 다쳤을 수도 있다. 그는 이러한 상처를 적국 노비들에게나 보았다. 살아남은 것이 기적이었다.

"낙상으로도 비슷한 상처가 날 수 있습니다. 전하."

서둘러 수습하는 테온의 목소리가 조금 떨렸다. 카사르는 그저 픽 웃기만 했다. 낙상이라. 참 좋은 말이다. 속이 짓뭉개지는 것을 느끼며 눈을 감았다.

─맞아 죽었지. 나한테.

이제야 바론이 어찌 그리 자신만만했는지 이해가 되었다. 화가 너무 끓어오르니 웃음이 났다. 붉게 충혈된 눈으로 그가 픽픽 웃었다. 소중한 사람을 잃었어요, 유리는 분명 그리 말했다.

유리가 잃은 소중한 사람이 대체 누구였을까? 그 사람을 잃은 것이 혹 비열한 폭행 탓은 아니었을까?

"폭행이 유산의 원인이었을 수도 있겠군."

그가 툭 던진 말에 테온이 찔끔하며 그를 바라보았다. 루한의 안색은 시체처럼 하얗게 질려갔다. 카사르는 무심한 눈으로 잠든 유리를 내려다보았다. 감정이 너무 끓어올라 그 무엇도 표현할 수 없는 지경이 되었다.

"혹시 유리가 유산했었나? 지금 바로 확인할 수 있나?"

아살론의 의료 기술은 대륙 최고 수준이다. 테온은 그중에서도 가장 뛰어난 의사였다. 아예 단서가 없었다면 몰라도, 유산에 초점을 맞춘다면 분명 흔적을 찾을 수 있을 것이다.

"아니오. 확인할 수 없습니다."

대답이 지나치게 빨랐다. 카사르는 물끄러미 테온을 바라보았다. 깊은 연륜 덕에 늘 침착하던 테온이 오늘은 그의 시선을 피하고 있었다. 그것으로 충분히 답이 되었다. 카사르가 느리게 숨을 내쉬었다. 바론이, 내 여자를, 내 아이를 죽였어.

'미친다는 게 이런 기분일까.'

그는 물끄러미 유리를 내려다보며 생각했다. 온몸의 피가 아래로 쏟아지는 것 같았다. 그렇게 괴로운데 신음 소리조차 낼 수가 없었다. 그의 손이 기도하듯 모아 쥔 손에 가 닿았다. 제 의지와는 상관없이 덜덜 떨리는 손을 보며 가느다란 손목을 움켜쥐었다.

"후우."

긴 상흔을 본 순간, 어떻게든 참아보려는 노력이 무색하게 신음이 배어 나왔다. 그는 의식적으로 호흡을 유지해야만 했다. 안 그러면, 숨이 멎어버릴 것 같았으니까.

"그럼 자진을 하려 했던 이유가……."

그는 말을 다 잇지 못했다. 순간 흰 피부가 붉게 물드는 듯한 환영이 보였던 것이다. 충격으로 굳어있던 그가 허겁지겁 피에 젖은 손목을 닦아내었다. 피는 닦아도 닦아도 계속 나왔다. 속이 뭉텅뭉텅 떨어지는 것 같았다. 황급히 출혈 부위를 막은 그가 눈시울이 붉어진 채 고개를 들었다.

"붕대를……."

그리 말하는데 숨이 턱 막혔다. 테온과 루한이 망연히 저를 보는 게 느껴졌다. 산인한 현실이 돌연 밀어 닥쳤다. 그는 떨리는 시선을 내렸다. 피는, 없었다. 유리는 평화롭게 잠들어 있었다. 손목을 움켜쥔 손을 천천히 내리며 그가 마른침을 삼켰다. 이내, 여전히 남아 있는 짙은 상혼에 그대로 얼어 버렸다.

"아, 제발, 유리야."

그는 덜컥거리는 숨을 삼키며 몸을 웅크렸다. 심장이 으스러지는 듯했다. 이건 아니었다. 정말, 이럴 수는 없었다.

그는 소리도 내지 못하고 눈물을 쏟았다. 너무 괴로우니 그냥 다 끝내버리고 싶었다. 하지만, 그럴 수는 없었다. 이 작은 여자가 겪었을 아픔에 비하면, 이건 아무것도 아닐 테니까. 불과 몇 시간 전까지만 하더라도, 그는 세상에서 가장 행복했다. 지금 그가 서 있는 이곳은 지옥이었다.

카사르는 석상처럼 우두커니 앉아 잠든 유리를 내려다보았다. 움터오는 푸른 새벽이 방 안으로 빗겨 들어왔다. 사위가 점차 밝아질수록 그의 얼굴에 짙은 음영이 드리웠다. 한참을 유리의 규칙적인 호흡 소리를 듣다 천천히 고개를 숙였다. 뜨거운 등에 이마를 대며 떨리는 숨을 내쉬었다.

─프리우스 공작에게 사생아가 있었단 말이야?

그때 너를 구했어야 했다.

─리디아 프리우스, 이 여자 진짜 대단한데. 바론에게는 아까울 정도야.

─공녀가 자해를 했다고 하더군. 보통 여자가 아니야. 만나보고 싶어.

눈 뜬 장님이 되어 네 행동을 홍밋거리 삼아 품평할 것이 아니라,

원수의 품 안에서 하루하루 새까맣게 죽어갔을 너를 어떻게든 구했어야 했다.

─제발 그만 좀 해요! 그러다가 죽겠어요!

─당신이 생각하는 일 전혀 없었어요! 아무 일도 없었다고요! 제발 멈추라고요!

─사랑해요. 바론. 당신이 다치는 거 너무 싫어. 그러니까 그만해요. 제발.

너는 그때 무슨 심정으로 나를 구했을까. 내 앞에서 원수에게 사랑한다 말할 때 마음은 어땠을까. 아니, 그동안 수도 없이 그자에게 사랑을 속삭였어야 했을 텐데 어찌 참았을까. 그때마다 반복되었을 과거의 악몽을 어떻게 견뎠을까.

─유리야, 어떻게 내게 이래? 정말 바론을 사랑해? 그래서 이러는 거야?

그 애끓는 속도 모른 채 그는 무어라고 했다. 눈시울이 뜨겁게 달아올랐다. 그는 소리 없는 오열을 삼켰다. 독이라도 마시고 싶었다. 유리의 얼굴을 볼 엄두도 나지 않았다. 차마 이 여자를 안을 수도 없었다. 제가 손대었다가, 마른 꽃잎처럼 바스라질까 무서웠다.

─미안해요.

이제야 이해가 되었다. 유리가 했던 사과의 이유를. 그저 말없이 떠난 것만이 미안한 게 아니었다. 그의 아이를 지키지 못한 것을 내내 죄스러워 한 거다.

─카사르. 만일 내가 아이를 가지면 당신도 기쁠까요?

제게 안겨 수줍게 묻던 목소리를 기억한다. 보지 않아도 볼이 발그레 달아올라 있을 걸 알았다. 그는 그녀에게 기꺼운 마음을 숨기지 않았다.

─당연하지, 당연히 기쁘지. 세상에서 제일 행복할 거야.

제 대답에 여자의 심장이 빠르게 뛰는 걸 느꼈다.

─당신이 기쁘면 나도 좋아요. 언젠간 꼭, 그렇게 되면 좋겠어요.

그리고 좋은 소식이 있다 하였을 때 어찌 반응했었나. 다 아는 듯 납작한 배를 쓰다듬으며 은근슬쩍 아이 이름을 의논하자 하였다.

모른 척 웃는 여자가 진심으로 행복해한다는 걸 알았다. 그 행복이 저 때문이었다는 것도, 알고 있었다.

독 같은 깨달음이 밀려왔다. 그저 유산 때문에 이리 망가진 것이 아니었다. 아이를 간절히 바라던 제 모습이, 지난 삼 년간 이 여자의 목을 조른 거다. 그가 붉어진 눈시울로 여자를 보았다. 아이 따윈 영원히 없어도 상관없었다. 그 아이가 널 닮았을 것이기에 그리 간절히 바랐던 거다.

모로 누운 유리의 뒷모습을 바라보던 그가 유리를 바로 눕혔다. 지독한 현실은 잊은 채 평화롭게 잠들어 있었다. 이 평안을 지킬 수만 있다면 얼마든지 계속 약을 쓸 수 있었다. 남은 생 동안 이 여자의 잠든 모습만 봐야 한 대도, 상관없었다. 유리의 얼굴이 자꾸만 흐려졌다. 그는 눈을 감은 채 그녀의 눈두덩이에 입술을 대었다. 투둑, 떨어진 눈물이 그녀의 뺨을 적셨다. 소매로 그 눈물을 닦아대던 그가 멈칫했다. 귀 아래, 희미한 상흔이 남아 있는 게 보였다. 아연하게 그 흔적을 바라보던 그가 짐승 같은 울음을 터트렸다.

"안 돼, 제발⋯⋯."

속을 갈퀴로 긁어내는 것 같았다. 빛나던 추억이 올올이 후회가 되어 돌아왔다.

"내가 너를 안지 말았어야 했는데."

널 영영 욕심내지 말고 바라만 볼 걸 그랬다. 내 욕망이 너를 죽였다. 네가 내 아이를 가지지만 않았어도 네가 이리 망가지지는 않앉을 거다. 가까스로 억눌린 흐느낌을 참아낸 그가 잠든 여자를 끌어안았다. 힘없이 꺾이는 목을 받치자, 손끝에 맥이 뛰는 것이 느껴졌다. 그때마다 거인에게 심장을 걷어차이는 듯했다. 조심스레 유리를 안아 올렸다. 여명 아래 여린 몸이 희어 보였다.

욕실로 향하자 따뜻한 물이 담긴 욕조가 있었다. 유리를 천천히 그 안에 넣고 욕조에 몸을 기대게 하였다. 웅크린 몸이 욕조에 절반도 차지 않았다. 그도 함께 들어가 유리를 뒤에서 안았다. 흰 가운이 풀어져 수면 위로 잠시 부풀었다, 가라앉았다. 유리의 머리를 가슴에 단단히 기대게 한 채 따뜻한 물을 매끄러운 살결 위로 끼얹었다. 갓난아기를 씻기듯 조심스러운 손길이었다. 일렁이는 물결 위로 유리의 눈꺼풀은 여전히 감겨 있었다. 물에 젖은 검은 머리칼 위로 그의 눈물만이 소리 없이 흩어졌다.

커다란 수건을 침대에 펴고 젖은 몸을 눕혔다. 춥지 않게 손끝부터 꼼꼼하게 물을 닦았다. 무력하게 제게 몸을 맡긴 여자가 새삼 아팠다. 마른 옷을 입히고 차게 식은 몸을 데우기 위해 단단히 끌어안았다. 얌전히 제게 안긴 여자의 체온에 익숙한 과거의 잔상이 어지러이 스쳐 지나갔다.

─몸은 괜찮은 거야? 대체 얼마나 오랫동안 비를 맞고 있었던 거야?

잇새에 힘이 들어갔다. 이제야 알겠다. 그날, 유리는 이미 아이가 있다는 걸 알았던 거다. 뭔가 아주 끔찍한 것이 가장 행복했어야 할 이 여자의 목을 졸랐던 거다.

"그날 내가, 너를 볼 수만 있었어도……."

지독한 자책이 또 한 번 속을 휘저었다. 이 여자를 볼 수만 있었어도, 심상치 않은 일이라는 걸 알았을 텐데. 어떻게든 진실을 캐묻고, 절대로 놓지 않았을 텐데. 그럼 이 여자가 그따위 일을 겪지도 않았을 텐데.

아이를 가진 것을 알고도 저를 떠날 수밖에 없었던 이유가 무엇일까. 사랑하는 사내를 그리 필사적으로 버릴 수밖에 없었던 이유가 뭘까. 희뿌연 안개 너머로 얼핏 윤곽이 드러나는 듯도 했다. 붉게 달아오른 눈매가 침대 구석에 놓인 펜던트로 향했다. 그 위에 적혀 있던 두 글자의 이니셜. 유리는 그것이 어머니의 유품이라 했다. 차가운 펜던트를 아득 움켜쥐었다. 손끝에 닿는 감촉이 제법 질이 좋았다. 충혈된 눈으로 펜던트의 꼼꼼한 마감을 확인했다. 그의 눈빛이 묘한 빛을 띄었다. 어쩌면, 귀족의 물건이었을지도 모르겠다.

─딸 이름은 돌아가신 어머니 이름을 따서 짓고 싶어요. 그래도 될까요?

아르디네. 그가 입술을 달싹여 제 딸의 이름을 불렀다. 이 여자를 빼닮았을 것이기에, 그래서 바랐던 딸이었다. 안개 속에 있던 윤곽이 점차 또렷해지는 걸 느꼈다. M, V. 두 글자의 이니셜을 내려다보던 그가, 다시 한번 입을 열었다. 아르디네.

아니, 마르디네. 그리고⋯⋯.

*

바론은 인상을 찌푸린 채 아침 햇살이 들어오는 창밖을 바라보았다. 어젯밤 진탕 퍼 마신 술 때문인지 머리가 지끈거렸다. 그 와중에 짙은 향수 냄새가 났다. 옆에 누운 계집의 것이었다.

'대체 뭘 뿌렸기에 이렇게 지독해?'

어젯밤만 하더라도 좋다고 물고 빨았던 여자를 그가 불쾌하게 노려보았다. 당장 꺼지라고 성을 낼까 하다가, 화를 낼 기력도 없어 그냥 두었다. 두통은 점점 심해져만 갔다. 몸을 돌린 채 그가 뿌득 이를 갈았다. 오늘따라 하루의 시작이 아주 엿 같았다. 그런데 그건 시작에 불과했다.

"뭐? 아침부터, 씨발. 지금 뭐라고 지껄이는 거야?"

머리가 너무 아파 두통약을 들여오라 이른 후였다. 가져오란 약 대신 황제의 내관이 안으로 들어왔다. 그러더니 말 같잖은 소리를 했다. 기가 막혀 되묻는 바론의 말에 내관이 차가운 얼굴로 답했다.

"말씀 드린 그대로입니다. 폐하께서 명하시기를 지금 당장 비투아로 떠날 준비를 하라 하셨습니다."

"그러니까, 그게 대체 무슨 지랄이냐…… 윽."

사납게 욕을 뇌까리던 바론이 인상을 구겼다. 빌어먹을. 이젠 골이 빠개질 것 같았다. 아무래도 이틀 동안 술을 너무 퍼먹은 것 같았다. 아직도 반쯤은 취했는지 술 냄새가 와락 올라왔다. 그가 이를 갈며 관자놀이를 꾹 누르자 곁에서 눈치를 보고 있던 여인이 슬쩍 몸을 일으켰다. 흰 이불로 가슴을 가릴 듯 말듯 한 채 말했다.

"전하. 너무 성내지 마시어요."

무척이나 교태 어린 목소리였다. 바론이 짜증을 삼키며 여자를 보았다. 곱게 눈웃음치는 눈빛에 승리감이 가득한 게 보였다. 잠자리 한 번으로 저가 넘어왔다 확신하는 게 분명했다.

'미친. 주제도 모르는 게.'

욕을 삼킨 그가 제게 달라붙는 여자를 밀쳤다.

"너는 닥치고 있어."

"꺄악!"

여자가 새된 비명을 지르며 침대 위로 쓰러졌다. 흰 등이 고스란히 드러났다. 곳곳에 붉은 얼룩이 져 있었다. 그 모습을 보는 내관의 얼굴에 혐오가 어렸다. 황제 폐하께서 약혼녀를 위한 연회를 준비해 주신 것이 불과 이틀 전이건만, 그 새를 참지 못하고 다른 여자를 침대로 끌어들이는 작태가 역겨웠다.

"저, 전하……."

여자가 눈물을 글썽이며 바론을 보았다. 어떻게, 제게, 이내 울먹이며 그따위로 말했나.

"완전 정신이 나갔네."

바론은 인상을 쓰며 침대에 매달린 줄을 잡아당겼다. 맑은 종소리와 함께 밖에서 기다리고 있던 종이 안으로 들어왔다. 바론이 여자 쪽으로 고갯짓을 하며 말했다.

"이것 좀 당장 치워."

"예. 알겠습니다."

바론의 명령에 종들이 얼른 달려와 여자를 끌어냈다.

"저, 전하!"

바론의 냉대에 충격을 받은 여자가 외마디 부름을 내질렀다. 아무것도 입지 않은 몸을 우악스러운 손길이 붙잡았다. 여자의 얼굴이 허옇게 질렸다. 다급하게 이불을 끌어안았지만 이내 놓치고야 말았다. 치부도 제대로 가리지 못한 채 끌려 나가는 여자의 눈에서 눈물이 쏟아졌다. 그 모습을 보는 내관이 불쾌함을 참지 못하고 인상을 구겼다. 바론은 씩씩대며 관자놀이를 문질렀다.

"그러니까 정리를 좀 하자고. 나보고 아살론을 당장 떠나라는 거지. 비통인가 하는, 그 병신 나라 공주가 죽었으니까. 맞지?"

"비투아입니다. 전하."

"어쨌든! 왕자도 아니고 공주 나부랭이가 죽었는데. 나보고 조의를 표하라고? 약혼이 코앞인데?"

"그렇습니다."

얄미울 정도로 단정한 내관의 답에 바론이 입매를 일그러뜨렸다. 골을 쪼아대는 딱따구리 때문에 눈알이 빠질 것 같았다. 화를 참을 수가 없었다.

"게다가 약혼녀는 두고 가라고! 그게 말이 돼!"

바론이 고함을 치며 책상 위에 놓인 등을 집어던졌다. 내관은 고개만 까닥여 그걸 피했다. 벽에 부딪힌 전등이 쾅창 소리와 함께 산산조각이 났다. 바론이 이를 갈며 손에 집히는 걸 집어들 때였다.

"저를 공격하시는 건 폐하를 공격하시는 것과 같습니다. 황자 전하께서 의도하시는 게 반역입니까?"

"……씨발."

바론은 결국 손에 든 것을 내려놓았다. 내관의 말이 맞았다. 황제의 종을 건드렸다간, 반역이 아니더라도 뒷수습이 골치 아파질 수 있었다. 바론이 씨근덕거리는 숨을 삼켰다. 기분이 아주, 엿 같았다. 연회가 시작될 때만 하더라도 자신이 이런 개 같은 주말을 보내게 될 줄은 몰랐다. 근래 계속 들떠있던 기분이 엉망이 된 건 연회 도중이었다. 황후와 황제가 차례로 그를 불러 속을 긁은 것이다.

황후야 뭐, 같이 덤비면 그만이니 대수롭지 않게 넘겼다. 그러나 황제가 나선 후엔 사정이 달라졌다. 황제는 그에게 자꾸만 약혼녀에 대해서 물었다. 그녀를 어디에서 봤냐, 어떻게 교제하게 되었느냐 꼬치꼬치 캐물었다. 이전엔 여자 서넛을 달고 다녀도 신경도 안 쓰던 양반이 왜 이상한 짓을 하나 싶었다. 처음엔 곱게 대답을 해주다가, 어느 순간부터 짜증이 났다. 그리고 문득, 이 모든 게 황제가 제 약혼녀의 트집을 잡기 위한 건 아닌가 하는 의심이 들었다.

―대체 그런 게 왜 궁금하십니까? 혹시 걔가 마음에 안 드십니까? 그럼 차라리 대놓고 말을 하십시오. 이렇게 빙빙 돌려 말하지 말고요!

그리 따졌더니 대답 대신 황당한 걸 물었다.

―네 약혼녀가 널 진심으로 사랑하는 건 맞느냐?

아주 어처구니가 없었다. 답을 두 번 생각할 필요도 없는 질문이었다. 그는 무조건 그 여자의 사랑을 확신했다. 그 여자는 저 없인 절대 살 수 없었다. 자신 만만하게 대답하려는데, 문득 묘한 생각이 들었다.

잠깐, 그런데 대체 노인네가 이걸 왜 묻는 거야? 설마 정말로 리디아의 흠을 잡으려는 건가? 그럴 리가. 먼저 약혼을 허락했잖아. 한데 이제 와서 왜? 마음에 들었으니 연회까지 열어준 거 아니었어? 뭐야. 리디아가 마음에 드는 게 아니었다면, 설마…….

—혹시 약혼 허락, 제 뒤통수치려고 하신 겁니까? 허락해 주는 척 해놓고, 걔 흠 잡아서 파혼하라 하시려고요? 그러려고 지금 밑밥까지 시는 겁니까?

황제는 그리 따지는 아들에게 아무 말도 하지 않았다. 그저 물끄러미 보기만 했다. 재수 없는 눈빛이었다. 상대의 침묵은 의심을 확신으로 만들었다. 순간 화가 머리끝까지 차올랐다.

—하. 폐하. 지금 뭡니까? 태자 책봉 때 제 뒤통수를 친 것도 부족해서, 이젠 약혼으로 물을 먹일 셈입니까?

황태자 책봉 때의 원한을 어찌 잊을 수 있으랴. 황제는 그때도 지금과 똑같이 굴었다. 보위를 다 줄 것처럼 굴더니 날치기로 태자 자리를 넘겼다. 덕분에 그는 닭 쫓던 개 신세가 되어 이만 갈아야 했다. 그때의 감정이 떠오르자 도저히 화를 참을 수가 없었다.

—한 번만 더 사람 병신 취급해 보십시오. 절대 가만히 있지 않을 테니까!

그 뒤론 시위라도 하듯 모두의 앞에서 여자와 입을 맞추었다. 그걸로 어느 정도 화가 풀릴 거라 생각했다. 잘못 생각했다. 시간이 지날수록 속이 들끓었다. 황제는 이번 약혼의 가장 큰 조력자였다. 만일 황제가 제 일을 어그러트린다면, 막아 줄 사람이 없었다. 초조할수록 그는 리디아에게 집착했다. 한데, 이번엔 그 여자가 제 속을 뒤집었다. 그날따라 다른 곳에 정신이 팔린 양 자꾸만 다른 곳을 돌아본 것이다.

우연히 그 시선 끝에 카사르가 있다는 걸 깨달았다. 물론 둘 사이에 별게 없다는 건 알았다. 그래도 그 여자가 다른 사내를 쳐다본다는 게 용납이 안 되었다. 체면이고 뭐고 생각 않고 진상을 부렸다. 여자는 금세 정신을 차리고 그의 화를 받아주었다. 그래도 부족했다. 결국, 연회 내내 그 여자를 달달 볶다시피 했다. 창백하게 웃는 얼굴에 피로감이 그득했다. 전혀 미안하지 않았다. 그의 불쾌감에 비하면 그 정도 고생은 아무것도 아니었다. 제 여자가 되고 싶으면 응당 감수해야 할 일이었다.

문제는 그 뒤였다. 연회가 끝난 후에도 여자를 향한 앙금은 사라지지 않았다. 그는 복수라도 하듯 온갖 여자들을 궁에 불러들였다. 그 여자들과 온갖 지저분한 짓은 다 하며 놀았다. 제가 다른 여자들과 뒹구는 줄도 모른 채 리디아는 꽃처럼 저만 바라보고 있으리라. 그 생각을 하니 잠시 기분이 좋아지는 듯도 했다. 문제는 그 효과가 얼마 가지 않았다는 데 있다. 다른 여자를 안으면서도 자꾸만 그 여자가 보였다. 색기 어린 교성 위로 자꾸만 고운 속삭임이 겹쳤다. 기가 막힐 노릇이었다. 저 자신에게 등신 같다며 온갖 욕을 퍼부었다. 하루 온종일 그 여자 얼굴만 떠올리는 게 너무도 짜증 났다.

그러다 문득 그 여자도 저와 같을까, 하는 생각을 했다. 당연히 저를 그리워하며 애달파 할 거라 여겼는데, 아닐지도 모른단 생각이 들었다. 기다렸다는 듯 카사르를 보던 여자의 옆얼굴이 떠올랐다. 즉시 기분은 진창에 처박혔다. 우습게도 기분이 좋아지기 위해 필요한 건 단 하나였다. 그 여자의 따뜻한 품. 그의 본능이 그리 말했지만 절대로 인정하고 싶지 않았다. 그렇게 이를 갈며 눈을 떴건만 아침이 되자마자 황제가 그에게 엿을 먹였다.

"내가 후, 왜, 그따위 명을 들어야 해. 약혼이 코앞인데. 내가 왜!"

아살론 수도에서 비투아까지는 편도로 이 주가 넘게 걸렸다. 오가는 시간만 한 달, 자연스레 약혼도 그만큼 늦추어 진단 소리였다. 황제가 제 일에 어깃장을 놓으려는 게 확실하단 생각이 들었다. 온갖 욕을 지껄이는 와중에 내관이 말했다.

"혹시 전하께서 거부하신다면 폐하께서 이 말씀을 전하라 하셨습니다. 이번 명령은 전하를 위한 것이라고요. 전하께서 약속을 지키실 기회를 주는 것이라 하셨습니다. 직접 잘못을 갚겠노라 약조하시지 않았습니까?"

이건 또 무슨 개소린가. 잘못을 갚다니, 어처구니없어 버럭 화를 내려던 바론의 머릿속에 예전에 황제와 나누었던 대화가 휘리릭 스쳤다. 계집의 죽음을 알게 된 카사르가 반쯤 미쳐 날뛰던 때였다.

―그 여자를 죽인 거요? 장난이었습니다. 그 자식이 농담을 받아들이지 못해 일이 커진 것뿐입니다.

―농담이라니! 그게 말이 되느냐! 어떻게 그런 짓을 할 수가 있어. 한 나라의 지배자를 꿈꾸는 이가, 형제와 혼인을 약혼한 여자에게 손을 대다니!

당시 진노한 황제는 시도 때도 없이 그를 볶아댔다. 곧 숨이 꼴깍 넘어갈 노인네가 어디서 그런 기력이 나오는지 이해가 안 되었다.

바론은 아랑곳하지 않고 신나게 오리발을 내밀었다. 그가 그 여자를 죽였다는 증거는 어디에도 없었다. 죽은 여자가 관에서 기어나오지 않는 한, 절대 찾을 수 없었다. 꼴도 보기 싫다는 황제에게 이죽대었다.

―폐하 소망이 정 그러하시면, 제가 꺼져드리겠습니다. 전 그 여자 털끝만큼도 건들지 않았지만, 카사르를 속인 건 좀 과한 장난이었던 것 같으니까요. 반성의 의미로 적당히 처박혀 있다 오겠습니다.

물론 정말 그럴 의도로 한 말은 아니었다. 황제가 언제 죽을지 모르는 지금 수도를 떠나는 건 미친 짓이었다. 그는 믿는 구석이 있었다. 제 어미는 절대로, 절 그대로 둘 리 없었다. 예상대로 황후는 가진 역량을 총 동원해 유배를 없던 일로 만들었다.

"하, 이제야 알겠네. 이거 어머니 작품이었어. 빌어먹을."

바론이 으득 이를 갈았다. 다 엎어진 일로 이제 와 발목을 잡나 했더니, 어머니 짓이 분명했다.

─어떻게 그리 천박하게 굴 수가 있어! 사람들 시선은 아랑곳하지도 않아? 그따위 계집하고 입을 맞추다니!

엊그제 연회가 끝나자마자, 드펜은 궁으로 찾아와 자신을 볶아 댔다. 그는 천박 어쩌고 하는 어머니의 악다구니를 전부 무시했다. 당시 그의 기분은 리디아도 어쩌지 못할 정도로 최악이었다. 어머니의 화를 받아주기는커녕 잘 걸렸다 싶어서 화풀이를 했다.

─겨우 입맞춤 때문에 놀라셨습니까? 다음엔 더 큰 걸 할 건데요?

─더 큰 것? 그게 무슨 끔찍한 소리야!

─다음에는 남들 보는 앞에서 걔한테 확 박아 버릴라고요. 그럼 진짜 재미있겠죠? 어떻게 생각하세요, 어머니?

당연히 진심은 아니었다. 미치지 않고서야 그럴 리가 있나. 그따위 짓을 했다간 잃게 될 게 한둘이 아니었다. 그저 속이나 뒤집혀 봐라 조롱한 것이었다. 뭐, 드펜은 그리 생각하지 않았던 것 같다. 그의 말에 얼굴이 허옇게 질리더니 이를 갈곤 방을 나가 버렸다. 목이라도 매달 것처럼 안색이 나빴지만 무시했다. 어미의 입을 틀어막을 수만 있다면 무슨 짓이든 할 수 있었다.

"그래서 내 일을 망쳤다 이거지."

바론이 사납게 으르렁거렸다. 어머니 의도가 제게 엿을 먹이는 것이었다면 완벽하게 성공했다. 리디아 때문에 화가 났던 건 다 잊을 정도로 성이 끓었으니까.

"지금 바로 폐하를 뵈어야겠다."

이대로 손 놓고 있을 순 없었다. 뒤통수 맞는 건 늘 기분이 더러웠지만, 황후에게 맞는 건 최악이었다. 판을 뒤집을 수 있는 건 황제뿐이리라. 그리 생각하며 한달음에 달려왔다. 그랬는데 황제의 얼굴도 볼 수가 없었다.

"죄송합니다, 전하. 폐하께서는 오늘 그 누구의 알현도 받지 않겠다 하셨습니다."

"뭐? 왜!"

"옥체가 미령하시어⋯⋯."

"이건 또 무슨 개소리야. 어제까지만 해도 멀쩡했잖아. 날 비투아로 날릴 힘은 있고, 날 만나줄 여유는 안 돼? 그게 말이 된다고 생각해?"

그의 사나운 항의에 내관은 묵묵부답이었다. 그게 꼭 저를 무시하는 것 같아 더 열이 받았다. 눈에 뵈는 것이 없었다. 이왕 이렇게 된 거 끝장을 봐야겠단 심정으로 덤비는데, 굳게 닫힌 문이 열렸다. 내관의 멱살을 잡고 있던 바론이 안에서 상대를 바라보곤 멈칫했다. 이내 황당하다는 듯 입을 열었다.

"카사르? 뭐야. 네가 왜 거기서 나와?"

차갑게 가라앉은 눈동자가 잠시 바론을 응시했다. 이내 내관을 보며 물었다.

"이게 다 무슨 소란이지?"

"예, 전하. 그것이."

내관은 저를 붙잡은 바론의 손을 떨치고 얼른 두 손을 모았다. 그 재빠른 태도 전환에 바론은 잠시 얼이 빠졌다. 저는 불청객 취급 하더니, 카사르에겐 머리를 조아리는 게 어처구니가 없었다.

"황자 전하께서 반드시 폐하를 뵈어야 한다 하십니다."

"폐하께서 쉬셔야 한다는 걸 전하지 않았나?"

"옥체가 미령하다 말씀을 드렸습니다만……."

두 사람은 저는 안중에도 없는 듯 대화를 나누었다. 귀가 벌게질 정도로 화가 치밀어 올랐다.

"폐하께서는 오수에 드셨다. 할 말이 있다면 내게 해라. 바론."

이미 최악인 줄 알았는데, 더 떨어질 곳이 남았나보다. 굴욕감에 바론의 얼굴이 험악하게 일그러졌다. 저는 만나지도 못하는 황제를 이 자식은 만나 대화까지 가능하단다. 그 의미가 대체 무엇이겠는가.

"설마 네놈 짓이었냐?"

연회 직후 본 황후의 얼굴에 정신이 팔려 잊고 있었다. 이 황궁엔 황후만큼이나 그의 약혼을 막아야 할 이가 또 있었다. 아니, 어쩌면 더 간절할지도 모른다.

"빌어먹. 네가 날 비투아로 날려 버리라고 입을 놀렸냐? 어?"

사납게 으르렁거리며 상대의 멱살을 잡았다. 카사르가 차가운 눈으로 바론을 응시했다. 놀란 내관들이 달려와 두 사람을 떼어 놓으려고 했다. 한 손을 들어 다가오려는 그들을 막은 카사르가 입매를 끌어 올렸다. 무척이나 서늘한 미소로 선언하듯 말했다.

"그래. 내가 계획한 거다. 폐하께서는 내 주청을 받아들여주셨을 뿐이고."

"뭐?"

"내 선물이 어때? 마음에 드나?"

"이, 미친 새끼가."

험악한 욕설과 함께 바론이 그를 벽쪽으로 밀치려 하였다. 잠시 흔들렸을 뿐 꿈쩍도 하지 않았다. 카사르는 당황한 상대에게 피식 웃더니, 멱살을 쥔 손목을 움켜쥐었다. 어마어마한 아귀 힘에 바론이 움찔했다. 곧이어 손목이 부러질 것 같은 통증에 신음을 내질렀다.

"씨발, 이 새끼, 이 손 놔……!"

"재미있네."

그와 동시에 카사르가 뚝 웃음을 그쳤다. 잡은 손목을 꺾으며 거세게 밀쳤다. 자세가 흐트러진 바론은 제대로 대응을 못하고 벽으로 처박혔다.

"크윽!"

카사르가 팔뚝으로 그의 목을 짓눌렀다. 바론은 벗어나려 했지만, 힘 차이에 그러지 못했다. 질식감에 얼굴이 벌겋게 달아올랐다. 가쁜 숨에 다급하게 상대의 팔을 긁었다. 카사르는 아무것도 느끼지 못하는 듯 짓누른 팔에 힘을 더했다. 눈 하나 깜빡하지 않고 일그러진 바론의 얼굴을 망막에 새겼다.

"기분이, 어때?"

새까맣게 속삭였다.

"죽어 가는 기분이 어때?"

"큭, 미, 미친……."

"태자 전하!"

"전하, 이러지 마십시오!"

갑작스런 사태에 굳어있던 내관들이 뒤늦게 정신을 차렸다. 카사르는 그들이 제 몸에 손을 대기 전 뿌리치듯 팔을 풀었다. 바론이 컥컥 숨을 내 쉬며 자리에 주저앉았다. 무표정한 얼굴로 그를 내려다보던 카사르가 슬쩍 시선을 기울였다. 바닥을 짚은 손이 부들부들 떨리는 게 보였다. 그는 잠시 고민에 빠졌다.

밟아버릴까? 으득, 뼈 부러지는 소리가 환청인양 울렸다. 퍽 달콤했다. 그는 제 멋대로 움직이려는 발을 꾹 누른 채 몸을 숙였다.

한쪽 무릎을 꿇고 바론과 시선을 마주쳤다. 바론이 쿨럭, 기침을 하며 그를 노려보았다. 방금의 공포 때문인지 저도 모르게 뒤로 물러나는 게 보였다. 카사르가 피식 입매를 끌어 올렸다.

"내가 못할 짓을 했나?"

그리 물으며 주먹을 움켜쥐었다. 그렇지 않으면 상대의 목을 부러트릴 것 같았다.

"네놈은 유리를 죽였는데, 난 이 정도도 못 해?"

"씨발, 네가, 큭, 이런다고, 뭐가 달라질 거 같아?"

바론이 목 쉰 목소리로 악을 쓰듯 말했다. 카사르가 또 웃으며 몸을 기울였다. 그와 눈이 마주친 바론이 움찔했다. 순간 숨이 막힐 정도로 살기가 짙었다.

"바론. 넌 모든 걸 잃게 될 거다. 유리가 죽으면 내가 무너질 거라고 생각했겠지. 아니, 너는 틀렸어. 무너지는 건 내가 아니라, 너야. 네놈은 반드시 내 손에 죽을 테니까."

반드시 죽일 것이다. 가장 끔찍한 죽음을 줄 것이다. 유리가 겪은 고통의 수천 배로 돌려줄 것이다. 그의 눈빛이 짙어졌다. 하얗게 웃었다. 살의로 머리가 돌 지경이었다. 감히 그따위 짓을 해놓고 그녀를 탐한 두 손을 잘라버리고 싶었다. 광기가 일렁이는 눈빛에 바론의 얼굴이 얼어붙었다.

"미, 미친 새끼."

그에 키들거리는 웃음이 새어 나왔다. 미쳤다는 말이 아주 마음에 들었다. 제정신으로 이 미친 현실을 어찌 견딘단 말인가. 아니, 제 몸에 정상인 부분이 있긴할까. 아까부터 움켜쥔 손에 감각이 느껴지지 않았다. 그가 나른히 웃으며 바론의 볼을 툭툭 쳤다.

"내 말 알아들었으면 이제 비투아로 꺼져."

바론의 얼굴이 열패감으로 일그러졌다. 카사르가 자리에서 일어났다. 그동안 주위의 누구도 감히 입을 열지 못했다. 진중한 황태자가 처음으로 보이는 모습에 놀란 것이다. 저를 내려다보는 카사르를 향해 바론이 이를 갈며 말했다.

"네가 정말 무너지지 않을 수 있을까?"

바론이 비틀대며 자리에서 일어났다.

"그년이 홑몸이 아니었는데도?"

주위 내관들이 소리 없는 경악을 삼켰다. 카사르의 얼굴에서 웃음이 사라졌다. 바론은 벌겋게 충혈된 눈으로 상대를 노려보았다.

"그년 배 속에 네 애새끼가 있었다고. 알아들어?"

이것만큼은 죽을 때까지 비밀로 하려 하였다. 귀족도 아닌 계집을 죽이는 것과 황손을 살해한 건 죄의 크기가 완전히 다르니까. 밝혀졌다간 얻는 것에 비해 위험이 너무 컸다. 하지만 이젠 아니었다. 방금의 굴욕을 갚을 수만 있다면, 무슨 짓이든 할 수 있을 것 같았다.

"한 달 정도 되었다고 하더군. 배를 걷어찰 때마다 아이만 살려 달라고, 자신은 죽어도 된다고 애원을 하더라고. 병신같이 말이야."

카사르가 물끄러미 바론을 응시했다. 바론의 웃음이 진해졌다. 그가 휘청이듯 카사르에게 다가갔다. 석상처럼 선 제 형제의 귀에, 뱀처럼 속삭였다.

"피투성이가 되어서, 얼굴을 알아볼 수 없을 정도로…… 꼴이 아주, 난리였지. 내 발치에 매달려서. 다 자기 잘못이라고 빌더라고. 살려주세요, 제발, 어쩌고저쩌고. 그러면 살 수 있을 줄 알았나."

카사르는 제법이었다. 이 사실을 알자마자 길길이 날뛸 줄 알았는데 그저 고요했다. 바론의 입가에 비웃음이 어렸다. 겉으론 멀쩡해보여도 뭉그러질 속이 다 보였다. 희열이 차올랐다. 매양 고상한 척 굴던 새끼를 짓밟는 게 소름 끼치게 좋았다. 바론은 노래하듯 말했다.

"하혈을 했다고 거짓말을 했어. 눈빛에 생기가 확 죽더라고. 그러더니, 축 늘어져서는 먹지도 마시지도 않고, 제발 죽여 달라고 빌었지. 어느 날부턴 걷어차도 신음도 안 내던데. 그러다 진짜 죽어 버렸어. 그 꼴을 네가 봤어야 하는데……."

카사르가 느리게 숨을 내쉬었다. 귀에 독을 붓는 것 같았다. 죽거나, 죽여서라도 그만 듣고 싶었다. 그러나 온 힘을 다해 참았다.

유리가 겪은 일이었다. 그 여자의 고통을 그가 외면해서는 안 되었다.

"……라는 건, 농담이고 말이야."

바론이 훌쩍 한 걸음 물러섰다. 재밌긴 한데 이젠 적당히 빠져 주어야 했다. 카사르는 여전히 별 반응이 없었다. 뭐 상관없었다. 그의 미소가 진해졌다. 네가 정말 무너지지 않을 수 있을까? 내 말을 믿지 않을 수 있을까? 과연 그럴까?

"어쨌든 형제. 나는 이만 가 볼게. 네 덕분에 팔자에도 없는 비투가 여행을 하러 갔다 와야 해서 말이야. 그동안 잘 있어. 국장 준비도 잘 하고. 아! 그러고 보니 장례를 두 번 치뤄야겠는데?"

바론이 낄낄 웃어도 카사르는 아무 말도 하지 않았다. 그는 카사르의 침묵을 마음껏 비웃었다. 미친 새끼. 충격에 선 채로 돌아버리기라도 했나. 놀라 굳어 있는 내관들을 향해 대충 손을 흔들어 주고 밖으로 나왔다. 어벙한 얼굴이 아주 마음에 들었다. 궁으로 돌아가는 걸음이 제법 가벼웠다. 그래, 까짓, 비투아, 눈 딱 감고 다녀오자. '농담' 한 죄로 황제에게 들들 볶이느니, 카사르가 자멸한 후 돌아오는 것도 괜찮겠지 싶었다. 물끄러미 바론의 뒷모습을 응시하던 카사르가 시선을 내렸다.

─소중한 사람을 잃었어요, 그래서 살고 싶지 않을 정도로 아팠어요.

처연한 미소 위로 바론의 목소리가 겹쳤다.

─제발 죽여 달라고 빌더라고.

가슴이 저렸다. 카사르가 품속의 펜던트를 꺼냈다. 물끄러미 뚜껑을 내려다보았다. 그의 눈치만 보던 내관들이 쭈뼛거리며 그를 불렀다.

"저, 전하."

─폐하. 그 여자를 찾았습니다. 저는 그 여자를 살려야겠습니다. 그러니, 폐하께서 도와주십시오.

카사르는 아무 소리도 듣지 못한 채 펜던트 위에 새겨진 이니셜을 쓸었다.

─유리는 아이를 가진 채로 절 떠났습니다. 이유가 있을 거라 생각합니다. 먼저 세상을 떠난 어머니의 이름을 따 아이의 이름을 짓겠다고 했습니다. 카사르가 눈을 감았다.

─죽은 어머니의 이름이 마르디네가 아닐까 싶습니다.

─마르디네란 이름을 가진 여자 귀족 중, 펜던트의 이니셜과 맞는 성을 가진 건 마르디네 발렌타인뿐이었습니다. 그 딸의 이름이 유리엘이라 들었습니다. 폐하께서 종종 백작의 영지에 방문하셨던 줄 압니다. 혹, 그 딸을 본 적 있으십니까?

─그럼 설마, 그 아이가, 정말로.

마르디네 발렌타인. 황제는 그 이름에 경악했다. 도저히 믿을 수 없다는 듯, 아비의 목소리가 떨렸다.

"하. 유리야."

카사르가 깊은 한숨을 내쉬며 그녀를 불렀다. 더 이상은 생각하고 싶지 않았다. 너무도, 피로했다. 유리가, 그의 여자의 품이 무척이나 그리웠다. 스르르 눈꺼풀을 들어올렸다.

너에게 가야겠다. 그가 몸을 돌렸다.

*

　유리가 느리게 눈꺼풀을 들어올렸다. 격자무늬 창으로 밝은 햇살이 쏟아져 들어왔다. 좋은 꿈을 꾼 걸까. 오늘따라 기분이 좋았다. 달콤한 잠의 여운을 음미하여 돌아눕던 유리가 멈칫했다. 이곳은 그녀의 방이 아니었다. 화들짝 놀란 유리가 몸을 일으켰다. 찬물이라도 뒤집어 쓴 듯, 속이 싸하게 가라앉았다.

　"일어나셨어요?"

　심장이 두근거렸다. 소리가 나는 쪽으로 고개를 돌렸다. 처음 보는 소녀가 생긋 웃으며 다가왔다. 걸을 때마다 발목까지 오는 긴 신관복이 팔랑거렸다. 유리가 입고 있는 옷과 같은 것이었다. 낯선 신관복을 멍하니 내려다보는데 소녀가 말했다.

　"전하께서 아가씨를 도와드리라고 말씀하셨어요."

　"전하, 라뇨?"

　"카사르 전하요. 모르세요?"

　소녀가 의아한 듯 고개를 갸웃했다. 유리가 당황스러움에 입술을 달싹였다. 어젯밤 기억이 서서히 수면위로 떠오르기 시작했다. 유리의 눈치를 보던 소녀가 손에 들린 옷을 내밀었다.

　"일단 옷을 갈아입으시겠어요? 신관 밖으로 나가시려면, 신관복은 좀 그럴 거예요."

　유리는 얼굴이 하얗게 질린 채 옷을 내려다보았다. 자객들에게 쫓겨 흙투성이가 되었던 옷이 아닌, 새 옷이었다. 이 신관복은 대체 누가 입혀준 걸까. 생생하게 떠오르는 속삭임이 그 답을 주었다.

　─안아 줄래요? 카사르.

　어젯밤 유리는 그에게 안겼다. 처음 사랑을 나눈 그날처럼 한몸이 되었다. 유리가 먼저 부탁을 했다. 그를 도저히 외면할 수 없었기 때문이었다. 그는 그녀가 누구인지 진작부터 알고 있었다. 한번 깨닫고 나자 그동안 왜 몰랐나 싶을 정도로 선명한 애정이 보였다. 그걸 막연히 가짜를 대하는 것으로 착각했다니. 아득함이 밀려왔다. 가짜라도 좋으니 제 곁에 있으라는 그의 절박한 속삭임을 도저히 외면할 수 없었다. 가슴이 터질 것만 같았다. 주체할 수 없을 만큼 눈물이 났다. 뜨거운 손이 그녀의 뺨을 쓸어 냈다. 그 지독한 상처를 품었으면서, 그는 그녀를 향해 웃었다.

—이젠 괜찮아. 네가 있어서, 이젠 정말 괜찮아.

그렇게 참고 있던 모든 것이 와르르 무너졌다. 그를 더 기쁘게 할 수만 있다면 무엇이든 할 수 있었다. 그의 웃음 외엔 아무것도 의미가 없었다. 끝없이 밀려드는 그를 온 힘을 다해 받아들였다. 저를 안아 행복하게 웃는 그를 보며 그녀도 웃었다.

—유리야, 이대로 죽어도 여한이 없을 것 같아.

지친 그녀를 끌어안고 그가 엷게 웃었다.

—카사르. 나도…….

멀어져가는 의식 속에서 그의 뺨을 감싸려했다. 힘이 빠져 미끄러지는 손을 그가 가볍게 쥐어 제 뺨에 대었다. 어둑해지는 시야 속에서도 손목에 묻은 입술이 부드럽게 올라가는 걸 느꼈다. 그 미소가 가슴이 아리도록 좋아서 눈물이 났다.

—이대로 숨이 멎어 버렸으면 좋겠어요.

그에 환히 웃으며 저를 보던 얼굴이 마지막이었다.

그가 무슨 대답을 했는지는 잘 모르겠다. 중요한 건 그때의 행복이 거짓말처럼 사라졌다는 것이다. 유리가 사시나무처럼 떨리는 몸을 감쌌다.

"대체, 내가 왜 그런 짓을……."

따뜻한 품속에서 잠시 잊었던 현실이 새파랗게 들이닥쳤다. 지난 삼 년간 그녀를 옥죄었던 짐이 슬금슬금 살아났다. 반쯤 넋이 나간 채 유리가 비틀거리며 자리에서 일어나려 했다. 침대를 짚는 팔에 근육통이 밀려왔다. 유리가 신음을 흘리자, 놀란 소녀가 얼른 다가왔다.

"괜찮으세요?"

"그 사람은, 어디에 있어요?"

"네?"

"카사르 전하는……. 어디에 계세요?"

"전하께서는 아침에 먼저 나가셨어요."

"떠났…… 다고요?"

"네, 저 그런데 진짜 괜찮으시…… 어?"

유리는 서둘러 소녀의 팔을 떨치곤 문 쪽으로 향했다. 놀란 소녀가 그녀를 붙잡았지만 무시하고 밖으로 나갔다. 낯선 복도에 잠시 멍했다가 휘청이는 걸음을 옮겼다. 그가 돌아오기 전에 이곳을 떠나야 한다는 생각밖엔 없었다. 끄는 걸음에 발치에 작은 나무 조각들이 채였다. 그것이 폭발의 잔흔이라는 걸 깨달은 유리가 몸서리를 쳤다. 자연스럽게 폭발에서 저를 감싸던 그의 모습이 떠올랐다. 독에 새카맣게 변해 있던 그의 상처도 함께였다.

"영애. 제게 기대십시오."

어느 순간부터는 더 걸을 힘이 없었다. 벽에 기대어 가쁜 숨만 내쉬는데, 단단한 손이 그녀를 붙잡았다. 루한이었다.

"방으로 모시겠습니다."

무척이나 진중한 목소리였다. 그게 또, 카사르를 떠올리게 했다. 유리의 안색이 허옇게 질렸다. 힘이 들어가지 않은 손으로 억지로 그의 손을 떼어냈다.

"아니에요. 저 가야 해요."

"이곳에 계시는 게 좋겠습니다. 곧 태자 전하께서 돌아오실 겁니다."

"아니요. 갈 거예요. 전, 저는……."

지금은 카사르가 이곳에 없다. 한데 그가 돌아온다면? 그의 얼굴을 보고 대체 무슨 말을 해야 할까? 당신 아버지가 우리 가족을 모두 죽였다고? 우리 아이가, 나 때문에 죽었다고? 그래서 복수를 위해, 수도에 돌아왔다고? 그에게 먼저 안아달라고 해 놓고, 이제서야?

"저 가야 해요. 돌아갈 거예요."

"영애. 일단은……."

"제발 좀 놔 주세요. 갈게요."

무척이나 위태로운 목소리였다. 그러면서도 고집은 꺾지 않았다. 루한은 유리의 안색을 살피곤 조심스레 손을 거두었다. 더 이상 실랑이가 벌어지는 게 위험할 수 있겠다 판단한 것이다.

"그럼 부축이라도……."

유리는 루한의 말을 무시한 채 벽을 짚고는 걸음을 옮겼다. 지금 당장 어디론가 가야했다. 하지만 그곳이 어디인지는 알 수가 없었다. 유리의 눈시울이 뜨겁게 달아올랐다.

'아가. 이제 엄마는 어쩌지.'

힘겨운 뒷모습을 보며 루한의 슬쩍 고갯짓을 했다. 근처에서 두 사람의 모습을 지켜보던 기사가 얼른 다가왔다. 루한은 유리에게서 눈을 떼지 않은 채 낮게 말했다.

"경께서 영애를 호위하시는 게 좋겠습니다."

"특별히 모셔야 할 곳이 있습니까?"

"일단은 저분이 바라시는 대로 두십시오. 전하께서 곧 따르실 겁니다."

"알겠습니다."

기사가 슬쩍 목례를 한 뒤 소리 없이 유리의 뒤에 붙었다. 물끄러미 그 모습을 보던 루한이 몸을 돌려 어딘가로 향했다.

*

바론은 궁으로 돌아가자마자 여장을 모두 갖춘 기사와 마주쳐야 했다. 기사의 말에 바론이 황당한 얼굴로 되물었다.

"나보고 지금 당장 떠나라고?"

"예. 최대한 빨리 비투아로 출발하시라는 폐하의 명이 있었습니다."

"그럼 호위는 어쩌고?"

"기사단은 아침에 모든 준비를 끝냈습니다."

매끄럽게 이어지는 답에 바론이 헛웃음을 쳤다.

"대체 그놈이 뭐라 지껄인 거야. 답지 않게 속전 속결이구만."

평소엔 느러터진 굼벵이 같더니, 이번엔 어쩐 일로 꽁지에 불 달린 듯 잽쌌다. 아비의 뜻이 그만큼 확고하단 뜻이었다. 바론이 짜증에 확 얼굴을 구겼다. 이번엔 그를 출국을 막아 줄 사람이 없었다. 제 어미야 지금쯤 좋아 춤을 춰대고 있을 것이다. 덕분에 약혼을 미룰 수 있게 되었으니까.

"준비할 시간이 필요해."

"필요한 것이 있으시면 제게 말씀을 하십시오."

기사는 벽처럼 그의 앞에 서 있었다. 바론이 벅벅 머리를 헤집었다. 물러가라 해도 물러가지 않을 게 분명했다. 제 아비가 딱 저처럼 고집불통인 것을 보냈지 싶었다.

"약혼녀에게 인사라도 하고 가야 할 거 아니야."

말도 안 하고 떠나면 분명 걱정할 것이다. 안 그래도 연회 뒤로 쭉 얼굴을 보지 못했다. 바론은 프리우스로 떠나기 위해 자리에서 일어났다. 이내 멈칫하며 제자리에 멈추어 섰다.

'……연회라.'

그놈의 연회 때문에 지난 이틀간 속을 끓였다. 그가 확 인상을 구겼다. 화가 풀린 줄 알았는데 아니었나보다. 아직도 그 새끼를 보던 여자의 옆얼굴을 떠올리면 울컥했다. 방금 카사르에게 당한 것이 있어 더 그랬다.

'나를 두고 다른 남자를 쳐다본다는 게, 말이 돼?'

딱히 그 여잘 의심하는 건 아니었다. 그 여자는 그럴 깜냥도 못되었다. 그렇다고 그 일을 그냥 넘기는 건 싫었다. 대놓고 말하는 건 자존심이 상했다. 이도저도 못 하는 상황이 엿같았다. 그 생각을 하자 인사를 하러 갈 마음도 싹 사라졌다. 지는 기분이었다.

'인사는 무슨.'

그가 불만스레 입술을 삐죽였다. 그가 궁에 처박혀 있는 동안 그 여잔 코빼기도 안 보였다.

'대체 그동안 뭘 하고 있는 거야? 설마 아직까지 황궁 출입이 어려울 거라고 생각하는 거야?'

예전이야 궁에 출입하는 게 쉽지 않았다 쳐도, 지금은 황제의 공인까지 받았겠다 걱정할 이유가 없었다. 아니, 설령 출입이 어렵다 하여도 이건 아니었다. 서방님이 이틀이나 연락이 없으면 맨발로 달려와서라도 얼굴 뵙고 싶다 청해야 하는 거 아닌가. 내내 감감 무소식이라니, 영 마음에 들지 않았다.

'요즘 내가 걜 너무 예뻐했어.'

새삼 드는 반성에 바론이 혀를 찼다. 제 약혼녀는 오만함과는 전혀 어울리지 않는 여자였다. 그래도 주의할 필요는 있었다. 이쯤에서 적당히 밀어내자. 그래야 제 자리가 얼마나 소중한지 알 테니까.

'슬슬 경각심을 줄 때도 되었지.'

그가 아무 말도 없이 비투아로 떠난 걸 알면 그 여자는 어찌 반응할까?

'분명 초조해 난리가 나겠지.'

애타게 절 기다릴 여자를 떠올리자 기분이 좋아졌다. 이왕 이렇게 된 것, 아예 한두 달 동안 연락을 끊어볼까 싶었다. 그 여자는 분명 버림받을지도 모른단 두려움에 벌벌 떨 것이다. 자연스럽게 자기가 어떻게 행동했는지도 되짚을 터다. 그 모습을 상상하자 바론의 얼굴엔 어느새 불쾌함이 사라졌다. 만족스러운 웃음이 그 자리를 대신했다. 바론은 저가 보고 싶어 끙끙 앓을 여자를 상상하며 씨익 웃었다.

"프리우스로 가시겠습니까?"

"됐어. 그냥 바로 출발해."

결심을 굳힌 바론이 명령을 내렸다. 규칙적인 말발굽 소리와 함께 창밖으로 익숙한 저택의 풍경이 지나갔다.

'리디아. 이번 기회에 제대로 배워놓도록 해. 함께 죽고 싶을 정도로 좋은 남자를 놓치기 싫으면, 어떻게 행동해야 하는지 말이지.'

바론은 유리의 옛 고백을 떠올리며 피식 웃었다. 곱씹고 곱씹어도 여전히 달콤했다. 그때 제게 안기던 몸을 떠올리자 아랫도리가 뻐근해졌다.

'순결을 지켜 달라고 했지.'

그의 눈에 짙은 음욕이 어렸다. 순결은 무슨. 이번에 제 속을 썩인 벌로 그따위 약속은 깨 버릴 거다. 그는 비투아에서 돌아오자마자 여자를 가지리라 결심했다. 절 기다리느라 내내 시들었을 여자는 제 손길에 그저 감사할 것이다. 애달아 몸을 내줄 여자를 상상하자 기분이 잔뜩 고양되었다. 그렇게 바론은, 아살론을 떠나는 첫날부터 그녀와의 재회를 기다리기 시작했다. 아주, 간절히.

*

　유리가 젖은 눈으로 마른 꽃을 바라보았다. 처음 보았을 때만 하더라도 찬란히 빛나던 꽃잎이 무척이나 스산하게 느껴졌다. 움켜쥔 손에서 스르르 빠져 나갔다. 꽃다발이 탈싹, 소리를 내며 떨어졌다. 그 소리에 유리가 흠칫하며 고개를 들었다.

　'여기가 어디지.'

　신전을 나온 뒤 정처 없이 걸음을 옮겼다. 어디로 가야할지도 모르면서 그리 걸었다. 저물어오는 노을 아래로 상점들이 하나 둘 문을 닫는 것이 보였다. 목덜미를 스치는 찬바람에 유리가 멍하니 눈을 깜빡였다. 눈 앞의 풍경이 제법 익숙했다. 이곳은, 어제 처음 그를 만났던 바로 그 광장이었다. 멀찍이 말발굽 소리와 함께 마차가 느리게 움직였다. 자연스레 그녀를 구하곤 일그러지던 얼굴이 떠올랐다.

　―너, 아니, 프리우스 공녀, 지금, 당신, 마차 앞으로, 얼마나, 위험했는지…….

　치밀어 오르는 한기에 유리가 몸을 감쌌다. 몸이 덜덜 떨릴 정도로 추운데 곳곳은 그의 손이 닿은 듯 뜨거웠다. 여전히 그에게 안겨 있는 듯 강렬한 감각이었다. 유리가 몸을 가쁜 숨을 내쉬며 몸을 웅크렸다.

　―유리야, 정말 바론과 끝까지 갈 거야?

　리디아는 바론과 교제하게 되었단 말을 들었을 때, 처음엔 축하를 해 주었다. 그러다 어느 순간부터 그 위태로운 관계를 걱정하기 시작했다.

─응, 네가 그랬잖아. 끝내려면 그들과 같이 끝내라고. 그렇게 할 거야.

그에 쨍하니 얼어붙던 리디아의 얼굴을 기억한다. 그게 바로 복수를 하고 죽으라던 리디아의 진심이었다. 복수는 수단일 뿐, 사실은 유리가 살기를 바랐던 거다.

─너 혼자, 너무 무모해. 만약 발각되기라도 하면…….

상대는 아살론에서 가장 강력한 권력자들이었다. 반면 유리는 아무것도 가진 것 없는 힘없는 여자였다. 자신이 그들의 손짓 하나로도 으스러질 수 있다는 걸, 유리도 모르지 않았다.

─유리 네가 복수를 바라는 건 알아. 그래도, 조금 더 안전한 방법을 찾는 게…….

─안전할 필요가 있겠니. 어차피 잃을 것도 없는걸.

유리에겐 아무것도 없었다. 그저, 독 하나만을 믿고 맨몸으로 부딪히는 것이다. 하여 끝까지 갈 수도 없을 거라 여겼다. 매일매일이 기대하지 않은 기적의 연속이었다. 중간에 끝나도 상관없다 생각했다. 그렇게 제 몸이 모두 타버릴 줄 알면서도 불길로 날아드는 부나방처럼 살았다.

─그 사람이 널 알아볼 수도 있어. 그럼 어떻게 할 건데?

─그럴 리 없어. 그 사람은 내 얼굴 몰라. 이미 다 잊었을 거고. 날 찾을 이유도 없어.

그때는 정말 그렇게 생각했었다. 소망에 가까운 확신이었다. 그는 영영 저를 모를 것이다. 몰라야만 했다. 저를 그리 깊이 사랑하지도, 지극히 그리워하지도, 애타게 찾지도 않을 것이다. 그래야만 했다. 그런데 다 틀렸다. 그는 전부다 알고 있었다. 유리가 떨리는 손으로 이마를 짚었다. 언제부터 알았던 걸까. 짚이는 바가 전혀 없었다. 기억 속 그의 얼굴이 역순으로 스쳐지나갔다. 쉴브론 궁에서 마주한 편한 미소가 덜컥 걸렸다.

바론은 조금 늦을 거라고 하더군요. 에스코트 해도 되겠습니까?

—공녀께서 큰일을 겪으셨다 들었습니다. 이젠 괜찮으신 겁니까?

그때는 단지 그녀의 죽음을 극복해 그런 거라 생각했다. 아닐지도 모른단 생각이 들었다.

—사실은 공녀님을 살펴달라 제게 특별히 부탁을 하신 분이 계십니다. 바로 태자 전하 십니다.

어쩌면 태온이 그녀를 찾아온 것도 다 그의 안배일지 모른다. 유리가 떨리는 몸을 끌어안았다. 그가 언제, 어떻게 알았는지는 이제 중요하지 않았다. 오찬 후로도 그녀는 바론과 수도 없이 입 맞추고 몸을 맞대었다. 그 꼴을 아무렇지 않은듯 봐야 했을 그 속이 얼마나 뭉그러졌을까.

"으흑……."

울음이 터져 나왔다. 감춰야 할 것이 너무도 많았다. 암담함이 밀려왔다. 유리는 무너지기 직전의 탑이었다. 이대로 그냥, 무너져 버렸으면 좋겠단 생각을 했다. 그리고 한 편으론 다시 살고 싶다는 생각을 했다. 그의 품에서만큼은 허망한 과거도 모두 잊을 수 있을 것 같았다. 그러나 여린 마음이 도저히 제 욕심을 허락하지 않았다. 그녀가 빛을 향해 몸을 돌릴 때마다 먼저 처참히 세상을 떠난 이들이 발목을 붙잡았다. 너 혼자 행복해져서는 안 된다고, 우리와 함께 있자며 울부짖었다.

"그런데 나도 살고 싶어, 정말……."

후두둑 눈물을 쏟던 유리가 헉 숨을 내쉬었다. 심장이 조이는 듯했다. 발작의 전조였다. 온 사방이 밝은데도 그랬다. 이럴 리가, 없는데. 떨리는 시선으로 노을을 응시하던 유리가 신음과 함께 웅크렸다. 어깨가 오그라들자 숨은 더욱 가빠졌다. 그러나 어깨를 펼 수가 없었다.

"유리야."

그리고 그때, 기다렸다는 듯 등장한 단단한 힘이 있었다. 카사르가 유리의 등을 받친 채 어깨를 폈다. 숨길이 열리자 호흡이 조금 편해졌다. 유리가 가쁜 숨을 내쉬며 상대를 보았다. 창백한 낯에 카사르의 입매가 조금 굳었다. 그는 그녀의 안은 채 머리를 제 가슴에 기대게 하였다. 유리는 실 끊어진 인형처럼 힘없이 그의 손에 따라 움직였다.

"숨 쉬자, 크게. 그래, 착하다."

그의 손이 부드럽게 여윈 등을 쓸어 내렸다. 유리의 눈꼬리가 파르르 떨렸다. 이상했다. 그의 품속인데도 숨이 잘 쉬어지지 않았다. 가느다란 손가락이 그의 옷을 긁듯 움켜쥐었다. 괴로워하는 여자를 내려다보는 그의 눈빛이 메말라갔다. 눈물도 나지 않았다. 이미 너무 많이 다쳐, 더는 흘릴 피도 없었다.

"저쪽으로 가자."

카사르가 그녀를 안아 들었다. 가까운 나무로 다가가 조심스레 내려놓았다. 나무에 기대게 한 뒤, 그녀의 안색을 확인했다. 파르르 떨리는 눈꺼풀 아래로 맑은 눈물이 흘러내렸다. 카사르는 조심스레 그녀의 눈물을 닦아내었다.

"유리야."

그의 부름에 유리가 크게 가슴을 들썩였다. 그는 다시 웅크리려는 어깨를 지그시 눌렀다. 눈밑을 쓸며 품속에 있던 펜던트를 꺼냈다. 익숙한 물건에 유리의 눈이 조금 커졌다. 곱아든 손가락을 펴고, 펜던트를 쥐어 주었다.

"유리야, 아니,"

그의 목소리가 낮아졌다.

"유리엘 발렌타인."

7장

유리가 숨을 멈추었다. 꿈을 꾸듯 멍하니 그를 바라보았다. 비탄에 찬 눈길이 그녀를 바라보았다. 더는 참을 수가 없었다. 그의 손이 가느다란 손가락과 얽혀 들어갔다. 숨을 불어넣듯, 가볍게 입술을 겹쳤다. 뜨거운 혀가 갈라진 입술을 사이를 파고들었다. 호흡 하나하나가 간절했다.

"유리야."

그는 붉어진 눈시울로 고개를 들었다. 그때까지만 해도 유리는 여전히 현실감각이 없었다. 지나치게 오랜만에 듣는 이름이었다. 그가 바닥에 떨어진 꽃을 보며 물었다.

"저 꽃, 우리 아이를 위한 거였니? 우리 아이를 위해 기도를 하려 한 거야. 그렇지?"

유리의 눈이 차츰 커졌다. 그녀의 호흡이 거칠어졌다. 하얗게 질린 입술이 떨렸다. 그는 뜨거운 눈물을 이를 악물고 참았다. 손목의 흉터를 감싼 채 속삭이듯 물었다.

"지키지 못한 사람이, 우리 아이였어. 맞지?"

그 목소리에 찬물을 맞은 듯 정신이 번쩍 들었다.

"아니, 그런 게……."

생각을 하기 전에 먼저 말이 나왔다. 그의 눈매가 붉어져 있는 게 보였다. 그가 아이 때문에 울고 있다니 끔찍했다. 그 지옥은 저만 겪는 것으로 족했다.

"아이라뇨. 몰라요."

도망가고 싶다. 이대로 사라져버리고 싶다. 하지만 그럴 수가 없었다. 그녀의 눈동자가 출구를 찾아 정처 없이 흔들렸다. 사방이 벽인 양 나갈 곳이 없었다.

"아이, 나, 그런 거 없……."

아이를 부정하는데 말이 덜컥 막혔다. 덜덜 떨던 유리가 그와 눈이 마주쳤다. 손목을 움켜쥔 손에 힘이 들어가는 게 느껴졌다. 좋은 소식이 뭐냐고 묻던 설레던 미소가 떠올랐다. 유리의 눈빛이 망연해졌다. 더 이상의 부정은 불가능했다.

"아……."

온몸이 뻣뻣해졌다. 화살 맞은 짐승처럼 몸이 기울었다. 그는 무너지는 몸을 가볍게 받아 안았다. 웅크린 유리의 눈에서 눈물이 흘러내렸다. 그리고 끝내, 숨죽인 오열로 변했다. 허공을 응시하는 그의 눈이 텅 비어갔다. 그가 속삭였다.

"너를 안아서 참 행복했는데. 그게 너를 죽일 줄은 몰랐어. 너를 다시 살리기는 이미 늦었겠지……."

역시 이 사람은 전부 다 알고 있었다. 질끈 감은 눈 아래로 눈물이 흘러 내렸다. 그가 유리의 이마에 입술을 대었다.

"그래서 나도 더 이상은 견딜 수가 없어서. 너와 같은 선택을 하려고 해."

무척이나 달콤한 목소리였다. 나와 같은 선택이 뭐지. 유리가 흐린 시선을 들어올렸다. 눈이 마주치자 그는 조금 웃었다.

"이거, 독이야."

어느새 그녀의 손에 작은 병이 들려 있었다. 유리가 멍하니 낯선 병을 내려다보았다. 손안에 닿는 차가운 감촉이 현실감이 없었다. 그가 옅게 웃었다. 묘하게 불길해 보이는 미소였다.

"네가 구하고 싶었던, 바로 그 독이야."

그가 다정히 속삭였다.

"이걸로 바론을 죽일 거야. 그리고 나도 죽을 거야."

충격은 아주 느리게 그녀를 휘감았다. 유리는 숨조차 얼어붙은 모양새로 그를 보았다. 그가 피식 웃으며 놀란 유리의 머리를 귀 뒤로 쓸어넘겼다. 그는 차분히 속삭였다.

"오늘 바론을 비투아로 보냈어. 수도에서 멀리 떨어져야 손을 쓰기 편하니까. 지금 바로 끝낼 거야. 폐하에 대한 복수는 그걸로 대신해. 그동안 고생 많았어, 유리야."

그 말을 끝으로 담백하게 손을 떼어냈다. 이내 자리에서 일어났다. 그때까지만 하더라도 제대로 현실 인지를 못 했다. 유리는 멍하니 멀어지는 그의 뒷모습을 바라보았다.

죽겠다고? 누가. 저 사람이? 저리 따뜻하게 웃으면서?

"아, 안 돼."

유리가 허겁지겁 벌떡 일어났다. 손에 들려 있던 병이 바닥으로 굴러떨어졌다. 다리에 힘이 들어가지 않아 앞으로 넘어졌다. 아픈 줄도 모르고 일어났다. 그는 여전히 성큼 멀어지고 있었다. 그의 위로 노을 진 하늘이 피처럼 붉었다.

"잠깐, 제발……. 안 돼요."

유리가 가까스로 그의 소매를 붙잡았다. 숨이 턱까지 차올랐다. 그는 잡힌 손을 물끄러미 내려다보다 돌아섰다. 올려다보는 안색에 핏기가 하나도 없었다. 유리가 숨이 멎을 것 같은 얼굴로 물었다.

"지금, 뭐랬어요? 당신이 죽는다…… 고요? 왜요?"

그는 아무 내남 없이 잡힌 손을 떼어냈다. 부드럽지만 단호한 거부였다. 유리가 충격에 입술을 달싹였다. 머리가 텅 비어버린 듯 아무 생각도 들지 않았다. 그가 돌아서 멀어지는 걸 도저히 믿을 수가 없었다.

"카사르!"

비명처럼 그를 부른 유리가 다시 그를 붙잡았다. 공포에 이성이 완전히 마비된 듯싶었다. 혹시라도 떨쳐질까 봐 온 힘을 다해 붙잡았다. 마디가 불거진 손을 본 그의 입매가 조금 일그러졌다. 그러면서도 다시 뜨거운 손은 가느다란 손목을 움켜쥐었다. 유리가 필사적으로 고개를 저으며 그에게 매달렸다.

"이거 놔."

"이러지 말아요, 제발."

유리가 애원했다. 그는 단호하게 밀어냈다.

"놔. 유리야, 너는 나 못 막아."

"이러지 마요. 나, 정말 죽을 거 같아요. 이러지, 윽, 말아요……."

유리가 무너지듯 제자리에 주저앉았다. 그를 붙잡은 손은 여전히 놓지 않은 채였다. 심장이 조이다 못해 쥐어짜는 듯 아파 왔다. 고통을 이기지 못한 유리가 몸을 웅크렸다. 덜컥거리는 숨을 토하는 모습에 그도 더는 매정하게 굴 순 없었다. 착잡하게 몸을 숙인 그가 유리의 어깨를 펴 주며 말했다.

"아프니? 나도 아팠어. 네가 죽은 줄 알았을 때 나도 그랬어."

담담한 목소리에서 숨길 수 없는 원망이 묻어났다. 그러면서도 숨을 틔우는 손길은 가슴 시릴 정도로 다정했다.

그는 선언하듯 말했다.

"네가 죽으면, 나는 또 그렇게 될 거야. 또 그렇게 될 거야. 무조건 나는 네 뒤를 따를 거야."

유리의 호흡이 가파르게 꺾였다. 그의 말이 무슨 뜻인지 알았다. 저를 살리려는 것이다. 그러나, 쉽게 받아들일 수는 없었다.

"나, 살 수가, 없어……."

사는 게 그리 쉬웠다면, 여기까지 오지도 않았을 거다.

"왜, 왜 살 수가 없어. 살면 되잖아. 나랑, 같이 살아나가면 되잖아."

"우리 아이가……."

유리가 도리질하며 말했다. 그 아이가 너무 불쌍했다. 아무것도 못 해 준 것이 너무 미안해 홀로 둘 수가 없었다. 그녀를 죽이던 독이 처음으로 입 밖으로 나왔다.

"도저히, 혼자 둘 수가……."

유리가 진저리를 치며 그의 가슴에 얼굴을 묻었다. 그의 눈매가 짧게 경련했다. 이러면 안 된다. 단호한 손길이 그녀의 고개를 들어 올렸다. 잔뜩 젖은 녹안과 마주하고 나서야, 그는 안심했다.

"내 이야기를 들어 봐."

그는 한 자 한 자 새기듯 말했다.

"아이를 지킬 의무가, 네게만 있는 게 아니잖아. 나 역시 그 아이를 지켰어야 했어. 안 그래?"

"내가, 말을 안 해서, 당신은 몰랐으니까……."

"그런 말, 말고! 네가 아이를 지켜야 했다면, 내겐 널 지켜야 할 의무가 있었어. 내 아이를 품은 여잘 지켰어야 했다고! 그런데 네가 이렇게 엉망이 되었지. 그게 나 때문이야? 내가 널 사랑해서, 네가 이렇게 된 거야? 그럼 나도 다 끝내야 해? 대답해 봐. 내가 그러길 바라?"

파도처럼 밀어치는 말들에 아득함이 밀려왔다. 유리는 거센 물

살 위 부표인 양 힘없이 흔들렸다. 그의 말들이, 그의 마음이 지나치게 버거웠다. 숨이 막힐 정도로 두려웠다. 이대로면 완전히 집어삼켜져 흔적도 남지 않으리라.

"똑바로 말해. 내가 죽기를 바라는 거야? 내가 죽었으면 좋겠어?"

제 말이 이 여자의 가슴을 난도질한다는 걸 알았다. 아랑곳하지 않고 가차 없이 몰아붙였다. 내가 죽기를 바라냐고, 네 진심이 그런 거냐고 필사적으로 물었다. 그럼 네 소원대로 죽어주겠노라 따졌다. 결국, 유리가 덜덜 떨며 고개를 저었다.

"아니에요, 그런 게."

"이유도 말해. 내가 살았으면 하는 이유가 뭔데!"

"카사르, 제발."

"나를 사랑해서 그런 거야. 맞지? 어?"

유리의 몸이 자꾸만 무너지려 했다. 호흡이 가빠졌다. 그는 쓰러지려는 그녀를 붙잡은 채 반쯤은 윽박질렀다.

"솔직히 대답해. 나를 사랑해서 그런 거잖아. 그래서 내가 살기를 바라잖아! 정말 나를 살리고 싶으면, 똑바로 말을 해!"

종래는 악을 쓰듯 목소리가 커졌다. 그리고 결국, 유리가 고개를 끄덕였다. 미약한 몸짓에 숨조차 멎을 고요가 찾아왔다. 붉어진 눈매로 뚫어져라 유리를 바라보았다. 주르륵 눈물을 흘리며 유리가 입술을 달싹였다.

"……사랑해요."

그러자 거짓말처럼 폭풍이 멎었다.

"나도 사랑해."

방금의 사나움이 거짓인 양 무척이나 달콤한 목소리였다. 그리고 눈물 젖은 뺨에 무수히 입을 맞추었다. 마른 입술이 제게 닿을 때마다 유리가 헐떡이는 숨을 내쉬었다. 그의 사랑이 너무 아팠다.

결국, 이런 꼴로 그의 앞에 돌아온 자신이, 너무 슬펐다.

"나도 너를 사랑해. 유리야, 너를 사랑해. 그러니까 같이 살아가자, 응?"

간절한 고백에 아무 말도 할 수 없었다. 그녀를 집어삼켰던 어둠은 그만큼이나 지독했다. 유리는 그에게 안긴 채 파들파들 떨었다. 빛이 너무 환해서, 숨이 막혔다. 폭풍 같은 불안감이 그의 숨을 조였다. 잠시 후, 유리가 축 늘어졌다. 무너진 몸을 안아든 채 그가 질끈 눈을 감았다. 신이시여.

사위는 어느새 남빛 어둠에 잠겨 있었다. 두 사람의 모습이 마치 검은 바다 위 섬처럼 보였다. 잠시 후, 어둠을 가르며 마차 한 대가 다가왔다. 카사르는 힘없이 늘어진 몸을 안아 올렸다. 마차에 올라탔다. 정신을 잃은 여자를 제게 기대게 한 뒤, 창백한 이마에 입을 맞추었다. 이제 네가 쉴 수 있는 곳으로 가자. 그가 낮게 속삭였다.

*

마지막 기억처럼, 하늘엔 또 노을이 지고 있었다. 유리는 멍하니 불타는 하늘을 바라보았다. 붉게 물든 구름 사이로 빛의 계곡이 쏟아져 내렸다. 멀리 보이는 수면 위로 무수히 많은 물비늘이 반짝였다. 자신이 언제부터 그 풍경을 보고 있는지도 몰랐다. 다만 창밖의 모습이 난생처음 보는 풍광이라는 건 알았다. 이곳은, 아살론의 수도가 아니었다.

─네 잘못이 아니야.

이곳은 어디일까. 도통 짐작이 가지 않았다. 아니, 짐작할 힘도 없다는 게 맞았다. 상처는 없는 것 같은데 가슴이 너무 아팠다. 웅크린 유리의 귓가로 과거의 목소리가 어지러이 흩어졌다.

—살아야 해. 알겠어? 나를 살리려면 네가 살아야 한다고!

"겠어?"

살며시 그녀의 어깨를 누르는 힘에 유리가 흠칫 놀랐다. 눈매 아래를 쓰는 손에 유리의 눈매가 일그러졌다. 뜨거운 눈물이 그의 속을 적셨다.

"계속 기다렸어. 네가 깨어나길 기다리고 있었어."

그가 여린 몸을 끌어안고 말했다.

"쭉, 계속, 기다렸어. 네가 돌아올 거라고 생각했어. 아직 우리는 해야 할 말도, 해야 할 일도 많으니까."

"……윽."

마지막으로 들었던 그의 목소리가 심장을 조였다. 우리 아이를 위한 거였니. 네가 살아야, 내가 살아. 제발, 우리 같이 살자. 명치가 아리다 못 해 아플 정도로, 숨을 쉴 수 없었다.

"허억. 헉."

거칠어지는 호흡에 그의 입매가 조금 일그러졌다. 그는 침착하게 유리를 바로 눕힌 뒤 그녀의 명치를 지그시 눌렀다. 그 일련의 과정이 제법 익숙했다. 유리는 그가 이끄는 대로 서툴게 숨을 내쉬었다. 회색 천장이 자꾸만 뱅글뱅글 돌았다.

"별거 아니야. 의사가 확인했어. 충격 때문에, 잠시 호흡이 어려운 뿐인 거랬어. 그러니 금방 좋아질 거야. 걱정하지 않아도 돼."

토막토막 잘려나가는 그의 말을 들으며 유리는 손 하나 까딱할 수 없었다. 숨이 막혀 허덕이는 와중에도 어느 순간 알 수 있었다. 내가 이러는 게, 처음이 아니구나. 이 사람은 몇 번이나, 죽어가는 나를 살렸구나.

"쿨럭."

그리고 어느 순간 숨이 트였다. 유리가 받은 기침을 몇 번 내쉬다가 축 늘어졌다. 몸에 힘은 없지만 숨쉬기는 한결 편안했다. 주의 깊게 그의 호흡 소리를 확인한 카사르가 그녀와 뺨을 맞대었다.

"나는 계속 네 곁에 있을 거야."

저만 운 줄 알았는데, 아니었나 보다. 그의 뺨이 젖어 있는 게 느껴졌다. 또다시 주르륵 눈물이 흘렀다. 카사르가 젖은 뺨을 부비었다. 짧은 수염이 까슬했다. 그는 한층 잠긴 목소리로 말했다.

"유리야, 나는 이제는 절대로 후회하지 않을 거라고 결심했거든. 과거 때문에 미래를 버리는 짓 안 할 거라고 그렇게 다짐했는데…….'

그의 목소리가 차츰 젖어들어 갔다.

"네가 아픈 걸 보니까, 또, 후회가 된다. 내가 너무…….'

수도를 떠난 뒤에도 유리는 한참을 앓았다. 의사는 충격 때문이니 금방 좋아질 거라 했다. 그 말이 되레 아프게 들렸다. 제 방식이 너무 성급했던 것은 아닌가. 괴로워하는 그녀를 보며 그는 수도 없이 자책했다. 자책의 끝은 늘 같았다.

"그래도 그때로 돌아가면 같은 선택을 할 거야."

그는 도저히 이 여자가 제 눈앞에서 죽게 둘 수가 없었다. 아무리 아파도 제 옆에서 살아가길 바랐다. 삶이 설령 가시밭길이라 한들 그 길을 제 옆에서 걷길 바랐다. 그럼 이 여자를 업고 맨발로 그 길을 걸으리라. 이 여자 대신 피를 흘릴 수 있다면, 오히려 기꺼웠다.

"……혹시 아팠어요?"

유리가 힘없이 물었다.

"좀, 말랐어요."

마지막으로 보았을 때보다 조금 야윈 것 같다. 생각보다 시간이 오래 지난 것 같았다. 그리고 그 긴 시간 동안 이 사람은 계속 그녀를 지켰을 터다. 그녀의 고통은 몇 배로 곱씹으며 자신을 괴롭혔을 것이다. 그 미련한 애정이 유리는 참 아팠다.

"아프지 않았어. 정말이야."

"식사는, 했어요?"

"응."

"내가 얼마나 누워 있었어요?"

"일주일 정도."

힘없이 고개를 끄덕이는 그녀의 눈에 눈물이 고였다. 그의 뺨을 쓰다듬는 손길에 미안함이 묻어났다. 카사르는 그녀의 손 위에 제 손을 겹치며 생각했다. 네 눈에서 눈물이 마를 날은 언제일까. 그게 가능한 날이 오기는 할까.

"미안하면 이젠 울지 말자. 절대로, 혼자 울지는 말자."

미안해할 필요도 없다. 그 모진 일을 겪고도 제 앞에 살아 있는 게 기적이다. 유리가 살아야 그가 살 수 있으니, 이 여자는 그를 살린 셈이었다.

"자책은 이제 그만하자. 우리 잘못이 아니야. 네 잘못은 더더욱 아니고. 너는 아이를 지키려고 최선을 다했잖아."

마지막 순간, 바론은 유리가 아이만은 살려 달라 애원을 했다고 했다. 당연히 그랬을 거라 생각했다. 그 역시 같은 상황이라면 똑같은 선택을 했을 테니까. 나는 죽어도 좋으니, 이 여잔 살게 해 달라고. 이 여자만큼은, 반드시 살게 해 달라고.

"그러니까 살자, 제발, 살자, 유리야."

악물린 턱 사이로 흐느낌이 새어 나왔다. 유리에게 눈물을 보이고 싶지 않았다. 그녀의 어깨에 얼굴을 묻었다. 그래도 감추지 못한 설움에 유리는 아득함이 밀려왔다. 이제야 보였다. 제가 선택인 길이 이 사람에게 어떤 상처를 주었는지. 그를 지킨답시고 저 혼자 끌어안았던 과거가 그에겐 비수가 되었다. 홀로 죽어가고 있다 생각했는데, 이 사람 역시 함께 죽어가고 있었다.

이 지독한 연결고리를 끊어낼 방법이 무엇인 걸까. 기다렸다는 듯 익숙한 자책의 늪이 아가리를 벌렸다. 유리엘 발렌타인, 너만 없으면 돼. 그럼 모두가 편해질 거야. 어둠은 그악스럽게 그녀를 잡아당겼다. 이 사람이 아픈 건, 모두 너 때문이야. 너만 없어지면 돼.

"카사르."

유리는 처음으로, 그 어둠을 외면했다.

"살고 싶어요."

가느다란 팔이 그의 목을 끌어안았다. 그의 눈에 놀라움이 스쳤다. 유리는 어둠에 끌려가지 않으려는 듯 그에게 매달렸다. 그러면서도 버티는 게 익숙하지 않아 몸이 떨렸다. 조금만 방심해도 다시 늪에 빠져버릴 듯 아찔했다.

"나, 살아 볼래요. 살게요. 살 수 있게, 해 줘요."

"하. 유리야."

탄식 같은 부름이었다. 잠시 굳어 있던 그가 와락 그녀의 어깨를 끌어안았다. 단단한 힘이었다. 유리가 떨리는 숨을 내쉬며 몸에서 힘을 뺐다. 더는 버티기가 힘들었다. 등 뒤에서 새까만 손들이 제 뒷덜미를 잡으려는 게 느껴졌다.

결국, 끌려가고 말 거란 두려움에 유리가 질끈 눈을 감을 때였다. 그리고 여전히, 유리의 그의 품에 안겨 있었다. 유리가 떨리는 시선을 들어올렸다. 늪은 여전했으나 더는 그녀에게 손을 뻗진 못했다. 어깨를 감싸는 힘이 더 강해졌다. 떨어지지 않을 거라는 걸 알았다. 움츠려 있던 유리의 입가에 저도 모르게 미소가 어렸다. 힘없이 울렁거리던 손들이 파시식 부서져 내렸다.

"카사르."

유리가 맑은 웃음을 터트리며 그를 끌어안았다. 이 사람과 함께라면 그 어떤 어둠도 이겨낼 수 있겠단 확신이 들었다. 그녀의 웃음소리에 그가 놀란 듯 눈을 크게 떴다.

"당신을 위해서라도 살아 볼래요."

맑은 목소리였다. 카사르가 떨리는 눈으로 말간 눈동자를 응시했다. 저를 향한 미소가 티 한 점 없이 밝았다. 그의 가슴에도 희망이 차오르기 시작했다. 웃음이 번져나갔다. 몽글몽글한 행복이 맞닿은 체온 사이에서 샘솟았다. 그가 낮게 웃으며 입을 맞추었다.

"아주, 잘했어. 유리야."

*

"여기는 어디에요?"

밤 깊을 무렵, 그와 나란히 누워 유리가 물었다.

"체호른이야."

다정한 손이 그녀의 머리카락을 귀 뒤로 넘겨 주었다.

"체호른이요?"

"수도에서 조금 떨어진 휴양지야. 호수가 유명한 곳이지. 여긴 내 별장이고. 어렸을 때부터 쉬고 싶을 땐 종종 찾았었어. 방해받지 않고 쉬기엔 딱 좋은 곳이지. 이 근방에 있는 건물은 이 별장밖엔 없거든."

그의 말대로 창밖엔 오직 새까만 어둠뿐이었다. 빛나는 것이라곤 하늘의 달과 별뿐이다. 어렴풋이 풀벌레 소리와 뻐꾸기 소리가 들렸다. 수도에서는 듣기 어려운 소리였다.

'지금 수도에서는 어떤 일이 벌어지고 있을까.'

수도 생각을 하자 명치가 콱 막힌 듯했다. 유리가 수도를 떠난 지 일주일이 지났다고 했다. 지금쯤이면 바론도 그녀의 실종을 알고 있을 것이다. 수도에선 대체 무슨 일이 벌어지고 있을까. 너무 두려웠지만 물을 자신이 없었다. 질문을 했다간 겨우 찾은 평화가 깨질 것 같았다.

이전 같았다면 무슨 일이 벌어진들 두려워하지 않았을 것이다. 유리는 반쯤 제 죽음을 받아들이고 있었으니까. 이젠 그렇지 않았다. 그를 위해 살기로 결심한 지금, 그도, 그녀도 절대 다쳐서는 안 되었다. 소중한 것을 다시 잃을지도 모른다는 상상만으로 심장이 조여들었다.

"여기 마음에 들어요. 데려와 줘서 고마워요."

유리는 모든 질문을 삼킨 채 그의 품속으로 파고들었다. 그에게 제 두려움을 옮기고 싶지 않았다.

"걱정하지 마. 다 잘될 테니까."

그때, 마법처럼 그의 속삭임이 들렸다.

"수도는 안전해. 네가 이곳에 있다는 걸 아는 사람은 얼마 없어. 외부엔 네가 건강상의 이유로 저택에서 요양 중인 걸로 알려져 있고, 바론은 지금 아살론에 없어. 돌아오려면 시간 좀 걸릴 거야."

참 신기했다. 낮은 목소리에 그녀를 움켜쥐던 어둠이 또 한 번 힘을 잃고 물러나는 게 느껴졌다. 안도의 한숨이 새어 나왔다. 마치 이 사람이 저를 지키는 기사 같다고 생각하며 유리가 살짝 웃었다.

"걱정할 건 아무것도 없어. 다 잘 될 거야."

카사르는 유리의 등을 토닥이며 말했다. 그녀를 달래기 위해 거짓을 말하는 것이 아니었다. 유리를 되찾은 지금, 두려울 것이 아무것도 없었다.

"네 생각보다 많은 사람이 우리를 도와주고 있어. 그러니 이제 넌 더 많이 웃고, 행복해질 생각만 하면 돼."

정말로 많은 사람이 그녀를 돕고 있었다. 황제 역시, 그중 하나였다.

─리디아 프리우스, 바론의 약혼녀가 바로 제가 찾던 여자였습

니다.

유리의 상처를 확인한 날 그는 제 아비에게 모든 것을 고했다. 바론이 유리에게 어떤 짓을 했는지, 그래서 유리가 무엇을 잃었는지, 그 여자를 살리기 위해 그가 어떤 길을 택할 것인지도, 전부다.

―유리를 살릴 수 있는 방법은 단 하나뿐입니다. 유리의 일을 제가 대신할 겁니다. 전 제 여자를, 제 아이를 살해한 원수를 결코 용서할 생각이 없습니다.

―……그 아이가 정말 발렌타인의 딸이었다니.

그리고 그는 뜻밖의 사실도 알게 되었다.

―처음 그 아이를 보았을 땐 정말 놀랐다. 마르디네가 살아 돌아온 것 같았지. 하지만 설마 했었다. 그 아이는 죽었거나, 평민으로 살고 있을 거라 여겼으니까. 게다가 그 아이가 내 아들의 비가 되어 돌아왔다는 게, 지나친 망상처럼 느껴지더구나. 하지만 이제 알겠다. 내 짐작이 사실이었다는 것을. 그 아이가 너를 떠난 건 네가 아살론의 핏줄이라 그랬을 게야. 제 가문을 망친 자의 아들을, 받아들일 수 없었을 거다, 그리 고백하는 황제의 눈빛은 무척이나 슬퍼 보였다.

―나는 사실 그 아이를 찾고 있었다. 백작의 죄와는 별개로 그 아이에겐 너무 잔인한 짓을 했으니까. 물론 그때로 돌아가도 난 아마 똑같은 선택을 할 거다. 그자는 내 모든 것을 앗았으니까. 내 손으로 끝내지 않고는 도저히 제정신으로 살 수가 없었다.

발렌타인의 비극은 그도 잘 알고 있었다. 황제의 친우가 황궁의를 매수해 황후를 독살하고 드펜을 황후로 올리려 했다. 그 일의 진상을 알게 된 황제의 복수가 발렌타인을 불태웠다. 그 모든 일이 백작의 과도한 충정 때문이었다는 것도 잘 알고 있었다.

―솔직히 말하마. 나는 그 아이가 가련하고 안타깝다. 복수를 위

해 궁에 돌아왔다는 것도 안쓰럽다. 복수의 불길을 품고 사는 게 얼마나 끔찍한지 아니까. 그러나 그것과는 별개로 너의 둘에 대해서는 그 어떤 말도 해 줄 수가 없다. 카사르. 내 아들아. 네가, 그 아이가, 둘 사이의 악연을 감당할 수 있겠느냐.

유리와의 악연은 그가 생각했던 것보다 훨씬 지독했다. 그는 그녀가 왜 저를 떠날 수밖에 없었는지 완벽하게 이해했다. 그 착한 여자는 안타깝게 죽은 부모를 도저히 외면할 수 없었던 거다. 그럼에도 그를 사랑할 수밖에 없었기에, 아팠을 거다.

―저는 상관없습니다.

그는 새삼 자신이 그녀보다 훨씬 이기적이라는 걸 실감했다. 과거는 과거일 뿐, 그 무엇 때문이라도 유리를 포기할 순 없었다. 발렌타인이 어머니의 목숨이 아니라 그보다 더한 것을 앗았다 하여도 달라질 건 없었다. 이 모든 건 그가 유리를 사랑하게 된 순간 결정난 것이다.

―저는 절대로 그 여자를 놓지 않을 겁니다. 무조건 살려서 제 곁에서 행복하게 살도록 할 겁니다. 그게, 돌아가신 어머니께서도 바라시는 바일 겁니다.

부모 세대의 비극이 지독하다는 건 알겠다. 그러나, 이미 지난 일이다. 죽은 사람은 죽은 사람이고, 산 사람은 제 삶을 살아내야 했다. 과거에 짓눌리는 건 유리의 지난 삼 년으로 충분했다. 그저 그 고통을 함께 나누지 못한 게 미안할 뿐이었다.

―잠시 유리와 수도를 떠나 있겠습니다. 그녀가 가면을 벗고, 편히 쉴 수 있게 해야 하니까요.

―그 아이가 너를 받아들일 수, 있을 거라 생각하느냐.

―상관없습니다. 상관없게, 만들 겁니다.

돌아가신 어머니를 사랑하지 않는 건 아니었다. 어머니께서 저를 얼마나 아꼈는지 수도 없이 들어왔다. 과거 황제의 선택도 이해했다. 그의 세상이 유리를 중심으로 돌아가듯, 아버지 역시 그랬을 거다.

―저는 그 여자를 살려야겠습니다. 그래야 제가 삽니다.

유리를 살릴 수 있는 건, 오직 그뿐이었다. 유리가 사는 게 그가 살 수 있는 유일한 길이기도 했다.

―죄송합니다. 아버지. 제가, 이리 못난 자식입니다.

그는 간절히 고개를 숙였다. 제 요구가 아비에게 얼마나 모질게 들릴지 알면서도 그랬다. 백 번을 생각해도, 그의 선택은 바뀌지 않았다. 그리고 아비는 그의 선택을 인정했다.

―그래. 어쩌면 이 모든 것이 그 아이에게 빚을 갚을 수 있도록 신이 기회를 준 것일지도 모르겠구나. 신의 뜻이 그러하다면, 나 역시 따라야겠지.

뒷일은 걱정하지 말라고, 황제는 말했다.

―네가 그 아이의 상처를 보듬어 주거라. 내가 네 어미에게는 하지 못했던 걸, 넌 꼭 이루길 바란다.

그리 말하는 황제의 얼굴은 의외로 꽤 편해 보였다. 마치 긴 여정을 마치고 돌아온 방랑자의 얼굴처럼 고됨 속에서도 편안함이 느껴졌다.

"유리야."

카사르가 유리를 끌어안으며 속삭였다.

"우리, 과거는 전부 잊자. 더 안 좋았던 과거는 모두 잊자."

네 부모님도, 우리 어머니도, 죽은 아이도, 모두 잊자.

"안 좋았던 일들은 다 잊고, 우리가 어찌할 수 없는 일들도 다 잊고, 내일만 보고 살자. 매일 매일 행복하게, 그렇게 나랑 살자."

과거를 잊자는 그의 말에 유리는 한참 동안 말이 없었다. 그는 초조해하지 않고 유리의 답을 기다렸다. 유리가 또다시 죽은 부모님을 향한 죄책감에서 벗어나지 못해도 괜찮았다. 그녀에게 시간이 필요하다면 기다리고, 그녀가 그를 떠나겠다고 한다면 그 뒤를 지킬 것이다. 그 눈물을 닦아주고 그녀가 등을 기댈 사람이 되어 언젠가 다가올 빛나는 순간을 기다릴 것이다.

"잊고 싶어요."

유리가 들릴 듯 말 듯 속삭였다.

"나요, 이제는 좀 편해지고 싶어요. 부모님께 죄송한데, 나도 이제 더 아프기는 싫어요. 나 충분히 아팠다고 생각해요. 더는 싫어. 이젠 정말로, 더는……."

가족을 사랑했지만 더 중요한 사람이 있었다. 결정적인 순간 깨닫게 된 이기심이었다. 그 어떤 희생을 치른대도 잃고 싶지 않았다. 그녀 역시 그를 살리고, 그와 함께 살아가고 싶었다.

"이젠 정말 당신을 지키고 싶어요."

사랑하는 사람을 지키고 싶다.

"사랑하는 사람한테, 사랑한다고, 마음 편히, 말하고 싶어……."

떨리는 목소리가 어느새 흐느낌으로 바뀌었다. 그의 가슴이 이 작은 여자가 흘리는 눈물로 젖어 들어갔다. 서러움에 들썩이는 어깨를 감싼 채 그가 속삭였다.

"그래, 그러자."

그리고 결심했다. 이제 그가, 이 여자의 가족이 되겠노라고. 이 여자가 잃었던 모든 것을, 반드시 품에 안겨 주겠노라고.

*

"잘 잤어?"

유리가 아직 잠이 덜 깬 얼굴로 그를 올려다보았다. 열린 창문으로, 새 지저귀는 소리가 들렸다. 유리가 배시시 웃으며 그의 품으로 파고들었다. 어깨를 감싸는 팔이 참 따뜻했다.

"되게 오랜만이에요."

"뭐가?"

"아침에, 누구랑 같이 깨는 거요."

홀로 아침을 맞이하지 않아도 되는 게 이토록 좋은 것인지, 오랫동안 잊고 있었다.

"눈이 조금 부었네."

"심해요?"

"아니. 그렇지는 않아."

유리를 내려다보는 그의 눈빛에 애정이 그득했다. 어젯밤 내내 유리는 그의 품에서 한참을 울었다. 다 잊고 싶다고, 과거 대신 미래를 살고 싶다며 눈물을 흘렸다. 과거를 떨치는 게 유리에게 얼마나 힘겨운 일일지 그는 잘 알았다. 부모님이 돌아가신 후 수년을 품고 있던 상처였다. 쉽게 외면할 수 있을 리 없었다.

"지금도 예뻐."

그는 살며시 유리의 눈두덩에 입을 맞추었다. 이마를 간질이는 숨결에 유리가 잘게 웃었다. 그의 입가에도 진한 웃음이 맺혔다. 어제는 그리 울었어도, 오늘은 미소 짓는 이 여자가 참 고마웠다. 그 미소가 과거를 이기려는 그녀 나름의 노력이라는 걸 알기에 더 기뻤다.

"아침 먹고 산책 갈래?"

유리를 보는 그의 눈이 부드럽게 휘었다.

"산책이요?"

"걷기 딱 좋은 길이 근처에 있어. 가자."

아침 식사를 하고 두 사람은 별장을 나섰다. 손을 잡고 곳곳이 푸른 들판을 걸었다. 참 신기한 일이었다. 떨어져 지낸 세월이 제법 길건만, 그 시간들이 모두 사라진 듯 나란히 걷는 데 어색함이 없었다. 그 어떤 말도 필요치 않았다. 백 마디 말보다 편한 침묵이 있다는 걸, 침묵 속에서도 애정이 싹틀 수 있다는 걸 배웠다. 유리는 그의 곁에서 점차 편한 미소를 지었다. 가끔씩 괴로운 듯한 표정을 짓긴 했지만 예전보다는 덜했다. 일단은, 그것만으로 충분히 감사했다.

"호수 쪽으로 가 볼래?"

"좋아요."

별장 근처엔 물이 맑기로 유명한 슈발트 호수가 있었다. 석회 지대를 거쳐 온 물은 옥빛에 가까웠다. 유리는 처음 보는 물 색깔에 탄성을 내질렀다.

"천사들이 사는 곳 같아요. 이런 건 처음 봐요."

유리는 치맛자락이 젖지 않도록 조심하며 호숫가에 앉았다. 옥색의 물 아래로 회색빛 조약돌이 살짝 흔들렸다. 흰 손이 잘게 흔들리는 수면 안으로 들어갔다. 반질반질한 촉감에 유리가 웃음을 터트렸다.

"재미있어?"

"네. 신기해요. 물속에 있었는데, 미끄럽지가 않아요. 만져볼래요?"

유리가 눈을 반짝이며 그에게 조약돌을 내밀었다. 어릴 적부터 종종 이곳에 머물렀던 카사르에겐 익숙한 것이었지만, 그는 내색하지 않고 돌을 만져 보았다. 그의 손이 조약돌 표면에 닿자마자 유리는 자신이 돌을 만진 양 눈을 동그랗게 뜨더니 이내 키득거렸다. 그 모습을 보는 카사르의 입가도 부드럽게 풀렸다.

"이렇게 좋아할 줄 몰랐네. 종종 산책 나와야겠다."

"좋아요. 어디든 좋아요, 나는."

유리가 밝게 웃는 게 꿀처럼 달았다. 바론의 곁에서 짓던 그 인형 같던 미소와는 분명히 달랐다.

'하, 바론.'

그 이름을 떠올리자마자 행복이 스르르 힘을 잃었다. 카사르는 우두커니 선 채 뒤엉키는 속을 느꼈다. 그의 얼굴에서 미소가 사라져 갔다. 유리의 상흔을 처음 발견했을 때의 충격과, 그녀의 유산을 조롱하던 바론의 얼굴이 차례로 떠올랐다. 격렬한 살의가 그 뒤를 따랐다. 그 감정을 다스리는 게 핏물을 삼키는 듯했다. 다행히 유리는 호수에 정신이 팔려 그 변화를 눈치채지 못했다.

"카사르! 이리 와 봐요. 발이 엄청 시원해요!"

유리는 어느새 구두까지 벗고 발을 호수에 넣고 있었다. 흰 발목을 물끄러미 보고 있던 그가 그녀 곁에 앉았다. 옷소매를 걷고, 두 손으로 손우물을 만들어 호수물을 담았다. 흰 발등을 조심스레 적시자, 유리가 차가운 듯 콧등을 찡긋했다.

"뭐해요?"

"시원하지 않아?"

"시원하긴 한데, 조금 민망해요. 카사르?"

그가 아무 말이 없자 유리가 고개를 돌렸다. 딱딱하게 굳은 그의 얼굴에 유리의 눈이 조금 커졌다. 가라앉은 눈동자가 그녀의 발등 위에 맺혀 있었다. 물에 젖어 반짝이는 피부 위로 긴 흉터가 남아 있었다. 그의 시선을 따라간 유리가 아, 낮은 신음과 함께 발을 오므리려 했다.

"카사르, 이건"

"그 새끼지."

그가 유리의 발목을 붙잡으며 물었다.

"그 새끼가, 이렇게 만든 거지."

잔뜩 참고 있는 목소리였다. 유리의 얼굴에 낭패감이 스쳤다. 아니라고 할 수도, 그렇다고 할 수도 없었다. 그의 눈치만 보던 유리가 살며시 그의 손을 감쌌다. 그의 입매가 일그러졌다.

"대체, 후, 그 새끼가, 너한테, 무슨 짓을 어떻게, 했기에."

"카사르."

"하아. 빌어먹을."

"걱정 말아요. 큰 상처 아니었어요."

거짓말이다. 이 정도 상처라면, 한동안 걷지도 못했을 거다. 그는 속이 터질 것 같은 울화를 겨우 삼켰다. 이젠 바론 뿐 아니라 그 자신에게 화가 났다. 대체 그동안 뭘 했단 말인가? 유리가 이따위 상처를 만든 인간과 함께 할 동안, 한 게 뭐가 있나? 아무리 노력해도 과거는 불쑥 찾아와 그를 집어삼켰다.

아니, 이 끔찍한 흉터들이 남아 있는 한 과거는 늘 현재일 수밖에 없었다. 잇새에 힘이 들어갔다. 버럭 화라도 내고 싶었지만 그럴 수가 없었다. 먼저 과거를 잊자고 말한 건 그 자신이었으니까. 결국, 그는 애꿎은 호수물만 발등 위로 끼얹었다. 이 물이 흉터를 지워줬으면 하는 말도 안 되는 소망을 품고서였다.

"걱정 말아요. 별로 안 아팠어요."

작은 속삭임에 그가 고개를 들었다. 심화는 여전히 그의 속을 뒤흔들었다. 유리가 장난스레 웃었다.

"정말이에요. 전혀 아프지 않았어요. 그땐 정신이 하나도 없었거든요. 그래서 딱히, 아픈 기억은 없……."

"제발."

그가 뚝 말을 잘랐다.

"그냥 솔직히 말해. 날 위한답시고 참지 말고, 그냥 제발, 솔직히 말해. 차라리 그게 나를 위하는 거야."

그가 짓씹듯 말했다. 유리는 물끄러미 상기된 그의 얼굴을 바라보았다. 이내 쓰게 웃으며 고개를 숙였다.

"그래요. 사실은, 정말 아팠어요."

"……하."

"그런데 몸이 아픈 건 정말, 큰 문제가 아니었어요. 마음이 너무 힘들었으니까. 당신을 영영 보지 못한다고 생각하니까…… 죽을 것 같았어. 한 번만 더 보고 싶었어요. 두 번도 아니고, 딱 한 번만."

유리의 목소리가 잦아들었다. 이내 그의 가슴에 얼굴을 기댄 채 느린 숨을 내쉬었다. 그 숨이 닿는 곳이 너무 아파 그는 어쩔 줄을 몰랐다.

"미안해. 유리야."

무엇을, 어떻게 하면 그 악몽을 지울 수 있나. 그 방법을 알 수만 있다면 그는 영혼이라도 팔 수 있을 것 같았다. 설령 저와 함께한 기억까지 지워져도 상관없었다. 유리가 고개를 저었다.

"그만, 자책하지 마요."

"미안하다, 내가, 너를 알아보았을 때 바로 데리고 나왔어야 했는데."

"카사르. 쉿……. 그만해요. 내 말 들어 봐요. 나 정말 괜찮았어요."

유리가 달래듯 그의 뺨을 감쌌다. 미소가 참으로 고왔다.

"정말이에요. 그자 곁에서 생각보다 그렇게 힘들지 않았어요. 높은 사람 약혼녀라는 자리가 참 편리하더라고요. 좋은 음식 먹고, 좋은 옷 입고, 그렇게 지냈어요. 아주 가끔은 힘들었지만 견딜 만했어요. 버티면 다 지나가니까. 정말 별거 아니었어요. 그리고……."

잠시 말을 멈추었던 유리가 망설이다 입을 열었다.

"……몸을 섞거나 하지도 않았어요. 나도 그렇게까지 할 자신은 없었나 봐요."

그녀는 여전히 어여삐 웃고 있었다. 맑은 눈동자에 고인 눈물을 보며 그는 아무 말도 할 수 없었다.

"물론 무척이나 괴롭긴 했어요. 그래도, 참을 순 있었어요. 벌을 받는다고 생각했거든. 우리 부모님을, 당신을, 아이를 아프게 한 벌을 받는다고 생각했기에……."

"유리야."

"물론 이젠 그런 생각 안 해요."

유리 두 팔로 그의 목을 끌어안았다. 여린 몸이 잘게 떨리기 시작했다. 멈칫하던 그가 깊은 한숨을 내쉬며 그녀를 마주 안았다. 방금 흥분한 것이 또 후회가 되었다. 그녀의 상처를 알고자 하는 것도 결국 제 욕심이었다. 그게 유리를 괴롭게 한다면, 참아야 했다.

"카사르, 이제 우리 자책하지도, 후회하지도 말아요. 나도 다 잊을 거예요."

"그래. 그러자."

"정말 다 잊을 거예요. 같이 잊어요."

유리가 마치 제게 다짐하듯 말했다. 그는 대답 대신 그녀를 꼭 끌어안아 주었다. 그의 품속에서 유리의 호흡이 제법 고르게 변했다. 마주 안은 두 사람 뒤로 호수가 하늘과 하나가 되었다. 유리가 눈을 감았다. 그의 체향에 마음이 안정되는 듯했다.

"카사르. 안아 줄래요?"

말간 녹안이 그를 올려다보았다. 그 눈에 고인 눈물마저도 사랑스러웠다.

"안아 줘요."

이젠 진심으로, 온전히 그의 것이 되고 싶었다. 그럼 지독한 과거도, 아픈 이별도 더는 손을 뻗지 않을 것 같았다. 그의 품으로 파고들며 유리가 덧붙였다.

"사실 혼자서는 자신이 없어요……."

그는 물끄러미 여린 몸으로 느껴지는 의지를 눈에 담았다. 그래. 낮은 속삭임과 함께 정수리에 입술을 눌렀다. 내게도, 네가 필요해. 낮게 속삭였다.

*

과거를 잊기로 하자, 유리에겐 놀라울 만큼 평화로운 날들이 찾아왔다. 가끔, 불쑥 옛 기억이 떠오르기는 했다. 그래도 혼자 견디던 예전과는 분명히 달랐다. 검은 과거가 그녀를 집어삼키려 할 때마다 그는 그 기색을 놓친 적이 한 번도 없었다. 예전처럼 그녀의 기사가 되어 그녀를 지켰다. 덕분에 유리는 차츰 과거를 외면하는 데 익숙해졌다.

그의 온기 속에서 유리가 신경 쓸 것은 아무것도 없었다. 아침이 오면 그와 함께 눈을 뜨고, 빈둥거리다가 식사를 했다. 산책을 마친 후엔 정원에 있는 흔들의자에 앉아 책을 보거나 낮잠을 잤다. 밤이 되면 서로의 체온에 의지하여 잠이 들었다. 그 평화 속에서 유리는 차츰 과거도, 미래도 잊게 되었다. 그저 이 하루를 소중하게 생각하기 위해 최선을 다했다. 그러다 보면 어느 순간 물 흐르듯 흘러가 있는 시간에 깜짝 놀라곤 했다. 여름의 초입에 수도를 떠났는데, 어느덧 가을이 훌쩍 다가와 있었다.

때때로 두 사람은 함께 사랑을 나누기도 했다. 떨어진 시간이 길었던 만큼 하나가 되는 시간 역시 간절했다. 카사르 뿐 아니라, 유리에게도 그랬다. 그녀는 마치 모래사장처럼, 그는 마치 바다처럼 부드럽게 서로에게 스미었다. 사랑하는 연인과 하나가 된다는 합일감은 육체적 쾌락을 뛰어넘은 황홀감을 선사했다. 뜨겁게 맞닿은 몸으로 빠르게 뛰는 그의 심장 소리를 느끼다 보면 생의 벅찬 감동을 실감하곤 했다. 유리는 그가 원하는 대로 모두 다 내어주고 싶었다. 욕심과는 달리 늘 그녀가 먼저 지쳤다. 그 와중에도 그는 끝없이 다정했다. 제 갈증은 꾹 참고 유리를 부드럽게 어루만졌다. 땀에 젖은 얼굴 곳곳에 입을 맞추고, 그녀가 잠들 때까지 등을 토닥여주었다. 그때만큼은 정말 아무것도, 아무것도 필요치 않았다.

아름다운 밤을 보내고 난 다음날 아침엔 보통 유리가 먼저 눈을 떴다. 무방비하게 잠이 든 그의 모습을 보는 게 좋았기 때문이었다. 숨소리조차 죽인 채 그의 잠든 모습을 훔쳐보았다. 감긴 눈꺼풀이 열리며, 푸른 눈동자를 마주하는 순간은 아무리 겪어도 질리지 않았다. 그의 눈에 제가 담기는 걸 볼 때마다 벅찬 감동이 밀려왔다. 잠기운이 묻어있는 채로 그가 웃으며, 잘 잤어, 하고 안아줄 땐 가슴이 아릿할 정도로 기뻤다.

물론 종종, 이 꿈이 아직 영원할 순 없다는 걸 실감하곤 했다. 하루에 한 번씩 수도에서 전서구가 날아들 때 그랬다. 카사르는 그에 대해선 한마디도 하지 않았지만, 본능적으로 수도에서 뭔가 일이 벌어지고 있다는 걸 알 수 있었다. 수도를 생각할 때면 늘 등 뒤에 남겨두고 온 모든 것들이 두려워졌다. 특히 바론은 떠올리는 것조차 선뜩했다. 그 두려움만큼은 카사르와 나눌 수가 없었다. 그를 도와줄 수 없는 지금, 제 짐까지 얹어 주고 싶진 않았다.

가끔은 전서구가 아닌 사람이 찾아오기도 했다. 카사르는 그들을 둘만의 공간을 들인 적이 한 번도 없었다. 유리가 수도에서의 일을 신경조차 쓰지 않게 하려는 그의 배려였다. 그 마음을 알기에 유리는 모른 척 그와의 일상에 몰두했다. 그러면서도 가슴 한쪽은 조마조마했다.

오늘도 어제처럼 소박한 일상이 이어졌다. 해가 꽤 높게 뜰 때까지 침대에서 뒹굴다가 느지막이 그가 차려주는 아침을 먹었다. 달

콤한 차를 먹고 싶다고 지나가듯 말하자 그는 바로 과일 차를 담그
자고 했다. 별장 주변엔 과일이 맛있게 익은 나무가 지천으로 널려
있었다. 아침 내내 그와 과일을 한 아름 땄다. 긴 나무 막대기로 잘
영근 과일을 떨어트리는 게 재미있었다. 머리에 맞을 뻔한걸, 그 덕
에 피하고, 이상한 비명을 질렀다가 놀림을 받곤 웃었다.

"이거 먹어 봐."

그가 소매로 쓱 닦아준 과일을 한 입 베어 물었다. 입 안 가득 퍼
지는 과즙이 달았다.

"어때?"

"맛있어요. 진짜 달콤해요. 먹어 볼래요?"

맛좋은 과실에 유리가 함박웃음을 지었다. 오물거리며 과일을
먹는 유리를 그가 사랑스러운 눈으로 바라보았다. 이내 고개를 숙
여 그녀의 입술에 묻은 달큰한 과즙을 핥았다. 만족스레 웃었다.

"네 말대로, 정말 달다."

한 아름 과일을 품에 안고 별장으로 돌아왔다. 유리가 차를 담글
병을 씻고 설탕을 준비하는 동안, 그는 껍질을 깠다. 가끔은 서로
먹여주며 작업을 하다가 어느 순간은 그가 과일 청으로 장난을 치
기 시작했다. 설탕물로 범벅된 손을 흘겨보며 유리가 말했다.

"자꾸 그렇게 장난을 치면, 나한테 손도 못 대게 할 거예요."

"걱정하지 마. 손이 없어도 충분히 만질 수 있으니까."

그가 짓궂게 웃었다. 이내 증명이라도 하듯 순식간에 다가와 그
녀의 입술을 물었다. 잘근잘근 깨물다 말캉한 혀를 밀어 넣었다. 유
리가 놀란 듯 어깨를 움츠렸다가, 부드럽게 웃으며 그의 입맞춤을
받아들였다. 그녀를 내려다보는 푸른 눈동자에 짙은 애정이 어렸
다. 손목으로 그녀의 어깨를 슬쩍 누르며 쇼파에 눕혔다. 두 손은
허공에 띄운 채 입술만 아래로 내렸다. 목울대 옆을 담뿍 베어 물자

유리가 진저리를 치며 목을 꺾었다. 그 반응이 미치도록 사랑스러웠다. 마치 간지럼을 태우듯 천천히 입술을 내렸다.

쇄골 아래, 며칠 전 제가 남긴 흔적이 옅어져 있는 게 보였다. 당연한 듯 깊게 빨아들였다. 점차 가빠지는 호흡 소리가 감미로운 음악처럼 들렸다. 그가 진하게 웃으며 가슴 끈을 물었다. 그가 제일 좋아하는 옷이었다. 그대로 잡아당기자, 앞섶이 스르르 벌어지며 흰 속살이 드러났다.

"웃."

여린 피부를 슬쩍 이를 세워 긁었다. 짧은 신음과 함께 유리의 눈빛이 흐려졌다. 여자의 달아오르는 몸을 느끼며 그가 길게 입술을 늘렸다. 붉은 입술이 점차 안쪽으로 파고들었다. 유리가 긴 한숨을 내쉬며 그의 머리를 끌어안았다. 휘감는 체온에 피가 빠르게 돌았다. 아무래도 지금 당장, 침대로 가야겠단 결심을 할 때였다.

"계십니까."

문밖에서 낮은 목소리가 들렸다. 루한이었다. 깜짝 놀란 카사르가 고개를 들었다. 놀란 유리가 눈을 동그랗게 떴다. 안에서 대답이 없자, 루한이 다시 한번 '전하, 계십니까?' 하고 조심스레 불렀다. 카사르가 확 인상을 구겼다.

"하필, 왜 지금이야."

잘 나가다 뚝 끊긴 분위기가 무척이나 불만스러웠다. 유리가 조심스레 그의 가슴을 밀어내며 몸을 일으켰다.

"나가 봐요, 어서."

"그러지 말고, 그냥 없는 척하자."

그가 그녀의 볼에 입을 맞추며 유혹적으로 속삭였다. 저 친구 널린 게 시간이야, 말도 안 되는 소릴 하며 칭얼거렸다. 유리가 난처한 듯 웃으며 고개를 저었다.

"그러면 안 돼요."

"돼. 괜찮아."

"카사르."

"유리야, 우리 지금 바로 위층으로 갈까?"

"안 돼요. 카사르. 먼 길 오셨잖아요."

미소 짓는 낯으로 제법 엄히 말한다. 카사르의 인상이 험악해졌다. 그는 종종, 철부지 소년처럼 굴었다. 달래듯 그의 볼을 감싼 뒤 입술을 맞추었다. 꽃잎처럼 보드랍게 입술을 물었다. 그가 끙, 소리를 내며 미간을 구겼다. 유리가 작정하고 애교를 부릴 때면, 이길 방법이 없었다.

"이걸로는 부족한데."

"조금만 참아요."

유리가 잘게 웃으며 자리에서 일어났다. 얼른 옷을 정리한 뒤 물에 적신 수건을 가져왔다. 그는 얌전히 두 손을 내밀었다. 손을 닦아 주는 다정한 손길에 살짝 구겨져 있던 얼굴도 차츰 풀어졌다.

"고마워."

"당신은 웃는 게 예뻐요."

유리는 마지막으로 부드럽게 웃으며 그의 이마와 코끝, 뺨에 차례로 입술을 대었다. 결국, 그의 얼굴에 쿡 웃음이 어렸다. 유리가 마주 잡은 손을 잡아끌며 그를 문 쪽으로 이끌었다.

"얼른 가 봐요."

"그럼 다녀올게."

짧은 입맞춤과 함께 그가 문을 나섰다. 오늘은 또 무슨 일일까. 혹시 큰일이 터진 건 아닐까. 불안했지만 유리는 아무렇지 않은 척 웃으며 그를 배웅했다.

"루한!"

루한은 이미 별장에서 멀리 떨어져 호수를 바라보고 있었다. 카사르의 부름에 루한이 웃으며 돌아서는 게 보였다. 그의 표정이 제법 밝아 보여 유리는 저도 모르게 참았던 숨을 내쉬었다.

'내가 꽤, 긴장하고 있었나 보다.'

유리는 자리로 돌아와 혼자 마무리 작업을 시작했다. 땅에 떨어진 과일들을 줍고, 흐트러진 설탕도 잘 쓸어 모았다. 과일과 설탕이 그득 담긴 유리병 뚜껑은 단단히 닫아 그늘진 곳에 올리고, 남은 과일들은 그가 돌아오면 함께 먹도록 접시에 올려 두었다. 정리가 얼추 끝나자 유리의 물끄러미한 시선이 창밖에 맺혔다. 별장에서 멀찍이 떨어진 두 사내가 대화를 나누는 게 보였다.

루한이 무어라 말하자 카사르가 골똘히 생각에 잠겼다. 그동안 루한이 주변 곳곳을 구경하다 유리 쪽을 바라보았다. 두 사람을 보고 있던 유리는 자연스레 루한과 시선이 마주쳤다. 유리가 먼저 눈인사를 하자 그가 놀란 듯 눈을 크게 떴다. 이내 부드럽게 웃으며 살짝 묵례했다. 그 작은 동작만으로도 루한이 유리에게 가진 호의가 느껴졌다. 유리도 마주 웃어주긴 했지만, 속은 편하지 않았다. 주변 정리를 하던 유리가 옅은 한숨을 내쉬었다. 불과 잠시일 뿐인데도 그 없이 고요한 집이 무척이나 쓸쓸하게 느껴졌다.

'언젠간 이곳에 나 혼자 남아야 할 순간이 오겠지.'

카사르와 함께하는 지금이 무척이나 행복했지만, 이 행복이 영원하지 않을 거란 걸 잘 알았다. 그와 함께할 밝은 미래를 부정하는 게 아니라, 그 미래로 가기 위해선 반드시 넘어야 할 산이 있었다. 바론이었다.

카사르가 얼핏 바론의 근황에 대해 말해 준 적이 있었다. 바론은 여전히 외국에 있고, 프리우스에 있는 유리의 대타를 진짜로 알고 있다고 했다. 그러나 언젠간 진실이 밝혀질 것이다. 그리고 그 뒤엔, 카사르와 바론 사이의 피할 수 없는 싸움이 시작될 것이다.

　—바론과의 싸움은 절대 네 탓이 아니야. 그자와 난 애당초 같은 하늘을 이고 사는 게 불가능해. 그러니까, 절대로, 절대로 자책하지 마.

　그가 그리 말했기에 유리는 자책하지 않기로 했다. 다만, 그의 안전이 걱정되는 건 어쩔 수가 없었다. 그 홀로 수도로 떠날 보낼 생각을 하면 벌써부터 심장이 내려앉았다. 같이 가고 싶은 마음은 굴뚝이었지만 안 된다는 걸 잘 알고 있었다. 유리는 카사르의 가장 큰 약점이었다. 싸움이 모두 끝날 때까지 최대한 안전하게 자신을 보호하는 것, 이것이 그녀가 그를 도울 수 있는 유일한 방법이었다.

　어느새 잠이 들었나 보다. 유리가 가물거리는 눈꺼풀을 들어올렸다. 요즘 들어 부쩍 머리만 대면 잠드는 일이 잦아졌다. 창밖으론 두 사람이 여전히 대화를 나누고 있었다. 대화가 조금 길어지나 싶어 시계를 보는데, 시곗바늘은 거의 그대로였다.

　꿈. 꿈을 꾸었다. 황금빛 너른 들판 한가운데, 유리가 서 있었다. 바람이 불 때마다 금빛 바람이 길게 너울지는 모습이 그야말로 장관이었다. 그 아름다움에 흠뻑 빠져 있는데, 유리가 발 디딘 곳이 꽃밭으로 변하였다. 유리는 그중 가장 탐스러운 꽃을 꺾어 들었다.

　—카사르, 이 꽃 좀…… 어?

　카사르에게 자랑하기 위해 돌아서려는데, 언제 왔는지 모를 꼬마가 제 곁에 무릎을 모은 채 앉아 있었다. 처음 보는 아이인데도, 묘하게 익숙했다. 사슴처럼 큰 녹안이 어여뻤다. 아이가 배시시 웃으며 유리에게 손을 흔들었다.

　—오랜만이에요.

　—응? 날 아니?

　—그럼요. 매일 지켜봤는걸요.

　아이 특유의 혀 짧은 발음에 가슴이 뛰었다. 유리는 저도 모르게 몸을 숙여 아이와 마주 보았다. 아이가 코끝을 찡긋하며 유리에게 손을 내밀었다.

—노란색 꽃이네요.

—응. 마음에 드니?

—노란색을 좋아해요. 누구에게 줄 거예요?

—카사르한테. 그런데 넌, 누구니?

—아아. 나는요.

유리의 대답에 아이가 생긋 웃었다.

—그 꽃, 나 주세요.

—응. 그래.

유리가 홀린 듯 꽃을 내밀었다. 아이는 두 손으로 꽃대를 받아들고는, 작은 코를 묻곤 담뿍 향을 마셨다. 이내 환히 웃으며 말했다.

—향이 좋아요.

—그렇지?

—……마도 맡아 볼래요?

유리가 고개를 갸웃했다. 바람이 불어 아이의 말이 잘 들리지 않았다. 아이가 키득 웃더니 꽃을 유리의 코끝에 대고 간지럽혔다. 낯선 꽃향기에 유리가 조금 놀란 듯 눈을 크게 떴다가, 이내 곱게 눈을 휘며 웃었다.

—정말 좋구나.

—보답으로 선물을 줄게요.

꽃을 옆에 놓은 아이가 유리의 목을 끌어안았다. 유리는 반사적으로 뜨끈한 몸을 당겨안았다. 아이 특유의 보드라운 살 냄새가 좋았다. 말랑한 볼이 무척이나 사랑스러웠다. 선물이 무엇인지도 모른 채로 유리는 웃었다. 사실 이미 알 것 같기도 했다. 아이가 키득대며 유리의 뺨에 입을 맞추었다.

─……마, 이번에는 꼭 ……한테 갈…….

유리가 몽롱한 눈빛을 깜빡였다. 묘할 정도로 생생한 꿈이었다. 꿈속의 녹소리가 들리는 듯했다. 또다시 잠이 쏟아졌다. 유리는 부드럽게 웃으며 눈을 감았다. 한 손은 어느새 배를 감싼 채였다. 예전에 비슷한 꿈을 꾼 적이 있던 것 같은데, 그게, 언제였더라…….

*

"수도는 아직까진 안전해."

루한이 씨익 웃으며 수도 근황을 전했다. 바론은 비투아에서 호사를 누리느라 정신이 없고, 유리는 공저에서 신부 수업을 받는 것으로 알려져 있었다. 제일 신난 건 드펜 황후였다. 카사르가 없는 동안 그에 대한 악담을 퍼트리느라 바빴다.

"예상대로네. 소문 중에 특별한 건 없고?"

"예전하고 똑같아. 네가 또 영애를 못 잊고 온 제국을 헤매기 시작했다, 반쯤 미쳤다더라, 뭐 그런 거지. 폐하께서 입단속을 시키셨는데도 소용없어. 널 감싸기 위한 거짓 발표라고, 은근슬쩍 몰고 가더라니까."

"난리도 아니군."

"그렇지. 우리가 딱히 대응하지 않으니까 더 신이 난 듯해."

루한의 말에 카사르는 피식 웃으며 말했다.

"마음에 드네. 사람을 풀어. 소문이 커질수록, 우리에게 유리하니까."

"알겠어."

지금 수도에선 그가 수도를 비운 이유 대한 온갖 추측이 오가고 있다. 카사르는 한 달 넘게 입을 다물었다. 덕분에 소문은 점점 더 커졌다. 정적들은 저들을 방심시키기 위한 그의 의도인 줄도 모른 채, 신나게 그에 대한 악담을 퍼다 날랐다.

"황제 폐하께서는?"

"건강은 점점 좋아지시고 있어. 산책도 하시고, 식사량도 느시고. 호전 속도가 빨라서 완치가 멀지 않았다……는 건 대외적인 거고."

루한의 눈빛이 흐려졌다.

"네가 직접 보는 게 나을 것 같아. 테온 경이 보낸 거야."

카사르는 루한이 내미는 서류를 받아들었다. 다른 사람에겐 알려지지 않은, 진짜 황제의 건강에 대한 보고서가 담겨 있었다. 상세한 설명을 읽어 내려가는 카사르의 얼굴이 어두워졌다. 그의 가라앉은 시선은 한참이나 마지막 문장에 머물렀다.

─임종이 멀지 않으신 듯싶습니다.

카사르가 보고서를 덮었다. 가슴이 답답해졌다. 황제의 진짜 건강 상태는 오직 그만이 알고 있었다. 황제가 주변엔 비밀로 하고 있기 때문이었다.

─내가 건강하다 여겨야 드펜이 방심할 것이다. 태자 자리를 바꿀 기회가 남아 있다 여기겠지. 하나, 드펜은 절대로, 원하는 바를 이루지 못할 거야. 이건 널 위한 일이 아니라, 내 빚을 마무리하기 위한 일이기도 하다. 그러니, 절대로 돌아오지 말아라.

그것이 부자간의 마지막 인사였다. 그게 마지막인 줄 알면서도 그는 아비를 떠났다. 연로한 아비는 못난 아들을 위해 뒤를 맡았다.

카사르가 깊은 한숨을 삼켰다. 새삼 과거가 원망스러워졌다. 대체 과거의 악연이 무엇이기에, 아들이 아비의 임종조차 지킬 수 없게 만드는가.

"영애는, 잘 있지? 몸은 좀 어때?"

"건강은 괜찮은 것 같아. 마음이 문제지. 많이 좋아졌지만 아직도 종종 힘들어는 해."

이곳에 온 지 벌써 한 달 반이 훌쩍 지났다. 처음보다 유리의 상태는 무척 좋아졌다. 힘든 일이 있으면 최대한 그에게 털어놓으려 하고, 혼자 우는 일도 거의 없었다. 악몽을 꾸는 횟수도 부쩍 줄었다. 그의 곁에 있으면서 점점 좋아지는 유리가 기쁘면서도, 한 편으론 마음이 쓰였다.

언젠간 이곳을 떠나야 할 텐데. 유리를 홀로 남겨 두어야 할 때가 올 텐데. 그의 심란한 시선이 어느새 별장 쪽으로 향했다. 유리가 의자에 기대어 잠들어 있는 모습이 보였다.

유리는 요즘 들어 부쩍 곤하게 잠드는 횟수가 잦아졌다. 불면에 괴로워하던 예전을 생각하면 장족의 발전이었다. 아마도, 몸과 마음이 편해져서 그러는 것일 테다. 그 평화로움에 잠시 미소 짓던 카사르의 안색이 어두워졌다. 곧 다가올 이별의 순간이 너무도 두려웠다. 물끄러미 그 모습을 보던 루한이 말했다.

"엘레나가, 영애를 많이 보고 싶어 해."

"그래?"

"응. 영애가 아주 마음에 들었던 모양이야. 돌아오면 꼭 우리 집에 정식으로 초대하고 싶대. 자기랑 가장 친한 친구의 부인이 될 사람인데, 잘 보이고 싶다나 뭐라나. 말도 잘 통하는 거 같다고, 다시 볼 날만 기다리더라. 여자들끼리 뭉치면 얼마나 무서워지는지 보여 주겠다고, 뭐 그런 말을 하던데. 하여튼 기대돼. 그날이 되면 어쩌면 엘레나보다 영애가 더 무서워질지도 모르지. 너, 꽉 잡혀 살 거잖아?"

루한의 너스레에 카사르가 피식 웃음을 터트렸다. 덕분에 가라앉았던 마음이 조금 풀리는 듯했다.

"글쎄. 그거야 두고 볼 일이지."

"아마 엘레나가 더 무서울 거야. 그건 확실해."

"그것도. 쿡. 모를 일이야."

엘레나뿐 아니라 많은 사람이 그녀를 돕고 있었다. 아픈 과거를 홀홀 털고 다시 일어나길 기도하기도 했다. 그를 따르는 이들 대부분은 유리의 존재에 대해 알고 있었다. 그녀가 사라진 발렌타인의 딸이었다는 것도 알음알음 퍼져나갔다. 물론 정적들의 귀엔 들어가지 않았다. 그의 신하들이 충성심으로 똘똘 뭉쳤기 때문에 가능한 일이었다.

"유리야."

대화를 마치고 돌아왔을 때, 유리는 깊이 잠들어 그가 부르는 소리도 듣지 못했다. 조금 더 그대로 자게 둘까 하다가, 불편한 자세가 마음에 걸려 그녀를 안아 들었다. 깨지 않도록 살금살금, 2층 방으로 올라갔다. 한쪽 무릎을 침대에 짚은 채 조심스럽게 눕히는데, 자세가 바뀌는 탓인지 유리가 눈을 떴다.

"……카사르?"

"응."

"이야기, 끝났어요?"

묻는 목소리에 졸음이 가득 묻어 있었다. 그마저도 사랑스러워 그는 고민을 잊고 부드럽게 웃었다. 고개를 숙여 그녀의 눈두덩에 입을 맞추자, 간지럽다는 듯 킥 웃었다. 눈을 감고 그의 감촉을 음미하다 들릴 듯 말 듯 웅얼거렸다.

"꿈을 꿨는데……."

"꿈?"

"나를, 매일 지켜봤……."

유리가 눈을 감은 채 배시시 웃었다. 점점 잦아들어가는 목소리에 그가 고개를 가까이했다.

"이번…… 꼭, 온다고……."

"응? 유리야?"

대답 내신 규칙적인 숨소리가 들려왔다. 유리는 벌린 입술 그대로 잠들어 있었다. 그녀의 다음 말을 기다리던 그가 놀라 눈을 크게 떴다가, 이내 피식 웃었다. 그리고선 잠든 이마에 살며시 입술을 눌렀다.

"평화로운 꿈을 꾸길."

그리고 이 평화가 계속 유지될 수 있길. 핏길은 그가 걸을 테니, 이 여자 앞에는 꽃길만이 영원할 수 있기를 간절히 바랐다.

*

쿠르릉! 쾅!

창밖에서 들려오는 굉음에 카사르가 퍼뜩 눈을 떴다. 새하얀 빛이 순식간에 시야를 뒤덮고 사라졌다. 카사르는 본능인양 손을 뻗어 유리의 귀를 막았다. 또 한 번 강렬한 빛이 시야를 강타했다.

콰쾅! 귀가 얼얼할 정도의 굉음이 울려 퍼졌다. 그 뒤로 쏴아아, 흡사 파도와 같은 빗소리가 들려 왔다. 왜인지 모를 불길함에 그가 등줄기를 곧추 세웠다. 그는 조심스레 제 곁에 잠든 유리를 끌어안았다. 뜨근한 숨결이 제 피부에 닿는 것이 느껴지자 그때야 긴장이 풀렸다. 부디, 이 여자의 평안한 잠이 계속될 수 있길 바랐다. 문제는, 그 끝이 얼마 남지 않았다는 걸 그가 너무도 잘 알고 있다는 것이다. 며칠 전, 신하들이 그를 찾아 왔다.

—폐하께서 위독하십니다. 전하.

제일 먼저 그 말을 한 건 루한이었다. 늘 웃으며 그를 찾아왔던 평소와는 달리, 그의 얼굴은 무척이나 어두웠다.

─폐하께서 승하하시면 상황이 급변할 겁니다. 이젠 돌아오셔야 할 것 같습니다. 전하.

─바론은?

─아직은 별 움직임이 없습니다. 소식을 듣지 못한 것이겠지요. 그런데 드펜 쪽이 심상치 않습니다.

카사르가 수도를 떠나있는 걸 그 주변 모두가 찬성한 건 아니었다. 아무리 상대를 방심시키기 위한 것이라 하여도, 아예 수도를 떠나는 건 너무 위험하다는 의견이 있었다. 루한은 앞장서서 반대 의견들을 막았다. 카사르에게 유리가 얼마나 중요한지, 유리에게 그와의 시간이 얼마나 절실한지 누구보다 잘 알고 있었기 때문이었다.

─저희에겐 전하께서 계셔야 합니다.

그랬던 루한이 이젠 유리를 떠나야 한다고 말했다. 쉽게 대답할 수가 없었다. 유리를 걱정하기 때문만은 아니었다. 유리는 마냥 보호가 필요한 약한 존재가 아니었다. 외려 그보다 강하다 할 수 있었다. 수 없는 고비를 넘기면서도 결국 살아남지 않았나. 진짜 그가 걱정하는 건 유리가 아니라 그였다. 내가 유리 없이 잘할 수 있을까. 이곳에서 유리는 또 한 번 그에게 깊게 스미었다. 더 이상 깊어질 수 없는 마음이라 여겼는데, 그 이상이 있었다. 유리 없이 눈 뜨는 아침은 상상조차 할 수 없었다. 그렇다고 함께 수도로 돌아갈 수도 없었다.

그는 전쟁을 준비하고 있었다. 모든 악연을 끝내고, 두 사람이 안전하게 살아가기 위해선 다른 방법이 없었다. 바론과 그, 둘 중의 하나는 반드시 죽어야 했다. 전쟁의 한복판에서 유리는 바람 앞의 등불처럼 위태로워질 것이다. 그의 정적들은 유리를 해치기 위해 수단과 방법을 가리지 않을 테니까.

"으음……."

우르릉. 또 한 번 천둥이 울렸다. 소리가 제법 큰 탓인지 유리의 어깨가 움찔했다. 카사르는 달래듯 유리의 등을 쓸어 내렸다. 그의 품에서 몇 번 긴 숨을 내쉬던 유리가 고개를 들었다. 감긴 눈꺼풀이 열리며 녹색 눈동자가 모습을 드러냈다.

"깼어?"

"응……."

"다시 잘래?"

"응, 졸려……."

칭얼거림과 함께 잠에 취한 눈동자가 눈꺼풀 아래로 사라졌다. 유리가 꼬물거리며 그의 품속으로 파고들었다.

"또 꿈을……."

"응?"

"꿈을 꿨어요……."

그의 가슴에 얼굴을 묻은 채 유리가 웅얼거렸다. 명치로 울리는 목소리가 너무 사랑스러워, 괜히 코끝이 시큰해졌다.

"며칠째 비슷한 꿈을 꿨어요. 기분이 이상해……."

"무슨 꿈인데?"

혹시나 악몽을 꾼 건 아닐까. 카사르는 주의 깊게 유리의 얼굴을 살폈다. 다행히 그녀의 표정은 괴로움과는 거리가 멀어 보였다. 그는 안도의 한숨을 내쉬며 유리의 말에 귀를 기울였다.

"그냥, 꿈인데, 그 꿈이 진짜인지, 아닌지 모르겠어요."

"그래?"

"바라는 마음이 너무 커서 만든 허상일까……."

유리는 알 듯 말 듯한 소리를 웅얼거리더니 이내 다시 눈을 감았다. 그는 더 묻는 대신 자장가를 들려주듯 유리의 등을 토닥였다. 그녀의 호흡이 다시 규칙적으로 변했지만 그는 도통 잠을 이룰 수가 없었다.

쾅쾅!

"전하! 접니다!"

그때, 천둥과는 전혀 다른 소리가 문밖에서 들렸다. 설핏 잠이 들었던 유리가 깜짝 놀라 눈을 떴다. 다급한 목소리에 카사르는 속이 쌔 하게 가라앉았다. 그가 얼른 가운을 걸치는데, 유리가 불안한 듯 그에게 물었다.

"이 밤에, 무슨 일일까요?"

"큰일 아닐 거야."

"나, 나도 같이 갈래요."

그가 방을 나서려는데 유리가 불안한 듯 그를 붙잡았다. 방에서 기다리라고 하려던 그는 유리의 간절한 눈빛에 마음을 바꾸었다. 그가 생각하는 일이 맞는다면 그녀도 함께 들어야 했다. 그 사람의 일은 유리와도 관련이 있으니까.

"전하!"

아래층에서 기다리고 있던 루한이 다급히 다가왔다. 그가 집 안으로 들어온 건 처음인지라 카사르를 붙잡은 유리의 몸이 긴장으로 굳었다. 루한의 검은색 정장에선 비가 뚝뚝 떨어졌다. 루한이 침통한 얼굴로 말했다.

"폐하께서 승하하셨습니다."

이미 예상하던 바였기에 놀라지 않을 거라 생각했다. 그러나 생각만 하는 것과 실제로 듣는 건 분명히 달랐다. 저도 모르게 유리를 붙잡은 손에 힘이 들어갔다.

그가 정신을 차린 건 그보다 더 놀란 유리 때문이었다.

"그분이, 돌아, 가셨다고요?"

충격에 유리는 말문이 막혀 그대로 굳어 버렸다.

카사르는 떨리는 숨을 몰아쉬는 유리를 끌어안았다. 달래듯 그녀의 등을 토닥이는데, 루한이 조심스레 물었다.

"영애, 선하게 긴히 드릴 말씀이 있습니다. 잠시 자리를 비켜 주실 수 있겠습니까?"

"가자. 유리야."

카사르는 유리를 부축하여 이 층 침실로 들어갔다. 그에게 기대어 침대에 앉는 순간까지 유리는 충격에서 벗어나지 못했다.

황제가 죽었다. 그녀의 모든 것을 앗았던, 황제가 죽었다.

"바뀌는 건 아무것도 없어. 나는 네 곁에서, 너를 지킬 거야."

카사르가 무릎을 꿇은 채 그녀와 눈을 맞추었다. 잘게 떠는 유리의 손을 꼭 잡았다. 손 마디 마디 닿는 입술에 유리도 조금 진정이 되었다. 유리는 목소리를 떨지 않기 위해 노력하며 그에게 말했다.

"난 괜찮아요. 가 봐요."

"그래. 너무 걱정하지 말고."

"잘될 거예요. 믿을게요."

"응."

그는 유리의 손바닥에 살짝 입술을 댄 뒤 방을 나갔다. 유리는 이유도 없이 밀려오는 한기를 어쩌지 못하고 몸을 감쌌다.

쾅! 콰쾅! 또 한 번 내리치는 벼락에 그녀의 안색이 하얗게 질렸다.

*

"드펜이 반란을 일으켰어."

그가 문을 닫고 나오자마자 루한이 다급하게 말했다. 카사르는 잠시 멈칫했지만, 이내 평온한 얼굴로 루한을 돌아보았다.

"우리가 예상했던 대로네."

현 왕의 재위 기간 내로 후계 자리를 바꾸지 않는 한 바론은 절대로 합법적으로 보위에 오를 수 없다. 황제가 위독하다는 걸 알았다면 미리 드펜은 무슨 수를 써서든 임종 전에 태자 자리를 바꾸려 하였을 것이다. 그러나 황제가 호전 중이라 알려진 탓에 미처 대비하지 못하고 마지막 순간을 맞이하고 말았다.

　결국 드펜에게 남은 방법은 단 하나였다. 반란을 일으켜 후계 자리를 뒤엎는 것. 황제의 임종 직후 드펜의 사병들이 궁을 장악했다. 드펜은 귀족 회의를 소집하곤 회의실에 제 사병들을 밀어 넣었다. 황제가 승하하기 직전 유언을 바꾸었다는 말도 안 되는 발표를 하였다. 반발이 없을 수가 없었다. 유언 변경에 의문을 제시하는 신하들은 즉시 전부 옥에 가두어 버렸다.

　"드펜이 움직이는 속도가 엄청나게 빨라."

　"내가 없는 때에 총력을 기울여야 한다고 생각한 거겠지. 우리 쪽 사람들은?"

　"모두 안전해. 전달받은 대로 잘 움직였어. 회의장 근처에도 안 갔지."

　카사르는 진작부터 드펜의 반란을 예상하고, 그 대비책까지 마련해 두었다. 그를 따르는 신하들은 그의 명령에 따라 황제의 승하 소식이 전해지자마자 일가친척들을 대피시키고 가문의 문을 닫았다. 회의장에서 반대파들을 일거에 소탕하려던 드펜으로선 헛물을 켠 셈이었다. 드펜의 사병에 대한 대비도 충분했다. 지금쯤이면 사병의 숫자를 압도하고도 남을 군사들이 수도 근처에 대기하고 있을 터였다.

　완벽한 준비가 수포가 되지 않기 위해서라도, 이젠 떠나야 했다. 카사르는 미련이 뚝뚝 떨어지는 눈빛으로 닫힌 문을 바라보았다. 그 안에서 대화가 끝나기만을 기다리고 있을 여자를 생각하니 가슴이 시렸다. 떠난다는 말을 할 자신이 없었다.

"영애와 충분히 이야기하고 나와."

루한은 그런 그의 마음을 다 알곤 제법 여유 있는 얼굴을 했다. 그러면서도 초조한 기색이 역력했다. 딱딱한 웃음을 뒤로한 채 카사르는 유리가 있는 방으로 향했다. 문을 열자마자, 가녀린 옆모습이 보였다. 목이 콱 메여 왔다. 인기척에도 그녀는 비가 쏟아지는 창밖만 보고 있었다. 어디서부터, 어떻게 이야기를 해야 하는 걸까. 그저 먹먹하게 그 모습을 바라보던 그가 그녀를 불렀다.

"유리야."

유리는 기도하듯 두 손을 모은 채 아무런 말이 없었다. 카사르는 그녀의 곁에 앉아 여린 몸을 끌어안았다. 얌전히 그가 이끄는 대로 안긴 채 느린 숨을 내쉬었다. 잠시 후 그녀가 나직하게 물었다.

"……떠나야 하는 거죠?"

만일 유리가 가지 말라고 한다면, 과연 뿌리칠 수 있을까. 당연한 일이라 생각했는데 막상 코앞에 닥치니 확신할 수가 없었다. 입술만 달싹이는데 유리가 한숨처럼 말했다.

"폐하께서 돌아가셨다고요……."

"……응."

유리는 한동안 말이 없었다. 잠시 후 속삭이듯 말을 시작했다.

"열두 살 생일 때 아버지께서 약속하신 게 있어요. 열세 살 생일 땐, 반드시 수도에 데려가 주겠다고 하셨죠. 그전까진 수도에 가본 적이 한 번도 없었거든요. 어머니께서 몸이 좋지 않으셔서 긴 여행이 어려웠어요. 가장 화려한 파티를 구경시켜 주실 거라 했는데, 결국 약속을 지키지 못하셨죠."

담담한 고백이었기에 더 아팠다. 세찬 빗소리를 들으며 그는 생각했다. 이대로 시간이 멈추어 버렸으면 좋겠다. 이 여자를 떠나야 할 순간이, 영영 오지 않았으면 좋겠다.

"사실은 폐하가, 당신 아버지가 너무 미웠어요. 우리 아버지께서 약속을 지키지 못하게 만든 그분이……. 너무, 너무 미웠는데."

유리의 목소리가 차츰 잦아들었다.

"이젠 더는 생각하지 않기로 했어요. 미워하지도, 않기로 했어요. 어쩔 수 없는 이유가 있었을 거라고 그냥……. 그렇게 생각하기로 했어요."

"……응."

"지금 많이 힘들죠?"

"아니야. 괜찮아."

다 예상하던 일이었으니까. 전부 대비하고 있었으니까. 그는 괜찮았다. 괜찮아야만 했다. 물끄러미 그를 올려다보던 유리의 얼굴이 안쓰럽게 변했다.

"울지 마요."

흰 손이 제 뺨을 감싸고 나서야, 그는 제 뺨이 젖어 있다는 걸 알았다. 울컥 치밀어 오르는 걸 참고자 그가 이를 사리물었다. 그녀는 조심스레 그의 눈물을 닦아내며 속삭였다.

"내가 아팠던 만큼, 당신도 아플 거라고 생각해요. 많이 힘들 거라고, 그렇게 생각해요. 그러니 나 때문에 참지 않아도 되어요. 그분이 내겐……. 잔인하셨지만 당신 아버지잖아요. 이해해요."

이 여자는 늘 모든 것을 이해한다 말했다. 그래서 더 떠날 수가 없었다. 그의 가장 약한 부분까지 품어줄 수 있는 사람이니까. 그가 유일하게 기댈 수 있는 사람이니까.

"요즘 꿈을 꾼다고 했잖아요. 어쩌면……."

유리가 잠시 말을 멈추었다. 그는 잠자코 유리의 말을 기다렸다.

"아이를 가진 걸지도 모르겠어요……."

아이. 그는 뒤늦게 그 말을 이해했다. 그의 눈이 놀라움으로 커지는 걸 보며 유리가 살짝 웃었다.

"아직 확실한 건 아무것도 없어요. 그냥, 느낌이 그래요. 물론 아닐 수도 있어요. 의사도 임신이 쉽지 않을 거라곤 했고…… 사실 큰 기대는 안 해요. 그래도 상관없어. 이번에는 전하지 못해 후회하고 싶지 않아. 그러니까."

곱게 미소진 유리의 눈매에 말갛게 눈물이 고였다.

"내가, 우리가, 이곳에 있으니까 반드시 돌아와요. 반드시."

"……우리라고."

우리. 그 말이, 그리 가슴 벅찬 단어인지 예전엔 미처 몰랐다. 그의 떨리는 눈이 유리의 배를 응시했다. 그 안에, 그의 아이가 있을지도 모른다고 한다. 착각일 가능성도 있다. 아닐 가능성이 컸다. 그래도, 상관없었다. 함께 확인하고, 함께 실망하면 되니까. 설령 실망한대도 절대로 주저앉진 않을 것이다. 이젠 함께, 미래로 나아갈 테니까.

"반드시 돌아올게."

단단한 속삭임에 유리의 미소가 허물어졌다. 울음을 참는 듯한 얼굴로 그의 품에 안겼다. 그녀 역시, 많이 불안했던 것이리라. 잘게 떨리는 어깨를 토닥이며 생각했다. 더 이상 아픈 이별이 없기 위해서라도 이젠 두려워해서도, 망설여서도 안 되었다. 제 목숨보다 소중한 두 사람을 지키기 위해서라도 반드시 이겨야만 했다. 반드시.

*

"이게 대체 무슨 짓이야! 황후의 물건에 손을 대다니! 내 말이 안 들려! 당장 멈춰! 멈추라고!"

드펜의 고함에도 기사들은 하던 일을 멈추지 않았다. 황후전의 귀중품들이 순식간에 사라지는 모습에 드펜의 눈에 핏줄이 섰다.

"네놈들이 이러고도 살아남을 수 있을 것 같…… 놔! 이 손 안 놔!"

벽에 걸려있던 검으로 달려가던 드펜이 기사들에게 붙잡혔다.

그들에게서 벗어나기 위해 몸부림을 쳤지만, 여인의 몸으로는 건장한 사내들의 힘에서 벗어날 수 없었다. 결국 드펜의 화살은 이일을 지시한 카사르에게로 향했다.

"카사르! 태자! 당장 이 짓을 멈춰요. 당장!"

드펜의 눈빛엔 악의와 절박함이 뒤섞여 있었다. 무표정하게 그녀를 응시하던 카사르가 피식 웃었다.

'절박함이라니. 설마, 아직도 희망을 버리지 못했나.'

오늘 새벽 카사르는 군사들과 함께 수도에 들이닥쳤다. 수도 경비는 이미 그의 편이었기에 상황은 순식간에 정리되었다. 그는 그여세를 몰아 단번에 황궁까지 되찾았다. 가히 파도처럼 빠른 속도였다. 카사르는 자신의 기사뿐 아니라, 선대 황제의 호위까지 이끌고 있었다. 드펜의 사병들은 카사르의 적수가 되지 못했다. 그들의 압도적인 무위 앞에 사병들은 순식간에 무릎을 꿇었다. 덕분에 드펜은 생전 처음 겪는 치욕에 넋이 나갈 지경이었다.

"아틸라! 쿠한! 이자들을! 윽! 이 자들을 말려! 당장!"

드펜은 카사르가 자신은 본체만체하자 제 종들에게 화살을 날렸다. 궁인들은 자신을 향한 황후의 시선을 애써 피했다. 그들에게 드펜은 지는 해이자, 침몰하는 배였다. 한시라도 빨리 멀어지는 게 상책이었다.

"곧 정리가 다 끝날 것 같습니다. 전하."

"반항하는 자들은?"

"전혀 없습니다."

드펜의 사병이 밀어닥쳤을 때와는 달리 이번엔 반항하는 자들이 전혀 없었다. 황궁인들에겐 카사르야말로 선대 황제가 인정한, 그들이 받들고 싶은 유일한 주인이었기 때문이었다.

"테온은 준비가 끝났나?"

"명만 내리시면, 바로 들어올 수 있다고 합니다."

카사르는 악을 쓰다 지친 드펜을 힐끔 보곤 말했다.

"지금 바로 데려오도록."

"네. 알겠습니다."

잠시 후 기사가 테온을 데리고 들어왔다. 무척이나 남루한 차림새에 두 손마저 결박된 채였다.

그 모습을 바라보는 카사르의 눈빛에 미안함이 스쳤다. 하나, 이내 아무렇지 않은 듯 싸늘하게 표정을 바꾸었다.

"네가 황제 폐하를 치료하던 테온이냐?"

"네, 그렇습니다. 전하."

테온이 카사르 앞에 무릎을 꿇고 힘없이 말했다. 화를 다스리지 못하고 씩씩거리던 드펜이 의아하게 두 사람을 바라보았다. 카사르는 드펜의 시선을 무시한 채 테온에게 말했다.

"내가 마지막으로 폐하를 뵈었을 때만 하더라도, 폐하께선 정정하셨다. 그때 네놈은 분명 내게 폐하께서 빠르게 회복 중이라 고했었지. 한데 불과 몇 주 만에 폐하께서 승하하셨다! 하여 나는 임종조차 지키지 못한 못난 아들이 되었지. 전부 네 죄 때문이라는 걸 알고는 있겠지!"

서릿발 같은 호령에 테온이 고개를 숙였다.

"송구합니다. 전하."

"네 죄가 무엇이냐. 저 여자 앞에서 다시 한번 고하라."

저 여자? 설마 그 말이 저를 이르는 말인가? 드펜은 제 귀를 의심했다. 황궁에 들어와, 아니 태어나 한 번도 그러한 호칭으로 불려 본 적이 없었다. 어처구니가 없어 입만 벙긋대는데, 테온이 말했다.

"말씀드린 그 대롭니다. 드펜 황후의 사주를 받아. 황제 폐하를 시해하였습니다. 드펜 황후가 절 협박했습니다. 태자 전하께서 돌아오시기 전에 폐하께서 승하하셔야 하니 치료제를 바꿔치기하라고, 그렇지 않으면 절 죽이겠다고……."

"그게 무슨 말도 안 되는 소리야!"

테온의 말이 채 끝나기가 무섭게 드펜이 카사르에게 달려들었다. 기사들이 재빨리 달려들어 그녀의 몸을 막았다. 드펜이 헐떡이며 그들을 밀쳤다. 바닥에 짓눌린 몸이 아픈 줄도 몰랐다. 지금 그녀의 눈엔 뵈는 것이 없었다. 까딱하다간, 황제 시해범으로 몰릴 판이었다.

"카사르! 네놈이! 감히, 황후인 내게 이럴 순 없어!"

"황후는 무슨. 제 사리사욕을 채우고자 폐하를 시해한 당신에게 황후 자격이나 있나?"

카사르는 너무도 자연스럽게 드펜에게 하대를 했다. 얼음장처럼 차가운 눈빛이었다. 드펜은 분을 이기지 못하고 덜덜 떨었다.

"같잖은……! 수작 집어치워. 사람들이 이걸, 믿을 것 같아? 내가 폐하를 시해해? 내가 대체, 왜!"

"당연한 것 아닌가? 내가 수도를 떠난 사이에 후계자를 바꾸고 싶었겠지. 폐하를 설득하려 했지만 실패했고, 조급해진 나머지 그따위 수작을 썼겠지. 이제야 전부 이해가 되는군. 폐하께서 승하하시자마자 유언이 바뀌었다 공표를 한 것. 황궁에 사병들을 들인 건 내가 돌아오기 전 증거를 모두 없애기 위해서였겠지."

카사르는 교묘하게 드펜의 행동을 테온의 증언에 끼워 맞췄다. 드펜은 말도 안 되는 소리라며 발악을 했지만, 오래가지 못했다. 카사르가 드펜을 결박하라 명령을 내린 것이다.

"이 여잘 방에 가두어, 한 발자국도 나오지 못하게 해. 지은 죄를 생각하면 당장 감옥에 처넣고 싶지만, 황족을 낳은 몸이니 당장은 어렵겠군."

카사르의 눈빛에 살기가 어렸다. 진심으로, 눈앞의 여자를 죽이고 싶었다. 유리가 자객의 공격을 받던 날을 떠올리면 아직도 피가 끓었다.

"거, 거짓말이야."

창졸간에 덮친 날벼락에 드펜은 화를 낼 기력도 없이 파들파들 떨기만 했다. 불과 어젯밤만 하더라도 제 처지가 이리 바닥에 떨어질 줄은 상상도 못 했다. 더욱 미치겠는 건, 희망이 보이지 않는다는 것이다. 카사르는 삽시간에 그녀의 사병들을 압도하고 순식간에 저를 절벽으로 몰아붙였다. 그야말로 손 쓸 틈도 없이 당했다. 선대 황제의 친위대까지 손에 넣은 카사르 앞에서 드펜은 황후가 아닌 힘없는 여인일 뿐이었다. 상대의 저력을 얕본 대가였다. 드펜이 절망감에 털썩 주저앉았다.

"억울하십니까, 어머니?"

어머니, 그 호칭이 이리 소름 끼치게 들릴 줄 몰랐다. 기사들이 얼마 남지 않자, 카사르가 비꼬듯 말을 높였다. 하대보다 더 지독한 경멸이 느껴지는 공대였다.

"혹시 이 모든 걸 제가 준비했다 생각하십니까? 저 혼자, 당신에게 누명을 씌웠다 생각하십니까?"

"네놈을, 내가, 절대로, 용서하지, 않을⋯⋯!"

"아니요. 전부 폐하께서 준비하신 겁니다."

카사르가 비뚜름하게 입매를 끌어 올렸다.

"자그마치 이십 년을 넘게 기다리셨습니다. 당신이, 대가를 치를 그날을."

"대가라니."

"제 어머니를 죽게 한 진짜 범인이 누구인지, 폐하께서 영영 모르실 거라 생각했습니까?"

제 모든 것을 앗아간 여자와 평생을 함께 살아야 한다는 건 어떤 기분일까. 한때는 제 아비의 고통을 어느 정도 이해할 수 있을 거라 여겼다. 그러나 막상 유리가 비슷한 상황에 처하자 제 이해는 이해 축에도 끼지 못한다는 걸 깨달았다. 보는 것만으로 속이 뚝뚝 끊어지는 고통을 어찌 참고 사셨는지, 새삼 가슴이 아팠다.

"이십 년 전 폐하는 당신이 원하는 건 모두 앗겠노라 다짐하셨습니다. 그때, 당신의 운명은 정해졌던 겁니다. 당신의 아들은 절대로, 절대로 황제가 될 수 없었습니다."

드펜은 얼음처럼 굳어 그를 보았다. 보위를 얻기 위해 안달 냈던 지난 이십 년이 주마등처럼 스쳐 지나갔다. 그녀에게 늘 보위란 조금만 손을 뻗으면 잡을 수 있는 만만한 것이다. 중요한 순간마다 일이 꼬여 놓치긴 했지만, 늘 손이 닿는 곳에 있었기에 걱정하지 않았다.

무능력한 황제는 제 여자가 죽는 걸 막지 못했듯, 후계가 바뀌는 것도 막지 못하리라 여겼다. 그 모든 것이 그녀를 안심시키기 위한 함정이었다. 드펜의 떨리는 시선이 테온에게 맺혔다. 사지가 자유로운 자신보다 두 손을 포박당한 그가 더 당당해 보였다. 그런 눈빛을 이전에도 본 적이 있었다. 황제를 진찰하던 테온의 눈빛이 꼭 그러했다. 그러한 테온을 황제는 무척이나 신뢰감 있는 얼굴로 보았다.

'그때부터야. 전부 다, 그자가 벌인 짓이었어.'

드펜의 얼굴이 허옇게 질렸다. 상대가 언제부터, 무엇을 안배한 것인지 짐작도 가지 않았다.

'설마 바론의 약혼을 허락한 것도, 나와 바론 사이를 갈라놓기 위

하여……!'

소름이 끼쳤다. 아무리 황제가 자신을 미워해도 제 아들까지 멀리하진 않을 거라 생각했다. 그래도 핏줄이 아닌가. 다 틀린 생각이었다. 황제의 원한은 그녀의 예상보다 훨씬 깊고 지독했다. 드펜은 숨도 쉬지 못한 채 카사르를 보았다. 젊었을 적 황제와 빼닮은 아들의 얼굴에, 다리에 힘이 풀려 주저앉고 말았다.

"두 눈 크게 뜨고 똑똑히 확인하십시오. 당신의 탐욕이 결국 어떤 결과로 이어지는지."

*

"바론 전하, 제발 고정하십시오!"

헤이론이 허겁지겁 바론의 뒤를 쫓았다. 부어오른 한쪽 뺨은 손으로 가린 채였다. 지체 높은 백작이 얻어맞는 장면을 본 프리우스의 하인들은 숨도 못 쉰 채 얼어 있었다. 저택 사람들을 모두 공포로 밀어 넣은 바론은 애타는 목소리가 들리지도 않는다는 듯 성큼 걸음을 옮겼다.

"일단은 황후 마마를 구할 방도를 찾는 것이 먼저입니다. 전하! 전하!"

활활 타오르는 시선이 굳게 닫힌 문으로 향했다. 그의 걸음이 빨라졌다. 저 문안에, 그 여자가 있어야 했다. 리디아가, 그녀를 기다리고 있어야만 했다!

"전하! 일에는 순서가 있는 법입니다! 그 여자를 벌하는 것은 나중으로 미루시고 일단 황궁으로 가셔야……. 헉!"

"닥쳐."

정신없이 바론의 뒤를 쫓던 헤이론은 멱살을 들어 올리는 힘에

헛숨을 삼켰다. 바론은 허공에 대롱대롱 매달린 상대를 죽일 듯 노려보며 으르렁거렸다.

"일에 순서가 있다고? 이보다 더 급한 일이 어디 있어!"

리디아가 그를 배신했단다. 그의 뒤통수를 쳤단다. 다른 누구도 아니고, 카사르, 그의 배다른 형제와 수도를 떠났단다. 그는 지난 한 달 내내 가짜에게 속고 있었단다. 그런데 이보다 중요한 일이 어디에 있단 말인가!

"화, 황후 마마께서, 태자 전하에게 붙잡혀 계시는……."

더듬더듬 말을 잇는 헤이론의 안색이 공포로 질려갔다. 바론은 한번 뚜껑이 열리면 아무도 말릴 수가 없었다. 지금은 뚜껑이 열리다 못해, 시한폭탄을 매단 정도였다. 이미 그 뜻을 거스르려다가 손찌검까지 당했다. 죽고 싶지 않으면 입을 다물어야 할 것이다.

"황후 마마를, 구하셔야 합니다. 오직 전하만이 황태자를, 그 자들을 막을 수 있습니다……!"

그럼에도 헤이론은 말을 멈추지 못했다. 입을 다물든 열든 죽기는 매한가지였다. 그렇다면 하고 싶은 말이라도 하는 것이 옳았다. 카사르는 황궁을 장악한 즉시 드펜 황후를 유폐시키고 관련자들을 모반 혐의로 감옥에 처넣었다. 드펜의 충실한 종이었던 헤이론은 가까스로 그 화마를 피했다. 이제 그가 살 길은 단 하나뿐이었다. 바론을 설득하여, 카사르에게 반격을 가하는 것. 하여 오매불망 그의 귀국만 기다렸다. 한데 바론은 그의 기대와는 전혀 딴판으로 움직였다. 제 어미가 억류되었다는 소식조차 무시한 채 고장 난 기관차처럼 폭주했다. 리디아 프리우스, 그 여자 때문이었다.

"우리 어머니? 걱정할 게 뭐 있어? 카사르가 잘 모시고 있다면서."

"모시다니요! 억류당하신 겁니다. 황제 시해라는 모함을 받으시고요!"

헤이론의 항변에 바론의 픽 한쪽 입매를 비틀었다.

"모함은 무슨. 진짜로 늙은이에게 손을 쓴 거 아냐?"

"진하! 그릴 리가 있겠습니까. 황후 마마께서 폐하를 얼마나 극진히 모셨는지, 전하께서도 잘 아시지 않습니까!"

"극진히?"

광기 어린 조롱에 헤이론이 이를 악물었다. 시뻘게진 눈으로 바론이 키들 거렸다.

"극진히, 큭. 극진하라! 참 재미있는 말이야! 그 계집도, 리디아도 내게 극진했지! 간, 쓸개, 다 빼 줄 것처럼 굴었어. 내가 시켰다면 내 신발이라도 핥았을 거야. 그래 놓고, 날 배신했는데!"

반쯤 악을 쓰는 듯한 목소리였다.

"그랬는데, 큭. 내가 계집이란 걸 어떻게 믿어? 어? 어머니도 계집이잖아. 내가 믿을 수가 있겠어?"

황제의 승하 소식을 듣고 귀국길에 오를 때만 하더라도 그는 제게 닥쳐올 폭풍을 전혀 짐작하지 못했다. 별걱정도 없었다. 제 어미가 어련히 알아서 잘하고 있겠거니, 했던 것이다. 걱정은커녕 비투아에서 누리던 호사가 끝나는 것이 아쉽기만 했다.

한데, 전혀 예상치도 못한 일이 그를 기다리고 있었다. 리디아. 그의 약혼녀가 수도를 떠났단다. 그것도 한 달 전, 카사르와 함께였다. 리디아의 곁에는 그가 붙여 둔 호위가 있었다. 신변보호뿐 아니라, 감시를 위해서도 했다. 리디아를 의심해서가 아니라 그 어떤 계집이라도 그러하였을 것이다. 그가 없는 곳에서 그의 것이 뒤통수를 치는 건, 상상만으로도 역겨운 일이니까. 호위는 주기적으로 리디아에 대한 보고를 보냈다. 리디아의 편지도 함께였다. 정갈한 글씨체로 쓰인 편지엔 절절한 애정이 담뿍 담겨 있었다. 아무 말 없이 수도를 떠나신 것이 너무 마음이 아프다고, 제발 돌아와 달라는 애원도 있었다. 짜릿했다. 역시, 그 여자는 저 없이는 살 수 없는 거다. 편지만으로 몸이 달아오를 수 있다는 걸 처음 알았다. 연회 때 느꼈던 서운함은 모두 풀렸다. 그는 너그러운 마음으로 저밖에 모르는 여자를 용서해 주기로 했다.

─죄송합니다. 전하. 전부, 거짓이었습니다. 황태자가 공녀를 데리고 떠난 직후 저를 가두었습니다. 이제야, 이제야 풀려났습니다. 송구합니다. 전하⋯⋯.

피골이 상접한 채 그 앞에 나타난 수하의 말엔 처음엔 그저 멍했다. 도저히 믿을 수가 없는데, 그 꼴을 보면 믿지 않을 수도 없었다. 어떻게 프리우스로 달려왔는지 기억도 나지 않았다. 머릿속에서 활활 타오르는 불꽃에 황제의 승하도, 황후의 안위도 관심 밖이었다. 부디 그 말이 개소리이길, 제 여자를 향한 같잖은 모함이길 바랄 뿐이었다. 한데, 진실이었다.

"하. 하하."

텅 빈 방을 보며 허탈한 웃음이 새어 나왔다. 웃음이 아니라 독을 토하는 듯했다. 소식을 듣고 달려온 수하들이 옆에서 개같이 짖어 댔다.

─전하께서 아살론을 떠나기 전, 두 사람이 함께 있다는 모습을 목격했다는 자들이 있습니다.

─태자 전하께서 자객의 공격에서 공녀를 구했다고 합니다. 그전부터 이미 보통 관계가 아니었다는 증거입니다!

─예정된 배신입니다. 반드시, 그 여자를 찾아내어 벌을 주어야 합니다.

"벌은 무슨. 벌을 어떻게 주라는 거야! 그 여자가 어디 있는지 알아야! 벌을 주든지 말든지 할 거 아니야!"

도저히 이 현실을 받아들일 수가 없었다. 지독한, 아니 끔찍한 악

173

몽이었다. 그의 눈이 시뻘겋게 달아올랐다. 비틀거리며 침대를 짚었다. 온기가 남아 있지 않은 침대에 덜컥 숨이 막혔다. 시트를 움켜쥔 손에 핏줄이 도드라지도록 힘이 들어갔다.

"리디아, 어디로 간 거야……!"

심장이 산 채로 쪼개지는 듯했다. 이런 절망을 느껴 본 적 있던가. 태자 자리를 앗겼을 때도 이 정도는 아니었다. 평생을 열망하던 보위였는데도, 그랬다.

―나는 당신만 있으면 되어요. 같이 죽어요. 나랑.

리디아 프리우스. 그래놓고 어떻게, 나를 떠나! 네가 어떻게!

"전하. 여종을 잡아 왔습니다."

"악! 살려주세요. 살려주세요, 제발!"

찢어지는 비명에 바론이 휙 고개를 돌렸다. 기사가 지나의 팔을 우악스럽게 잡아끌었다. 제대로 걷지도 못하는 소녀의 모습에 남색의 눈동자에 삽시간에 살의가 들끓어 올랐다. 그는 성큼 다가가 지나의 머리채를 움켜쥐었다. 고통스럽게 일그러지는 소녀의 얼굴을 보며 음산하게 속삭였다.

"말해."

"윽, 으윽……."

"네 주인, 어디에 있어. 똑바로 말해."

"모, 몰라요. 저는, 정말 몰라요."

"리디아, 언제 떠났어? 어디로 갔어! 넌 알지. 봤지! 똑똑히 말하라고!"

사나운 물음에 지나는 달달 떨며 고개를 저었다. 금방이라도 쓰러질 듯 위태로워 보였다. 그 모습에 되레 화가 끓었다. 리디아, 그여자도 이랬다. 그 없인 살 수 없다며 약한 척 그를 방심시켜 놓고, 그의 뒤통수를 쳤다.

"리디아와 카사르가, 무슨 사이였어! 말해!"

"아악!"

바론이 지나를 내동댕이치며 말했다. 소녀는 버티지 못하고 풀썩 쓰러졌다. 바론은 눈에 뵈는 것이 없었다. 어린 소녀고 뭐고 마구 걷어차려는데, 주변 신하들이 얼른 달라붙어 그를 말렸다.

"전하, 제발 고정하십시오."

"이런 씨발, 이거 안 놔? 너희도 죽고 싶어?"

"일단 좀, 살려 놔야 합니다! 그래야 이야기를 들을 수 있지 않겠습니까!"

"당장 말해! 언제부터야. 대체 어떻게 둘이 그따위 사이가 된 거야!"

하나부터 열까지 전부 알아야 했다. 자신이 모르는 게 있다는 걸 참을 수가 없었다. 그 여자가 대체 언제부터 저를 속인 것인지, 그녀의 고백 중에 진실은 어디까지였는지 알아야 했다. 만일 전부 다 거짓이었다면, 나는. 그렇다면, 나는.

"모, 모르겠어요, 전하. 으흑. 무슨 말씀……."

맞아 죽을 지경이 되어서도 소녀는 주인의 결백을 주장했다.

바론은 화가 머리끝까지 난 와중에도 상대를 믿고 싶어 하는 절 깨닫고 헛웃음을 쳤다. 그는 자신을 향해 욕을 퍼부었다. 미친 새끼. 이 지경이 되었는데도 그 여자를 믿고 싶어? 네가 등신이야?

"아이야. 신중히 생각해라. 네가 공녀를 충심을 다해 모셨다는 건 알겠다. 하나, 지금 이 자리에 있는 건 공녀가 아니라 너야. 네가 공녀 대신 불벼락을 맞게 된 셈이지. 그 여자는 절대로, 널 도울 수 없어. 그러니 솔직히 말하거라. 아는 대로만 말하면 전하께서 목숨만은 살려줄 것이다. 아니, 큰 상을 내리실 수도 있다."

헤이론은 바론이 잠시 잠잠해진 틈을 타 얼른 지나를 구슬렸다. 바론은 겁먹은 소녀를 뚫어져라 바라보았다. 저 계집이 다 까발려

175

주기를 바라면서도, 한편으로 결백을 주장해 주길 바라는 모순된 마음이 있었다. 지나는 처음엔 공녀님께서 그럴 리 없을 거라며 도리질을 했다. 그 말을 듣는데 점점 손이 떨려왔다. 안도감, 때문이었다. 그가 파들거리는 웃음을 지었다. 역시, 리디아가 그럴 리 없다. 나밖에 모르는 여자가 그럴 리가…….

"사실은……."

그리고 어느 순간 지나가 그의 눈치를 보기 시작했다. 엿 같은 예감이 밀려왔다. 숨을 쉬는 게 아니라 독을 마시는 것 같았다.

"두 분이 처음 만나신 건, 공녀님께서 수도에 올라오시고 얼마 안되었을, 때였어요. 태자 전하께서 저택에 찾아오셨어요. 그때까지만 해도 아무 느낌 없었는데……. 어느 순간 두 분이 따로 만나시기 시작하였어요. 제가 두 분 사이의 서신을 전해 드렸습니다. 가끔은, 변두리 별장에서도 종종 만나셨는데, 누구도 들여서는 안 된다고 신신당부를……. 그럴 때면 몇 시간 후에 두 분이 따로따로 별장을 나오셨습니다. 일주일에 한두 번씩은 꼭, 그리하셨습니다."

그렇게 그가 믿고 있던 모든 것들이 와르르 무너졌다. 그가 밭은 숨을 내쉬었다. 별장에서 둘이 대체 무엇을 했을까. 절대로 인정하고 싶지 않은 답이 떠올랐다.

─내 아이를 나처럼 사생아로 만들고 싶지 않아요. 그러니 이해해 줘요. 혼인 때까지만 기다려 줄 순, 없겠어요?

그리 말하는 얼굴이 참 순진했더랬다. 앞에선 순결을 지켜 달라 눈물지어 놓고, 뒤에선 다른 사내와 뒹굴었단 거다. 그 여자는 그 새끼에게 안겨서, 뭐라고 했을까? 구역질이 치밀어 올랐다. 온몸이 다 떨렸다. 머리가 빙빙 돌 지경이었다. 피를 보아야만 이 성이 가라앉을 것 같았다. 시뻘겋게 충혈된 눈동자가 지나에게 가 닿았다.

"그래. 우선 너부터 죽여야겠다."

이 더러운 이야기를 전한 저 계집의 입부터 찢어 버리자.

"안 됩니다. 전하. 살려 두셔야 합니다. 이 계집이 살아 있어야 황태자의 죄를 밝힐 수 있습니다. 일국의 황제가 될 자가 형제의 연인을 탐하다니요! 사실이 알려지면 절대로 비난을 피할 수 없을 겁니다. 이건 하늘이 주신 기회입니다. 전세를 뒤집을 유일한 방법이기도 합니다!"

그 말이 하나도 들리지 않았다. 그가 키들거리며 말했다.

"걱정하지 마, 다음 황제는 무조건 내가 될 테니까. 그 새끼도, 그 계집도 다 죽일 거거든."

눈에 보이는 게 아무것도 없었다. 그 여자가 그를 배신했다. 리디아가 그를 버렸다! 시뻘건 불덩이가 그의 속을 휘저었다. 이성적인 판단이 불가능했다. 분노를 넘어선 고통에 그가 숨을 토해 냈다.

"제발, 조금만 참으십시오. 이 계집을 영영 살려 두라는 말이 아닙니다. 적을 처단하는 데 유용하게 쓰시고, 그 뒤론 직접 죽이십시오! 복수하셔야 할 것이 아닙니까! 무엇 하느냐! 얼른 저 계집을 옥에 가두어라!"

헤이론은 죽자사자 바론을 말렸다. 둘의 눈치를 보던 기사들이 잽싸게 지나를 데리고 나갔다. 지나가 죽어 버리면 자기들이 살 방법이 없다는 걸 파악한 것이다. 바론은 화를 이기지 못하고 난동을 부려 댔다. 장정 셋이 달라붙었다. 거친 발악이 이어졌다. 바론은 결국 지나를 죽이러 달려나가지 못했다. 대신 닥치는 대로 방 안에 있는 물건을 부수었다. 이 방엔, 그 여자의 흔적이 너무 많았다.

"어떻게!"

그가 악을 썼다.

"어떻게! 어떻게 나한테 이럴 수가 있어!"

그녀의 모든 흔적이 그의 손 아래 아작이 났다. 그 여자가 직접 키우던 야생화, 그 여자가 좋아하던 책, 그 여자가 중요하다 말한 모든 것들을!

물건이 부서질 때마다 그 고운 미소도 박살이 났다.

"우, 우욱."

그가 털썩 주저앉아 몸을 웅크렸다. 두 손이 퍼들퍼들 떨렸다. 짐승처럼 울부짖었다. 그저 속아서 이리 괴로운 것이 아니었다. 그혼자 사랑했다는 게 그를 미치게 만들었다. 인정하고 싶지 않았지만, 그랬다. 대체 언제부터 그 자식과 그런 관계였던 걸까. 그는 필사적으로 과거를 더듬었다. 시작을, 알아야 했다. 그 여자가 대체 언제까지, 저를 사랑했는지 알아야 했다. 저를 사랑하긴 했을 거다. 그래야만 했다. 그 여자의 사랑이 모두 거짓일 순 없었다.

그러니 제발! 그런데, 뭔가 이상했다. 기억을 더듬어가던 바론이 흠칫했다. 뭔가가 아주 이상했다. 리디아와 수도에 온 후 몇 주간 그는 거의 매일 함께 있었다. 그 여잔 그의 명 때문에 저택 밖으론 나가지도 못했다. 두 사람이 처음 만난 건 무도회에서였다.

허면, 그 뒤부터 둘이 깊은 관계가 되었단 말인가? 아니, 그럴 리가 없었다. 무도회 다음 날 카사르는 '유리'가 죽었다는 걸 알게 되었다. 카사르가 탐브란에서 돌아오고 나서는 그와 여자의 약혼 준비가 본격화되었고…… 뭐지? 아무리 생각해도 두 사람의 관계라 깊어질 여유가 없었다. 그를 만나기 전 이미 알던 사이가 아니라면 말이다. 말도 안 되는 가정이었다. 그때 카사르는 한창 죽은 계집 뒤를 쫓느라 온 제국을 뒤지고 다녔다. 그때부터 둘이 알고 지냈다고? 그게, 가능할 리가 있나?

"맙소사."

벼락 같은 깨달음에 그가 벌떡 자리에서 일어났다. 어긋난 퍼즐을 해결할 단 하나의 답이 있었다. 지나, 그 소녀가 제게 거짓을 고한 거다. 허둥대며 밖으로 나간 그가 우뚝 멈추었다.

"이럴, 수가."

눈앞에 펼쳐진 광경을 믿을 수가 없었다. 비릿한 피 냄새에 머리가 아팠다. 바론이 비틀대며 쓰러진 기사들에게 갔다. 아까 지나를 끌고 갔던 이들이었다. 무릎을 굽혀 한 기사의 목에 꽂혀 있는 표창을 꺼냈다. 두 개의 타원이 맞물려 있는 문양에 그가 경악성을 삼켰다. 비야!

"저들을, 막아!"

"전하를 지켜야……!"

"크윽, 지원을 요청……!"

아스라이 들려오는 고함에 그가 고개를 돌렸다. 텅 빈 복도를 바라보는 그의 눈빛이 얼어붙었다. 묵직한 군홧발 소리가 점차 가까워졌다. 표창을 움켜쥔 그의 숨이 거칠어졌다. 지나가, 비야라고? 리디아의 종이, 카사르의 수하였다고? 바론이 소리 없는 비명을 질렀다. 대체 카사르가, 언제부터 내 여자에게 손을 뻗었던 거야!

"오랜만입니다. 황자 전하."

복도로 들어온 루한의 모습에 바론이 털썩 제 자리에 주저앉았다. 한 손에 검을 든 모습이 저를 잡으러 온 사신인 듯했다. 루한이 볼에 묻은 피를 쓱 닦아내며 싱긋 웃었다.

"저랑 함께 가 주셔야겠습니다. 태자 전하께서 기다리십니다."

*

카사르는 물끄러미 바론을 응시했다. 참 신기한 일이었다. 꽤 오랜만에 보는데도 상대를 향한 살의가 시뻘건 불이 되어 그의 속을 헤집었다.

"카사르!"

바론이 헐떡이며 그를 불렀다. 안색은 하얗게 질려 있었나. 기사들이 움찔하는 그의 어깨를 짓눌렀다. 카사르의 시선이 비스듬히 기울었다. 밧줄로 결박된 두 주먹이 보였다. 곳곳에 피딱지가 져 있었다. 방금의 난동으로 생긴 상처였다. 심한 편은 아니었다. 유리의 발등에 있던 상흔과 비교하며 그는 또다시 고민에 빠졌다.

밟아버릴까? 손 정도는 부러트려도 되지 않을까?

"리디아, 어디에 있느냐고!"

바론이 악을 쓰듯 물었다. 대답을 듣지도 못할 거면서 계속 묻는다. 한 귀로 흘려들으며 벽에 등을 기댔다. 이번엔 유리의 손가락에 대해 생각했다. 그가 직접 끼워준 반지를, 바론은 억지로 빼앗았다고 했다. 곱게 앗았을 리 없었다. 유리가 잠든 사이에 손가락 하나하나를 전부 확인했다. 왼손 약지와 중지에 골절의 흔적이 있는 게 보였다.

생뼈가 부러졌던 거다. 순간 명치를 얻어맞은 듯 숨을 쉴 수 없었다. 유리의 손만 붙잡은 채 한동안 움직이지 못 했다. 잠든 여자 곁에서 울화를 다스리느라 그 밤을 꼴딱 새웠다. 그 뒤로 유리가 왼손을 내밀 땐 다친 손가락이 보이지 않게 손을 기울인다는 걸 알게 되었다. 일부러 다친 손에 입을 맞추려 했다. 유리는 딴청을 피우며 손을 오므렸다. 그의 관심을 돌리기 위해 말갛게 웃는 걸 보자 숨이 턱하고 막혔다. 온 힘을 다해 웃어 주었다. 유리가 힘들어하는 건 싫었으니까.

그 뒤로도 그는 새로운 흉터들을 계속 찾아냈다. 강박에 가까운 행동이었다. 새 흉터를 발견할 때마다 고통 어린 신음이 환청이 되어 울렸다. 밤새 혼자 끙끙 앓으며 생각했다. 어쩌면, 유리는 신음조차 내지 못했을지도 모른다. 피투성이가 되어 웅크렸을 모습을 떠올리면 하루에도 열두 번씩 속이 뒤집혔다. 그가 먼저 유리에게 과거를 잊자 말했다. 유리는 그 말을 지키기 위해 노력했다. 제법 잘 견디는 것 같기도 했다. 반면 시간이 갈수록, 그는 자신이 제 말을 지킬 수 없음을 깨달았다. 절대로 핏빛 과거를 그냥 흘려보낼 수 없었다. 원한은 진득한 독이 되어 그의 가슴을 시커멓게 물들였다.

"이 개자식아. 말 좀 하라고! 내가 없는 사이에, 리디아에게 무슨 짓을 했어. 말도 안 되는 소문을, 퍼트려놓고! 어디로 데려갔어! 설마, 납치라도 한 거야? 걜 다치게라도 한 거야?"

공황에 빠진 바론의 목소리가 부들부들 떨렸다. 벌떡 일어나 그에게 달려들었다. 기사들이 얼른 그를 제압했다.

"이거 놔, 좀, 윽, 카사르!"

제법 절박한 목소리에 카사르의 눈빛이 새까맣게 가라앉았다. 제게서 눈을 떼지 못하는 모습이 무척이나 거슬렸다. 감히, 그녀가 사용했던 이름을 말하는 입을 찢고 싶었다. 사랑한다면서, 그 여자가 몇 번이나 죽으려 했다는 건 몰랐을 거다. 그 여자를 죽인 게 저라는 건, 짐작도 못 했을 것이고!

"리디아, 살아는 있는 거지? 살아는 있는 거야? 카사르! 말 좀 해, 제발!"

바론의 목소리가 엉망으로 일그러졌다. 두려움이 목을 조이는 듯했다. 리디아가 저를 배신한 게 아니라면, 대체 어디로 갔단 말인가? 그 생각을 하자 빌어먹게도 죽은 여자 생각이 났다. 그 여자는 리디아와 눈 색까지 같았다. 고통스럽게 일그러진 눈빛을 떠올린 순간 심장이 덜컥 내려앉았다.

―아이만, 살려, 주세요. 제발, 나는…… 어떻게 죽어도, 되니까. 윽.

그는 처음으로, 그 여자를 죽인 걸 후회했다. 그 여자 때문에, 리디아가 위험에 빠진 거다. 바론은 카사르가 자신과는 다를 거로 생각했다. 고고한 척 굴기에 죄 없는 여자는 건들지 않을 거라 여겼다. 착각이었다. 저 미친놈은, 복수를 위해선 무슨 짓이든 할 수 있는 인간이었다.

"그 여자, 살아 있어. 아주 건강하게."

바론의 공포를 물끄러미 바라보던 카사르가 나직하게 말했다.

흠칫 굳었던 바론이 다급하게 물었다.

"그게 정말이야?"

"그래. 아주 잘, 살고 있지."

말의 마디마디가 뚝뚝 끊겼다.

"어쩌면 그 여자, 내 아이를 가졌을지도 몰라."

"뭐…… 라고?"

바론이 멍하니 되물었다. 카사르가 의자를 가져와 그 앞에 걸터앉았다. 한 손엔 검을 든 채였다. 불빛을 받은 검날이 주홍빛으로 빛났다. 그가 픽 입매를 비틀며 말했다.

"여름 동안 나랑 같이 살았거든."

"뭐?"

되묻는 얼굴이 멍청해 보였다. 카사르는 생각했다.

'이 검을 끝까지 휘두르지 않을 수 있을까.'

자신은 없었다. 머릿속에선 이미 수만 번 난도질을 했다. 그래도 참아야만 했다. 상대의 피가 아닌, 완벽한 파멸을 바랐으니까.

"그 여자가 유리야."

"……뭐라고?"

"네 약혼녀가 내가 찾던 유리라고."

연신 되묻던 바론이 입을 벙긋거렸다. 상대의 눈빛에 펴져나가는 불신이 보였다. 카사르가 피식 웃었다. 저를 미친 사람으로 여기는 게 분명했다.

"유리 상태가 궁금하다고 했지. 지금은 아주 좋아. 수도를 떠날 때만 하더라도 엉망진창이었지만 이젠 몸도 건강해지고 제법 잘 웃기도 하지. 네놈이 만들어놓은, 그 빌어먹을 흉터들은 여전하지만."

그의 목소리가 음산하게 가라앉았다.

"요즘엔 잘 지내지. 그러니 그 역겨운 걱정은 집어치워도 돼."

"씨발, 대체 무슨 미친 소리를 지껄이는 거야."

바론은 확신했다. 저 새낀, 완전히 돌아버린 거다. 결국, 남의 여자를 제 여자로 착각까지 하게 된 거다. 생각보다 훨씬 미친놈이었다. 아이 어쩌고 하는 말도 개소리로 들렸다. 그 여자랑 잤다고? 그럼, 겁간이라도 했다는 건가?

"너 설마 그 여자를 억지로 건드렸⋯⋯."

"축하해. 네가 드디어 하혈을 했어."

나직한 중얼거림이었다. 바론이 우뚝 말을 멈추었다. 얼어붙은 시선이 카사르에게로 향했다.

"이 여자야? 카사르를 살린 게?"

"얼굴이 아주 엉망진창이네. 일주일 전에 잡아 왔다고?"

바론이 눈을 깜빡였다. 아직은 현실감이 없었다. 카사르는 멍한 상대를 보며 피식 웃었다.

"아직도 부족한가. 아이가 죽은 건 네 탓이야, 네가 카사르를 구했기 때문이지. 잊지 마, 네가 아이를 죽인 거야. 뭐 그리 지껄이기도 했다지."

"지금, 무슨."

"네가 유리에게 했던 말이잖아. 기억 안 나? 유리는 전부 기억하던데. 네놈이 지껄인 그 개 같은 말들을."

유리는 그날의 일만은 이야기 않으려 했다. 입을 다물려는 걸, 과거를 이겨내야 한다는 이유로 억지로 캐물었다. 핑계였다. 유리의 가장 깊은 상처를 모른다는 걸 용납할 수 없었다. 처음엔 다 지난 일이라며 웃으며 입을 열던 여사가 나중엔 덜덜 떨며 눈물을 쏟아 냈다. 나중엔 몸도 제대로 가누지 못했다. 그래도 제 이기심에 모두 들었다. 그 여자의 눈물에 담긴 독을 모두 받아 마셨다.

"무슨 미친 소리를……."

바론이 입술을 달싹였다. 그 자리에 있었던 자들은 모두 죽었다. 증거 인멸을 위해, 모두 죽였다. 그러니 저 말은 미친 소리여야만 했다. 한데.

—제 이름은 리디아 프리우스예요, 전하.

불현듯 그 여잘 처음 봤던 날이 떠올랐다. 무척이나 단아한 미소였다. 질척이는 것 없이 깔끔한 태도가 제법이란 생각을 했다. 그리고 그게 다였다. 그때까지만 해도 큰 관심은 아니었다. 홀로 남은 여자의 얼굴에서 미소가 사라진 걸 보았다. 만개한 꽃이 돌연 시들듯 갑작스러운 변화였다. 그가 보고 있는 줄은, 모른 채였다. 다른 세상에 사는 듯 멍하니 소리 없는 눈물을 흘렸다. 그래놓고 그가 다가가자 다시 꽃처럼 어여삐 웃었다. 발그레하게 달아오른 눈매 위로 어린 미소에 처음으로 그 여자가 궁금해졌다.

"유리가. 바로 리디아 프리우스야."

바론의 얼굴이 얼어붙었다.

"네가 죽인 여자가, 네게 복수하러 왔던 거라고."

바론의 얼굴에 느리게 경악이 퍼져나갔다. 털썩 주저앉았다. 넋이 나간 얼굴을 노려보던 카사르가 픽 웃었다. 설마, 정말 유리를 사랑하기도 했다는 건가. 그의 눈빛이 싸늘하게 변했다.

"유리가 네놈 곁에서 겪은 지옥이 의미가 없진 않나 보군."

그게 조금은 위안이 되었다. 그러니 하루쯤은, 더 살려둘 수도 있을 것 같았다.

*

칠흑 같은 밤이었다. 방 안엔 등 몇 개뿐. 일렁이는 불빛 아래로 그림자가 음영 졌다. 바론은 우두커니 침대에 앉아있었다. 흡사 석상 같은 모습이었다. 두 손을 묶은 밧줄은 모두 푼 채였다. 텅 빈 머릿속엔, 그 여자의 속삭임이 끝없이 울렸다.

—제 이름은 리디아 프리우스예요. 전하.

—전하는 제가 바라기엔 너무 높은 분이에요. 헛된 욕심으로 위험해지고 싶지 않아요.

—언젠가는, 저를 버리시겠죠. 두려워요. 홀로 남아도, 어쩔 수 없다고 생각해요.

—갖고 싶은 거, 없어요. 어른들 말씀에, 너무 큰 욕심을 부리면 벌을 받는대요.

—사랑한다고 해 줘요. 난 그거 하나면 돼요.

봄볕 같은 미소였다. 그 미소가 칼이 되어 그의 속을 헤집었다. 바론이 멍하니 허공을 응시했다. 아무것도 느낄 수가 없었다. 느껴지지가, 않았다.

—나는! 당신밖에 없어요. 그런데, 당신이, 나를 의심하면, 나는 정말 아무것도 없어.

—임신한 여자가 벌을 받을 정도면, 정말 큰 죄를 지었나 봐요.

—사랑해요. 당신이랑 같이 죽고 싶어요.

"같이 죽자며, 그렇게 말했잖아."

처음엔, 아주 작은 속삭임이었다. 그의 웅얼거림에 기사들이 의아하게 그쪽을 쳐다보았다. 바론이 얼어붙은 시선을 들어올렸다.

기묘하게 일렁이는 눈빛에 기사들이 흠칫했다. 바론은 눈 하나 깜짝하지 않고 다시 말했다.

"같이 죽고 싶다고 했잖아. 나랑."

목을 긁는 듯한 쇳소리였다.

"네가 그렇게 말했잖아! 같이 죽자고! 그 정도로 사랑한다고!"

그가 버럭 고함을 치며 일어났다. 시뻘겋게 달아오른 두 눈은 흡사 아귀같이 보였다. 긴장한 기사들이 놀라 검을 움켜쥐었다. 바론은 몇 걸음 걷다가, 비틀대며 무너졌다. 이내 웅크려 짐승같은 울음을 토해 냈다.

"그래놓고 나를 사랑하지 않는다고? 나를 사랑한 적이 한 번도 없었다고!"

그가 악을 썼다. 그 모습을 보는 기사들의 얼굴이 심각해졌다. 눈짓으로 의견을 교환하던 그들이 얼른 밖으로 나갔다. 바론이 푸들거리는 숨을 토해 내었다. 심장은, 벌벌 떨렸다. 눈시울이 뜨겁게 달아올랐다. 산 채로 죽어가는 게, 이런 것인가 싶었다.

─보고 싶었어요.

─매일 봐도, 또 보고 싶어요. 진짜예요. 당신은, 아니겠지만⋯⋯.

나붓한 속삭임이 사슬이 되어 그를 옭아맸다. 목을 조였다. 그는 숨을 내쉬던 동작 그대로 굳어 버렸다. 여자가 귓가에 대고 웃었다.

─사랑해요. 정말로요.

그가 덜덜 떨리는 팔에 머리를 묻었다. 닥쳐, 짓씹듯 말했다. 그 노력이 무색하게 여자의 목소리는 점점 더 커졌다.

─살려 주세요. 제발, 아이만.

─나는 죽어도, 좋으니까.

─제가 잘못, 윽, 했어요. 다 전부⋯⋯.

제발, 닥치라고! 그가 소리를 질렀다. 아니, 질렀다고 생각했다.

목이 틀어 막힌 듯 아무 소리도 낼 수 없었다. 까득 세운 손이 바닥을 긁었다. 미끄덩거리는 느낌에 흠칫하며 고개를 들었다. 그가 눈을 부릅떴다. 어둠 속에 잠겨있는 손바닥 한가운데부터 검붉은 피가 서서히 번져나가는 게 보였다. 오싹 소름이 돋았다. 그 여자의, 피였다.

　―끝내주네. 당신 몸에 피가 이렇게 많아? 더 흘려도 되겠는데.

　―네가 카사르를 살렸잖아. 그러니까 죽어야지.

　―빨리 죽을 꿈은 꾸지도 마. 너는 절대로 쉽게 못 죽어. 내 일을 망쳤잖아.

　그는 반쯤 넋이 나간 채 허공에 든 주먹을 움켜쥐었다. 헝클어진 머리칼 아래로 여자가 고통스러운 듯 목을 꺾었다. 피에 젖은 목울대가 길게 움직이며 어느덧 장면이 바뀌었다. 흰 목덜미 위로 그녀가 곱게 웃는 게 보였다.

　―소원이요?

　―응, 말해 봐. 들어줄게.

　그가 은근히 몸을 붙이며 여자의 목을 감쌌다. 팔딱거리는 맥이 무척이나 사랑스럽다. 여자가 잘게 웃으며 그의 손에 뺨을 기대었다. 그 보드라운 감촉이 좋아 그도 함께 웃었다. 사랑스러운 녹안이 접히며 어여쁜 미소를 만들어냈다. 이내 속삭였다.

　―당신하고, 함께, 죽고 싶어요.

　"하, 하, 하하."

　그는 미친 사람처럼 웃었다. 세상에, 이럴 수가. 뒤늦은 깨달음이 밀려왔다. 함께 죽고 싶다는 게, 그런 의미였다. 그 여자는 정말 그를 죽이고 싶었던 거다. 마지막 남은 희망이 뚝 부러지며 그의 숨골을 찔렀다.

　"나는 아무 잘못도 안 했어!"

그가 짓씹듯 말했다. 여자가 고개를 갸웃하며 물었다. 정말 잘못이 없어요? 그가 고함을 치며 귀를 틀어막았다.

"씨발, 니는 잘못한 거 없다고!"

여자가 유혹하듯 속삭였다. 정말, 그렇게 생각해요? 다 내 잘못이에요? 앞섶을 움켜쥔 채 거친 숨을 내쉬던 그가 우뚝 동작을 멈추었다.

"그래. 전부 다 네 잘못이야."

그는 아무 잘못이 없었다. 전부, 그 여자 탓이었다. 카사르를 사랑한 것도, 죽지 않고 돌아온 것도, 그에게 사랑을 알려준 것도 모두 그 여자의 죄였다. 그리고 죄를 지었으면 죄를 갚아야 했다. 영원히 고통받는 한이 있더라도, 평생의 그의 것이 되어야만 했다!

"리디아, 나는 절대로 이대로 못 끝내."

바론이 으득 이를 갈았다. 남색의 눈동자가 광기로 번들댔다.

"전하, 접니다. 헤이론입니다!"

그때 드르륵 소리와 함께 창문이 열렸다. 사나운 남빛의 눈동자가 그쪽으로 향했다. 두건을 쓴 헤이론이 무척이나 겁먹은 얼굴로 그를 보았다. 차마 눈도 마주치지 못한 채 손에 들린 꾸러미를 던졌다. 툭, 제법 묵직한 소리에 바론이 미간을 움찔했다.

"극독이 묻어 있습니다. 유용하게 쓰시길 바랍니다."

떨리는 목소리로 말한 뒤 몸을 돌렸다. 열린 창문으론 스산한 바람이 밀어닥쳤다. 꾸러미를 노려보던 바론이 엉금 기어갔다. 기사들이 오기 전에 확인해야 했다. 아득 천을 쥔 그의 동작이 잠시 굳었다. 허겁지겁 말린 뭉치를 폈다. 안에 든 것을 확인한 그가 멈칫했다.

그것은 단도였다. 사람의 목 줄기 따위는 얼마든지 꿰뚫을 수 있는, 날카로운 칼이었다. 그가 떨리는 손으로 손잡이를 움켜쥐었다.

부릅뜬 눈으로 서늘하게 빛나는 날을 확인했다. 칼끝이 형제의 심장을 꿰뚫는 듯한 환영이 보였다. 어느 순간부터 그는 웃고 있었다. 핏발선 눈으로 칼날을 바라보던 그가 음산하게 속삭였다.

"그래, 나는 널 절대로 포기 못 해. 무조건 내 여자로 만들 거야."

*

수도의 혼란은 빠르게 정리되었다. 드펜과 바론이 차례로 억류되었다는 소식이 전해진 후 얼마 남지 않았던 반대 세력들까지 무릎을 꿇었다. 드펜이 수도를 장악했을 동안엔 낮은 풀처럼 몸을 숙이고 있었던 귀족들은 카사르의 귀환 이후 적극적으로 목소리를 내기 시작했다. 아살론을 지배할 진정한 지배자를 진심으로 환영한다며, 누가 먼저라 할 것 없이 충성을 맹세했다. 선대 황제는 재위 기간엔 그리 강한 왕이 아니었다. 가장 중요한 결정을 내려야 할 때마다 번번이 드펜에게 휘둘릴 정도로 힘이 약했다. 그가 총력을 기울여 이루어낸 아들의 태자 책봉 역시 끝난 후에도 계속해서 잡음이 새어 나왔다.

하지만 이번 사태가 끝난 후, 사람들은 황제가 진정한 힘을 숨기고 있다는 걸 알게 되었다. 황제의 진짜 힘은 드러난 것보다 훨씬 강했다. 드펜을 비롯한 외척들이 저를 견제하지 않도록 제 힘을 숨기고 있었던 것이다. 그리고 가장 결정적인 순간에 아들에게 물려주었다. 덕분에 드펜을 비롯하여 그를 따르는 세력들은 예상보다 훨씬 강한 적의 모습에 속수무책으로 당하고 말았다. 카사르는 하루 만에 수도 장악을 완벽하게 끝낸 뒤 드펜과 바론을 재판대에 세웠다.

반역자들을 두둔하는 이들은 같은 반역으로 간주, 같은 벌을 내리겠다는 엄정한 선언과 함께였다. 수도 군권은 모두 그의 손아귀에 있었다. 이 상황에서 그에게 반대할 배짱을 가진 이는 아무도 없었다.

"……이상, 황제 폐하의 독살을 사주한 혐의로 드펜 황후의 폐위를 선언하며……."

재판장 역할을 받은 귀족원장의 선언이 높게 울려 퍼졌다. 아살론에선 귀족 이상의 지위를 가진 자가 죄를 지었을 땐 귀족 회의에서 처분을 결정했다. 소수의 귀족이 주축이 되기에 참석 인원은 제한될 수밖에 없었다. 카사르는 그 전례를 깨고 하급 귀족뿐 아니라 일반 백성들까지 들어올 수 있는 공개 재판정에서 재판을 열기로 했다. 황후가 황제를 살해하고 반역까지 저지르려 한 전무후무한 사태가 벌어진 만큼, 만인 앞에서 명명백백하게 죄를 밝혀야 한다 주장한 것이다.

"이건 다 거짓말이야! 나는 아무런 죄가 없어!"

연금이 불과 며칠뿐이었는데도 불구하고 재판장에 등장한 드펜은 전혀 다른 사람이 되었다. 탐스러웠던 고동빛 머리카락은 허옇게 희고, 귀티 나던 얼굴은 반쪽이 되었다. 그녀는 재판장에 끌려온 직후부터 이 모든 것은 거짓이라고, 모함이라고 악을 썼다. 부질없는 짓이었다. 그녀의 죄목이 누명이든 아니든 중요한 건 아니었다. 드펜은 지는 해이자 침몰하는 배였다. 그 손을 들었다간 함께 진창으로 처박힌다는 걸 모두가 다 알았다.

결국, 모두의 외면 속에서 드펜은 죽을 때까지 산티움 감옥에 갇히는 형벌을 받았다. 가장 비천한 죄인들만 받는 벌이었다. 드펜은 반쯤 실성한 사람처럼 축 늘어진 채 재판정 밖으로 끌려나갔다. 카사르는 차가운 눈으로 그 여자의 최후를 응시했다. 계속하여 이번 일에 관련된 자들이 줄줄이 끌려나왔다. 드펜을 지지하고 반역에

협조했던 이들은 다들 제 몫의 벌을 받았다. 누군가는 죽고, 누군가는 죽음보다 못한 삶을 살게 되었다. 카사르는 싸늘한 눈으로 그들의 최후를 눈에 새겼다.

그리고 마지막 차례가 왔다. 기사의 안내에 따라 초췌한 모습의 바론이 등장하는 게 보였다. 의자 손잡이를 쥔 손에 아득 힘이 들어갔다. 그는 반쯤은 몸을 일으키려는 마음을 꾹 누른 채 그를 노려보았다. 그의 눈빛이 시퍼런 살의로 일렁였다.

"그럼 지금부터 황자 바론의 황족 시해 죄에 대한 재판을 시작하겠습니다. 피고는 지금부터 모든 증언이 끝날 때까지 침묵해야 하며 추후 변론 기회 때 자신을 변호할 수 있어……."

상석에 있는 귀족원장이 다시 한번 재판 절차를 안내했다. 드펜과 마찬가지로 바론을 피고라 칭했다. 회장에 웅성거림이 퍼져나갔다. 황족의 피가 흐르는 자가 피고석에 선 것은 수백 년 만에 처음이었다. 그야말로 엄청난 굴욕이었다.

"그럼, 증인을 들이도록 하겠습니다."

귀족원장이 입을 열자 문이 열리며 잿빛 머리카락을 한 여자가 등장했다. 녹색 눈동자가 명민하게 빛났다. 그녀가 증인석에 서자, 귀족원장이 물었다.

"그대의 이름을 밝히시오."

"제 이름은 리디아 프리우스예요."

잠시 조용했던 회장에 또 한 번 두런거림이 퍼져나갔다. 귀족들은 놀라 그녀를 바라보았다. 역시나 바론의 약혼녀와는 전혀 다른 얼굴이었다. 옆사람과 이야기를 나누는 귀족들의 얼굴이 심각해졌다. 이미 수도 전체에 이번 일에 대한 대강의 소문이 파다했지만, 눈으로 직접 보는 것은 또 달랐다.

"그럼 그동안 프리우스 공작 가문에 있었던 리디아 프리우스는 누구냐."

"제 친구 유리엘 발렌타인입니다. 다른 이름은 유리고요. 그녀에게 제 신분을 빌려주었어요. 우린 머리카락과 눈 색이 같았고, 프리우스엔 제 얼굴을 기억하는 이가 많지 않을 테니까요. 그녀가 공녀로 새 삶을 살 수 있도록 도왔어요."

"어째서인가?"

"그녀가 복수를 원했기 때문이에요."

리디아를 바라보는 바론의 눈이 한층 음울하게 변했다. 그녀는 느리지만 분명하게 과거를 풀어 놓았다. 유리와의 첫 만남, 그 이후 함께한 삶, 날벼락처럼 유리를 덮친 납치와 아슬아슬했던 구출까지. 도저히 믿기 힘든 일련의 사건에 사람들은 할 말을 잃었다. 어느새 회장 안엔 맑은 그녀의 목소리만 울렸다.

"그렇게 겨우 구했어요. 하늘이 도왔던 거죠. 유리는 언제 죽어도 이상하지 않을 정도로 상태가 나빴어요. 주변 사람들이 전부 달라붙어서 목숨은 살려냈지만, 거기서 끝난 게 아니었죠."

"끝이 아니라 함은."

"유리가 유산했거든요. 저자가 작정하고 유리의 아기를 죽였어요. 그 충격 때문에 세 번이나 자진을 시도했어요."

맙소사, 유산이라니. 회장엔 소리 없는 경악이 퍼져나갔다. 아살론 역사상 형제의 반려를 저리 잔인하게 짓밟은 건 전례에 없었다. 바론은 저를 향해 쏟아지는 시선에 픽 한쪽 입매를 올렸다. 그의 반응이 충격을 더했다. 반쯤 넋이 나간 회장에 차례대로 증인들이 등장했다.

"아까 등장한 증인이 진짜 프리우스 공녀가 맞는 거 같아요. 예전 공녀님은 사실 어렸을 때랑은 얼굴이 많이 달랐어요. 자라면서 얼굴이 변했겠거니 했는데 저분을 보니까 그게 아니란 걸 알겠어요. 저분이 진짜 프리우스 공녀가 맞습니다."

"그, 유리 님이라고 했지요? 제가 그 여자분을 치료했습니다. 납치 상태에서부터 말입니다. 당시 홑몸이 아니었던 게 확실합니다. 폭행으로 인한 유산도 사실이고요. 제게 치료를 부탁한 이들은 아주 악랄했습니다. 완벽한 치료는 하지 말라고 했어요. 고통은 최대로 느끼고, 목숨은 붙이는 정도로. 치료하고 다음날 가보면 상태가 나빠져 있고, 애써 고쳐놓으면 또다시 악화되어 있고, 그랬습니다."

"이 펜던트, 제 언니, 마르디네의 것이 확실해요. 시집가기 전에 제가 생일 선물로 주었으니까요. 부모님께서 반대하시는 결혼을 하느라 많이 힘들어하기에, 일부러 남편의 성을 붙인 이니셜을 새겼어요. 어쩐지 그분을 처음 봤을 때부터 언니 생각이 났어요, 혹, 그런 일이 있었을 줄이야……."

내내 숨겨져 있던 진실이 순식간에 드러났다. 유리의 가문, 유리의 상처, 유리의 지난 삼 년까지 전부다. 군중들은 순식간에 지독하게 가련한 그녀의 삶에 이입하였다. 웅성대기 시작한 장내가 어느덧 통제 불가능할 만큼 소란스러웠다.

"천벌을 내려 주세요!"

"어떻게 사람으로 태어나 그런 짓을!"

특히 평민들은 감정표현을 자제하지 못했다. 여자들은 눈물을 쏟고 아이를 가진 부모는 침통함을 감추지 못했다. 사내들은 신분 차이도 잊고 바론을 향해 거침없이 삿대질했다. 감정을 날것으로 드러내는 것을 멸시하는 귀족들도 오늘만큼은 그들과 비슷했다. 대놓고 입을 열지만 않았을 뿐이지 불편한 기색이 역력했다. 평생 윗사람들의 눈치를 보느라 굽신거려야 했던 하급 귀족들은 기세가 더했다. 회장에 다양한 신분층의 사람들을 모두 입장시킨 카사르의 의도가 빛을 발한 셈이었다.

"크흠! 정숙! 정숙하시오!"

귀족원장은 장내를 조용히 시키기 위헤 의사봉을 몇 번이나 휘둘렀다. 장내 정리가 쉽진 않았다. 바론은 이 난장판이 남 일이라도 되는 양 킬킬거리는 웃음을 토해 냈다. 그에 잠시 가라앉았던 불길이 화르륵 타올랐다. 귀족원장은 결국 정리를 포기하고 악을 쓰다시피 말했다.

"그럼, 황족 시해 죄에 대한 피고의 반론 기회를……."

"카사르."

바론이 낮게 속삭이며 자리에서 일어났다. 아주 작은 소리였으나, 뚫어져라 상대를 응시하던 카사르에겐 정확히 들렸다. 바론이 두 팔을 늘어트린 채 그 시선을 마주했다. 불꽃이 튀는 듯했다. 갑작스러운 대치에 장내가 일순 조용해졌다.

"고마워."

바론이 씨익 입매를 늘렸다.

"그 여자로, 네게 복수할 수 있게 해 줘서."

바늘 떨어지는 소리도 들릴 법한 고요함 속에서 카사르가 느리게 눈을 깜빡였다. 의자 손잡이를 쥔 손이 부르르 떨렸다. 바론은 한 자 한 자, 새기듯 말했다.

"굉장히 고통스러웠을 거야. 매 순간이 지옥이었겠지. 전혀 몰랐어. 나한테 다 줄 것처럼 굴었으니까. 내가 만지고 입 맞출 때마다 부끄러워하면서도, 먼저 안겨들었지. 내 명령이라면 독이라도 삼켰을지도 몰라. 내 곁에서 행복하다고 노래를 불렀어. 잘 웃다가도 가끔 이유 없이 울기에 뭔가 싶었는데, 이제 알겠어. 내 곁에서 하루하루 바짝바짝 말라 갔던 거지. 하혈했다는 거, 처음엔 거짓말이었어. 유산은 그년 탓이었지. 내 말에 충격 받고 먹지도, 마시지도 않고, 시체처럼 늘어져서는, 진짜 하혈은 그 뒤였어. 제 손으로 아이를 죽였다는 걸 알려줬어야 했는데 죽어 버렸어. 그런데 그게 너무 아쉽다고, 내가 그 여자한테 말을 한 거야! 큭, 세상에! 너무 재밌지 않아? 그 말 듣자마자, 완전히 숨넘어가는 얼굴을 해서는, 티도 못 내고. 죽은 여자가 엄청나게 큰 잘못을 했나 봐요, 어쩌고 하면서 안겨들던데! 병신이 따로 없어. 애가 죽은 게 정말 지 잘못이라고 생각했던 거야!"

카사르가 벌떡 자리에서 일어났다. 깜짝 놀란 루한이 외마디 비명처럼 그를 불렀다.

"전하!"

카사르는 루한이 저를 잡기도 전에 성큼 걸었다. 스릉! 허리춤에 매여 있던 검을 뽑았다. 바론이 시뻘겋게 충혈된 눈으로 그 모습을 노려보았다. 킬킬 웃으며 노래하듯 목소리를 높였다. 환희가 끓어올랐다. 배 속에서 악마들이 난리를 쳤다.

어서 와, 카사르. 어서 와서, 내 손에 죽어! 그 여자가 내 것이 될 수 있도록, 피 흘리며 죽어 가!

"내가 그년한테 말했지. 죽을 생각은 꿈도 꾸지 마! 너는, 절대로, 쉽게 죽어서는 안 돼. 큭! 진짜 웃겨! 진짜 내 말대로 된 거야. 삼 년 내내 수도 없이 죽어갔을 거야! 세 번이나 자진을 했다고? 고마워, 카사르! 이보다 더 완벽한 살해 방법은…… 크억!"

홀쩍 단상으로 올라간 카사르가 검을 휘둘렀다. 눈 깜짝할 사이에 검날이 그의 목을 후려쳤다. 바론은 입을 벌린 그대로 굳어 버렸다. 생경한 통증에 죽음의 감각이 그를 집어 삼켰다. 얼어붙은 눈동자를 들어올렸다. 멀리 털썩, 루한이 주저앉는 게 보였다. 목을 움켜쥔 채 비틀거리며 뒤로 물러섰다.

"크, 허억."

숨을, 쉴 수가 없었다. 성대를 긁는 듯한 쇳소리가 나왔다. 바론이 휘청거리다 툭, 벽에 등을 부딪쳤다. 피가 쏟아지는 감각조차 없었다. 주르륵 주저앉았다. 빠르게 몸이 식었다. 덜덜 떠는 그를 보며 카사르가 기가 막힌 듯 픽 웃었다.

"재판 중이다, 바론. 소란을 피워서야 되나."

여상한 말에 바론이 움찔했다. 시선만 겨우 내리다 흠칫 굳었다. 피는, 어디에도 없었다. 입술을 달싹이다 목을 더듬거렸다. 벌어진 곳이 느껴지지 않았다. 움켜쥔 손을 떼어냈다. 눈을 부릅떴다. 여전히 깨끗한 두 손에, 찬물이라도 맞은 듯 정신이 번쩍 들었다.

"죽는 게 무섭긴 한가 보군. 고맙다. 아주 좋은 구경을 했어."

카사르가 낮게 웃었다. 명백한 조롱에 바론의 안색이 하얗게 질렸다.

"쓸데없이 지껄이지 말고 얌전히 판결을 기다려라, 바론."

카사르는 그리 말하며 역 날로 쥐었던 검을 돌려 잡고는 검집에 넣었다. 그와 동시에 옆에서 텅! 의사봉이 떨어지는 소리가 들렸다. 데구루루 굴러왔다. 단상에 있던 귀족원장이 두 사람을 보며 손을 든 자세로 입만 벙긋댔다. 카사르가 피식 웃으며 발치에 떨어진 의사봉을 주워들 때였다.

푹, 소리도 나지 않았다. 반쯤 일어선 자세 그대로 카사르가 비스듬히 시선을 기울였다. 옆구리에 삐죽 튀어나와 있는 흰 날이 제일 먼저 보였다. 손잡이를 움켜쥔 채 부들부들 떨리는 두 손은 다음이었다. 카사르가 슬쩍 인상을 찌푸리며 몸을 세웠다. 불에 데는 듯한 통증과 함께 후두둑 피가 떨어졌다.

"큭, 흐, 흐흑."

바론이 신음 같은 웃음을 토해 내었다. 광기 어린 눈빛이었다. 카사르의 얼굴에서 표정이 사라졌다. 바론은 나머지도 세게 밀어 넣었다. 뼈에 걸린 듯 움직이지 않았다. 경련하듯 웃으며 손잡이를 돌렸다.

"흐, 흐흐. 어때?"

살을 헤집는 감촉과 함께 까득, 긁히는 소리가 났다. 미미한 고통에 카사르의 미간이 일그러졌다. 바론이 입을 찢듯 웃었다. 머리끝까지 차오른 희열과 함께 박힌 그대로 옆으로 그어 버리려 할 때였다.

"잘했어."

카사르가 웃고 있었다.

"정말 고맙다, 바론."

만족스러운 듯한 목소리에 당황한 바론이 눈을 깜빡였다. 그사이 손목이 잡혔다. 아득 비틀리며 버틸 사이도 없이 뽑혔다. 흰 날이 쑥 빠지며 붉은 피가 왈칵 터져 나오는 게 보였다. 그 꼴이 보기 좋아야만 하는데, 그렇지가 않았다. 불길했다.

"뭐야."

어느새 다가온 기사들이 바론의 팔과 어깨를 움켜쥐었다. 카사르가 긴 숨을 내쉬며 벽에 등을 기댔다. 그사이 붉은 피가 서서히 바닥에 고이고 있었다.

"이거 놔!"

바론은 저를 끌고 가려는 힘에 저항하며 상대의 죽음을 응시했다. 몸부림을 쳤다. 극독이, 묻어 있다고 했다. 당장 검은 피를 토해 내며 죽어야 했다. 버틸 힘도 없이 쓰러져야 했다. 그런데 그는 여전히 멀쩡히 서 있었다.

"아프긴 하군."

카사르가 인상을 찌푸리며 옷 안쪽으로 손을 집어넣었다. 털썩 소리와 함께 피 묻은 가죽이 바닥으로 떨어졌다. 바론의 얼어붙은 시선이 따라붙었다. 안색이 허옇게 질려갔다. 상황을 이해하는 건 그다음이었다. 상대의 경악을 물끄러미 응시하던 카사르가 픽 웃었다.

"아주 완벽했다, 바론."

그것으로 끝이었다. 바론은 넋이 나간 채 기사들에게 끌려갔다. 그 모습을 보며 몸을 일으키는데 순간 시야가 빙 돌았다. 뒤늦게 달려온 루한이 그를 부축하며 악을 썼다.

"전하! 빌어먹을, 황궁의!"

"뭐, 깊게 찔린 것도 아닌데."

"닥 치, 십…… 당장 의사 불러 오라!"

루한이 이를 갈 듯 말했다. 카사르가 쿡, 웃음을 터트렸다. 출혈 때문인지 벌써부터 머리가 몽롱했다. 그가 떨리는 입가로 웃음을 만들어냈다.

"아, 좋다."

루한이 질린 얼굴로 그를 보았다. 회장은 일대 혼란에 휩싸였다. 난장판이 따로 없었다. 사람들이 악을 써댔다. 눈앞에서 황태자가, 아니 황제가 시해당할 뻔한 장면을 목격한 것이다. 어떻게 피고가 무기를 반입하게 만드느냐는 항의부터, 바론을 가장 처참히 죽여야 한다는 고성이 날아다녔다. 아주 완벽했다.

─증언만으로는 황족을 살해한 죄를 묻기는 힘들 것 같습니다.

─애당초 회임 자체가 증명된 것이 아니지 않습니까. 비 전하께서 직접 오신다면 모르겠지만…….

─드펜 가문에서 황후는 포기할 것 같습니다. 하나, 황자는 쥐고 있을 요량인 듯싶습니다. 보위를 이을 자격이 있으니 당연한 일이겠지요. 조금이라도 허점이 있으면 절대 굴복하지 않을 겁니다.

─태자 전하. 일단 이번에는 드펜만 목표로 하시고 다음 기회를 노리시는 게 어떻겠습니까?

이제 바론은 절대로, 재기하지 못할 것이다. 카사르가 회장의 소란을 음미하며 씨익 웃었다. 몸에선 점점 힘이 빠져나가는데 마음만은 깃털처럼 가벼웠다. 옆으로 기우는 몸을 루한이 바르게 눕혔다. 그가 뭐라고 소리를 질렀지만 들리지 않았다.

"이제 다 끝났어. 유리야."

그가 맑은 눈으로 하늘을 보았다. 유리가 너무 보고 싶었다. 별장을 떠난 뒤부터 늘 그녀가 그리웠지만, 오늘은 더욱 그러했다. 아니, 사실은 곁에 있을 때도 그랬다. 유리는 닿아도 닿아도 부족한 여자였다. 어둑해지는 시야를 느끼며 그가 천천히 눈을 감았다. 피웅덩이가 흰 바닥을 붉게 물들여갔다. 누군가 출혈이 심각, 어쩌고 지껄였다. 그의 입매가 스르르 올라갔다. 유리야, 이젠 안전해. 그가 입술을 달싹였다. 서서히 잠이 쏟아졌다. 아주 좋은 꿈을 꿀 수 있을 것 같았다.

*

뜨개질하던 유리가 고개를 들었다. 창밖의 날씨가 무척이나 좋았다. 물끄러미 맑은 하늘을 바라보다 다시 코바늘을 움직였다. 지금 그녀는 어제 완성한 털모자 위에 방울을 다는 중이었다. 손바닥보다 작은 모자는, 갓 태어난 아이를 위한 것이었다. 모자를 매만지던 유리가 살그머니 배에 손을 얹었다.

'진짜일까?'

이번 달에도 달거리는 하지 않았다. 몸이 좋지 않기 때문인지, 임신 때문인지는 알 수 없었다. 프리우스에 있을 때 테온은 치료가 거의 끝났다고 했었다. 후자 쪽에 자꾸 마음이 기우는 건 어쩔 수 없는 일이었다. 유리는 새삼 자신이 그의 아이를 참 많이 바랐다는 걸 깨달았다. 사실 아직 확인을 한 건 아니었다. 방법이 없지도 않았다. 근처 마을 의사를 불러오면 되는 일이었다. 그녀가 나설 것도 없이, 호위 기사에게 부탁하면 충분했나. 유리는 일부러 그냥 두었다. 그가 돌아올 때까지 설렘으로 남겨놓고 싶었다. 함께 확인하고, 함께 기뻐하고, 설령 아니더라도 함께 슬퍼하고 싶었다.

'뭔가 느낄 수 있을까?'

아이가 조금 자라면 태동이라는 걸 느낄 수 있다고 했다. 첫 태동이 그리 놀랍다고 리디아는 말했다. 아이가 엄마에게 보내는 최초의 인사라며, 콩 하는 감촉이 손에 닿으면 전기에라도 감전된 듯 짜릿해진다고도 했다. 가끔 산파의 집에 찾아온 산모들이 부른 배를 쓰다듬는 걸 볼 때면 그들이 느낄 태동이 눈물 날 정도로 부러웠다.

'아직은 아니겠지.'

저도 모르게 배에 손을 댄 채 숨을 죽이고 있던 유리가 픕 웃었다. 태동이라니, 아직 멀었다. 확실하지도 않고, 설령 임신이라고 해도 몇 주 되지 않았을 것이다. 있는지도 없는지도 모를 아이의 태동을 기다리는 자신의 모습에 웃음이 나왔다.

쿵!

그때, 묵직한 소리가 들렸다. 깜짝 놀란 유리가 눈을 동그랗게 뜬 채 제 배를 내려다보았다.

'벌써?'

입술이 조금 떨렸다. 심장이 콩닥콩닥 뛰었다. 배를 감싼 손에 지그시 힘을 주었다. 그러다 다시 한번 나는 쿵! 소리에 소스라치게 놀라 고개를 들었다.

"아가씨. 필테온입니다."

"네, 나가요."

익숙한 목소리에 유리가 머쓱함을 삼키고 자리에서 일어났다. 태동은 무슨, 노크 소리였다.

"안녕하세요."

"간밤에 편히 주무셨습니까?"

필테온이 넉넉하게 웃으며 말했다. 그는 그녀를 지키는 호위 기사 중 한 명으로, 매일 생활 물품을 가져다주었다. 유리를 대하는 태도가 친근하면서도 무척 깍듯했다. 그뿐 아니라 카사르의 수하들은 모두 그녀를 귀하게 대했다. 고마우면서도 그들의 무한한 호의가 조금 민망하기도 했다.

"편하게 잘 잤어요. 덕분에…… 어?"

곱게 눈을 접으며 웃던 유리가 멈칫했다. 필테온의 뒤에 의외의 손님이 있었던 것이다. 필테온이 씨익 웃으며 한걸음 물러섰다. 정장 차림의 루한이 깍듯하게 묵례했다.

"오랜만입니다, 영애."

유리는 대답도 잊고 다급하게 그 뒤를 보았다. 루한이 왔다면 분명 카사르도 왔을 것이다. 그를 떠올리는 것만으로 심장이 쿵쿵 뛰었다.

"저기, 그런데."

카사르가 보이지 않았다. 유리는 안부 인사에 답을 하는 것도 잊고 다급히 물었다.

"그 사람은요?"

"음. 오늘은 저만 왔습니다."

루한이 멋쩍게 웃으며 말했다. 유리가 아, 탄식을 내뱉었다. 어깨에 힘이 쭉 빠졌다. 상실감이 온몸을 훑고 지나갔다. 시선을 떨군 채 우두커니 서 있는데, 루한이 조심스레 그녀를 불렀다.

"영애?"

"죄송해요. 잠깐 딴생각을 했어요. 수도에서 오신 거죠?"

"예. 그렇습니다."

"먼 길 오시느라 고생 많으셨어요. 안으로 들어오실래요?"

"아, 그래도 되겠습니까?"

"그럼요. 이쪽으로 오세요."

유리가 얼른 웃으며 안쪽으로 들어갔다. 사실 지금 기분으로는 누구도 만나고 싶지 않았다. 우울했다. 그와 함께 누웠던 침대 속에서 그의 꿈을 꾸고 싶었다. 그럼 조금은 행복해질 것 같았다. 하나 멀리서 온 손님을 밖에 세워두는 건 예의가 아니기에 루한을 집으로 들였다.

"차 드시겠어요?"

"좋지요."

"혹시 달콤한 차 좋아하세요?"

"예, 뭐든 잘 먹습니다."

"그 사람이랑 같이 만들었던 과일 청이 있어요. 맛있게 아주 잘 되었어요."

유리가 차를 타는 동안 루한은 집 안을 구경했다. 카사르는 철저하게 이 집을 그녀만의 안식처로 삼았다. 선 밖에 있는 사람들은 한 걸음도 들어올 수 없었다. 루한 역시 예외는 아니어서, 황제의 임종을 전할 때 잠깐 빼고는 오늘이 처음이었다.

집 안 분위기엔 유리의 단정한 성품이 고스란히 녹아 있었다. 많지 않은 살림살이가 깔끔하게 정리된 와중에, 곳곳에 눈이 가는 포인트들이 있었다. 창틀에 일렬로 놓여 있는 자그마한 꽃들을 보고 루한이 감탄을 내뱉었다. 종류가 모두 다른 꽃들이 완만한 경사를 이루는 게 꼭 작은 동산을 보는 것 같았다. 이채 어린 눈으로 이곳저곳을 보던 그가 식탁에 놓인 것을 보고 낮은 탄성을 내질렀다.

"뜨개질을 하시는군요. 모자입니까?"

"그냥 취미 삼아 하고 있었어요."

유리가 차를 내려놓으며 자연스럽게 모자를 그의 시선에서 치웠다. 카사르에게 제일 먼저 보여 주고 싶었던 것이다. 아직 확실하지도 않은데 괜히 다른 사람의 눈을 탔다가 불길하게 만들고 싶진 않았다. 차를 받아든 루한이 곰곰이 생각에 잠겨 있다가 물었다.

"저기, 그 모자 말입니다."

"네?"

"혹시 아기가 사용할 것 아닙니까?"

유리가 꾹 입을 다물었다. 루한이 빠르게 눈을 깜빡였다. 두 손이 간절히 모자를 쥐고 있는 게 보였다.

설마. 그가 입을 벙긋거렸다. 머릿속에 종이 뎅뎅 울렸다. 피 흘려 쓰러지던 친구의 모습이 둥둥 떠올랐다. 등 뒤에 오싹 식은땀이 흘렀다.

'망했다.'

임산부에게 남편이 칼에 맞았다는 소식을 전해야 할지도 모른다니. 머릿속에서 누군가 넌 완전히 망했다며 왈왈 짖어대기 시작했다.

"그, 저……. 진심으로 경하드립니다."

그는 재빨리 정신을 수습하곤 말했다. 유리가 어색하게 웃으며 고개를 저었다.

"아니에요. 아직 몰라요."

"확인하신 것 아닙니까?"

"그 사람 돌아오면 같이하기로 했어요."

유리는 여전히 웃고 있었지만, 목소리가 떨렸다. 말간 녹안에 눈물이 고였다. 그가 너무 보고 싶었다. 그 사람은 잘 있는지, 언제쯤 돌아갈 수 있는지 묻고 싶었다. 살짝 가서 몰래 보고만 오는 건 안 되냐고, 말도 안 되는 애원을 하고 싶었다. 유리는 그 모든 말을 꾹 삼켰다. 혹시라도 안 좋은 답을 듣게 될까 무서웠다. 막힌 말 대신 루한을 보는 시선이 간절해졌다.

"어, 저 그게 말입니다."

루한이 낭패감에 고개를 돌렸다. 무구한 눈을 마주하자 목 끝까지 죄책감이 차올랐다. 빌어먹을, 새삼 제멋대로 군 친우에게 이가 갈렸다.

'나는 분명히 하지 말자고 했단 말이야!'

바론이 그를 찌르게 만들 거라니. 그는 그따위 계획, 분명히 반대했었다. 함정이고 나발이고 다 필요 없다며 위험한 짓은 절대 하지 말라고 극구 말렸다. 카사르도 알겠다고 했다. 그렇게까지 할 필요는 없을 것 같다고 했다. 그래놓고 재판 당일 뒤통수를 후려갈겼다.

아직도 그때 일을 생각하면 아찔했다. 바론에게 저를 찌를 칼을 내어주다니. 아무리 대비를 했다고 해도 기가 막혔다. 그나마 진짜 독은 묻히지 않은 게 다행이었다. 유리의 눈에 고인 눈물을 보며 그도 울고 싶어졌다.

왜 하필 내가 여기에 온 걸까? 왜 하필 내가 그 자식의 부상 소식을 전해야 하는 걸까? 정말 너무 억울했다. 나는 아무 잘못도 없는데, 왜 내가 그놈 잘못을 뒤집어써야 할까?

"좋은 소식이 아주 많이 있습니다."

도저히 입이 떨어지지 않았다. 결국 그는 우회로를 택했다.

"사실 오늘 영애를 모시러 왔습니다. 수도 정리는 완벽하게 끝났으니까요. 걱정하실 것은 아무것도 없습니다. 평민, 귀족 할 것 없이 모두 우리 편입니다."

"그게, 정말이에요?"

유리가 떨리는 목소리로 물었다. 기쁨의 눈물이 고였다. 루한은 어색하게 웃으며 고개를 끄덕였다.

"네, 그렇습니다. 오늘 바로 출발하시면 됩니다."

"감사해요, 정말 감사합니다."

유리가 환히 웃으며 말했다. 그 모습을 보니 더 말을 꺼낼 수 없었다.

'나도 모르겠다. 그 자식이 알아서 하겠지.'

루한은 순식간에 결론을 냈다. 일단 유리를 수도로 데려가자. 부상에 대해선 입을 다물자. 운이 좋으면 끝까지 숨길 수도 있을 것이다. 정말 유리가 임신을 한 거면 더 좋았다. 당분간 부부관계는 어려울 것이다. 치료도 얼추 마무리가 되었겠다, 상처 부위를 보게 될일도 없을 거다. 카사르가 정신이 제대로 박혔다면 목숨 걸고 제 부상을 없던 일로 만들 것이다.

"드펜은 선대 폐하를 시해한 죄로 죽을 때까지 산티움 궁에 갇히는 벌을 받았습니다. 절대로, 절대로 나오지 못할 겁니다. 드펜이 한 짓이 알려지자 그녀의 친정도 그녀를 외면했습니다. 바론도 완전히 끝장이 났습니다. 절대로 회생할 수 없을 겁니다. 재판이 열리는 도중 사람들 앞에서 태자 전하를 찔렀……."

"네?"

흡사 신음 같은 반문이었다. 반사적으로 말을 멈춘 루한이 뒤늦게 제 실책을 깨닫고 입을 벌렸다. 유리의 얼굴에서 혈색이 사라져 갔다. 그녀가 덜덜 떨리는 손으로 식탁을 짚었다.

"찌르다뇨, 누가, 누구를요?"

다리에 힘이 들어가지 않았다. 루한이 얼른 다가와 그녀를 부축해 다시 앉혔다. 유리의 몸이 사시나무처럼 떨리기 시작했다. 그 모습을 보고 있노라니 입 안이 바싹바싹 말라갔다. 그는 필사적으로 상황을 수습할 말을 고르기 시작했다.

"걱정하지 마십시오. 살아는 있습니다."

"사, 살아는…… 이라니."

떨리는 목소리에 루한이 얼어붙었다. 빌어먹을 혀를 씹고 싶단 충동을 누르며 얼른 제 말을 주워 담았다.

"아니 그러니까, 멀쩡히 잘 살아 있다는 뜻입니다. 큰일 아니었습니다. 믿으셔도 됩니다. 급소는 피했거든요. 출혈도 그리 심하지 않았고요. 치료도 잘 끝났습니다. 지금 멀쩡히 잘 걸어 다니고 있습니다. 아무래도 긴 여행은 무리이니 공녀님을 모시기 위해 제가 온 겁니다."

별로 소용이 없는 것 같다. 유리의 얼굴에 충격이 퍼져나갔다. 당황한 그가 얼른 친구를 변호하기 시작했다.

"그놈, 아니 그 자식, 아니 태자 전하께 너무 뭐라고 하시면 안 되는 게, 어쩔 수 없는 일이었습니다. 증언만으로는 황손 시해 죄를 묻기엔 증거가 부족했거든요. 바론을 날려 버릴 더 확실한 방법이 필요했습니다. 완벽하게 성공했고요. 크게 다치지도 않았습니다. 바론이 어떤 벌을 받게 될지 들으시면 분명 그의 선택을 이해하실 수 있을 겁니다. 그러니까, 진짜로, 어쩔 수 없이……."

"어쩔 수 없었다뇨?"

외마디 비명처럼 물었다.

"그럼, 설마, 그 사람이 일부러 칼에 찔렸단 말이에요?"

흡사 목이 졸린 듯한 목소리였다. 툭, 들고 있던 모자가 바닥에 떨어졌다. 루한은 그대로 굳어 버렸다. 유리의 숨소리가 거칠어졌다.

루한의 귓가에서 종이 신나게 울려대기 시작했다. 뎅그렁, 넌 망했어, 뎅그렁, 넌 망했어, 뎅그렁…….

*

밤이 찾아왔다. 어느덧 사위엔 새까만 어둠이 내려앉았다. 노오란 등불만이 궁 곳곳을 비추었다. 카사르는 초조하게 성문 앞을 서성였다.

"폐하. 날씨가 제법 춥습니다. 안으로 들어가시는 게……."

"필요 없다."

카사르는 궁인의 말을 뚝 자른 채 뚫어져라 시커먼 어둠을 응시했다. 그 기세가 말도 못 하게 살벌했다. 말을 걸 엄두가 나지 않을 정도였다. 그래도 궁인은 꿋꿋하게 용기를 내었다. 저까지 실패하면 이젠 더 이상 주인을 설득할 사람이 없었다.

"폐하. 궁의가 이르기를, 아직 완치되지 않으셨으니 오래 서 있으시면 회복이 더딜 수 있다고……."

"필요 없다 하지 않았느냐!"

카사르가 이를 갈 듯 말했다. 반나절 넘게 계속된 실랑이에 짜증이 머리끝까지 차올랐다. 이젠 눈에 뵈는 게 없었다. 평소의 이성적인 모습은 전혀 찾아볼 수 없는 폭압적인 태도에 궁인이 입을 떡 벌렸다. 카사르는 상대의 당황을 완전히 무시한 채 아예 문 밖으로 나가 버렸다. 결국 궁인은 어깨를 축 늘어트린 채 궁 쪽으로 향했다. 힘없는 걸음 끝에 주인에게 쫓겨난 종들이 단체로 찌그러져 있었다. 한마음 한뜻으로 두 손 모아 그놈의 마차가 빨리 도착하길 빌기 시작했다.

'올 때가 되었는데.'

카사르가 초조하게 입술을 짓씹었다. 말과 마차가 오는 시간 차이를 고려하면 슬슬 도착할 때가 되었다. 마음 같아서는 그가 말을 타고 전속력으로 달려가고 싶었다. 부상 때문에 그러지 못하는 게 속이 탈 뿐이었다. 그리고 멀리서, 말발굽 소리가 들렸다. 카사르가 휙 고개를 돌렸다. 새까만 어둠을 뚫고 마차 한 대가 가까워지는 게 보였다. 심장이 빠르게 뛰었다. 그는 급한 마음에 성큼 걸어갔다. 통증 때문에 뛸 수는 없어 걸음만 재게 놀렸다. 그가 다가오는 모습을 보고 마부가 워워 소리와 함께 고삐를 잡아당겼다. 마차가 멈추어 서자마자 문 잡이를 잡아당겼다. 열린 문 안으로 기도하듯 두 손을 모은 유리가 보였다.

"유리야."

유리는 돌아보지 않았다. 왈칵 그리움이 밀려왔다. 그는 애타는 갈증을 느끼며 마차 위로 올라탔다. 벌게진 눈이 그를 올려다보았다. 오는 내내 울었는지 눈가가 살짝 부어 있었다. 어찌할 줄을 모르던 그가 한쪽 무릎을 꿇곤 마주 잡은 손을 감쌌다.

"미안해."

유리가 꾹 입술을 깨물었다. 그가 마른침을 삼키며 모아쥔 손에 입을 맞추었다. 뜨거운 입술이 닿자 유리가 파르르 떨리는 눈꺼풀을 감았다.

"정말, 미안해."

유리는 아무 말도 하지 않았다. 대답 대신 소리 없는 눈물을 흘렸다. 젖어들어 가는 뺨에 그의 잇새에 힘이 들어갔다. 속이 타는 듯했다. 망설이던 그가 조심스레 그녀의 곁에 앉았다.

"내가 다 잘못했어. 다신 안 그럴게."

어깨를 감싸자, 바르르 떨리는 몸이 느껴졌다. 한숨을 삼키며 작은 몸을 제게 기대게 하였다. 다행히 유리는 더 이상 그를 밀어내지 않았다. 가슴에 와 닿는 온기에 그는 비로소 안도의 한숨을 내쉬었다.

"보고 싶었어."

"……윽."

겨우 멎어 들었던 눈물이 다시 쏟아지기 시작했다. 가느다란 어깨가 파도처럼 들썩였다. 유리가 도리 짓을 하며 그의 가슴을 밀어

냈다. 그는 얼른 제게서 벗어나려는 여자를 끌어안았다. 옅은 몸부림이 이어졌다. 단단히 끌어안은 채 뜨거운 뺨을 맞대었다. 미안하다고, 사랑한다고 속삭였다. 질끈 감은 눈 아래로 또다시 눈물이 흘렀다. 유리가 울먹이며 그의 어깨에 얼굴을 묻었다.

"……그 말 듣고 싶지 않아. 하지 마요."

"유리야."

"사랑한다고도, 하지 마요."

"미안해."

"당신, 너무, 미워. 정말 미웠어."

"알아. 그래. 다 내가 잘못했어."

"사랑한다고, 거짓말. 윽. 사랑한다면서 어떻게 그래, 말도 안 하고, 당신 마음대로……!"

그의 마음을 모르는 바가 아니다. 어쩔 수 없는 선택이었을 것이다. 그래도 받아들일 수가 없었다. 혼자 아프지 말라고 먼저 말한 건 그였다. 외로운 희생도 더는 하지 말자고 했었다. 그의 말을 받아들여 함께 살아가고자 했다. 그랬던 사람이 저 몰래 그런 위험한 짓을 했다. 이유는 충분히 알고 있었다. 그녀를 지키려 했던 것이다. 그녀가 걱정할까 봐 비밀로 했을 것이다. 그래서 더 속상하고 미웠다. 그가 미운 만큼, 힘없는 자신이 원망스러웠다.

"이럴 거면! 나를 두고 가지 말지. 내가 그곳에서, 혼자, 얼마나 걱정을 했는데, 나만, 편하게 두고, 그 말을 들었을 때, 흑, 내 심정이 어땠는지 당신이 알기는 해요?"

"알아. 미안해. 정말 미안하다, 유리야."

"나도 똑같이 할 거야! 나도 내 마음대로, 당신 몰래, 나 혼자, 당신 지킨답시고 나 다치게……!"

눈물 젖은 항의가 일순 멈추었다. 그는 유리와 입술을 맞댄 채로 슬며시 눈을 떴다. 파르르 떨리는 눈동자가 그와 마주하자 질끈 감기는 게 보였다. 말캉한 혀가 벌어진 입술 안쪽을 침범했다. 깨물린 듯, 살짝 부어 있는 부분이 느껴졌다. 달래듯 슬쩍 머금다가 느리게 입술을 떼어냈다.

"맹세할게. 절대 안 그럴게. 너 없는 곳에선 위험한 짓 하지도 않을게. 허락받고 할게. 아니, 그냥 절대 안 할게. 정말이야. 절대 안 해. 내가 그렇게 하면, 너도 똑같이 할 거잖아. 나는 그거 못 견뎌. 해보니까 절대 못 할 짓이더라. 다시는 겪고 싶지 않아. 그러니까 믿어도 돼."

그 말에 유리가 천천히 눈을 떴다. 부드러운 미소 뒤에 숨은 간절함이 보였다. 푸른 눈동자엔 늘 그렇듯 그녀를 향한 깊은 열망이 자리했다. 여전한 그의 사랑에 마음이 차츰 진정되었다.

"……정말이에요?"

"응. 당연하지."

그는 몇 번이고 그녀를 안심시켰다. 흥분이 가라앉자, 방금 자신이 한 행동들이 조금씩 부끄러워지기 시작했다. 교제 중 그에게 울고불고 소리를 지른 건 이번이 처음이었다. 민망함에 유리의 볼이 발갛게 달아올랐다. 가느다란 팔이 머뭇대다 그를 끌어안았다.

"하면 안 돼요, 정말."

유리가 속삭이듯 말했다. 한결 차분해진 목소리에 그의 웃음이 진해졌다.

"응. 절대 안 해. 약속할게."

"이제 세상에 우리 둘만 있는 게 아니니까요."

"응?"

그가 고개를 갸웃했다. 너른 등을 끌어안은 팔에 힘이 들어갔다. 유리가 입술을 깨물었다. 이런 식으로 전하려던 건 아니었다. 침착하게 화를 낸 후, 웃으며 전하려고 했다. 자신이 느꼈던 설렘을 그도 알게 해 주고 싶었다. 한데 익숙한 수도 풍경이 보이는 순간, 이곳까지 오며 다잡았던 마음이 확 날아가 버렸다. 수도의 평온을 위해 그가 어떤 위험을 감수했는지 새삼 떠올랐다. 저 몰래 그 혼자치료받았을 시간까지 상상하자 왈칵 눈물이 쏟아졌다. 그러다 그의 얼굴을 본 순간, 결국 이성을 잃어버렸다.

"내가 먼저 확인했어요."

유리는 결국 입술을 달싹였다. 상상했던 상황은 아니지만, 나중으로 미루고 싶진 않았다. 최대한 빨리 그에게 기쁜 소식을 전하고 싶었다.

"확인?"

"아이가……."

말을 잇는 목소리가 떨렸다.

"아이가 우릴 찾아왔대요. 의사가, 임신이 맞대요."

카사르가 빠르게 눈을 깜빡였다. 유리가 그의 가슴으로 파고들었다. 점점 빨라지는 그의 심장 소리가 들렸다. 유리의 심장도 함께 뛰었다. 아무 말 하지 않아도, 알 수 있었다. 그가 무척이나 기뻐하고 있다는 걸. 어느새 유리의 입가에도 행복한 미소가 어렸다. 그에게 안겨 있던 유리가 크게 눈을 떴다. 그의 어깨를 잡은 손등에 따뜻한 뭔가가 떨어진 것이다. 유리는 금세 그것이 그의 눈물이라는 걸 깨달았다. 그가 더 강하게 그녀의 어깨를 조였다. 유리의 눈가도 시큰하게 달아올랐다. 그동안 참 많은 일들이 있었다. 이 마음을 영영, 포기해야 할 거라 생각했다. 끝까지 붙잡아 준 이 사람 덕에 둘이, 셋이 되었다. '우리'로 살아 갈 날들이 얼마나 행복할지 꿈꾸게 되었다. 한참을 그리 유리를 안고 있던 카사르가 나직하게 속삭였다.

"정말 좋다."

"카사르……."

그를 부르는 목소리에 애틋함이 가득 담겨 있었다.

"좋아 정말."

"나도, 좋아요."

"그래서, 못 참겠어."

"어?"

갑자기 와락 뒤로 밀리는 몸에 유리가 눈을 동그랗게 떴다. 그대로 기울다 시트에 닿기 직전 느려졌다. 마차 천장이 보이며 그가 그녀 위로 올라탔다. 역광에 그림자 진 표정은 보이지 않았다. 그의 눈빛만이 새파랗게 빛났다. 놀란 유리가 굳어 있는 사이 그가 무방비하게 벌어진 입술을 탐했다. 거칠게 깍지를 낀 채 여린 살을 잘근잘근 물어댔다. 짐승처럼 물어뜯는다. 예상치 못한 반응에 당황한 유리가 움찔하다 곱게 웃었다. 그의 눈 밑을 슬쩍 쓸었다. 여전히 살짝 젖어 있었다. 그 와중에 격렬히 저를 욕심내는 것이, 눈물 나게 사랑스러웠다.

"하, 유리야."

그는 유리의 숨이 다하고 나서야 놓아 주었다. 가쁜 호흡 소리를 듣자 또다시 갈증이 치밀어 올랐다. 발갛게 상기된 얼굴이 그를 올려다보는 게 보였다. 이 여자가 저를, 제 아이를 지키기 위해 애썼던 지난 시간들이 주마등처럼 스쳐 지나갔다. 눈시울이 시큰해지면서도, 더 어쩌지 못할 만큼 이 여자가 욕심났다. 당장 하나가 되고 싶었다. 그간 떨어져 있던 시간이 너무 길었다. 그는 들썩이는 가슴에 얼굴을 묻고 몇 번이나 깊은 숨을 내쉬었다. 통제 불가능한 감정에 머리가 어지러웠다. 여자의 체향이 독주처럼 느껴졌다. 마실수록 더 취하기만 했다. 유리가 웃으며 그의 머리를 쓰다듬었다.

"그렇게 좋아요?"

"응."

"얼마나요?"

"미쳐 버릴 것 같아."

"네?"

유리가 놀라 그를 보았다.

"네가 너무 예뻐서."

그래서 전부 다, 먹어 버리고 싶어. 낮은 으르렁거림과 함께 그가 다시 달려들었다. 젖은 뺨에 수도 없이 입을 맞추었다. 이 뺨을 슬픔도, 기쁨도 아닌 다른 눈물로 적시고 싶었다. 하나가 되어, 열락의 끝에서 여자가 흘릴 눈물 맛을 보고 싶었다. 늘 그렇듯, 유리를 향한 욕심은 고삐 풀린 말이 되어 달려 나갔다.

"아."

귓불을 슬금 깨물었다. 보드라운 살의 감촉에 입 안에 침이 고였다. 귀 뒤에 닿는 뜨거운 숨결에 유리의 호흡이 가빠졌다. 그의 속에서 타오르는 불길이 어느덧 여린 몸도 휘감기 시작했다. 그 와중에도 그는 끊임없이 생각했다. 임신을 했으니, 조심해야겠지. 그런데 어디까지, 언제까지 조심해야 하는 거지? 꼭 조심해야만 하는 걸까?

덜컹. 살짝 열려있던 마차 문이 밤바람에 흔들거렸다. 그는 입술을 뗄 여유도 없이 더듬거리며 손잡이를 찾았다. 그러다 결국 실패하곤 으르렁거리며 몸을 들었다. 잽싸게 팔을 뻗고 걸쇠를 거는 모습에 유리가 웃음을 터트렸다. 그의 다급함이 또다시 가슴 벅차게 사랑스러웠다.

"그렇게 예쁘게 웃으면 정말 잡아먹어 버릴 거야."

탁한 목소리에 그녀를 향한 갈증이 그득했다. 반쯤은 진심이 담긴 협박이었다.

"나도 당신이 예뻐요."

유리가 맑게 웃으며 그의 목을 끌어안았다.

"확, 잡아먹고 싶을 정도로요."

그의 웃음이 진해졌다. 떨어져 있던 두 사람이 다시 한 몸인 듯 맞붙었다. 그의 손길 아래에서 유리의 몸이 부드럽게 풀렸다. 마차 안의 공기가 뜨거워졌다. 꽃향기가 났다. 온 천지에 꽃이 피었다. 그 보드라운 향 속에서, 더 바랄 것이 없을 정도로 행복했다.

에필로그

"드레스가 좀 작지는 않을까요?"

거울을 보던 유리가 조심스레 입었다. 로벨 부인은 인자하게 웃으며 고개를 저었다.

"전혀 그렇지 않아요. 아주 잘 어울리세요. 혹시, 불편한 부분이 있으세요?"

"그런 건 아니지만."

"오히려 허리 쪽을 조금 줄여야겠는걸요."

"그래도 될까요?"

"네. 생각보다 체형 변화가 없네요. 한 마디 정도 줄이면 잘 맞겠네요."

유리는 물끄러미 순백의 드레스를 입은 제 모습을 바라보았다. 예식 당일처럼 머리는 틀어 올렸지만 망사는 아직 하지 않은 채였다. 시간이 꽤 걸리기 때문이었다.

"부케도 들어 보세요."

로벨이 내미는 부케를 들어 보았다. 하늘색 수국 꽃이 무척이나 탐스러워 보였다. 손잡이를 두 손으로 모아 쥐니 영락없는 새 신부였다. 거울에 비치는 모습에 왜인지 부끄러운 기분이 되어 부케를 내렸다. 화려한 러플이 장식된 가슴선 아래로 엠파이어 형 드레스가 늘씬하게 떨어졌다. 배 쪽을 바라보던 유리가 신기한 듯 말했다.

"정말 티가 안 나네요."

"아마 비 전하께서 워낙 날씬한 체형이셔서 그럴 거예요."

"그럴 리가요. 요즘엔 제법 배가 나왔는걸요."

"비슷한 시기의 임산부들에 비하면 아직 멀었어요. 더 많이 드셔야 해요."

유리가 아이를 가진 지 벌써 네 달이 넘었다. 세 달째까지는 사실 실감을 못 했는데, 네 달이 되자 슬슬 배가 나오기 시작했다. 어느 날 갑자기 달라진 체형을 깨닫곤 깜짝 놀랐다. 늘 편한 옷만 입고 있으니 잘 몰랐던 것이다.

"곧 태동도 느끼실 수 있을 거예요."

"벌써요?"

"저도 다섯 달쯤 되어서 처음 느꼈던 것 같아요. 빠른 사람들은 그전에도 느낀다고 하더군요. 배 속에 뭔가가 뭉근하게 지나가는 듯한, 그런 게 느껴져요. 그럼 그게 태동이에요."

"아아."

로벨이 인자하게 눈을 접으며 웃었다. 눈가 주름에서 연륜이 묻어났다.

"아이가 엄마한테 처음 말을 거는 거죠. 겪어 본 사람만 알아요. 그때의 기쁨이 얼마나 큰지는요."

로벨은 황후궁을 총 책임지고 있는 궁녀였다. 그녀는 모히톤 백작의 부인으로, 아이 여럿을 훌륭하게 키워냈다. 장성한 아들들이 제국을 위해 헌신하고 있다고 했다. 로벨 부인은 카사르가 유리의 황궁 적응을 위해 특별히 부탁을 해 궁에 들어오게 되었다. 몇 개월 후 유리가 출산할 아이의 유모 역할도 할 예정이었다.

"의사들 말로는 이쯤 되면 성별을 알 수도 있다고 하더군요."

"네, 테온 경에게 이야기를 들었어요."

유리는 신기한 눈으로 배 쪽을 바라보다 감싸 보았다.

'아들일까 딸일까.'

유리는 딸이라고 생각하고 있지만, 아들이어도 상관은 없었다. 아이의 성별을 상상하던 유리의 입가에 배시시 미소가 맺혔다. 미래를 꿈꾸는 시간은 늘 설레기만 했다. 긴 어려움을 이겨냈기에 지금의 행복이 더 귀하게 느껴졌다.

"다음 주가 벌써 국혼이네요."

"그러게요."

"식이 늦어져서 아쉽지는 않으세요?"

"아니요. 제 사정 때문에 그런 건데요. 오히려 그 사람…… 아니, 폐하께 죄송하죠."

유리가 수도로 돌아온 후 두 사람은 바로 식을 올리지 못했다. 카사르가 해야 할 일이 너무 많았던 것이다. 반역을 일으킨 잔당들을 처리하고, 드펜이 어물쩍 넘겼던 선황제의 장례를 제대로 치러야 했다. 곧이어 새 황제의 즉위식까지 열었다. 어지러운 상황들을 정리한 뒤 비로소 국혼에 대한 논의를 시작하려 했는데, 의외의 복병이 튀어나왔다.

유리의 입덧이었다. 임신 두 달까지는 정말 아무렇지도 않았다. 가리는 음식도 없었다. 하여 유리는 자신이 입덧이 없는 체질인 줄 알았다. 그런데 어느 날 갑자기 상황이 바뀌었다. 돌연 시작된 입덧에 음식을 거의 먹지 못했다. 그나마 먹는 것들도 몇 시간 후 다 게워냈다. 심할 땐 죽도 제대로 넘기지 못하는 날들이 이어졌다. 음식 냄새만 맡으면 구역질을 하니 남편의 식사를 지켜보는 것도 불가능했다. 아이를 가졌으면 체중이 늘어야 하는데 오히려 몸이 말라 갔다. 의사들도 무척 걱정을 했다.

곁에서 보는 카사르도 피가 말라 갔다. 보위에 오른 만큼 해야 할 일이 너무 많았다. 그놈의 일 때문에 유리에게 필요한 만큼 신경을 써주지 못하는 게 너무도 초조했다. 유리는 걱정 말라며 웃으며 그를 달랬지만 그게 더 그의 속을 뒤집었다. 결국 그는 유리의 침실을 아예 집무실 옆으로 옮겨 버렸다. 두 방 사이엔 문까지 뚫었다. 틈만 나면 유리의 곁으로 가 그녀를 살피기 위해서였다. 유리가 먹을 음식은 전부 그가 손수 검토했다. 그녀가 편히 먹을 수 있는 음식을 찾기 위해 온갖 것들을 실어 날랐다. 대부분의 시도가 실패했다. 깊어가는 걱정만큼이나 그는 더 자주, 더 오래 유리의 곁에 붙어 있었다. 유리는 처음엔 그가 곁에 있는 걸 좋아했지만, 이십 분 단위로 들락날락하는 모습엔 혀를 내두를 수밖에 없었다.

─또 왔어요?

─앞으로도 계속 올 거야.

─일은요?

─할 사람 아주 많아. 네가 걱정 안 해도 돼.

그때마다 그는 곁에 있는 의사를 닦달했다. 지금은 좀 어떤 것 같으냐, 유리의 몸 상태는 괜찮아지고 있는 게 맞느냐, 아이는 안전한 게 확실하냐, 이십 분 만에 상태가 변할 리 없는데도 그랬다.

─황손께서는 아주 튼튼하게 잘 자라고 계십니다. 비전하의 입덧이 조금 심한 편이기는 하나 일반적인 정도로 볼 수 있습니다. 비전하보다 훨씬 입덧이 심한 영애들도 아무 문제 없이 출산을 합니다. 심려 마십시오, 폐하.

의사의 설명에도 카사르는 안심하지 못했다. 끝내는 서류를 들고 와 유리 옆에서 검토하기 시작했다. 힘이 없어 누워 있는 와중에도 유리는 그 모습을 보며 웃었다.

—뭐가 그렇게 좋아?

—당신이 내 걱정하는 게 좋아서요.

그는 그 말에 인상을 구기다가도 결국엔 피식 웃었다. 유리가 웃으면 그 어떤 상황에서도 그는 안도할 수 있었다. 물론 한밤중에 욕실로 뛰어가는 유리의 등을 두드리고 나서는 다시 우울해졌다. 몸을 잘 가누지 못하는 그녀를 안아 들고 침대에 눕혀 놓은 뒤엔 앞으로 절대로 유리를 안지 않겠다는 불가능한 다짐까지 했다.

황궁의에게 물어보니 임신 중 입덧은 체질인지라 반복되는 경향이 있다고 했다. 그는 결심했다. 자식은 지금 유리의 배 속에 있는 아이로 끝이다. 둘째고 셋째고 간에 이 꼴을 또 볼 순 없었다. 유리와 상의 없이 가족계획까지 끝내 버린 카사르는 결국 지나가는 황궁의들을 붙잡고 어처구니없는 요구를 하기 시작했다.

—입덧을 남자가 대신할 수도 있다고 하더군. 방법을 알아 가지고 오시게.

무척이나 음험한 목소리였다. 황궁의들은 그런 카사르가 귀신이라도 되는 듯 바라보았다. 솔직히 제정신이 아닌 것처럼 보였다. 물론 카사르는 자신이 무척 명료한 상태라고 주장했다. 결국, 황궁의들은 주인을 위해 유리를 도울 온갖 비책을 찾기 시작했다. 남자 입덧 어쩌고 하는 소리는 무시했다. 그들은 제법 필사적이었다. 자신들이 성과를 내야 제국의 평화를 지킬 수 있다는 걸 본능적으로 깨달은 거다.

—비전하께서 어머니를 닮았나 보네요. 마르디네 언니도 입덧이 정말 심했거든요. 그래서 과일 종류를 입에 달고 살았죠. 상큼한 건 그나마 먹혔다고 하더라고요.

문제의 답은 의외로 쉬운 곳에서 나왔다. 돌아가신 유리의 어머니, 마르디네의 동생 올란도 부인이었다. 그녀는 외국의 귀족과 결혼해서 그곳에서 살고 있었는데 조카가 살아 있었다는 소식을 듣곤 제국에 왔다. 카사르의 부탁에 따라 재판에서 증언까지 하게 되었다.

　―한창 심할 때는 밥 대신 과일만 먹었어요. 딸기를 특히 좋아했지요. 어머니를 닮았다면, 비전하도 비슷할 거예요. 원래 딸이 어머니 체질을 닮기 마련이죠. 너무 큰 걱정은 마세요. 언니의 입덧이 그리 길지는 않았거든요. 한 달쯤 지나니까 거짓말처럼 잘 먹었어요. 체중이 너무 늘면 어쩌나 염려를 할 정도로요.

　올란도 부인은 참 많은 사람들을 구했다. 잠도 못 자고 입덧을 멎게 할 방법을 고심하던 황궁의들을 구했고, 마찬가지로 잠도 못 자고 유리의 상태를 살피던 카사르도 구했다. 결정적으로 아이를 품었는데도 점점 말라 가던 유리도 구했다. 올란도 부인의 말대로 유리는 과일은 잘 먹었다. 카사르는 당장 유리와 함께 식사를 시작했다. 유리가 다른 음식 냄새는 맡지 못하기에, 딸기를 비롯한 여러 과일을 먹었다. 유리는 그와 다시 음식을 먹는 걸 소녀처럼 좋아했다. 나중에야 그가 어릴 적부터 딸기를 싫어했다는 걸 알고 매우 미안해했다.

　부인의 예언은 또 한 번 적중했다. 한 달쯤 지나자 그악스러웠던 입덧이 거짓말처럼 멎은 것이다. 의사들은 유리가 안정기에 접어들었다며 운동을 권했다. 내내 궁에 있던 유리는 카사르와 함께 산책을 나가기 시작했다. 깊은 밤 고요한 황궁 정원을 나란히 걷는 건 유리가 가장 사랑하는 시간 중 하나였다.

　"유리야, 들어가도 돼?

　드레스를 점검하는데, 문밖에서 카사르의 목소리가 들렸다.

　로벨 부인이 얼른 입을 열었다.

"폐하. 잠시만 기다리시지요."

국혼은 다음 주로 예정되어 있었다. 신랑은 식이 열리기 전엔 신부의 드레스를 미리 보면 안 된다. 그래야 신부가 잘산다는 미신이 있었다. 로벨 부인은 유리가 드레스를 벗는 걸 도와주었다. 틀어 올린 머리 장식을 빼자 머리가 풀리며 시원함이 느껴졌다. 임부용으로 특별히 만든 코르셋도 벗고 평소의 편한 차림으로 갈아입었다.

"폐하께서 비전하를 빨리 뵙고 싶으신가 봐요."

로벨 부인은 흐뭇하게 웃었다. 제국의 주인이 제 반려에게 얼마나 지극 정성인지 황궁엔 모르는 이가 없었다. 그 마음에 이유가 없이 않다는 것도 모두 알았다. 지극할 수밖에 없을 것이다. 몇 번이나 잃을 뻔한 연인이 아니던가. 유리를 보는 로벨 부인의 눈이 애틋해졌다. 다른 많은 귀족들처럼 그녀도 유리의 지난 삶을 알고 있었다. 재판에 참석했었기 때문이었다. 유리는 로벨 부인의 딸보다도 어렸다. 그 어린 나이에 모든 것을 잃고, 참혹한 절망에 빠졌다. 그 자신마저 던져 빚을 갚으려 했다. 그 와중에도 사랑하는 사내를 지키려 애썼던 노력이 참으로 존경스러웠다. 하여 이 자그마한 여인의 앞에 행복만이 가득하길 진심으로 바랐다.

"카사르!"

유리가 문을 열자 밖에서 기다리고 있던 카사르가 보고 있던 종이를 접었다. 조금 심각해 보이던 그의 얼굴이 유리를 보자 거짓말처럼 환해졌다.

"아, 좋다."

카사르가 부드럽게 웃으며 유리를 끌어안았다. 방금 그의 표정을 본 유리가 고개를 갸웃하며 물었다.

"혹시 무슨 일 있어요?"

"응?"

"조금 심각해 보여서요."

"아니 별건 아니야. 머리 쓸 일이 좀 있어서. 그나저나."

그가 짓궂게 웃으며 은근슬쩍 유리가 나온 방문 손잡이를 잡았다.

"정말 내가 미리 보면 안 되는 거야?"

"안 돼요. 참아요."

유리가 얼른 그의 손을 잡았다.

"내가 잘 살려면 지켜야 한대요."

"너는 내가 무슨 수를 써서든 잘 살게 만들 거야. 그깟 미신 따위."

그는 그렇게 말하면서도 선선히 유리가 이끄는 대로 따랐다. 정말로 드레스가 보고 싶다기보단 유리에게 소년처럼 구는 게 좋아서 그런 것이다. 그 마음을 아는 유리가 생긋 웃었다. 그는 유리의 눈밑에 입을 맞추며 그녀의 허리를 끌어안았다.

"살이 좀 찐 것 같아."

그의 말에 유리가 반색을 하며 물었다.

"정말요?"

"응. 다행이다."

그가 웃으며 유리의 허리를 쓸었다. 입덧 때문에 잔뜩 말랐던 때보다 훨씬 부드러운 느낌이었다.

"조금 더 살이 찌면 좋겠는데."

"그러다 계속 커지면요?"

"상관없어."

"우리 둘, 들 수 있겠어요?"

"당연하지. 이 안에 쌍둥이가 있어도 가능해."

유리와 손을 잡고 걷던 그가 슬쩍 유리의 배를 감쌌다. 살짝 나와 있는 것이 무척이나 사랑스럽다. 유리의 목덜미에 얼굴을 묻고 깊게 들이마셨다. 임신 후 유리의 체향이 조금 바뀌었다. 이전보다 훨씬 더 농밀한 향이 났다. 자꾸만 맡고 싶을 정도로 마음에 들었다.

"쌍둥이는 아닐걸요."

"흐음."

"딸이에요."

확신 어린 목소리에 그가 눈을 가늘게 뜨고 유리를 보았다. 유리가 자신만만한 얼굴로 말했다.

"당신보다 나를 더 닮았을 거예요."

"그래?"

"당신을 닮은 줄 알았는데 아니더라고요. 머리카락 색도 눈 색도 다 날 닮았어요."

카사르의 눈빛이 이채를 띠었다. 네가 어떻게 아느냐 따지고 싶은 마음은 없었다. 유리가 그렇다면 그런 거다.

"어떻게 알아? 역시, 꿈에서?"

"그럼요."

얼마 전 유리가 꿈 이야기를 해 주었다. 체호른에 있을 때 처음 태몽을 꾸었다고 했다. 키가 유리의 허리쯤 되는 작은 여자아이가 유리의 꽃을 받아 들며 그동안 쭉, 그녀를 지켜보고 있었다고 했다. 이번에는 꼭 갈 테니 걱정 말라는 말도 했다. 유리는 꿈 이야기를 하면서 웃고 울었다. 기쁨의 눈물이었다. 먼저 떠나 보낸 아이가 제 곁에 있다는 게 정말 감사하면서, 그 아이를 다시 만나는 게 행복하다고도 했다.

"우리는 꼭 만나게 될 거예요. 약속했으니까요."

"그래서 입덧 때도 걱정을 안 했군."

카사르가 새삼스러운 눈으로 유리를 본다. 당시 아이가 잘못될까 전전긍긍하던 그와는 달리 유리는 그저 태평했다. 입덧을 하면 하는 거고 안 하면 안 하는 거고, 음식을 먹으면 먹는 거고 못 먹으면 어쩔 수 없는 거고 뭐 그런 식이었다. 아이의 안위에 대해서 궁금해하지도 않았다. 걱정을 숨기고 있는 거라 생각했는데, 이제 와 보니 아예 걱정을 하지 않았던 것이다.

"믿고 있었으니까요."

"그래. 믿는 건 좋은 거지."

유리의 확신은 그에게도 기쁨이었다. 유리가 아무 걱정이 없자 그의 가슴에도 평화가 찾아왔다. 카사르는 유리의 손을 잡고 유리의 궁으로 향했다. 가끔 주변 사람들이 지나가며 목례를 했다. 유리도 웃으며 받아 주었다. 처음에는 많이 어색해했다. 특히 바론의 약혼녀 신분으로 만났던 사람들을 보면 몸 둘 바를 몰라 했다. 지금은 아니었다. 궁인들이 그녀에게 가진 호의를, 그녀를 응원한다는 것을 알고 있기 때문이었다.

유리는 금세 잠이 들었다. 입덧은 사라졌지만 잠이 많아진 건 여전했다. 카사르는 평화롭게 잠든 옆모습을 보다 그녀의 이마에 입을 맞추었다.

어느덧 완연한 가을인지라 날씨가 제법 쌀쌀했다. 이불을 덮어 주고, 창이 열려 있지는 않은지 꼼꼼히 확인했다. 창밖으론 가을 나무들이 마지막 화려함을 뽐내는 중이었다. 울긋불긋한 낙엽을 물끄러미 바라보다 보드라운 어둠이 내려앉았다.

탁자에 늘어선 등에 차례로 불을 켠 뒤 의자를 가지고 유리의 곁에 앉았다. 잠든 유리의 뺨을 살짝 감쌌다가 품속에 있던 종이를 꺼냈다. 바론의 감옥을 지키는 수하에게서 온 것이었다. 문구를 읽는 그의 얼굴에서 표정이 사라졌다.

─죄인이 독을 마셨습니다.

재판 직후 카사르는 바론을 황궁에 있는 지하 감옥에 가두었다. 제 눈이 닿는 곳에서 유리에게 한 짓을 똑같이 돌려줄 작정이었다.

그자가 유리에게 했던 것을 갚아줄 것이다. 마음 같아서는 고문도 하고 싶었지만 그렇게 하지는 않았다. 제 곁에 새 생명이 자라는데 피까지 묻히고 싶진 않았다. 굳이 그럴 필요도 없었다. 때론 정신적인 고통이 육체의 고통을 압도하는 법이었다. 몇 번 바론을 보러 간 적이 있었다. 지하 감옥에서 귀신처럼 썩어가던 바론은 카사르를 볼 때마다 악을 써 댔다. 대부분 자신이 유리에게 했던 악행들을 장황하게 늘어놓는 것이다. 아마도 카사르를 공격할 수단은 그뿐이라 여긴 듯싶었다. 카사르는 묵묵히 다 들었다. 그는 제 여자가 겪은 괴로움은 손톱만큼의 빈 곳도 없이 모두 알기를 원했다. 유리는 절대 말하지 않을 테니 기댈 곳은 바론의 입밖에 없었다.

—유리가 내 아이를 가졌어. 조만간 국혼을 올릴 거다.

마지막으로 보았을 땐 결혼 소식에 대해서 알렸다. 바론은 한동안 멍하게 그를 보다가 미친 사람처럼 달려 들었다. 자신을 막는 쇠창살을 마구 후려쳤다. 어느 순간 우뚝 동작을 멈추더니 광기 어린 눈으로 말했다.

—리디아를, 봐야 해. 당장, 그 여자를 데리고 와.

—뭐?

—그 여자랑 할 말이 남았다고! 그 여자를 봐야겠어! 데려와!

—미친 새끼.

그는 즉시 그 자리를 떠났다. 바론과 유리를 만나게 할 날은 절대 오지 않았다. 유리가 바론을 마주하고 힘들어할 게 싫어 칼까지 맞았다.

—카사르! 제발!

멀어지는 감옥 뒤로 바론의 절규가 울려 퍼졌다. 걸음걸음마다 진창을 밟은 듯 기분이 더러웠다. 이상했다. 응당 해야 할 복수인데 기쁘지가 않았다. 바론과 똑같은 짓을 하는 것뿐인데, 아니, 그자가 유리에게 했던 짓에 비하면 새 발의 피일 뿐인데도 왜 이러는지 알수가 없었다. 결국, 그는 자신의 한계를 인정했다. 바론과 그는 뼛속부터 다른 인간이었다. 인간을 학대하여 빚을 갚는 건 카사르의 복수가 아니었다. 망가져 가는 상대를 보며 그 역시 마모되어 갔다. 일종의 자기 학대인 셈이었다.

그는 감옥에서 나오자마자 유리에게로 갔다. 그 여자가, 너무도 보고 싶었다. 제 불편한 마음을 전부 고해하고 속에 있는 독들을 다 쏟아 내고 싶었다. 무작정 잠든 여자의 곁에 누워 그녀의 가슴에 얼굴을 묻었다. 그녀의 체온을 느끼고 그녀를 만지고 그녀의 향을 맡았다. 죄인들이 신관에게 속죄를 바라듯 그녀에게 간절히 매달렸다. 이 여자가 없으면 자신이 어떻게 되어 버릴 것만 같았다.

─카사르. 괜찮을 거예요.

그 때문에 잠이 깼는데도 유리는 아무 이유도 묻지 않고 그를 달래 주었다. 그의 등을 토닥거리다가 자장가처럼 낮은 노래를 들려주기도 했다. 그 보드라운 목소리가 그의 가장 약한 부분을 건드렸다. 유리가 다시 잠든 후 입덧 때문에 여읜 몸을 붙잡고 유리 몰래 숨죽여 울었다. 이토록 순수하고 깨끗한 여자 곁에 저처럼 추악한 이가 있어서는 안 될 것 같았다.

잠깐 선잠이 들었다가 눈을 떴을 때 제 곁에서 잠든 유리의 눈시울이 발갛게 달아올라 있는 걸 보았다. 속이 철렁 내려앉았다. 그는 그 즉시 눈물의 이유를 깨달았다. 그가 홀로 삭이고 있다는 걸, 유리도 눈치챈 것이다. 그가 마음 편히 울 수 있게 잠든 척한 뒤, 그의 젖은 뺨에 마음 아파하며 그녀도 몰래 눈물지었던 거다. 유리에게 너무 미안했다. 앞으로 계속 꽃길만 걷게 해 주겠노라 다짐했는데 또 울리고야 말았다. 그 뒤로 그는 바론을 만나러 가지 않았다. 그리고 그에게 독을 보냈다. 그 스스로 선택을 하게 했다.

바론과 결국 끝을 냈다. 유리에게 알려 줄까. 망설이던 그는 종이를 구겨 벽난로에 던졌다. 푸른 눈동자에 붉게 일렁이는 불이 비쳤다.

유리가 먼저 궁금해하지 않는다면 그는 알려 주지 않을 것이다. 가장 더럽고 추악하고 아픈 것들은 그의 몫이었다. 피의 길은 그가 걸을 테니, 이 여자가 걷는 길은 오직 보드라운 꽃잎 뿐이기를 바랐다.

카사르가 유리의 곁에 나란히 누웠다. 색색거리는 호흡 소리가 들려 왔다. 유리가 진짜 잠든 것이 맞는지 확인한 뒤 부드럽게 웃었다. 유리의 등을 단단히 끌어안았다. 가슴 속에 잠시의 어둠이 물러가고 빛이 돌아오는 듯했다. 그의 여자가, 그의 품 안에 있었다. 부푼 배를 슬쩍 만지며 잠시 귀를 기울였다. 그 역시 때 이른 태동을 기대하고 있었다.

"아직은 한참 더 기다려야겠지."

그가 피식 웃으며 눈을 감았다. 오늘은 꿈에서 그 아이를 만날 수 있으면 좋겠단 생각을 했다. 나의 딸, 아르디네를.

*

드디어 긴 회의가 끝났다. 루한은 주섬주섬 서류를 챙기며 자리에서 일어났다. 오랜만에 본 귀족들이 축하한다는 인사를 건넸다. 루한은 어설피 웃으며 인사를 해 주곤 밖으로 나왔다. 사람들하고 헤어지자마자 절로 깊은 한숨이 새어 나왔다.

"축하는 무슨."

축하할 일, 맞다. 두 달 전 엘레나가 해산을 한 것이다. 작년 봄 그러니까 유리를 처음 만났을 때 이미 둘째를 품고 있었다. 입덧이 전혀 없어 아무도 몰랐다. 평소 월경조차 불규칙한 편이라 당사자인 엘레나도 눈치채지 못했다. 카사르가 황위에 오른 후엔 루한도 무척 바빴다. 일이 좀 정리될 법하자 유리의 입덧 때문에 황궁이 발칵 뒤집혔다. 물론 그건 내궁의 일인지라 루한과는 상관없었다. 다만, 유리 때문에 고생을 하는 카사르를 보자 갑자기 아주 건강한 엘레나를 챙겨 주고 싶었다. 의사를 불렀는데, 의외의 말을 들었다.

―임신 중반인데 모르셨습니까?

미심쩍은 눈으로 엘레나의 배를 바라보았다.

―체형 변화가 꽤 있었을 텐데…….

몰랐다. 전혀 몰랐다. 그 배가 그 배인지 상상도 못 했었다.

카사르는 소식을 듣고 많이 미안해했다. 임신 초기에 놀랄 일을 너무 많이 겪게 했다는 게 그 이유였다. 시간 조금 지난 후부턴 부러워했다. 말라 가는 유리와는 달리 엘레나는 점점 건강해졌기 때문이었다. 첫 임신을 경험해 본 루한은 해산 걱정도 안 했다. 역시나 순산이었다. 그리고 이젠 루한이 카사르 부부를 부러워하고 있었다.

'머리 아파.'

루한이 퀭한 눈으로 걸음을 옮겼다. 다크서클은 턱까지 내려온 채였다. '피로'를 형상화한다면 누구라도 그의 어깨에 주렁주렁 매달린 피로 덩어리를 볼 수 있을 터였다.

어젯밤 그는 한숨도 자지 못했다. 두 아들이 쌍으로 울어댔기 때문이었다. 엘레나는 아들을 낳은 걸 매우 좋아했다. 집안에 남자가 셋이니 힘쓸 걱정은 하지 않겠다는 게 그 이유였다. 루한은 임신 중에 속을 안 썩인 아내가 고마워 육아에 적극 참여하겠다며 호기롭게 말했다. 엘레나는 고마워하면서도 한편으로는 미심쩍어했다.

"흠. 당신이? 가능할까?"

"애 좀 재우는 거잖아? 그게 뭐 어려워?"

"쉽지 않을 텐데."

엘레나는 미심쩍은 얼굴로 루한을 보았다.

"어렵긴. 나만 믿어."

라는 대화가 지옥의 시작이었다.

둘째는 정말 시도 때도 없이 울어댔다. 첫째 아이는 일이 바쁘다는 핑계로 마담 보르쉐에게 전부 맡겼던 루한은 아이가 이렇게 자주 우는지, 자주 깨는지 처음 알았다. 둘째가 울자 첫째도 같이 울었다. 자기 이름도 못 쓰는 것들이 벌써부터 쌍둥이 특유의 의리를 발휘하고 있었다. 신생아는 성대도 더럽게 튼튼했다. 배 속에서 속안 썩인 걸 밖에서 갚겠다는 듯 수도 없이 앵앵댔다.

"당신, 정말 좋은 아빠야."

엘레나는 그의 고난을 즐기는 듯했다. 도와줄 수 있으면서 일부러 모른 척하는 게 눈에 보였다. 가끔 그가 허둥대다 어처구니없는 실수를 할 때면 배를 잡고 웃기까지 했다. 가끔 당근이랍시고 칭찬을 던져주긴 했다. 친구 부부의 금슬을 바로 곁에서 본 루한은 깨달았다. 우린 너무 오래 만났다. 연애가, 너무 길었다……

"아."

집무실 쪽으로 걷던 루한이 걸음을 멈추었다. 정원 쪽에 온 동네 깨소금을 뿌리고 있는 두 사람이 보였다. 만삭의 유리가 벤치에 누워 있고 카사르는 그 앞에 한쪽 무릎을 꿇은 채 그녀와 눈을 맞추고 있었다. 오롯이 서로에게만 닿아 있는 시선이 애틋했다. 카사르가 귀를 기울여 얼굴을 가까이하였다. 대화 소리는 들리지 않는다. 카사르의 입매가 부드럽게 풀리는 게 보였다. 말을 마친 유리가 곱게 눈을 접으며 웃었다. 눈꺼풀에 피곤이 그득한 게 보였다.

카사르가 무어라 속삭이더니 살며시 유리의 눈을 감겼다. 칭얼대듯 고개가 움직이더니 이내 잠잠해지며 입술이 스르르 벌어졌

다. 벌써 잠이 든 게다. 카사르가 그럴 줄 알았다는 듯 씩 웃으며 그
입술을 훔쳤다. 그림 같은 모습이었다. 두 사람을 보고 있는 루한의
입가에도 어느새 미소가 어렸다. 우리도 저런 때가 있었지. 지금은
비록 전쟁 같은 육아 중이지만……

부러움 반, 흐뭇함 반으로 웃으며 몸을 돌렸다. 가지고 왔던 서류
는 품속에 고이 넣은 채였다. 친구에게 조금 더 평화를 누릴 수 있
게 하자. 그는 그리 생각했다.

'애가 태어나면 다 끝이야.'

한편으로는, 사악하게 웃으며 걸음을 옮겼다.

*

유리는 꿈을 꾸었다. 오랜만에 꿈속에서 딸을 보았다. 또다시 그
꽃밭이었다. 유리는 그제야, 그 노란색 꽃밭이 봄이면 고향에 넘실
대던 진노랑 꽃이라는 걸 알았다. 노란 꽃밭 사이를 나비처럼 뛰어
다니던 아이가 유리를 보더니 얼른 달려왔다.

―엄마. 내 이름이 아르디네예요?

―어떻게 알았니?

똘똘한 녹색 눈동자가 장난스레 찡긋거린다. 아이는 유리의 다
리를 폭 끌어안곤 말했다.

―할아버지에게 들었어요.

―할아버지?

―저기요.

고사리 손이 멀리 어딘가를 가리킨다. 아스라이 긴 그림자가 보
였다. 누구냐 물을 사이도 없이 아이는 그쪽으로 뛰어갔다. 상대의
얼굴을 확인한 유리의 입매가 굳었다. 아이가 사내의 손을 잡았다.

무척이나 친근한 태도였다. 사내가 무릎을 굽혀 아이와 눈을 마주 쳤다. 머리색도 눈 색도 다른데 둘이 묘하게 닮은 인상이었다.

힐끔 유리 쪽을 바라본 사내가 살며시 아이의 손을 떼어 냈다. 이 내 무어라 낮게 말했다. 아이가 실망한 듯 금세 울상을 지었다. 사 내의 손이 아이의 어깨를 다독였다. 아이는 그에게 꽃을 넘기더니, 이내 유리 쪽으로 다가왔다.

─무슨 일 있니?

─할아버지랑 같이 오고 싶었는데.

─그런데?

─할아버지는 같이 갈 수 없대요.

아이가 칭얼거리며 유리에게 안겼다. 유리는 떨리는 팔로 아이 를 끌어안았다. 사내가 몸을 일으켜 두 사람 쪽을 바라보았다. 눈 이 마주치자 비스듬히 시선을 피한다. 마주한 청안에 가슴이 선뜩 해졌다. 사내가 돌아섰다. 쓸쓸한 뒷모습을 끝으로, 꿈이 깼다. 유 리가 가물거리는 눈을 떴다. 노란 꽃밭 대신 익숙한 정원이 보였다. 아직도 울렁거리는 가슴을 꾹 눌렀다. 기분이 너무 이상했다.

*

"또 꿈을 꾸셨어요?"

"네."

유리는 로벨 부인의 도움을 받아 머리를 하는 중이었다. 예정일 까지 한 달도 채 남지 않은 상황이라 작은 행동 하나하나도 조심하 는 중이다. 머리 손길이 끝난 유리가 단화를 신었다. 산책을 나가기 위해서였다. 의사는 많이 걷는 게 도움이 될 거라고 했다.

"저는 사실, 아이가 보여 준 거라고 생각했어요."

"그럴 수도 있지요."

로벨 부인이 인자하게 웃었다. 로벨 부인은 유리의 태몽을 알았다. 유산으로 잃은 아이를 다시 만나게 된 걸 진심으로 축하하기도 했다.

"원래 태몽이 그래요. 인간의 머리로는 이해할 수 없는, 신비한 것이지요."

"그럼 정말 우리 아이가……."

유리의 얼굴이 흐려졌다. 아이의 손을 떼어 내던 사내의 얼굴이 떠올랐다. 쓸쓸하던 그 미소. 젊은 시절 선황의 얼굴이었다. 우리 아이가 정말 할아버지를 만난 걸까?

"혹시 안 좋은 꿈을 꾸셨어요?"

"그렇진 않아요. 그냥, 내용이 조금 마음에 걸리네요."

유리가 걱정스러운 얼굴로 말했다. 루벨 부인은 대수롭지 않은 어조로 그녀를 달랬다.

"너무 신경 쓰지 마세요. 꿈이 신비로운 건 맞지만 학자들 말로는 강렬히 염원하거나 오래 신경 쓴 것이 꿈에 나온다고 하더라고요."

"오래 신경 쓴 것이요?"

"비전하께서 요즘 요즘 골똘히 고민하고 계신 게 있나 봐요."

"아."

유리가 제자리에 멈추었다. 루벨 부인이 의아하게 그녀를 돌아보았다. 골똘히 고민하는 것. 그럼 그 꿈이, 제 마음이 만들어 냈단 뜻이었다.

*

입덧이 끝난 후엔 그저 평화로운 날들이 이어졌다. 카사르는 그녀의 안전을 위해 최선을 다했다. 유리는 그가 마련해 준 공간에서 꽃처럼 행복하게 살기만 하면 되었다. 주변엔 그녀에게 호의적인 사람들뿐이었다. 그 외의 사람들은 대할 필요도 없었다. 심지어 황후의 의무를 요구하는 사람도 없었다. 온 세상이 전부 그녀를 좋아한다 착각할 지경이었다. 그는 그녀를 마치 아무리 물을 부어도 차지 않는 샘처럼 대했다. 그녀가 행복해하는 모습을 보면서도 초조하고 조급한 마음이 보였다. 그를 그리 만든 게 미안하면서도 아직도 과거에서 벗어나지 못한 그가 안타까웠다. 어지러운 일은 절대로 그녀의 귀에 들어오지 않았다. 그는 철저하게 정보를 차단했다. 숨기는 건 아니었다. 유리가 물으면 알려는 주었다. 이를테면 바론의 죽음 같은 것.

─독을 마셨어.

넌지시 묻는 질문에 그는 그리 답했다. 독을 어찌 구했을까 궁금했다. 그의 얼굴이 왜인지 괴로워 보였다. 유리는 얌전히 입을 다물었다. 고생 많았다고 그를 안아 주었다. 그는 유리의 어깨에 얼굴을 묻고 떨리는 숨을 토해 내었다.

숨기지는 않는다. 다만 최대한 홀로 끌어안으려 한다. 괴로울 것이 눈에 보이는데 그는 늘 괜찮은 척을 했다. 그녀가 잠든 줄 알고 그녀를 붙잡고 숨죽여 운 날도 몇 번 있었다. 소리도 내지 못하고 어깨를 떠는 그를 보며 얼마나 마음이 아팠는지 모른다. 종종 그의 보호가 조금 과한 거 같단 생각은 했다. 그래도 별말 하진 않았다. 지난 일 년간, 못 해 준 걸 보상해 주려는 그의 마음을 알았으니까.

"이제부터는 저 혼자 갈게요."

"하지만……."

산책로 입구에 들어선 유리가 말했다. 로벨 부인이 걱정스러운 얼굴로 부른 배를 바라보았다. 해산 예정일이 얼마 남지 않았다. 조산 위험은 없다 했지만 아무래도 조심하는 것이 좋았다.

"금방 올게요. 잠깐 생각할 게 있어서요."

유리가 웃으며 말했다.

"그래도 제가……."

"십오 분 내로는 돌아올게요. 안 오면 찾으러 오세요."

유리는 부드럽지만 단호하게 거절 의사를 밝혔다. 로벨 부인은 자신이 모시는 주인이 한번 아닌 것은 끝까지 밀어붙이는 강단 있는 성격인 걸 알았다. 고집을 꺾기는 어려울 것이다.

"그럼 기다리겠습니다."

로벨 부인은 선선히 뒤로 물러섰다. 유리는 허리를 받친 채 느리게 걸음을 옮겼다. 만삭이니만큼 보폭이 짧을 수밖에 없었다. 카사르가 만들어준 산책로에는 겨울을 이기고 피어난 꽃이 만발해 있었다. 유리는 새삼스럽게 꽃을 보았다. 봄에 처음 그를 만나 두 번의 봄이 지나 둘이 아닌 셋이 되었다. 그녀의 손을 잡고 그녀의 안내에 따라 꽃을 느끼던 사내가 이젠 그녀만을 위한 꽃의 궁전을 만들어주었다.

'저쪽이었나.'

유리는 자신이 즐겨 걷던 길 대신 샛길로 빠졌다. 카사르가 종종 이 길로 가는 걸 본 적이 있었다. 그는 목적지를 말한 적이 한 번도 없었다. 왜냐하면 덤불 안쪽으로 약간 넓은 공간이 모습을 드러냈다. 한 가운에 서 있는 자그만 비석이 보였다. 유리는 조금 머뭇거리다 그쪽으로 다가갔다. 반질반질한 돌의 표면을 내려다보다 그 옆에 다리를 펴고 앉았다. 선황의 무덤이었다.

"안녕…… 하세요."

칠 년, 아니 팔 년 만의 인사였다. 그 짧은 말에도 괜히 눈매가 시큰거렸다. 유리는 소매로 꾹 눈을 훔친 뒤 돌아앉았다. 하늘은 눈이 부실 정도로 파랬다.

"요즘 자꾸 꿈에 나오셔서, 그래서 왔어요."

로벨 부인의 말대로 유리는 요즘 종종 선황을 생각하고 있었다.

다시 만난 후, 그는 제 아비에 대해선 입도 벙긋하지 않았다. 다른 사람들 역시 같았다. 불과 일 년 전까지만 하더라도 주인으로 모신 존재를 완전히 모르는 척했다. 그들과 함께 있다 보면 선황이 마치 처음부터 없었던 사람처럼 느껴졌다. 선황의 장례식을 치렀다는 것도 나중에야 알게 되었다. 당시 유리는 분명 수도에 있었고 얼마든지 참석할 수 있었다. 게다가 참석해야 할 의무도 있었다. 물론 카사르는 황후의 의무 따위는 절대 신경 쓰지 말라 하겠지만 유리의 생각은 달랐다. 여전히 얼떨떨하긴 하지만 그녀의 남자는 제국을 다스리는 지배자였다. 그러한 남자의 반려로 살기 위해선 해야할 것들이 있었다.

"우리 그이가……"

유리의 목소리가 조금 잠겼다.

"아버님을 많이 그리워하는 것 같아요."

카사르가 종종 이곳을 찾는다는 걸 알고 있다. 단 하나뿐인 혈육이니 당연한 일이라 생각했다. 다만, 그녀의 눈치를 보며 이곳에 오는 건 늘 마음이 아팠다.

"나라를 다스리는 게 쉽지만은 않을 거라고 생각해요. 그래서, 그렇겠지요."

그는 유리가 제 쉼터라 말했다. 빈말이 아니라고 생각했다. 하나 그녀로는 부족했을 것이다. 모두가 그만 바라보고 있다. 많이 외롭고, 힘들었을 것이다. 그녀가 채워주지 못하는 부분이 분명 있었을 터다. 그럴 때 아버지 생각이 났을 것이다. 제 아비 역시 무척이나 외로운 삶을 살다 떠났으니까.

"정말 과거에서 벗어날 수 없는 것인지 생각해 봤어요."

유리는 물끄러미 손목을 내려다보았다. 입덧이 한창 심했을 때보다 제법 살이 붙은 손목 위로 이제는 희미해진 상처가 보였다.

"절대로 지울 수 없을 거라고 여긴 상처가 생각보다 쉽게 지워지기도 하더라고요."

흉터를 지우는 게 그리 쉬운 일인 줄 몰랐다. 황궁의가 뾰족한 바늘로 손목 근처를 푹푹 찌르자 신기하게도 며칠 뒤 허물이 생기더니 그게 벗겨지며 새 살이 돋았다. 바늘을 이용한 의술은 동쪽에서 배워 온 것이라 했다. 제법 깊었던 상흔이 이젠 거의 실금 정도만 남았다.

"하지만 과거도 상처처럼 쉽게 지울 수 있는 건 아니었어요."

카사르는 유리의 흉터가 사라지는 걸 제 일처럼 좋아했다. 말로는 손목에 편히 입을 맞출 수 있어 그렇다곤 했지만 아니라는 걸 알았다. 어느 날 그가 고백한 적 있었다. 한때는 유리의 과거를 전부 지우기를 꿈꿨노라고. 그와 함께했던 시간까지 모두 잊어도 좋으니 아픈 기억들은 떨칠 수 있길 바란다고도 했다.

―농담이야. 그런 게 가능하겠어? 게다가 네가 나를 잊으면 우리 예쁜 딸도 못 만날 텐데. 그렇지?

마지막엔 그리 말하며 너스레를 떨었지만 그 미소 뒤에 숨겨져 있는 고통이 보였다. 유리의 지난 일 년은 그에겐 여전히 큰 빚이자 짐이었다. 유리는 물끄러미 비석을 바라보았다. 사랑하는 사내의 아버지가 지워야 할 과거는 아니라 생각했다.

"당신이 저를 도와주셨잖아요. 그렇지요?"

때로는 듣지 않아도 알 수 있는 게 있었다. 아무도 말해 주지 않았지만 어느 순간부터 깨닫게 되었다. 선황과 관련된 일이 생길 때면 궁인들이 짓던 안타까운 얼굴들. 그럼에도 불구하고 굳건하기까지 했던 그들의 침묵. 모두가 알고 있는데 그녀만 모르는 게 있었다. 그래서 엘레나를 붙잡고 물었다.

─혹시 황제 폐하의 승하에 대해서 제가 특별히 알아야 할 게 있나요?

─드펜의 세력을 몰아내는 덴 선황 폐하의 노력이 결정적이었어요. 마지막까지, 당신의 병환을 주변에 숨기신 덕분에 적들이 방심했으니까요.

─그럼, 그 사람도 폐하의 계획을 알고 있었나요?

─정확히는 모르겠어요. 하지만 태자 전하가 수도를 비우신 덕에 드펜이 완전히 마음을 놓은 건 있죠. 관련이 없지는 않을 것 같아요. 어쩌면 두 분이 미리 이야기를 하신 것일지도 몰라요.

엘레나는 매우 조심스럽게 그 일을 설명했다. 유리는 곧바로 행간에 숨어 있는 의미를 깨달았다.

─그분이 저를 도와주신 거군요.

선황의 도움이 없었다면 카사르는 수도를 떠나지 못했을 것이다. 적들이 언제고 그의 자리를 탐내던 상황이었으니까. 허나 카사르는 반드시 수도를 떠나야만 했다. 유리를 살려야 했으니까. 결국, 유리는 선황의 도움을 받은 셈이었다. 기분이 묘했다. 자신의 모든 것을 앗았던 황제가 그녀를 도왔다니. 이유가 무엇이었을까. 아들의 반려이기 때문에? 그것으론 충분하지 않았다. 유리는 카사르가 자신의 본명을 부른 날을 똑똑히 기억하고 있었다. 그가 그녀의 이름과 가문을 그리 쉽게 알아낸 건 아마도 황제 때문이었을 것이다.

─그분이 왜 저를 도왔는지 아시나요?

선황이 왜, 발렌타인의 딸을 도왔을까?

─이 이상은 저도 잘 몰라요.

―아는 것만 말씀해 주세요.

　―사실, 짐작 가는 건 있어요. 그래도 말씀드리긴 어려워요. 제 짐작이 맞는다면 반드시 폐하께 나머지 이야기를 들으셔야 해요.

　유리가 소매로 비석에 묻은 흙을 닦아 내었다. 조금 옆으로 움직여 반질반질한 표면에 기대어 앉았다. 눈을 감은 채 새파란 하늘을 바라보았다. 루벨 부인과 약속한 시각은 훌쩍 지나 있었다.

　"거기서 뭐 해?"

　입구 쪽에 카사르가 조금 굳은 얼굴로 그녀를 보고 있었다. 유리가 부드럽게 웃으며 그를 향해 팔을 뻗었다. 그는 덤불을 헤치고 들어와 비석과 유리를 번갈아 보더니 들고 있던 담요로 그녀의 몸을 감쌌다.

　"몸이 차다."

　"아. 미안해요."

　유리는 자신의 실수를 깨닫곤 얼른 그의 가슴에 안겨 들었다. 봄이지만, 응달은 제법 찼다.

　"걱정했어요?"

　"……걱정은 로벨 부인이 더 하고 있어."

　역시나 로벨 부인이 그를 부른 게다. 약속했던 시간이 되도 나오지 않자 카사르에게 향했으리라. 어쩌면 약속 시간이 지나기 전에 먼저 갔을지도 모른다. 유리가 혼자 있길 바라는 건 흔치 않은 일이니까.

　"묻고 싶은 게 있어요."

　그는 알 수 없는 눈빛으로 유리를 바라보았다. 아무렇지 않은 얼굴이었지만 꽉 다문 턱에 힘이 들어가 있는 게 보였다.

　"혹시, 당신 아버지가 우리 부모님께……. 그런 행동을 하신 이유가 있나요?"

속삭이듯 물었다. 고민이 많았는데 막상 말하니 마음이 편했다. 그의 안색이 어두워졌다. 역시나 하는 얼굴이었다.

"나는 그저 사실을 알고 싶을 뿐이에요. 그래야 한다고 생각해요."

유리가 물으면 그는 거짓을 말하진 않았다. 여태껏 질문을 삼켰던 건 그를 괴롭게까지 하면서 진실을 알고 싶진 않았던 것이다. 과거를 몰라도 충분히 미래로 나아갈 수 있다 여겼다.

— 할아버지는 같이 갈 수 없대요.

하지만 아니었다. 때론 반드시 짚고 넘어가야 할 과거도 있었다. 유리의 배 속에 있는 아이는 아살론과 발렌타인의 피가 모두 흐르고 있었다. 선황의 손자란 소리였다. 아이가 태어나면 제 할아버지에 대해 궁금해할 수도 있었다. 어미의 과거 때문에 알아야 할 것들을 모르게 둘 순 없었다. 천륜을 저버리게 하는 건 선황의 임종 때로 족했다. 이제는 알았다. 카사르가 아비의 임종을 지키지 않은 게 저 때문이었다는 것을. 아버지와 그녀 사이에서 선택을 한 것이다. 그는 조금 어두운 눈빛이었다. 유리는 달래듯 그의 뺨을 쓸었다.

"카사르."

"지금 말고, 나중에."

조금 힘겨운 듯한 목소리였다.

"나중에, 꼭 말해 줄게."

그의 시선이 부푼 배로 향했다. 그의 눈빛에 어린 간절함이 보였다. 유리를, 두 사람을 걱정하고 있는 거다. 속이 철렁 내려앉았다. 그의 침묵이 충분한 답이 되었다.

"역시 그랬군요."

유리가 속삭이듯 말했다.

"유리야."

"나는 그분을 참 많이 원망했어요. 아무 이유도 없이 죄 없는 부모님을 죽였다고. 그분들의 충심을 짓밟았노라고. 당신을 떠난 것도 사실 그 때문이었죠. 그 뒤로 나는 정말 많은 일을 겪었어요. 그러니 알 자격이 있다고 생각해요."

유리가 단단히 굳은 그의 턱을 쓰다듬었다.

"나를 걱정하는 건 알겠어요. 하지만 이젠 괜찮아요. 모른 채 안 좋은 상상을 하는 것보다는 나아요."

그는 한참 말이 없었다. 유리는 긴장을 가다듬으며 그를 보았다. 이리 말을 고를 정도면 얼마나 엄청난 진실이 숨어 있는 걸까. 긴장 때문인지 목이 말라 갔다.

콩! 그때 유리가 깜짝 놀라 배를 바라보았다. 또다시 콩. 얇은 치마에 덮인 뱃가죽이 살짝 움직였다. 유리의 눈이 커졌다. 그는 아직 눈치채지 못한 채였다.

'그래, 아가. 네가 내 옆에 있구나.'

마치 응원이라도 하듯 존재감을 드러내는 아이의 모습에 유리의 입가에 웃음이 맺혔다. 마음이 한결 가벼워졌다. 그래. 그녀는 혼자가 아니었다. 카사르도 혼자 모든 걸 짊어지지 않길 바랐다.

"······선대 황후의 죽음에 발렌타인 백작이 연루되었다는 결론이 났어."

카사르가 유리의 시선을 피하며 말했다. 별것 아닌 듯 건조한 목소리였다. 그래도 참혹한 진실이 가려지는 건 아니었다.

'우리 아버지가 이 사람 어머니를 죽게 했구나.'

배를 감싼 유리의 손에 힘이 들어갔다. 코가 찡하고 눈매가 시큰거렸다. 진실이 아프긴 했다. 그래도 다 지난 일이었다. 지금 제일 안타까운 건 그가 모든 걸 혼자 짊어지려 했다는 거다.

"카사르, 나는 당신이 마냥 품어야 하는 꽃이 아니에요."

유리가 살며시 그의 손을 감싸며 속삭였다. 그는 유리의 시선을 피했다. 그의 눈매가 살짝 붉어져 있는 게 보였다. 유리가 얼른 다가가 살짝 입을 맞추었다. 가라앉은 청안이 드디어 그녀에게로 향했다.

"당신이 나를 아껴 주는 거 고맙고 기뻐요. 하지만 나는 당신과 나란히 걷고 싶지 당신 혼자서 가시밭길을 걷게 하고 싶진 않아요."

그가 흠칫하며 유리를 보았다. 정곡을 찔린 표정에 유리가 부드럽게 웃었다.

"늘 내게 꽃길만을 걷게 해 주겠다고 했지요. 당신과 함께 걸을 수 있어 기쁘다 말하면 그저 웃기만 했어요. 왜 그랬는지 이젠 알겠어요."

그의 넘치는 사랑이 기쁘고 행복했다. 하지만 이런 식으로는 안 된다. 계속 이 사람 혼자 감당하려는 건 안 된다.

"우리 아버지도 당신 아버지도 어쩔 수 없는 일이었다고는 생각해요. 그래도 우리 아버지가 당신들에게서 앗은 게 없어지진 않아요. 감춘다고 감추어지는 것도 아니고요."

가느다란 팔이 그의 머리를 끌어안았다. 그는 순한 짐승처럼 그녀의 어깨에 얼굴을 묻었다. 떨리는 호흡에서 그의 마음고생이 느껴졌다. 유리는 코끝이 찡해지는 걸 느끼며 속삭였다.

"이젠 혼자 다 짊어지려고 하지 말아요. 꽃길이든 가시밭길이든 그보다 더한 길이든 나랑 같이 가요."

"……그래."

잠시 후 그가 고개를 끄덕였다. 유리의 입가에 희미한 웃음이 맺혔다. 말은 이리해도 그에겐 여전히 쉽지 않은 일일 게다. 유리는 배 속의 아이를 생각했다. 아무래도 우리 아이가 빨리 엄마 아빠에게 찾아와야겠다. 아빠에게 혼자 짊어지지 말라며 엄히 혼내라 가르쳐야겠다. 유리는 그리 생각하며 웃었다. 이젠 서로가 서로를 지키며 살아야겠다. 그럴 수 있기를 바랐다.

외전 1

아주 끔찍했다.

카사르는 멍하니 불타오르는 건물을 바라보았다. 또다시 쾅! 폭음이 피어올랐다. 그는 흠칫 몸을 떨며 불길이 치솟는 창을 바라보았다. 그의 얼굴이 아연하게 변했다. 방금 그가 떨어진 곳이었다.

그의 수하들이 있는 곳이기도 했다. 다친 머리에선 끊임없이 피가 흘러내렸다. 충격 때문인지 앞이 잘 보이지 않았다. 그는 거칠게 눈을 비비며 몸을 일으켰다. 닫힌 문에선 여전히 아무도 나오지 않았다.

"아, 안 돼."

전하께서 먼저 나가 계시면 저희도 따르겠노라 했던 자들이 아무도 나오지 않았다. 그들이 시체가 되어서라도 그 문을 막고 있을 거라는 걸 알았다. 자객들과 함께 끝을 보려는 거다. 그는 정신없이 기어 문 쪽으로 향했다. 얼마 가지도 않았는데 얼굴에 확 뜨거운 기운이 느껴졌다.

후회가 물밀 듯이 밀려왔다. 애당초 나오는 게 아니었다. 온 힘을 다해서라도 그곳에서 버텼어야 했다. 물론 그의 종들은 사력을 다해 그를 탈출시켰을 거다. 그 안에서 버티려던 그와 그를 밀어내려던 수하들 사이에 실랑이가 벌어졌다. 결국 힘에 밀려 이 층에서 거꾸로 처박혔다. 그때 다친 등과 머리가 아직도 끔찍할 정도로 아팠다.

쾅! 다시 폭발 소리가 들렸다. 문이 거세게 흔들렸다. 또 본능적으로 몸을 웅크렸던 그가 덜덜 떨며 상체를 일으켰다. 기다시피 하여 문 쪽으로 갔다. 피에 젖은 손이 정신없이 나무 손잡이를 움켜쥐었다. 문을 열어야 했다. 그리고 그들을 구해야…….

"저쪽이다!"

날카로운 고함에 그가 휙 몸을 돌렸다. 어두운 숲 안쪽에서 노란 불들이 귀신처럼 다가오는 게 보였다.

"저 건물이야!"

"황태자도 안에 있을 거다!"

"시체는 찾아야 해!"

그것은 죽음의 소리였다. 굳은 채 그쪽을 바라보던 그가 비틀거리며 자리에서 일어났다. 발을 질질 끌며 반대쪽으로 향했다. 속이 찢기는 듯했다. 돌아가야 했다. 돌아가서 그들을 구해야, 구해야 하는데. 빌어먹을 이성이 그들의 죽음을 헛되이 만들 수 없다 악을 써댔다. 그가 풀숲으로 몸을 숨기기 무섭게 공터로 사람들이 쏟아져 나왔다. 누군가 물을 가져오라 고함을 쳤다. 시체는 알아볼 수 있어야 한다는 말과 함께. 자객들은 불타는 건물에 정신이 팔려 그의 탈출을 눈치채지 못했다.

나무 뒤에 숨어 거친 숨을 내쉬던 그가 다시 몸을 움직였다. 다리가 잘 움직이지 않았다. 그가 이를 사리물었다. 짓씹은 입 안쪽에선 왈칵 피가 터져 나왔다. 살아야 했다. 살아남아야만 했다.

그는 정신없이 뛰었다. 밝은 달빛 아래로 시야가 점점 어둑하게 변했다. 빛 한 점 어둠 속에서 오직 앞으로 향했다.

*

"그럼 지금 당신을 도와줄 사람은 없어요?"

"……없어."

"돌아갈 곳은요?"

카사르가 눈꺼풀을 들어 올렸다. 여전히 아무것도 보이지 않는다. 어처구니가 없어 웃음이 나왔다. 이런 일을 겪을 거라고는 꿈에서조차 상상해 본 적 없었다.

"없어. 전혀."

돌아갈 곳, 그런 곳이 있을 리 없다. 병신이 된 몸으로 돌아가 봤자 환영해 줄 이 없음은 물론이거니와 저를 이리 만든 자가 제 목숨을 붙여 놓을 리 만무했다.

"하."

허탈한 웃음과 함께 눈시울이 뜨겁게 달아올랐다. 바론. 그 빌어먹을 새끼의 탐욕 때문에 그의 전사들이 죽었다. 그 젊은 영혼들이 그리 허무하게 세상을 떠났다. 붉게 충혈된 눈을 질끈 감으며 그는 결심했다. 그를 배신한 자. 반드시 찾아내 죽일 것이다. 이번 지방 시찰은 귀족들의 횡포를 조사하기 위해 이루어졌다. 이동 경로는 철저하게 비밀로 했다. 기동성을 위해 극소수의 인원만이 그를 호위했다.

그래서 자객의 습격에 대응할 수 없었다. 아니, 애초에 자객이 습격할 거라곤 생각도 못 했다. 그들이 어디에 있을 줄 알고 바론이 그를 공격한단 말인가. 정기적으로 수도에 보냈던 시찰 결과 보고

서가 유출된 게 분명했다. 그 보고서에 접근할 수 있는 이들은 그가 가장 신뢰하던 신하들이었다. 그가 믿었던 자 중 누군가가 그의 주인과 그의 형제를 판 거다.

'자신만만하더니. 꼴이 아주 우습다. 카사르.'

카사르는 자조했다. 누구를 탓할 것도 원망할 것도 없었다. 그를 집어삼킨 어둠과 그의 전사들이 흘린 피는 그 누구도 아닌 그의 탓이었다. 보위에 오를 몸이 아니던가. 사람의 속을 누구보다도 잘 살펴야 했다. 악한 이를 곁에 두고 그로 인해 피를 보았다면 악인의 잘못이 아닌 상대의 검은 속내를 짐작하지 못한 그의 탓이었다.

"저, 카사르."

낯선 여자가 또 한 번 그를 불렀다. 그의 입매에 힘이 들어갔다. 그 여자가 처음 그를 불렀을 때의 묘한 감정이 아직도 가슴 속에 남아 있었다.

—카사르, 함께 살래요. 내가 당신을 도울게요.

조심스러운 목소리가 마치 빛인 양 시야가 환해졌다. 그 순간만큼은 그가 처한 상황도 잊고 홀린 듯 고개를 끄덕였다. 완전히 미쳤던 거다. 지금 그는 모든 것을 잃었다. 잃은 것을 되살릴 방법도 마땅치 않다. 어쩌면 이대로 영영 앞을 보지 못하고 죽게 될 수도 있다. 그의 등에 칼을 꽂은 이들이 부귀영화를 누리는 소식을 들으며 살아야 할지도 모른다. 그 끔찍한 상황 속에서도.

이 여자와 말을 하다 보면 자꾸만 그 빌어먹을 현실을 잊게 되었다. 여자의 목소리에 기대고 싶어졌다. 그래서 저 여자가 싫고 불편했다. 어쩔 수 없이 호의를 받아들였지만 더 가까워질 생각은 없었다. 제발 나를 그냥 둬. 이대로 어둠 속을 기도록 내버려 두라고.

"혹시 어디 불편한 건 없어요?"

여자는 그의 속내도 모른 채 계속 말을 걸었다. 그는 쏘아붙이고 싶은 마음을 겨우 참았다. 불편한 곳? 아주 많지. 하루아침에 앞 못 보는 병신이 되고 수하들을 잃었어. 그런데 내 마음이 편할 리 있겠어?

"······아니, 없소."

눈앞의 여자는 그의 은인이다. 애먼 곳에 화풀이할 필요는 없다. 여자가 또 카사르 어쩌고 하며 그의 이름을 불렀다. 몹시 눈치를 보는 듯한 목소리였다. 어색한 미소가 눈에 보이는 듯했다. 그는 허탈하게 웃으며 눈을 감았다.

"사실 저도 어둠을 좀 무서워해요. 발작이 있거든요."

여자는 주섬주섬 자신에 대한 이야기를 털어놓았다. 어릴 때 안 좋은 일을 겪어서 빛이 없는 곳에선 발작이 일어난단다. 그는 조소했다. 그래서 뭐, 겨우 그깟 것 가지고 나랑 동병상련의 정이라도 나누자는 건가? 제 냉소가 밖으로 드러났나 보다. 여자는 금방 말을 멈추었다.

"저, 미안해요."

약간은 상처받은 것 같기도 했다. 그는 알면서도 무시했다.

"침대에서 자요. 불편한 거 있으면 말해 줘요."

그는 아무 대답도 없이 자리에 누웠다. 등 뒤로 끙끙대는 소리가 들려왔다. 그 소리가 무엇인진 신경 쓰고 싶지 않았다. 까마득한 절망을 다스리는 것도 벅찼다.

그리고 아침이 왔다. 잠이 들었는지 아닌지는 모르겠다. 끔찍한 악몽을 꾸었던 것 같기도 했다. 눈을 뜨니 더 끔찍한 현실이 그를 기다리고 있었다. 유리에게 시간을 물은 그는 순간 목을 매달고 싶었다. 아침이라고? 이렇게 전부 어두운데 아침이라고.

유리는 아침 식사를 마친 후부터 한참 재잘댔다. 그의 물건을 사야겠다, 마을에 가야겠다 어쩌고 하는 말이었다. 그는 멀거니 그녀의 말을 흘려들었다. 어제는 화가 나 미칠 지경이었다면 오늘은 그저 멍했다.

"얼른 다녀올게요."

그는 아무 답도 하지 않았다. 잠시 후 조용히 문이 닫혔다. 그가 그토록 바라던 침묵이 찾아왔다. 그는 나직한 한숨을 내쉬며 벽에 머리를 기댔다. 기도라도 하듯 슬쩍 눈꺼풀을 밀어 올렸다가 질끈 감았다. 여전히 아무것도 보이지 않았다. 떨리는 손으로 눈두덩이를 몇 번 문질렀다. 그리고 다시 한번 간절한 마음으로 눈을 떴다. 변하는 것은 없었다.

"하."

감당할 수 없는 불안이 그의 속을 채웠다. 생각이 마구 날뛰었다. 설마 영원히 앞을 보지 못하게 되는 건 아닐까. 아니야. 아살론 황실의 의료 기술을 대륙 최고이다. 수도에 돌아갈 수만 있으면 분명 방법이 있을 것이다. 하지만 어떻게 수도로 돌아갈 수 있단 말인가? 배신자가 누구인지 모르는데? 들끓는 감정을 가라앉히던 그가 멈칫 굳었다. 주변이 너무 조용했던 것이다. 어제부터 늘 귀에 들리던 조용한 호흡 소리가 들리지 않았다.

아, 여자가 집을 떠났지. 마을로 간다고 했던 것 같은데. 마을에 내려가 무엇을 한다 했었지. 그가 살짝 인상을 썼다. 잘 기억이 나지 않았다. 마을엔 분명 추격자들이 있을 텐데……. 그가 눈을 치떴다. 맞다. 마을엔 추격자들이 있었다. 만일 여자가 추격자들과 만나게 된다면…….

"설마."

불길한 상상이 순식간에 머리를 채웠다. 여자는 분명 아무 이유 없이 그를 도와주었다. 이유 없는 호의? 그런 게 있을 리 있나? 혹시 그 여자가 나를 배신하려는 건 아닐까? 자그마한 불안은 어느새 목 끝까지 치솟았다. 그가 벌떡 일어났다. 도저히 집 안에 있을 수가 없었다. 미친 사람처럼 문으로 향했다.

*

얼마나 시간이 지났는지 알 수 없었다. 낮인지 밤인지도 몰랐다. 이곳이 유리의 집인지 꿈인지 지옥인지도 알 수 없었다. 확실한 것은 단 하나였다. 찢어진 손에선 끊임없이 고통이 밀려왔다.

상처는 유리의 집에서 나올 때 생겼다. 정신없이 문 쪽으로 향하던 도중 뭔가에 걸려 넘어졌고 그와 동시에 그릇이 깨졌다. 바닥을 짚은 손에 유리 조각이 박혔다. 파편을 뺄 생각도 못 하고 집을 나왔다.

"크윽!"

미친 사람처럼 비틀거리며 걸음을 옮기던 중 발을 헛디뎌 넘어졌다. 땅을 짚은 손에서 극심한 아픔이 팔을 타고 올라왔다. 조각은 손등을 거의 꿰뚫을 지경이 되었다. 그의 입매가 고통으로 일그러졌다. 너무 괴롭다 보니 악에 받칠 지경이었다. 이따위 상처로 나를 조금이라도 무너트릴 수 있을 것 같아?

아니, 착각했어. 파들거리는 웃음이 새어 나왔다. 다친 손으로 흙 위를 강하게 움켜쥐었다. 허공을 노려보는 그의 눈이 가늘어졌다. 얇고 만질 때마다 버석거리는 것, 마른 풀잎. 그는 고개를 끄덕인 뒤 옆을 짚었다. 매끄러우면서 차가운 것, 돌인 것 같다.

막힌 호흡이 뚫리듯 웃음이 흘러나왔다. 그럼 그렇지. 겨우 앞을 못 보는 것 가지고. 이런 것으로는 절대 나를 무너트릴 수 없어. 절대로.

"윽!"

자리에서 벌떡 일어나 자신만만하게 걷다 세 발자국도 가지 않아 바닥에 나동그라졌다. 바닥을 짚은 손목이 비틀리며 어깨를 된통 부딪쳤다. 고통도 무시한 채 오기로 벌떡 몸을 일으키고 넘어지고 상체를 일으키고 다시 넘어지기를 여러 번. 그가 있던 넘어진 자리 곳곳에 붉은 핏자국이 남아 있었다.

"이럴 리가 없어."

빌어 처먹을! 내가 이렇게 약해 빠진 인간이었나? 왜 하필 나한테 이런 일이 생긴 거야, 왜 하필 나냐고!

화가 나서 돌아 버릴 것 같았다. 그는 제 눈을 찔러 버리고 싶은 마음을 애써 달랬다. 진정하자. 괜찮을 것이다. 치료를 받으면 분명히 좋아질 것이다. 일시적이니까. 일시적이 아니라면? 내가 영원히 앞을 볼 수 없다면? 아니야, 수도에는 최고의 의사들이 있어. 분명 좋아질 수 있을 거야. 분명히. 그러나 좋아지지 않는다면? 절망과 희망 사이에서 몸이 덜덜 떨렸다. 그는 웅크린 채 이를 악물고 질끈 눈을 감았다. 제발 누가 말 좀 해 줘. 좋아질 거라고 괜찮을 거라고. 제발 내게 희망을 달라고!

"카사르!"

그때 다급한 부름과 함께 그의 팔을 집는 손이 있었다. 카사르가 놀라 상체를 일으켰다.

"손이 왜 이래요!"

반쯤 울먹이는 목소리였다. 그는 악에 받쳐 그녀의 손을 떼어 냈다. 너무 괴롭고 아팠다. 그는 반쯤 제정신이 아니었다. 언제 어디서 이 여자가 데려온 자객들이 그를 덮칠지 몰랐다. 그러니…….

"놔! 이 손 안 놔!"

"손이 완전히 찢어졌잖아요!"

"내가 너 따위에게 죽을 것 같…….'

그는 말을 다 맺지 못했다. 와락 그를 끌어안는 온기가 있었던 것이다. 맞닿은 몸으로 전해지는 떨림에 그가 숨을 멈추었다.

"윽, 으윽. 미안해요."

"……뭐?"

"정말 미안해요. 윽, 늦어서 정말 미안해요."

흐느낌은 어느새 울먹임으로 바뀌었다. 갑작스러운 상황에 그는 화를 내는 것도 잊고 당황해 눈을 깜빡였다. 대체 이 여자가 왜 우는 거야?

"다시 볼 수…… 있을 거예요. 흑, 다시 볼 수 있어요."

그가 눈을 부릅떴다. 그녀의 말은 그가 간절히 바라던 확신이었다. 여자의 목소리가 또다시 어둠 속 빛처럼 느껴졌다.

"윽, 으윽. 피가 너무 많이 나요."

유리가 상처 난 그의 손을 확인하곤 눈물을 쏟았다. 뜨거운 눈물이 피 묻은 그의 손등 위로 쏟아졌다. 참 이상한 일이었다. 그녀의 눈물이 닿는 순간 미친 말처럼 날뛰던 마음이 차분히 가라앉았다. 그는 속삭이듯 물었다.

"정말 그렇게 생각해?"

"흑, 으흑."

"정말 내가 다시 앞을 볼 수 있을 거라고 생각해?"

"그럼요. 으흑. 흑흑."

울어야 할 사람과 달래야 할 사람이 완전히 바뀌었다. 그는 저를 채웠던 독기가 완전히 사라진 걸 느끼며 그녀가 있는 쪽을 바라보았다. 가슴이 두근거렸다. 빛이 이 앞에 있다는 확신이 들었다.

"그래. 고마워."

그가 희미하게 웃으며 그녀를 끌어안았다. 울먹이는 등을 쓸어내렸다. 완전히 사라진 줄 알았던 희망의 불꽃이 다시 힘을 얻기 시작했다. 그리고 동시에 한 여자를 향한 마음이 아주 자그마한 싹을

틔웠다.

*

"많이 아파요?"

카사르가 살짝 웃으며 고개를 저었다. 유리는 옅은 한숨을 내쉬며 푹 패인 상처를 바라보았다. 안 아프기는. 이렇게 피가 많이 나는걸.

"미안해요. 아프지 않게 빨리 끝낼게요."

유리는 호호 입김을 불며 상처 위에 소독약을 발랐다. 살살 한다고 했는데도 손끝이 자꾸만 움찔거렸다. 많이 따갑기 때문이리라. 지레 속상해진 유리가 울먹였다.

"그냥 빨리 올 걸 그랬어."

붕대를 매려는데 또 한 번 눈물을 떨구었다. 시장에서 이 물건 저 물건 사느라 지체한 것이 아직도 후회되었다. 그는 말없이 제 손을 치료하고 있을 여자를 상상했다. 이 여자가 궁금했다. 더 알고 싶었다.

"침대가 또 있소?"

별생각 없이 침대에 눕던 그가 멈칫했다. 어제는 워낙 정신이 없어 침대에서 자라는 유리의 말을 곧이곧대로 들었는데 생각해 보니 그게 아니었다. 유리는 분명 이 집에서 혼자 살고 있다고 했다. 침대가 또 있을 리 없다.

"아, 원래 종종 바닥에서 자요."

그의 이부자리를 봐주던 유리가 맑은 목소리로 말했다. 목소리 끝에 조금 웃음이 묻어났다. 그는 귀를 쫑긋했다.

"침대를 두고 말이요?"

"바닥도 편해요."

여자의 소리가 멀어졌다. 그는 옆으로 돌아누운 채 그녀의 일거수일투족에 귀를 기울였다. 삐그덕, 나무문이 열리는 소리가 들렸다. 묵직하지는 않은 것이 아마 옷장 문이 아닐까 싶다. 천이 쏟아지는 소리가 나자 그는 멈칫했다.

"혹시 이불이 없어서 옷을 깔고 자려는 거요?"

천 소리가 잠시 멎었다. 여자가 놀라 저를 보는 게 보였다. 왜 그런지는 몰라도 그저 알 수 있었다. 그는 기가 막혀 몸을 일으켰다.

"설마 어제도 옷을 깔고 잔 거였소? 되었소. 내가 바닥에서 자겠소."

날씨가 제법 찼다. 바닥에선 필시 냉기가 올라올 것이다. 여인의 몸으로 그 찬 바닥에 눕는 게 말이 안 되었다.

"나는 객이오. 주인의 자리를 빼앗을 순 없……!"

침대에서 내려서려던 그는 흠칫하며 멈췄다. 부드럽게 제 어깨를 누르는 손이 있었던 것이다. 예상치 못한 접촉에 그대로 굳어 버렸다. 반대쪽 어깨에도 비슷한 온기가 느껴졌다. 그가 움찔하며 이를 악물었다. 여자의 손이 닿은 곳이 불에라도 데인 듯 뜨거웠다. 앞이 보이지 않으니 그 외의 자극이 평소보다 배는 강렬하게 느껴졌다.

"뭐, 뭐 하는."

"가만히 있어 봐요."

마치 아이를 어르듯 다정한 목소리였다. 그는 아무 대답도 하지 않았다. 따스한 숨결이 코앞에서 느껴졌다. 그 온기에 심장을 얻어맞은 듯 충격을 받았다. 그는 목각인형처럼 딱딱하게 그녀가 이끄는 대로 누웠다. 부동자세로 굳어 있는 그의 몸 위로 이불이 덮였다. 바로 곁에서 낮은 웃음소리가 들려왔다.

"착하네요."

그는 할 말을 잃고 입술을 달싹였다. 여자가 멀어지는 소리가 들렸다. 발걸음 소리가 제법 가벼웠다. 발을 끄는 소리가 전혀 나지 않았다. 그는 어둠 속에서 여자의 걸음걸이를 상상했다. 나붓이 걸음을 떼는 모습이 눈에 보이는 듯했다. 부스럭거리는 소리와 함께 여자가 인사를 했다.

"잘 자요. 카사르."

한참을 그리 굳어 있던 그가 벽 쪽으로 돌아누웠다. 신경은 온통 등 뒤에 쏠려 있었다. 여자의 얼굴이 보고 싶었다. 조금 떨리는 손이 눈을 비볐다. 여전히 아무것도 보이지 않는다.

여자의 호흡 소리가 들려왔다. 어둠 속에서 잔잔한 호흡 소리가 마치 세상의 전부인 듯 울렸다. 그게 제법 달콤했다. 이대로도…… 괜찮을 것 같다. 그리 생각하며 그는 눈을 감았다.

*

"혼자 걷기 힘들지 않아요?"

아침을 먹은 후 유리가 물었다. 그는 잠자코 여자의 목소리가 들리는 쪽을 바라보았다. 집 안 구조물은 어제 완벽하게 외웠다. 구조를 외울 만큼 큰 집도 아니었다. 집 안에선 충분히 걸을 수 있었다. 그는 마음과는 다른 말을 했다.

"조금, 힘들긴 하군."

"부축을 해 줄까요?"

여자는 그가 기다렸던 말을 해 주었다. 그는 시선을 내리깐 채 고개를 끄덕였다. 그녀의 팔이 조심스레 그의 허리를 감았다. 그의 팔은 제 어깨를 감싼 채였다. 작은 어깨를 쥔 그의 손에 힘이 들어갔다.

"산책을 가 보는 건 어때요?"

"산책?"

"요 앞마당만 잠깐 나갔다 와 볼래요? 잠깐 바람 좀 쐬게요."

카사르가 고개를 끄덕였다. 여자가 조심스레 한걸음 내디뎠다. 그의 허리를 감싼 손이 어색하게 꼬물거렸다. 그는 조금 망설이다 그녀의 손을 쥐었다.

"……어, 저기."

여자가 놀라 몸을 굳혔다. 손이 미끄러질 것 같아서. 그는 나직하게 말했다. 되지도 않는 변명이었다. 그저 이 여자와 더 닿고 싶었다.

"아, 그러게요. 그 생각은 못 했네요."

어색한 목소리와 함께 맞닿은 몸을 통해 옅은 진동이 느껴졌다. 그는 지그시 어깨를 더 끌어안았다. 몸이 밀착되자 여자가 또 한 번 흠칫했다. 그 작은 행동으로 이 여자와 타인과 닿는 데 익숙하지 않다는 걸 깨달았다.

그리고 문득 그런 생각이 들었다. 사내와 이리 가까워진 게 처음은 아닐까? 참 묘한 일이었다. 별다른 것 없는 생각인데 가슴 속에 만족감이 차올랐다. 그는 가만히 제 감정 변화를 관조했다. 이 여자와 있다 보면 자꾸 익숙하지 않은 일들이 생긴다. 앞마당을 한 바퀴 돈 후 다시 집으로 돌아왔다. 유리는 쉬지 않고 움직였다. 이 작은 집에 할 일이 뭐 그리 많은지 분주하게 움직였다.

그 와중에도 중간중간 그에게 말을 걸었다. 자신이 알고 있는 이야기들을 재잘대며 풀기도 했다. 대부분 가볍게 웃을 수 있는 우화들이었다. 그가 조금이나마 괴로움을 잊길 바라는 의도가 담겨 있었다. 이야기가 재미있다기보다는 그 마음이 예뻐 함께 웃었다.

그러던 중 깨달았다. 이 여자는 아무것도 묻지 않는다. 정신을 잃기 전 마지막으로 보았던 제 모습을 기억한다. 두 손뿐만 아니라 눈 닿는 몸 곳곳이 피투성이였다. 자객들의 피를 뒤집어썼던 거다. 다른 부분도 별다르지 않았을 거라 여겼다. 사정 모를 이들이 보기엔 매우 위험한 사람이었을 거다.

"그런데 내게 무슨 일이 있었는지 궁금하지는 않소?"

다소 충동적인 물음이었다. 여자가 뭔가 묻는다 하여도 그가 대답해 줄 수 있는 건 없었다. 여자에게 마음이 흐르는 건 맞지만 모든 걸 털어놓는 건 안 되었다. 참혹한 배신의 결과가 아직도 그를 옥죄고 있었다. 만난 지 며칠 되지도 않는 여자를 믿는 건 미친 짓이었다. 그런데 믿고 싶었다. 여자는 잠시 말이 없었다. 그는 약간 초조하게 뒷말을 기다렸다. 잠시 후 나직한 목소리가 들렸다.

"괜찮아요. 나쁜 사람 아니잖아요. 말해 주고 싶으면 그때 말해 줘요. 그런데 말해 주지 않아도 돼요. 정말이에요.

아. 그는 신음과도 같은 탄성과 함께 고개를 끄덕였다. 안도감이 밀려왔다. 믿고 싶었으면서도 막상 여자가 묻는 상황은 불안했었나 보다. 마치 그의 속을 들여다보기라도 한 듯 여자는 그가 듣고 싶은 말만 들려주었다. 그러면서도 한편으로 그녀가 자신에 대해 묻길 바랐다. 그래야 여자에 대해서 물을 수 있기에. 당신을 더 알 수 있기에. 그는 잠자코 욕심을 삼켰다.

"내가 바닥에서 자는 것이 좋겠소."

"괜찮다니까요. 정말 바닥에서 자는 게 익숙……."

"그럼 차라리 같이 자는 건 어떻소?"

결국 그렇게 말해 버렸다. 여자는 말이 없었다. 그는 마른 침을 삼키며 여자의 대답을 기다렸다. 내가 너무 성급했던 걸까. 약간의 후회가 밀려왔다. 앞을 볼 수 없기 때문인 걸까. 여자는 늘 그를 초조하고 조급하게 만들었다.

"그, 그렇진 않아도 될 것 같아요. 정말이요. 정말 괜찮아요."

여자의 목소리가 조금 떨렸다. 상대의 당혹이 눈에 보이는 듯했다. 정신없이 정말 괜찮다는 말만 한다. 그는 그쯤에서 욕심을 멈추기로 했다. 그는 벽을 보고 돌아누웠다. 창밖으로 들려오는 부엉이 소리에 밤이 제법 깊었다는 걸 깨달았다. 여자의 고른 호흡 소리를 들으며 계속 뒤척였다. 돌아누울까 말까 고민하다 슬그머니 여자 쪽으로 향했다. 그는 달빛 아래에 누워 있는 여자의 모습을 상상했다. 마음이 조금 안정되는 것 같기도 했다. 그는 스르르 눈을 감았다.

"……윽."

선잠이 들었던 것 같다. 낮은 신음에 그가 퍼뜩 눈을 떴다. 아무것도 보이지 않아 처음엔 상황 인지가 잘 되지 않았다. 움직이지 않은 채 청각을 곤두세웠다.

"엄마……."

여자의 목소리였다. 그가 벌떡 일어났다. 고통스러운 듯 끙끙대는 소리도 이어졌다. 순간 솜털이 곤두서는 듯했다. 그가 허둥지둥 침대 아래로 내려가려 했다. 방향을 잘못 잡아 발뒤꿈치를 어딘가에 부딪쳤다. 그가 이를 갈며 몸을 돌릴 때였다.

"깼어요?"

살짝 잠겨 있는 목소리가 들렸다. 아직 잠기운이 남아 있었다. 부스스 소리와 함께 여자가 몸을 일으켰다.

"혹시 나 때문에 깼어요?"

"그게 아니라……."

그는 저도 모르게 고개를 저었다. 그게 무엇이든 여자를 탓하고 싶지 않았다. 그러다 멈칫하곤 입을 열었다.

"혹시 악몽을 꾸었소?"

"아."

여자는 잠시 말이 없었다.

"별거 아니에요. 가끔 이래요."

그를 안심시키려는 듯 제법 밝은 목소리였다. 아마도 웃고 있을 것 같았다. 그는 눈을 깜빡였다. 정말 웃고 있을까? 그리 아픈 목소리를 내고는 웃을 수 있을까?

"방해해서 미안해요. 잘 자요."

그는 다시 눕지 않고 여자 쪽을 향해 앉아 있었다. 자리에 눕던 여자가 멈칫하는 게 느껴졌다. 여자한테 하고 싶은 말이 많은데 무슨 말부터 해야 할지 알 수가 없었다. 당신이 악몽을 꾸는 게 싫어.

"괜찮으면 이쪽에서 자는 게 어떻소?"

그는 침대 아래를 가리키며 말했다.

"나도 가끔 악몽을 꾸오. 곁에 누가 있으면 훨씬 낫지."

그리 말하는데 스르르 이불이 흘러 내렸다. 그는 이불 쪽으로 손을 뻗으려다 멈칫하곤 몸을 세웠다. 역시나 여자가 얼른 자리에서 일어나 이불을 위로 올려주었다. 바스락거리는 소리에 귀를 기울이던 그가 손을 뻗었다. 그녀의 손이 있을 법한 곳을 짚은 뒤 조금 움직였다. 예상대로 금세 보드라운 온기가 느껴졌다. 여자의 손이 살짝 굳는 게 느껴졌다.

"혹시 어머니가 돌아가셨소? 꿈에서 어머니를 찾더군."

여자의 손을 쥔 손에 힘이 들어갔다.

"나도 어릴 적 어머니께서 돌아가셨소. 얼굴도 기억나지 않을 옛날이오."

그는 어둠을 향해 담담히 과거를 풀어 놓았다. 처음 유리를 만났을 때라면 상상도 못 할 일이었다. 이유 모를 마법이 그를 이렇게 만들었다.

"어머니께선 나를 많이 아끼셨다고 들었소. 몸이 약해서 병치

레가 잦으셨지. 철이 없는 나는 어머니와 함께 식사하지 않으면 밥을 먹지 않겠다고 떼를 썼었소. 어머니께선 나를 무릎 위에 앉히고 식사를 하셨다 하오."

유리는 한동안 말이 없었다. 그에게 손이 잡혀 있는 그대로 유리가 스르르 주저앉았다.

"……고마워요."

침대 위에 턱을 괴고 있는 듯 웅얼거리는 목소리였다. 그는 옆으로 돌아누웠다. 유리의 숨소리가 한결 가까워졌다. 여전히 두 손은 이어진 채였다. 그는 조금 망설이다 그녀의 머리를 쓰다듬었다. 그의 손이 다가오는 걸 알고 있었던 듯 유리는 어린 짐승처럼 얌전했다. 머릿결의 감촉이 무척이나 좋았다.

"손은 좀 어때요?"

"당신 덕에 많이 나아졌소."

"다행이에요."

옅은 웃음소리가 들렸다. 그는 또 궁금해졌다. 이 여자는, 유리는 어떻게 웃을까? 어떻게 생겼을까? 나를 어떤 눈빛으로 볼까?

"앞이 안 보여서 많이 불편하죠?"

"그래도 지금은 많이 적응되었소."

"……그렇군요."

담담한 목소리에 유리는 잠시 말이 없었다. 그가 감정을 참고 있다 여기는 게 분명했다. 그는 그녀가 오해를 하도록 두었다. 그게 무엇이든 저를 향한 여자의 관심은 모두 기꺼웠다.

"다시 꼭 볼 수 있을 거예요."

"고맙소."

"당신이 꼭 앞을 볼 수 있으면 좋겠어요."

유리는 마치 기도하듯 말했다. 그도 고개를 끄덕였다. 간절히 앞을 보고 싶었다. 이 여자가 궁금했으니까.

*

오늘도 별다를 것 없는 하루였다. 유리는 온종일 분주했다. 봄이 왔으니 겨울 물건들을 집어넣어야 한다고 했다. 겨울 이불 속에 있는 솜을 꺼내고 이불 천을 빨았다. 그는 따스한 봄 햇살을 받으며 그녀의 소리를 들었다. 찰박거리는 물소리를 들으며 작은 발이 이불을 밟는 모습을 상상했다. 그 위로 물에 젖었을 흰 종아리가 자연스레 떠올랐다. 배 속에서 묘한 감정이 뭉근하게 달아올랐다. 그 감정이 무엇인지는 아직 몰랐다. 어렴풋이 알 것 같기도 했지만, 그는 그냥 두었다. 이유 모를 감정에 설레는 것도 마음에 들었다.

그리고 또다시 밤이었다.

"오늘은 달이 없네요."

그는 침대에 유리는 바닥에 누운 채였다. 유리는 전보다 훨씬 가까운 곳에 자리 잡았다.

"밤이 매우 어둡겠군."

"그러게요……."

유리는 말끝을 흐렸다. 그는 대수롭지 않게 생각했다. 마음이 편했다. 유리와 함께 있는 시간이 길어질수록 그랬다. 그는 한결 기분 좋게 잠이 들었다.

"으윽……."

가쁜 숨소리가 들렸다. 또 악몽을 꾸는 걸까. 그가 미간을 좁혔다. 몸을 일으키던 그가 멈칫했다.

"윽."

짓눌린 신음 소리가 났다. 호흡 소리가 무척 거칠었다. 그가 눈을 치떴다. 이건 악몽 따위가 아니었다. 그는 얼른 침대에서 내려갔다. 기다시피 하여 유리가 있는 쪽으로 향했다. 더듬거리는 손 아래로 축 늘어진 팔이 잡혔다. 근육이 나무토막처럼 뻣뻣하게 굳어 있었다. 가슴이 철렁 내려앉았다. 그는 얼른 여자를 끌어안았다. 힘없이 품에 안기는 몸에 숨이 멎는 듯했다. 가쁜 숨소리를 듣던 그의 입매가 일그러졌다. 과호흡 상태가 분명했다.

─발작이 있어요.

발작 증세가 이러했나. 그가 얼른 유리의 목을 받쳤다. 가느다란 목이 힘없이 꺾였다. 망설임 없이 입을 맞추었다. 제 숨을 밀어 넣기 위해서였다. 한데 마른 입술이 닿은 순간 잠시 굳어 버렸다. 말캉한 감촉에 발끝까지 휙 전율이 치달았다. 그는 가까스로 입술을 떼어 냈다. 유리를 바닥에 눕히고 그녀의 얼굴을 감쌌다. 땀을 얼마나 흘렸는지 뺨이 차게 식어 있었다. 그는 다시금 필사적으로 숨을 불어 넣었다. 잠시 후 유리가 오들오들 떨며 눈꺼풀을 들어 올렸다. 유리의 이마를 짚고 있던 그는 유리가 정신이 들었음을 알고 얼른 속삭였다.

"어둠을 무서워하지 마."

유리가 움찔했다. 그의 팔이 가벼운 몸을 안아 들었다. 자그마한 머리를 가슴에 기대었다. 흰 이마에 입술을 맞춘 채 그녀를 다독였다.

"눈을 감는 것과 똑같으니까."

"⋯⋯아."

유리가 질끈 눈을 감았다. 그녀의 눈에서 소리 없는 눈물이 쏟아졌다. 들썩이는 어깨를 끌어안는 그의 잇새에 힘이 들어갔다.

이 여자는 늘 이렇게 혼자 아팠던 걸까?

"⋯⋯카사르."

유리가 잠긴 목소리로 말했다. 그가 유리를 더 끌어안았다. 맞닿은 곳이 너무 아렸다. 이런 감정은 처음이라 어찌 손대야 할지 알 수가 없었다. 유리도 그를 마주 안았다. 가슴에 얼굴을 묻은 채 숨 죽인 오열을 쏟아 냈다. 여린 눈물에 그의 가슴이 젖어 들어갔다. 그는 먹먹함을 삼키며 고개를 들었다. 그렇게 그녀가 그에게 스미 었다.

*

"어젯밤엔 정말 고마웠어요."

유리는 부은 눈으로 말갛게 웃었다. 고맙고 미안하다고 했다. 그가 듣고 싶은 말은 그런 게 아니었다.

더 깊은, 그러한 것.

"잠시 나가도 되겠소?"

그가 자리에서 일어나며 말했다. 유리는 얼른 다가와 그를 부축하려 했다. 그는 유리가 제 허리를 안기 전에 먼저 그녀의 허리를 끌어안았다. 마치 뒤에서 안는 듯한 자세였다. 잡고 있던 손엔 재빨리 깍지를 꼈다. 그녀의 어깨에 턱을 괸 채 말했다.

"이러면 더 안전하지 않겠소?"

"어. 어."

허리를 안은 손에 지그시 힘을 주었다. 유리가 그의 품에서 파드득 떨었다. 그러면서도 그를 밀어내진 못하고 어쩔 줄을 몰라 했다.

"불편하오?"

"그, 그게 아니라."

유리가 반사적으로 고개를 저었다. 그러면서도 낭패한 기색이 역력했다. 그는 속으로 웃음을 삼켰다. 제가 지금 얼마나 무구한 얼굴일지 알았다.

"그, 그런데 걷는 게 조금."

몇 걸음 걷던 유리가 기어들어 가는 목소리로 말했다. 그동안 그는 마음껏 여자의 얼굴을 상상했다. 혹 부끄러운 걸까. 볼이 달아오른 건 아닐까. 혹여 귓불도 붉어졌을까. 도톰한 살을 슬쩍 깨물면 여자는 어떤 표정을 지을까.

"그럼 산책은 되었소."

걷는 게 뭐가 중요할까. 마냥 서 있기만 해도 좋았다. 그는 그녀에게서 떨어지기 직전 여자의 향을 깊게 들이마셨다. 벌써 중독된 것 같았다. 마음이 미친 듯이 흘러가는 걸 알았다. 그는 그냥 흘러가는 대로 두었다. 그의 모든 감각은 유리에게 향해 있었다. 마치 술에 취한 듯 복잡한 현실도 별 힘을 쓰지 못했다.

"어, 저 그럼 산책 대신 뭘 할까요?"

그의 품에서 벗어난 유리가 더듬거리며 물었다. 한 손은 여전히 잡혀 있는 채였다. 마디 굵은 엄지가 그녀의 손목 안쪽을 쓸었다. 여자의 맥이 작은 새의 그것처럼 빠르게 뛰는 걸 느꼈다. 그는 물끄러미 소리가 나는 쪽을 내려다보며 말했다.

"당신을 보고 싶어."

"네?"

"얼굴을 확인할 수 있게 해 줘."

"얼굴을 어떻게……."

"볼 수 없으니까. 대신."

그는 나직하게 말하며 유리의 뺨을 감쌌다. 그의 손끝이 단단한 이마를 쓰다듬었다. 유리는 놀란 듯하면서도 그에게서 벗어나진 않았다. 머뭇거리며 그의 손에 뺨을 가져다 댄다. 풍성한 속눈썹이 닿는 느낌에 그의 입매가 슬쩍 올라갔다. 간지러운 듯 유리가 스르르 눈을 감는 게 느껴졌다. 그는 기다렸다는 듯 고개를 기울였다.

놀란 유리가 눈을 동그랗게 떴다. 그의 웃음이 더욱 진해졌다. 여린 입술을 슬쩍 머금는다. 말캉한 혀가 입술 점막 안쪽을 쓸었다. 젖은 살과 살이 맞닿는 소리가 방 안을 가득 채웠다. 날씬한 허리를 쓸어 내린다. 유리가 부르르 몸을 떨었다. 그가 만족스레 웃으며 입술을 떼어 냈다.

"내가 당신을……."

그는 조용히 뒷말을 삼켰다.

사랑하는 것 같아.

＊

"우리 둘이 같이 자는 게 좋을 것 같다니까."

"어, 음. 그건 좀."

"그럼 정말 내가 내려가 자길 바라는 거요?"

그가 눈썹을 추어올리며 물었다. 유리는 말문이 막혀 입술만 달싹였다.

"난 환자인데?"

"그, 그러니까 제가 바닥에서 자겠다고……."

"나보고 주인을 내쫓는 무뢰한이 되란 뜻이군."

이 대화가 이십 분째 뱅뱅 돌고 있다. 유리는 기가 막혔다. 저 사람 저리 말을 잘하는 줄 몰랐다. 유리는 마른침을 삼키며 침대를 바라보았다. 두 사람이 자기엔 빠듯한 크기였다. 함께 자려면 반드시 가깝게 붙어야 할 것이다.

'미쳤어!'

기다렸다는 듯 떠오르는 장면에 유리의 얼굴이 화르륵 달아올랐다. 부지불식간에 손가락으로 입술을 쓸었다. 우연인지 그와 눈이 마주쳤다. 유리는 깜짝 놀라 손을 내렸다가 이내 그가 앞을 보지 못하는 걸 깨닫고 입술만 깨물었다.

"계속 고집을 피울 거면 내가 나가서 자겠소."

"그건 좀."

"흠. 설마 이상한 생각을 하고 있는 거요?"

"아니에요! 알았어요!"

마침 그와의 입맞춤을 떠올리고 있던 유리가 화들짝 놀라 손사래를 쳤다. 결국 어쩔 수 없이 그의 곁에 누웠다. 몸이 닿을까 봐 잔뜩 웅크린 채였다. 시선에 바로 침대 바닥이 보였다. 조금만 뒤척여도 떨어지겠구나. 유리가 질끈 눈을 감을 때였다. 긴 팔이 그녀의 허리를 끌어안는다. 몸이 뒤로 밀리며 자세가 한층 안정적이 되었다. 아니! 안정은 무슨! 근래 제 심장이 이리 불안정하게 뛰는 건 오늘이 처음이었다.

"당신이 안쪽에서 자는 게 좋겠소."

기분 좋은 울림이 등 뒤에서 느껴졌다.

"떨어질까 걱정이 되는군."

그는 그 말을 끝으로 유리를 한번 꽉 끌어안았다. 등 뒤로 그가 숨을 들이쉬는 게 느껴졌다. 그 호흡에 영혼까지 빨려 들어간 것 같았다. 유리는 반쯤 넋이 나간 상태로 그가 이끄는 대로 침대 안쪽으로 향했다. 벽을 보고 누우려는데 그가 얼른 그녀의 어깨를 끌어안더니 그녀의 얼굴을 제 가슴에 묻었다.

"벽은 추우니까."

춥든 말든 그게 무슨 상관이란 말인가! 사실 상관이 있어도 지금은 이해하지 못했을 거다. 유리는 벗어나지도 밀어내지도 못한 채 반쯤은 헐떡이며 그의 품에 안겨 있었다. 그 소리를 듣던 그가 슬쩍 눈꺼풀을 들어 올리며 말했다.

"당신 숨소리에 잠이 깰 것 같군."

"읍."

유리가 두 손으로 입을 틀어막았다. 눈알을 굴리며 코로만 숨을 쉬었다. 그 모습이 눈에 보여 그는 모른 척 웃기만 했다. 품 안의 온기가 무척이나 사랑스러웠다. 스르르 그의 눈이 감겼다. 유리는 콩닥거리는 제 심장 소리를 들으며 그의 가슴팍만 바라보았다. 벗어나고 싶은데 움직였다간 그가 잠을 깰까 봐 그러지도 못했다.

'애초에 침대에 올라오는 게 아니었는데.'

유리가 울상을 지었다.

'그런데 이 사람 아마 포기하지 않았을 거야.'

아까의 실랑이를 돌아보건대 카사르는 밤을 새우는 한이 있더라도 그녀를 결국 제 곁에서 재웠을 거다.

'모르겠다. 그냥 자자.'

결국 유리는 포기하고 그의 가슴에 이마를 기대었다. 그의 말대로 이왕 함께 자는 거면 서로 편한 자세가 좋았다. 유리가 그에게서 멀어지려 할수록 그가 침대 가장자리로 밀려날 것이다. 그 생각을 하자 왈칵 겁이 났다. 망설이던 유리가 그의 허리를 끌어안았다. 얇은 아래로 단단한 근육들이 느껴졌다. 이내 기어들어가는 목소리로 말했다.

"그…… 당신도 위험하잖아요."

잠이 든 걸까. 그는 아무 말이 없었다. 두근거리는 심장 소리가 들려왔다. 제 것이라 생각했는데 아닐 수도 있겠단 생각이 들었다. 유리는 조금 더 깊이 그의 품속으로 파고들었다. 온기가 아주 달았다. 어릴 적 엄마 품에서 잠들었던 때가 생각났다. 어머니가 그녀를 끌어안고 낮게 흥얼거리던 자장가까지. 옛 기억이 떠오르자 유리는 잠시 멍해졌다.

―유리엘. 얌전히 있어. 엄마가 꼭 다시 올게.

유리가 툭 그의 가슴에 이마를 기대었다. 주위가 이렇게 따뜻한
데 가슴 속은 추웠다. 눈물이 고였다. 유리가 이를 악물고 흐느낌을
참아 냈다. 다시 온다고 했잖아요. 엄마.

그녀의 어머니는 다시 돌아오지 않았다. 아버지의 피맺힌 절규
에 어머니가 돌아가셨다는 걸 알았다. 유리가 부르르 몸을 떨었다.
다시는 떠올리고 싶지 않은 끔찍한 순간이었다.

"……무슨 일 있소?"

낮은 목소리와 함께 그가 안은 팔을 풀어내었다. 그가 자고 있는
줄 알았던 유리가 당황하여 눈을 깜빡였다. 살짝 찌푸린 그의 이마
가 보였다.

"어디가 아픈 거요?"

"아니요. 그게 아니라."

생각보다 잠긴 목소리에 유리가 얼른 다물었다. 그러나 늦었다.
그녀의 눈물을 눈치챈 그가 눈을 치떴다.

"울고 있군."

그는 그리 말하며 유리의 뺨을 감쌌다. 눈 밑이 젖어 있는 것을
알아챈 그의 얼굴이 심각해졌다. 멍하니 그 모습을 보던 유리가 질
끈 눈을 감았다. 칠 년 만이었다. 누군가 제 눈물을 닦아 주는 건.

그래서 눈물을 참을 수가 없었다.

"그냥 좋아서요."

유리가 고개를 저었다.

"좋아서, 좋아서 우는 거예요."

속삭이듯 말하며 그의 가슴에 얼굴을 묻었다. 소리 없는 눈물이
그녀의 뺨을 적셨다. 그는 어깨를 살짝 밀어냈지만 유리는 고집스
럽게 그에게 매달려 있었다. 결국 그는 망설이다 반쯤은 억지로 유

리의 고개를 들어 올렸다. 눈물을 닦아 내는 그의 손이 조금 떨렸다. 깨물린 입술을 알아챈 그의 눈빛이 깊어졌다.

좋은 게 아니다. 좋아서 우는 게 아니라 아파 이러는 것이다.

"혹시 나와 함께 자는 게 불편해서 이러는 거요?"

그는 슬쩍 유리를 떠보았다.

"아니 그런 게 아니에요."

"그럼?"

한동안 말이 없던 유리가 떨리는 목소리로 말했다.

"누군가와."

유리가 숨을 몰아쉬었다.

"함께 있었던 게 너무 오랜만이라."

그의 잇새에 힘이 들어갔다. 사무치는 외로움이 그에게도 고스란히 전해졌다. 그녀의 호흡 하나하나가 깊게 울렸다. 뺨을 감싼 손 그대로 그의 엄지손가락이 입술을 더듬었다. 촉촉한 입술이 살짝 벌어져 있는 게 느껴졌다. 그는 본능처럼 고개를 숙였다. 마치 위로하듯 부드럽게 입술을 핥았다. 이내 파고들었다. 유리는 멍하니 한결 가까워진 푸른 눈동자를 바라보았다. 긴 속눈썹 아래로 음영진 눈빛이 무척이나 깊었다.

"내가 여기에 있을게."

그가 속삭였다.

"내가 당신 옆에 있을게."

그가 그녀의 이름을 불렀다.

"……유리야."

*

이름에는 마법이 있었다. 지난 수년간 그녀의 이름을 부른 건 그가 처음이었다. 홀린 듯 그의 눈동자를 보던 유리가 속삭였다.

"다시, 다시 불러 주세요."

유리는 죽은 부모님이 그녀를 부르던 애칭이었다. 다른 사람의 입에서 그 이름이 또 나오게 될 줄 몰랐다. 그는 그녀의 부탁대로 선선히 그녀의 이름을 불렀다. 마른 입술은 그녀의 이마에 댄 채였다.

"유리야."

가슴 안쪽이 간질거렸다. 유리의 눈동자가 떨렸다. 억눌렀던 외로움이 터져 나왔다.

"다시요."

"유리."

"또 불러 줘요."

"유리야……."

끄는 듯한 부름에 유리의 눈에서 왈칵 눈물이 터져 나왔다. 그는 젖은 뺨 곳곳에 입을 맞추며 속삭였다.

"당신을 만나서 기뻐."

"……윽."

"세상이 빛나는 것 같아."

유리 떨리는 그의 목을 끌어안는다. 먼저 그에게 입을 맞추었다.

사랑의 시작이었다.

*

그날 이후로 두 사람은 자연스럽게 연인이 되었다. 함께한 시간이 긴 만큼 애정은 순식간에 자라났다. 늘 한 몸처럼 붙어 있기에 더욱 그러했다. 낮에는 유리가 그를 부축하고 밤에는 카사르가 그녀를 안고 자는 식이었다. 카사르를 만나기 전까지만 하더라도 유리는 타인의 접촉을 꺼렸다. 과거의 상처로 인해 오랫동안 다른 사람과 교류를 거의 하지 않았기 때문이었다.

그런데 카사르만큼은 예외였다. 유리는 금세 그와의 접촉에 익숙해졌다. 그녀는 그런 자신의 변화가 어색하면서도 한편으론 그의 체온을 편하게 느끼는 자신이 좋았다. 참 신기하게도 그의 품에 안겨 있다 보면 모든 걱정이 사라졌다. 마치 어린 시절 그녀를 지켜주던 아버지의 품 같았다. 따뜻한 체온 속에서 유리는 눈을 감고 가장 행복했던 시절을 떠올렸다. 그 덕분인지 그녀를 괴롭히던 악몽도 며칠째 자취를 감추었다.

"내 손목이요?"

그러던 어느 날 그가 말했다.

"응. 맥박 소리를 듣고 싶어. 그럼 네 표정을 알 수 있을 것 같아."

그리 묻는 그의 표정은 무척이나 진지했다. 그의 시선이 그녀에게 향했다. 유리의 심장이 빠르게 뛰었다. 그가 저리 간절한 눈을 할 때면 꼭 자신이 세상에서 가장 특별한 여자가 된 것 같았다.

"유리야."

그가 나직한 부름과 함께 그녀의 손등에 입을 맞추었다. 조심스레 와 닿는 입술의 감촉에 유리의 볼이 또 한 번 상기되었다. 그는 늘 지금처럼 그녀를 귀하게 대했다. 그럴 때면 가슴 속엔 말로 표현할 수 없을 만큼 큰 행복이 차올랐다.

"허락해 줄래?"

"그럴게요."

"고마워."

그가 조심스레 작은 손을 뒤집었다. 엄지손가락이 손바닥 한가운데를 지그시 눌렀다. 느리게 고개를 숙였다. 그때까지만 해도 그녀는 무슨 일이 벌어질지 모른 채 생글생글 웃고 있었다. 붉은 입술이 얇은 피부를 지그시 물었다. 젖은 점막이 슬쩍 푸른 핏줄 위를 쓸었다. 맥이 뛰는 곳에 느껴지는 낯선 감각에 유리가 흠칫했다. 팔뚝을 움켜쥔 손이 슬며시 보송보송한 피부를 쓸었다. 애무에 가까운 동작이었지만 유리는 눈치채지 못했다. 유리가 꼴깍 침을 삼켰다. 그의 입술이 피부에 닿은 그대로 위로 올라왔다. 말랑한 살을 물더니 살짝 빨아들인다. 심장을 휘감는 기이한 열기에 유리가 숨을 멈추었다. 붉어진 자국 위로 뜨끈한 숨이 내려앉았다. 오도독 소름이 돋았다. 어쩔 줄을 몰라 하던 유리가 외마디 비명처럼 그를 불렀다.

"카사르!"

"응?"

"서, 설거지를 해야 할 것 같아요!"

"지금?"

유리는 세차게 고개를 끄덕였다. 작은 얼굴이 귀 끝까지 발갛게 물들어 있었다.

"네, 네, 음. 그래요. 그, 급해서요."

유리가 화드득 자리에서 일어났다. 키스 마크가 남아 있는 팔뚝을 옷에 벅벅 문질렀다. 귀를 쫑긋한 채 그 소리를 듣고 있던 그가 피식 웃었다.

'유리가 눈치가 제법인걸.'

그는 유리의 반응을 예상하고 일부러 그러했다. 예민한 피부에 성애의 의미를 담아 입술과 손을 대었다. 사내와의 교제 경험이 많지 않은 유리에겐 그 감각이 무척이나 낯설었을 것이다.

'유리야, 자꾸만 너에게 닿고 싶다.'

그는 침대를 짚고 자리에서 일어났다. 졸졸졸 물소리가 들리는 쪽으로 걸음을 옮겼다.

'자꾸만 욕심이 커진다. 나도 어쩔 수 없을 만큼.'

그녀와 처음으로 입을 맞추었을 때만 하더라도 제 마음이 이리 커질 줄 몰랐다. 사랑이 이렇게 빠른 줄도 몰랐다. 아니, 애당초 누군가를 이리 깊게 연모해 본 적이 없었다. 시간이 지날수록 이 깊은 감정을 알기 전으로는 돌아갈 수 없음을 확신했다.

마음이 깊어지는 만큼 차단된 시각 대신 모든 감각이 그녀에게로 향했다. 유리를 알기 위해서였다. 너무 집중해서 종종 자신의 처지를 잊을 정도였다. 그녀를 알고자 하는 열망은 점점 커져 그녀를 품고 싶다는 마음에까지 이르렀다. 그저 몸이 탐나기 때문이 아니었다. 사랑하는 여자의 머리끝에서 발끝까지 모두 알고 하나가 되고 싶다는 간절한 욕심이었다.

'맥박이 궁금하다는 건 핑계야. 이 순진한 아가씨야. 그냥 너한테 입 맞추고 싶은 거라고.'

그는 연인의 순진한 반응을 즐겁게 음미하며 그녀가 있을 곳으로 팔을 뻗었다. 조심스레 허리를 끌어안았다. 그가 오는 소리를 듣고 있던 유리는 놀라지 않고 배시시 웃으며 그에게 등을 기댔다.

"왜요?"

"잠깐만 이렇게 있을게."

"옷 젖어요. 앉아서 기다려요. 금방 갈게요."

유리의 목소리에 아까의 당황은 모두 사라져 있었다. 그는 묘한 상실감을 느끼며 그녀의 목덜미에 얼굴을 묻었다. 들이쉬는 숨에 그녀의 체향이 느껴졌다. 그가 불쑥 가까워졌기 때문인지 유리가 흠칫 굳었다. 키스의 여운이 남아 있기 때문이었다.

"카사르."

젖은 손이 머뭇대다가 슬쩍 그의 팔을 잡았다. 그는 유리가 자신을 밀어내기 전에 얼른 선수를 쳤다.

"혼자 있으려니 무서워서 그래."

어둠이 무섭다는 뜻이었다. 그의 말을 바로 알아들은 유리의 손이 그대로 멈추었다.

"조금 힘들어서. 잠깐만 있으면 돼."

그의 목소리가 낮아졌다. 힘들어하는 그의 모습에 유리의 눈빛이 안쓰럽게 변했다. 유리는 그의 팔을 잡았던 손을 풀며 다정하게 속삭였다.

"더 있어도 괜찮아요. 얼른 끝낼게요. 다시 같이 있어요."

유리가 고개를 돌리자 그는 슬그머니 입매를 올렸다. 만족스러운 웃음에 방금의 두려움은 전혀 찾아볼 수 없었다. 어둠이 무섭다는 건 거짓말이었다. 그저 그녀에게 닿기 위해 핑계를 대었을 뿐이다.

앞을 못 보는 게 괴롭긴 했지만 거의 적응했다. 평생을 수련해 온 감각 덕분에 웬만한 장소는 부축 없이도 운신할 수 있었다. 그럼에도 불구하고 그가 약한 소리를 한 까닭은, 유리의 약점을 파악했기 때문이었다.

그의 상처에 눈물지었던 그날처럼 유리는 그의 아픔에 약했다. 그가 무리한 요구를 해도 그가 우는 소리를 하면 들어 주었다. 교제한 지 얼마 되지도 않았는데 제법 깊은 스킨십까지 성공한 건 그 덕분이었다. 어둠이 무섭다고 마음이 괴롭다고 하면 유리는 언제든 그 품을 내어 주었다. 그는 무구한 얼굴로 유리의 순결한 몸을 끌어안고 곳곳에 입을 맞추었다. 그럴 때마다 유리는 흠칫 놀라면서도 그를 위해 끝까지 참았다. 신사의 탈을 쓴 늑대는 모른 척 제 연인의 사랑스러움을 음미했다.

아까도 그랬다. 소리가 듣고 싶다는 말도 안 되는 칭얼거림에 손목을 내어 주었다. 유리가 그의 소원을 들어줄 때마다 그는 더 큰 것, 더 많은 것을 바랐다. 깊어가는 욕망만큼이나 유리가 저의 어느 부분까지 포용해 줄 수 있나 궁금했다. 태어나 처음으로 겪는 맹목이었다. 사람의 감정이 어찌 이럴 수 있는지 신기하기만 했다.

군은살 배긴 손이 가느다란 허리를 지분거렸다. 옷 아래 숨겨져 있을 흰 살결을 상상했다. 그 감촉을 꿈꾸기도 했다. 자신의 노골적인 욕망이 놀라우면서도 기꺼웠다. 다른 여인이 아닌, 이 여자를 향한 마음이기에 그러했다. 그는 유리의 목에 깊게 입을 맞추었다. 비단결처럼 고운 피부를 슬쩍 물었다. 유리의 맥박이 작은 새의 그것처럼 빨라지는 게 느껴졌다. 더는 충동을 참을 수가 없었다. 이젠 밀려나지 않겠노라 다짐하며 허리를 끌어안은 팔에 힘을 주었다. 여린 피부를 깨물고 세게 빨아 당겼다. 놀란 유리가 억 하는 신음소리를 냈다. 그는 멈추지 않았다. 허리를 안은 손이 살짝 위로 올라갔다. 유리가 어쩔 줄 몰라 하며 어깨를 움츠렸다. 간지러움과는 다른 기이한 열기가 배 속을 채웠다. 그녀의 호흡이 달아올랐다. 그릇을 들고 있던 손에서 힘이 빠졌다.

쨍그랑! 바로 곁에서 들린 날카로운 소리에 그가 흠칫 놀라 고개를 들었다.

"무슨 일이야!"

"그, 그릇을 떨어트렸어요."

유리가 기어들어 가는 목소리로 말했다. 허공에 떠 있던 그녀의 손끝이 살짝 떨렸다.

"손이 미끄러져서……."

유리의 얼굴이 부끄러움에 발갛게 달아올랐다. 그의 입술이 닿은 곳이 여전히 화끈거렸다. 그 때문에 느껴진 열기도 여전했다.

"다치니까 움직이지 말아요. 내가 주울게요."

유리는 얼른 몸을 숙여 파편을 주웠다. 그는 우두커니 선 채 유리가 주위를 정리하는 소리를 들었다. 방금의 설렘이 썰물처럼 사라지고 무력감이 그 자리를 채웠다.

'별것도 아닌 상황인데 나는 정말 아무것도 못 하는구나.'

그는 초조하게 유리가 주변을 정리하길 기다렸다. 불안감에 주먹을 움켜쥐었다. 자신이 다칠까 그러는 게 아니었다. 유리가 다칠까 불안했다. 그녀를 향한 걱정이 큰 만큼 자괴감도 자라났다.

유리를 걱정하면 무엇하나. 그가 할 수 있는 건 아무것도 없다. 지금 그에겐 그녀를 지킬 능력이 없다.

"다 끝났어요. 이제 움직여도 되어요."

정리를 끝낸 유리가 한결 침착해진 채 그 앞에 섰다. 딱딱하게 굳은 푸른 눈동자가 그녀에게 향했다. 순식간에 가라앉은 분위기에 유리가 놀라 그를 불렀다.

"카사르, 무슨 일 있어요? 카사르?"

그는 아무 말도 하지 않았다. 눈빛은 심해처럼 어두웠다. 그는 잔뜩 참는 얼굴로 그녀의 손을 끌어당겼다. 가느다란 어깨를 끌어안고 깊은 한숨을 토해 내었다.

"유리야."

그의 마음이 조금만 약해져도 무력감은 귀신처럼 그의 속을 좀먹는다. 사랑하는 여자를 행복하게 해 주고 싶은데 할 수 있는 게 아무것도 없었다. 능력은 없으면서 욕심만 커가는 자신이 답답하기도 했다.

"유리야……."

그는 한결 간절한 목소리로 그녀를 불렀다. 유리는 아무것도 묻지 않고 그를 안았다. 너른 등을 토닥거렸다. 모든 것을 이해한다는 듯한 그녀의 침묵에 감정이 울컥 치밀어 올랐다.

'나는 또 너에게 위로를 받는구나.'

손을 다친 그날처럼, 파도처럼 날뛰던 감정이 스르르 가라앉는다. 전부 유리의 온기 덕분이었다. 그는 안은 팔을 풀고는 유리의 뺨을 감쌌다. 작은 얼굴 곳곳에 자잘하게 입을 맞추었다. 입술이 닿을 때마다 그는 또 한 번 자신의 욕심을 실감했다.

'유리야, 너에게 닿고 싶어. 너와 하나가 되고 싶어. 너를 안고 싶어.'

괴로움이 클수록 유리를 품고 싶었다. 그의 빛인 이 여자와 사랑을 나누고 싶다. 강렬하면서도 명징한 욕망이었다.

*

며칠 동안 쨍했던 날씨가 갑자기 바뀌었다. 낮부터 구름이 끼더니 저녁 즈음엔 비가 쏟아지기 시작했다. 빗줄기가 창문을 두드리는 소리가 제법 요란했다. 카사르는 눈을 감은 채 빗소리를 음미했다. 까만 시야 위로 장대비가 쏟아지는 광경이 펼쳐졌다. 오랜만에 떠오르는 생생한 풍광이었다. 이러고 있으니 앞을 보지 못하는 게 아니라 그저 눈을 감고 있는 것 같다. 찰나처럼 찾아온 평온함에 그의 입매가 스르르 올라갔다.

"비가 많이 오나 봐."

그의 밝은 표정과 달리 유리의 표정은 어두웠다. 그녀는 가라앉은 눈으로 창밖을 응시했다. 밖은 어둡다 못해 시커멓기까지 했다.

―아저씨, 저 사람이 정말 발렌타인 백작이에요? 그게 정말이에요?

―그렇다니까! 대답을 해 줬는데도 왜 자꾸 묻는 거야! 그렇게 궁금하면 직접 가서 확인해 보든가!

발렌타인이 멸문한 다음 날, 그날도 오늘처럼 비가 쏟아졌다. 부모님의 시체는 축 늘어진 채 광장에 전시되어 있었다. 유리는 부모님의 시체에 가까이 다가가지 못했다. 확인해야 한다고 머리로는 생각하면서도 차마 움직일 수가 없었다. 짙푸른 빗줄기 사이에 서 있던 시커먼 덩어리. 그게 마지막 기억이었다. 그날을 떠올리면 아직도 가슴이 꽉 메 왔다.

"비 오니까 좋다. 갠 다음엔 하늘이 깨끗해질 거야. 그렇지?"

"……그럴 것 같아요."

살짝 잠긴듯한 목소리에 그가 귀를 쫑긋 세웠다. 평소 같았으면 조잘조잘 말을 덧붙였을 유리가 아무 말이 없었다. 묘한 느낌에 그가 그녀를 제 쪽으로 끌어당겼다. 유리는 발갛게 달아오른 눈매로 그를 올려다보았다.

"유리야, 혹시 우는 거야?"

그는 대답을 기다리지 않고 유리의 뺨을 감쌌다.

"아니에요."

유리는 얼른 고개를 숙여 눈물을 떨구어 내려 했다. 그가 더 빨랐다. 그는 강한 힘으로 유리의 얼굴을 고정한 뒤 눈 밑을 쓸었다. 젖어 있는 느낌에 그의 안색이 단번에 심각해졌다.

"무슨 일 있어?"

말간 녹안에 눈물이 그렁그렁 맺혔다. 자신을 걱정해 주는 그의 모습에 부모님 생각이 났다. 부모님의 품 안에서 아무 걱정 없이 살던 지난날. 유리는 눈물을 참으며 그의 가슴에 얼굴을 묻었다. 이젠 다시는 그때로 돌아갈 수 없다. 그게 너무 무섭고 외로웠다.

'유리야, 대체 왜 이렇게 힘들어하는 거야. 대체 이유가 뭐야?'

그는 답답함을 삼키며 유리의 눈물을 닦아냈다. 하지 못한 질문은 꿀꺽 삼켰다. 유리가 이유 모를 눈물을 흘린 건 오늘이 처음이 아니었다. 그때마다 이유를 캐물었지만 유리는 대답하지 않았다.

결국 그도 더는 물을 수가 없었다. 자신의 질문이 오히려 그녀를 괴롭게 함을 깨달았기 때문이었다.

"이제 다 울었어?"

침대에 나란히 누워 유리를 끌어안은 그가 물었다. 그가 보드라운 뺨을 살며시 매만졌다. 눈 밑이 말라 있는 걸 느낀 그의 얼굴에 안도감이 깃들었다. 그 모습을 보자 또 눈시울이 시큰했다. 유리는 그의 등을 끌어안고는 가슴에 폭 얼굴을 묻었다.

"옛날이야기 해 줘요."

"어떤 거?"

"그냥 아무거나. 동화도 좋아요."

어리광을 부리는 목소리가 살짝 잠겨 있었다. 또 혼자 아파하는구나. 그의 가슴 근처가 찌르르 아팠다. 그는 이유를 캐묻는 대신 모른 척 그녀가 원하는 대로 옛이야기를 들려주었다.

"내가 알고 있는 신화 중에 말이야……."

낮게 이어지는 목소리가 듣기 좋았다. 세찬 빗소리도 어느새 잠잠해진 듯했다. 어쩌면 그의 말소리 덕분에 빗소리가 들리지 않는 것 같기도 했다. 유리는 어느 순간 스르르 잠이 들었다. 그리고 눈을 떴을 때 유리는 다시 벽장 안에 있었다. 열린 벽장 문틈으로 어머니의 파리한 얼굴이 보였다. 쾅, 문이 닫혔다. 굳어 있던 유리가 상황을 깨닫곤 화급히 닫힌 문을 열었다. 걸쇠라도 걸린 것처럼 문은 열리지 않았다. 쾅쾅 문을 두드리던 유리가 입을 열었다.

'엄마, 가지 마. 가면 죽어!'

그런데 그 어떤 말도 나오지 않았다. 목소리가 콱 막힌 듯했다. 유리는 필사적으로 입을 벙긋대었다. 그 와중에 새까만 어둠은 점점 그녀의 목을 조였다. 유리의 호흡이 거칠어졌다. 유리는 무릎을 꿇은 채 막힌 가슴을 쳤다.

'엄마, 가지 말아요. 나 혼자 두지 말아요. 그동안 너무 힘들었어요. 제발, 제발요……'

"유리야!"

그리고 그 순간 주변의 어둠이 송두리째 사라졌다.

"유리야, 정신 차려!"

유리가 숨을 죽인 채 눈을 깜빡였다. 눈물이 고여 앞이 잘 보이지 않았다. 꾹 감아 흘려내었다. 온몸엔 식은땀이 흥건했다. 희미했던 시야가 선명해지며 일그러진 그의 얼굴이 보였다.

"카사르?"

"하. 미치겠네, 정말."

그는 이를 갈 듯 말하더니 그녀의 눈물을 닦아 내었다. 이내 단단한 팔이 그녀를 휘감았다. 절대 떨어트리지 않겠다는 듯 단단했다.

"대체 무슨 꿈을 꿨길래 이러는 거야."

"꿈……."

"악몽을 꾼 것 같았어. 이젠 괜찮아?"

유리가 파르르 떨리는 숨을 들이쉬었다. 그의 체향 덕분인지 끔찍했던 꿈의 여운이 서서히 물러갔다. 그가 그녀의 등을 쓸어내렸다. 호흡이 편해지자 안도감에 와락 울음이 터졌다.

"으흑."

"유리야……."

그가 그녀의 뺨을 붙잡고 이마를 맞대었다. 유리는 주룩주룩 눈물을 흘렸다. 그의 손이 젖어 들어갔다. 그의 눈빛이 아프게 변했다. 유리와 이마를 맞댄 채 거듭 속삭였다.

"너는 혼자가 아니야. 내가 곁에 있을 거야. 혼자 감당하지 않아도 돼."

그의 노력 덕분에 유리는 차츰 안정을 찾았다. 마음이 진정되자 곁에 있는 그가 보였다.

혼자가 아니야. 혼자 괴로워하지 않아도 돼. 그의 속삭임이 마법처럼 그녀의 마음에 와 박혔다. 맑은 눈동자에 또 한 번 눈물이 넘쳐 흘렀다. 이젠 혼자가 아니었다. 더는 외롭지 않았다. 외로워하고 싶지 않았다.

"카사르, 당신과 하나가 되면 덜 외로울 수 있어요?"

유리는 그렇게 그에게 한 걸음 다가갔다. 그녀에겐 다른 방법이 없었다. 그를 안고 그의 가슴에 얼굴을 묻었다. 자신이 한 말이 무슨 뜻인지 똑똑히 알았다. 그는 놀란 듯 숨소리조차 내지 않았다. 세차게 뛰는 그의 심장 소리를 들으며 속삭였다.

"당신과 하나가 되고 싶어요."

"……뭐?"

"이젠 외롭기 싫어요."

유리는 꼭 눈을 감고 그의 대답을 기다렸다. 머릿속은 폭죽이 터진 듯 어지러웠다. 혼란 속에서도 자신이 선을 넘었다는 걸 알았다. 그가 받아들이는 순간 돌이킬 수 없는 선을 넘는 것이다.

"그 말, 무슨 뜻인지 알고 있어?"

그가 꽉 잠긴 목소리로 물었다. 유리가 떨리는 눈으로 그를 올려다보았다. 열기에 한층 탁해진 푸른 눈동자가 보였다. 알 수 없는 흥분을 느끼며 유리가 작게 고개를 끄덕였다. 그가 움켜쥔 손목 아래로 맥박이 세차게 뛰었다. 그가 잡은 손에 힘을 주며 짓씹듯 말했다.

"네가 외로울 일은 없어. 늘 내가 네 곁에 있을 거니까."

미치겠네. 그는 타오르는 속을 애써 삼켰다. 본능은 이성의 통제를 벗어나기 직전이었다. 긴장한 숨소리가 들릴 때마다 눈앞이 다 번쩍했다. 그리 간절히 바라왔던 순간이건만 그는 길 잃은 아이처럼 손 하나 까딱할 수 없었다.

"카사르, 나 무서워요……."

"무섭게 안 할게."

그의 망설임을 깬 건 유리의 목소리였다. 옅은 울음 기에 그는 본능처럼 그녀의 목에 입술을 묻었다. 혹시라도 그녀가 방금의 부탁을 없었던 일로 할까 두려웠다. 유리가 마음을 바꾸기 전에 이 여자를 가져야 했다. 그는 제 안의 짐승을 인정하며 그리도 탐내던 피부를 깊게 물었다. 낯선 감각에 유리가 입술을 깨물며 어깨를 움츠렸다.

미치도록 앞이 보고 싶었다. 이 여자의 표정을 확인하고 싶었다. 부끄러워 발갛게 달아올라 있을 볼과 두려움과 흥분으로 말갛게 젖어 있을 눈동자가 궁금했다. 그는 자신이 알고 있는 모든 여자의 눈을 떠올렸다.

'아니야. 다 틀렸어.'

그는 쓸데없는 이미지들은 전부 지워 버렸다. 그 어떤 여자의 눈도 유리의 것과 같을 순 없었다. 그는 확신했다. 설령 유리가 누군지 모르고 그녀를 만난다 하더라도 바로 깨닫고 말 거라고. 그리 아름다운 눈동자일 거라고.

"유리야."

그는 손목을 쥐고 있던 손으로 깍지를 꼈다. 손가락이 겹치는 감촉이 놀라울 정도로 짜릿했다. 심장이 어찌나 뛰는지 명치가 쏟아질 것 같았다. 그는 거칠어지는 호흡을 애써 참으며 그녀의 옷자락 아래로 손을 밀어 넣었다. 첫 경험도 아니건만 손끝이 바르르 떨리기까지 했다.

"잠깐만요."

떨리는 목소리와 함께 따스한 손이 그의 손등을 덮었다. 그는 즉시 그녀가 저만큼이나 떨고 있다는 걸 깨달았다. 말 못할 황홀함이 밀려왔다.

"내가 할게요."

그는 그녀의 손길에 따라 얌전히 밀려났다. 새까만 어둠 속에서 툭툭 단추 풀리는 소리가 들렸다. 그의 목울대가 길게 움직였다. 지금 이 순간 눈앞의 여자는 그의 여신이었다. 그는 하찮은 신도일 뿐이었다. 여신께서 이르시는 대로 무릎 꿇고 그 앞에 경배해야 마땅했다.

"내가 풀어줄게요."

뒤이어 작은 손이 그의 목 근처로 향했다. 달아오른 손끝이 슬쩍 가슴을 스칠 때마다 전율이 밀려왔다. 그는 충동적으로 유리의 손목을 움켜쥐다 눈을 크게 떴다. 아무것도 걸치지 않은 맨살이었다. 얼어붙은 유리가 꼴깍 침을 삼켰다. 그의 손이 거침없이 위로 올라갔다. 가느다란 팔목부터 어깨까지 그저 보드라운 피부뿐이었다. 동그란 어깨가 오들오들 떨리는 게 느껴졌다. 그는 얼른 그녀를 눕힌 채 속삭였다.

"무서우면 지금이라도 그만할게."

거짓말이다. 여기까지 왔는데 멈출 수 있을 리가 없다. 그를 온전히 믿는다는 말을 듣기 위해 위선을 떠는 거다. 헐떡이는 숨소리와 함께 그녀의 가슴이 크게 들썩였다. 봉긋한 가슴이 닿는 느낌에 그가 시트를 움켜쥐었다. 짙은 욕망은 이미 이 작은 여자를 몇 번이나 품고도 남았다. 제발 된다고 말을 해. 유리야, 제발. 그는 그 어느 때보다 간절히 기도했다.

"무섭지만 그래도."

그리고 기다렸던 대답이 들려왔다.

"당신과 하나가 되고 싶어요……."

가느다란 팔이 그의 목을 끌어안았다. 그가 질끈 눈을 감았다. 새처럼 떠는 여자의 몸을 안는 순간 벼락같은 깨달음이 그를 후려쳤다.

나는 이제 이 여자 없이는 살 수 없을 것이다. 이 여자가 내 인생 마지막 여자가 될 것이다. 내 생에 아내는 이 여자뿐일 것이다. 어른거리는 불빛 아래에서 그는 그녀에게 밀려들었다. 내내 외로운 삶을 살았던 여자와 그 외로움조차 사랑한 남자가 하나가 되었다. 초야(初夜)였다.

*

어느덧 완연한 봄이 찾아왔다. 올해 봄은 유달리 꽃이 일찍 피었다. 두 사람이 사는 작은 집 주변에도 곳곳에 봄이 완연했다. 두 사람의 마음에도 따뜻한 봄이 찾아왔다. 날씨가 풀리자 유리는 카사르의 손을 잡고 종종 근처 산책을 나갔다. 그에게 봄이 찾아왔다는 걸 알려 주고 싶었다. 집 근처에 작은 꽃들이 군락을 이루는 곳이 여럿 있었다. 꽃밭 근처에 돗자리를 깔고 그와 점심을 먹었다. 식사 후엔 나란히 누워 하늘을 구경했다.

카사르는 종종 그녀에게 무엇을 보는지 물어보았다. 그녀에게 눈이 되어 달란 의미가 담겨 있었다. 그럼 그녀는 자신이 가진 표현력을 총동원하여 빛나는 봄을 설명하려 애썼다. 그런데 막상 입 밖으로 나온 말은 자신이 보고 있는 풍경에 비해 너무 초라했다. 풀이 죽은 그녀를 끌어안고 그는 웃으며 고백했다. 사실은 너의 목소리가 듣고 싶었던 것이라고. 풍광이 궁금하다는 건 핑계일 뿐이라고.

유리 역시 그러했다. 그의 목소리를 듣는 게 좋았다. 아무리 들어도 질리지 않았다.

그는 유리에게 많은 이야기를 해 주었다. 제국의 문화, 역사, 신화뿐 아니라 각 대륙의 정세에 대해서도 알려 주었다. 그는 타고난

이야기꾼이었다. 제법 어려운 주제인데도 귀에 쏙쏙 들어왔다. 유리가 워낙 좋은 학생이었기에 그의 설명이 빛을 발한 것도 있었다.

유리는 흥미진진하게 이야기를 들으면서도 한편으론 그가 대체 이렇게 많은 것들을 알고 있는지 궁금했다. 이유는 묻지 않았다. 그가 먼저 말하기 전에는 묻지 않을 셈이었다. 유리는 과거를 몰라도 얼마든지 사랑할 수 있는 지금에 만족했다. 그래도 가끔은 그가 어떤 사람이었을지 상상했다. 얼핏 답을 알 것 같기도 했다.

'역시 이 사람, 귀족인 걸까?'

유리는 그가 처음 입고 있었던 옷을 생각했다. 디자인은 단순했지만 옷감의 질이 매우 좋았다. 깔끔한 바느질은 흠잡을 곳이 없었다. 그가 입었던 옷과 박학다식한 모습을 합치면 역시 귀족 쪽으로 마음이 기울었다.

'혹시 나랑 비슷한 일을 겪은 걸까?'

그는 도와줄 사람도 돌아갈 곳도 없다고 했다. 그가 정말 귀족이라면 든든한 집안을 두고 처음 만난 여자에게 몸을 의탁할 필요는 없었다. 그가 자신과 같은 처지일지도 모른다는 생각을 하자 그가 더욱 애틋하고 소중해졌다. 언젠가 기회가 된다면 서로의 상처를 털어놓고 함께 기대며 살아도 좋을 것 같았다. 그렇게 하루하루 그를 향한 마음이 깊어졌다. 관계가 깊어질수록 사랑을 나누는 방식도 달라졌다. 처음에는 그가 먼저 바라고 유리가 수줍은 허락을 했다.

그러다 어느 순간부터는 그녀가 먼저 유혹을 하기도 했다. 입을 맞추다가 슬쩍 그의 어깨를 눕히는 식이었는데 사실 마냥 서툴고 부끄러웠다. 그의 어깨를 쥔 손은 잘게 떨렸다. 그래도 그가 기뻐할 모습을 상상하며 용기를 냈다.

"……유리야."

예상대로 그는 놀라 눈을 동그랗게 떴다. 문제는 그다음이었다.

그 위에 올라탄 유리는 꿀 먹은 벙어리처럼 아무 말도 못 했다. 유혹하려고 마음은 먹었는데 이 뒤는 생각하지 못한 것이다. 두 귀는 토끼처럼 새빨개진 채였다. 말보다는 행동이라고 떨리는 손으로 그의 앞섶을 풀었다.

"너, 지금 설마······."

그의 눈빛이 아연했다. 유리는 너무 부끄러워 그를 쳐다보지도 못했다. 그의 가슴에 얼굴을 묻은 채 오들오들 떠는 그녀를 그를 와락 붙잡았다. 순식간에 몸이 돌며 두 사람의 위치가 바뀌었다. 그의 눈빛을 마주한 유리가 흠칫했다. 온화한 푸른 눈동자가 맹수의 그것처럼 사나웠다. 유리가 떨리는 목소리로 그를 불렀다. 카사르. 그것이 그의 욕심에 불을 붙였다. 여자의 입술을 삼킨 뒤 중얼거렸다.

"미치겠네, 정말."

맹렬한 기세와는 달리 그의 손길은 부드럽게 여자의 긴장한 몸을 풀어 주었다. 어느새 그녀의 몸을 감싸고 있던 옷들이 모두 사라졌다. 한층 농밀해진 손길이 흰 피부 곳곳을 어루만졌다. 뜨거운 입술은 여자의 몸에 낙인을 찍기 바빴다. 유리는 부끄러워 어쩔 줄을 모르면서도 그에게 몸을 맡겼다. 끝내 가장 은밀한 곳에 입술이 닿았다. 배 속에서 치미는 기이한 열기에 유리의 호흡이 한층 가팔라졌다. 하나가 되자 그는 한층 거세게 그녀를 욕심냈다. 억눌린 신음과 함께 숨이 짧아지고 그의 이름을 부르는 것도 힘겨워졌다. 낯선 감각에 휘둘리는 게 무섭고 겁이 났다. 그래도 그를 밀어내지는 않았다. 그럼 늘 그렇듯 지독한 쾌감이 그녀를 휘감았다.

절정의 순간, 마치 전기에라도 감전된 듯 강렬한 자극이 그녀를 훑고 지나갔다. 시야가 하얗게 명멸하며 허리가 활처럼 휘었다. 그를 끌어안은 팔에선 힘이 풀렸다. 축 늘어지려는 몸을 그가 바투 끌어안곤 그녀 안에 저를 쏟아 냈다. 손 하나 까딱할 힘도 없이 기진한 유리를 감싸 안고 속삭였다.

"유리야, 지금 네가 얼마나 예쁜 얼굴을 하고 있을지 궁금해."

유리가 가물거리는 눈꺼풀을 억지로 들어 올렸다. 정사의 여운에 자꾸만 눈이 감겼지만 버텼다. 사랑을 나눈 후 만족하는 그의 얼굴이 보고 싶었다. 예상대로 웃고 있는 그의 모습에 유리의 입가에도 희미한 미소가 맺혔다.

"쉴래?"

땀에 젖은 얼굴 곳곳에 입을 맞추던 그가 속삭였다.

"아니, 그냥 있을래요."

유리는 가만히 그의 가슴에 이마를 기대었다. 빠르게 뛰는 그의 심장 소리가 느껴졌다. 몸은 피곤한데 정신은 오히려 맑았다. 유리는 눈을 감은 채 후회를 음미했다. 그의 손이 그녀의 등을 토닥거렸다.

"카사르."

"응?"

가느다란 팔이 그의 허리를 끌어안았다. 조금 무리를 했는지 팔에 힘이 없었다. 그는 기다렸다는 듯 미끄러지는 몸을 단단히 제게 붙였다. 틈 하나 없이 포개진 몸에 안도감이 가슴을 채웠다. 유리는 자신을 지키려는 듯 감싼 그를 물끄러미 올려다보았다.

'이 사람이라면 나를 붙잡아 줄 수 있지 않을까.'

그를 사랑하면서도 한편으론 확신이 없었다. 지독한 과거가 저뿐 아니라 이 사람까지 덮치는 건 아닌가 불안했다. 종종 미래를 이야기하는 그에게 쉽게 웃으며 대답하지 못한 것도 그 때문이었다. 하지만 이제는 알 수 있었다. 오직 이 사람만이 그녀를 구원할 수 있었다. 그 어떤 미래도 헤쳐 나갈 수 있을 거라 믿었다.

"카사르. 있잖아요."

결심을 굳힌 유리가 속삭였다.

"당신 아이를 갖고 싶어요."

이젠 그와 현재가 아닌 미래를 꿈꾸고 싶었다. 그가 보여 준 굳건한 애정에 보답하고 싶었다.

"당신 아이를 낳고 당신과 쭉 행복하게 살고 싶어요."

아이 이야기는 유리 나름의 청혼이었다. 유리가 그의 가슴에 얼굴을 묻었다. 맞닿은 몸이 팽팽하게 굳는 게 느껴졌다. 유리가 긴장에 입술을 깨물었다. 먼저 일을 저질러 놓고 혹시라도 그가 거절할까 두려웠다.

"진심이야?"

한동안 말이 없던 그가 꽉 잠긴 목소리로 물었다. 마치 신음처럼 억눌린 물음이었다. 유리의 어깨가 잡히더니 몸이 뒤로 밀려났다. 마디 굵은 손이 그녀의 턱을 단단히 붙잡아 제게로 향했다. 그를 올려다보는 그녀의 눈에 차츰 눈물이 고였다. 환희에 찬 그의 얼굴에 그의 대답을 알아챈 것이다.

"약속 꼭 지켜야 해."

"카사르……."

"방금 한 말 무조건 지켜야 해. 나랑 쭉 행복하게 그렇게 살아야해. 절대로 어디 가지 말고 내 곁에 있어야 해. 약속 어기면 끝까지 쫓아갈 거야. 알겠지?"

말을 마치자마자 그가 거세게 입을 맞추었다. 물기 어린 유리의 눈매가 곱게 휘었다. 그녀의 꿈이 그의 꿈이기도 하다는 게 눈물이 나도록 행복했다.

*

'날짜가 지났는데 왜 이러지?'

유리가 고개를 갸웃하며 달력을 확인했다. 동그라미가 쳐 있어야 할 숫자가 여전히 깨끗했다.

'이런 적이 없는데 이상하다.'

그녀의 월경 주기는 초경 이후 늘 규칙적이었다. 한 번도 크게 어긋난 적이 없었다. 그런데 일주일이 지난 지금까지도 여전히 감감무소식이었다.

'혹시……'

슬슬 의심이 들 수밖에 없었다.

'아이가 생긴 걸까?'

유리가 살며시 배를 감쌌다. 설렘에 가슴이 콩콩 뛰었다.

'가능성이 조금…… 있긴 하겠지?'

그와 교제를 한 지 두 달 가까이 되었다. 마치 일 년처럼 길게 느껴지는 두 달이었다. 붙어 있는 시간만 따지자면 다른 연인들의 일 년을 훌쩍 넘을지도 모른다. 두 사람은 하루의 대부분을 붙어 지냈으니까. 사랑을 나눈 적도 제법 여러 번이었다.

아니, 사실은 제법보다 훨씬 많이…….

지난밤을 떠올리며 유리가 얼굴을 붉혔다. 요즈음 그녀를 안는 그의 손길이 한결 섬세해졌다. 아이를 갖고 싶단 말을 한 후로 유독 그러했다. 그의 변화가 또 한 번 깊어진 그의 사랑 때문이라는 걸 알았다. 유리의 마음도 덩달아 깊어졌다. 벅차오르는 애정이 부끄러워 괜히 물었다.

―내가 그렇게 좋아요? 얼마나 좋아요?

농담일 뿐이었는데 그는 무척 진지하게 답했다. 그녀 없이는 살 수 없을 거라고, 매일 닿아도 부족하다고 속삭였다. 불순물 하나 없는 올곧은 눈빛에 유리는 할 말을 잃었다. 어쩌면 그리 황홀한 말만 골라서 하는지. 밤새 설렘에 잠을 이루지 못했다.

'반지, 예쁘다.'

유리는 손가락에 끼워진 반지를 보며 배시시 웃었다. 은색의 반지 위로 흰 보석이 영롱하게 빛났다.

며칠 전, 그는 그녀에게 청혼했다. 유리가 그의 아이를 갖고 싶다고 말한 다음 날이었다. 유리는 그의 청혼을 받아들였고 두 사람은 하늘 아래 부부의 연을 맺었다. 그는 당장 식을 올리지 못하는 걸 사과했다. 시력을 되찾는 즉시 그녀를 세상에서 가장 행복한 신부로 만들어 주겠다는 약속과 함께했다. 이미 충분히 행복했기에 유리는 이보다 더한 행복이 있다는 걸 믿을 수가 없었다.

'이제 정말 부부가 된 거구나.'

사랑하는 사람과 함께 할 수 있다는 것만큼이나 부부가 된 것이, 그와 가족이 된 것이 기뻤다. 한편으론 약간 걱정이 되기도 했다. 반지를 내려다보는 유리의 눈빛이 두려움에 흐려졌다.

'우리 둘이 정말 다른 사람 앞에서 부부로 살 수 있을까.'

그는 늘 빛나는 미래를 약속했고 유리는 그를 믿었지만 자신의 과거가 두 사람의 행복에 걸림돌이 될지도 모른단 건 분명히 알고 있었다.

'시간이 많이 지났으니까 이제는 괜찮을지도……'

불안한 한편으론 희망이 샘 솟았다. 세상에서 발렌타인이 사라진 지 칠 년이 지났다. 긴 시간 동안 유리는 추격자를 만난 적이 한 번도 없었다. 바람결에라도 누군가 자신을 찾고 있단 소식도 들은 적이 없었다.

'설마 황제가 날 포기한 걸까?'

지금도 눈을 감으면 사냥개를 풀라던 황제의 목소리가 생생했다. 발렌타인의 핏줄은 절대 살려 두면 안 된다던 목소리 속에는 절대로 그녀를 포기하지 않을 거라는 집념이 느껴졌다. 수단 방법을 가리지 않고 그녀를 죽이려 하던 황제가 칠 년간 잠잠했다.

'혹시 내가 죽었다 여기는 건까.'

반지를 내려다보는 유리가 골똘히 생각에 잠겼다. 유리의 기억은 흘러 흘러 부모님께서 돌아가신 다음 날로 향했다. 그녀가 저택을 탈출한 직후 저택은 커다란 불길에 휩싸였다. 며칠이 계속된 불길에 저택은 완전히 잿더미가 되었다. 어쩌면 그녀는 사회적으로 이미 죽은 사람이 되었을지도 모른단 예감이 들었다.

'그 사람, 역시 귀족이었던 걸까.'

유리는 물끄러미 그가 준 반지를 응시했다. 그는 이 물건이 집안 대대로 내려오는 것이라고 했다. 그의 부모님이 결혼식 때 사용하신 반지라고도 했다. 유리는 마치 탐색이라도 하듯 보석을 살펴보았다. 그가 입었던 옷처럼 보통 물건이 아니었다. 그가 귀족일지도 모른다는 추측에 힘이 실렸다.

'그 사람 아버지는 지금 어디에 계실까.'

카사르는 딱 한 번 자신의 아버지에 관해 이야기해 준 적이 있었다. 일찍 돌아가신 어머니를 매우 사랑하셨고 이제는 그 마음을 알겠다며 웃었다. 뵌 적 없는 그의 아버지를 상상하는 유리의 눈가에 눈물이 고였다. 지금쯤 그의 아버지가 무척이나 간절하게 아들을 찾고 있을 거란 생각이 들었다. 어쩌면 찾을 여력이 되지 않을 수도 있었다. 어느 쪽이든 그분께는 매우 괴로운 일일 터다.

'아버님, 제가 그 사람 아이를 가졌을지도 몰라요. 아버님께서도 분명 기뻐해 주시겠죠?'

유리의 손이 살며시 배를 감쌌다. 정말 임신이 맞기를 바라는 마음이 커졌다. 그럼 카사르에게도 그의 아버지에게도 큰 기쁨과 위로가 될 수 있을 것이다.

"무슨 생각을 해?"

호랑이도 제 말 하면 온다더니 낮은 웃음소리와 함께 그가 그녀를 끌어안았다. 아직 덜 마른 금발에서 물기가 뚝 떨어졌다. 유리가 눈을 감은 채 깊게 숨을 들이마셨다. 청량한 비누 향에 가슴속 가득 행복이 차올랐다.

"잠깐만 기다려요."

유리는 카사르 손을 잡은 채 의자에 걸려 있던 수건을 집어 들었다. 수건을 그의 뺨에 대자 그가 그녀의 의도를 알아채곤 얌전히 고개를 숙였다. 그녀가 머리를 말려 주는 동안 그의 입가에도 행복한 웃음이 머물러 있었다.

"있잖아요, 카사르."

"응?"

유리의 눈이 깨끗한 달력 위에 맺혔다. 말할까 말까. 아직 확실한 건 아니기에 망설임이 남아 있었다. 힘든 일을 겪었을 그에게 자신의 설렘을 전해 주고 싶다는 욕심과 혹시라도 아닐 경우 그를 실망하게 하고 싶지 않다는 욕심이 반반이었다. 고민하던 유리가 조심스레 입을 열었다.

"어쩌면 좋은 소식이 있을지도 모르겠어요."

"좋은 소식? 그게 뭔데?"

"확실해지면 알려 줄게요."

확실한 건 아무것도 없지만 그에게 약간의 기쁨이라도 느끼게 해 주고 싶었다. 그렇게 말하고 화제를 바꾸려는데 그는 생각보다 집요했다.

"흐음. 좋은 소식이라."

그의 눈이 가늘어졌다.

"뭔데 말해 봐. 확실해지기 전에 알면 안 되는 거야?"

그는 연신 그녀에게 그 소식이 무엇인지 채근했다. 그래도 유리는 끝까지 입을 다물었다. 그런데 실랑이가 계속될수록 다른 마음이 생겼다. 솔직히 말하고 함께 기뻐하고 싶다는 욕심이 생긴 것이다. 며칠 전 함께 나누었던 대화가 생각나 더 그러했다.

―카사르, 내가 아이를 가지면 어떨까요. 당신도 기쁠까요?

―당연하지, 세상에서 제일 행복할 거야.

그리 말하는 그의 얼굴엔 충만한 기쁨이 가득했다. 그 표정을 떠올리는 것만으로 자꾸만 웃음이 새어 나왔다. 웃음을 참기 위해 꾹 입을 다물었지만 쉽진 않았다. 유리의 기색을 눈치챈 그의 눈동자에 빛이 스쳤다.

"아가씨, 뭐가 그리 좋아서 이렇게 웃는 거야?"

"쿡, 안 웃어요."

"안 웃기는? 입이 귀에 걸릴 것 같은데?"

유리의 뺨을 감싸던 그의 미소가 진해졌다.

"어쩐지 이유를 알 것 같단 말이야."

그의 팔이 유리의 허리를 감쌌다. 간질이듯 납작한 배를 쓰다듬었다. 결국 유리가 맑은 웃음을 터트렸다. 몸을 돌려 그의 얼굴을 감쌌다. 수려한 이목구비 곳곳에 입을 맞추었다.

"카사르. 당신이 너무 좋아요. 어쩌면 좋죠?"

유리의 반응에 그의 눈의 눈이 놀라움으로 커졌다. 혹시나 했던 가정이 확신으로 바뀌는 순간이었다.

"유리야, 너 설마……."

"몰라요. 확실해지기 전까진 말 안 할 거예요."

그래도 유리는 끝까지 방심하지 않았다. 그의 눈빛이 휙 변했다. 은근슬쩍 유리를 침대 쪽으로 몰더니 간지러움을 태웠다. 말하지 않으면 계속 이러겠다는 엄포와 함께였다. 까르르 웃던 유리가 침대 턱에 걸리며 중심을 잃었다. 예상하던 그는 얼른 유리의 허리를 받치며 침대에 눕혔다. 재빨리 그녀의 위에 올라탔다.

"항복?"

"카사르! 넘어질 뻔했잖아요!"

"걱정하지 마. 내가 널 다치게 둘 것 같아?"

그리 말하는 그의 목소리는 자신만만했다. 결국 유리도 수긍하곤 웃으며 고개를 끄덕였다. 그녀의 뺨을 감싸고 있던 그는 그녀의 대답을 깨닫곤 진하게 웃었다. 두 사람은 누가 먼저랄 것도 없이 깊게 입술을 겹쳤다. 더 바랄 것 없이 행복한 연인 위로 붉은 노을이 내려앉았다.

"쉽게 죽을 생각하지 말라니까."

웃음기 어린 목소리와 함께 찬물이 그녀의 얼굴 위로 쏟아졌다. 유리는 부르르 몸을 떨며 가까스로 눈을 떴다. 부은 눈꺼풀에선 멍한 통증이 느껴졌다. 그게 꼭 내 몸이 아닌 듯 낯설었다.

"쉽게 정신 잃을 생각도 말고."

눈썹에 맺힌 물 때문에 앞이 잘 보이지 않았다. 유리가 느리게 눈을 감았다 떴다. 시커먼 돌벽 위로 주황색 불빛이 음울하게 빛났다. 까만 형체가 찍, 소리를 내며 그녀의 앞을 지나갔다.

─걱정하지 마. 내가 널 다치게 둘 것 같아?

유리는 멍하니 낡은 벽을 응시했다. 숨을 쉴 때마다 피비린내가 훅 끼쳤다. 관자놀이에선 뭔가가 주르륵 흘러내렸다. 그게 피인지 물인지 알 수가 없었다. 손 하나 까딱할 힘도 없어 닦아 내지도 못했다.

"억울해하지 마. 세상에 이유 없는 고난 같은 건 없어. 다 자초한 거야."

익숙한 목소리에 유리가 무력하게 숨을 내쉬었다. 저 목소리를 들을 때마다 느끼던 공포는 더는 유리에게 힘을 쓰지 못했다. 바론이 피식 웃으며 엉망이 된 뺨을 건드렸다.

"네년 아이가 죽은 건 다 네 탓이란 뜻이야."

속이 끓어지는 듯했다. 유리는 신음도 내지 못한 채 입술을 달싹였다. 아이가 죽었어. 내 아이가, 내 아이가 죽었어. 생기 잃은 눈에서 주르륵 눈물이 흘렀다. 바론이 피식 웃으며 그녀를 돌려 눕혔다. 유리는 반항하지도 못한 채 손끝만 까닥였다. 축 늘어진 여자를 향해 몸을 숙였다. 그녀의 눈가에 고인 눈물을 닦아 내며 새기듯 말했다.

"그 새끼를 봤으면 그냥 뒈지게 됐어야지. 왜 살렸어. 죽었어야 할 놈을 살렸으니 네가 이 고생을 하는 거야. 사람을 살린 대가는 목숨으로 갚는다. 이해되지?"

지난 삼 일간 내내 그러했듯 바론의 말은 고스란히 독이 되어 가슴에 스미었다. 소리 없는 눈물과 함께 유리가 멍하니 새까만 허공을 바라보았다. 그와 함께했던 시간이 주마등처럼 펼쳐졌다. 마치 백일몽인 양. 영영 깨고 싶지 않았던 그 찬란했던 시간. 한 사람을 사랑하고 하나가 되고 그 사람의 아이를 소망하며 웃었던 그 꽃잎 같던 날들이 다 끝났다. 모든 것은 끝나 버렸다.

─좋은 소식이 있어요. 확실해지면 말해 줄게요

기억은 흘러 흘러 그를 떠나기 이틀 전으로 향했다. 그때 솔직히 말을 할 걸 그랬다. 아이가 있다고 고백할 걸 그랬다. 그를 떠난 후 매 순간이 후회였지만 그날의 기억이 가장 아팠다. 아이를 참 간절히 바랐었는데. 알면 무척이나 기뻐했을 텐데.

다 소용없는 일이었다. 아이는 죽었으니까. 그녀가 죽였으니까.

"생각해 봐. 너도 네 아이가 불쌍하지? 미안하면 곱게 죽을 욕심은 버려야지. 그렇게 해야 죄를 갚을 수 있을 거 아니야. 내가 도와줄 테니 굶어 죽을 꿈은 버리라고. 억지로 먹이면 피차 피곤하지 않겠어?"

조소와 함께 우악스러운 힘이 그녀의 머리채를 움켜쥐었다. 피와 물에 젖은 머리에서 붉은 물이 뚝뚝 떨어졌다. 힘없이 벌어진 입술 사이로 물이 들어왔다. 멍하니 호흡하다 사레가 들린 유리가 울컥 기침했다. 그녀가 토해 낸 피가 바론의 손에도 튀었다.

"제기랄. 사람 인내 시험하는 거냐?"

바론이 욕지기를 내뱉으며 그녀를 던지듯 놓았다. 망가진 몸이 바닥에 세게 부딪혔다. 전신을 후려치는 고통에 유리의 눈꺼풀이 파르르 떨렸다. 그게 다였다. 유리는 신음조차 내지 않았다. 마치 아픔을 느끼지 못하는 듯한 얼굴이었다. 실제로 그러했다. 몸의 아픔은 더는 의미가 없었다. 마음이 죽어 버렸기 때문에.

─내가 아이를 가지면 기쁠까요?

─당연하지. 세상에서 제일 기쁠 거야.

─좋은 소식이라. 알 것 같기도 하고.

호흡하듯 눈물이 고였다. 유리가 느리게 눈을 감았다. 바론의 욕설이 어지러이 흩어졌다. 익숙한 어둠 위로 그의 얼굴이 어른거렸다. 그의 온화한 미소가 안개라도 낀 듯 희미했다. 그 사람을 벌써 잊어버린 걸까. 서러워 또 한 번 눈물이 났다. 그가 너무 보고 싶었다. 죄인이니 차마 만날 욕심은 내지 않았다. 다만, 멀리서라도 딱 한 번만. 당신의 얼굴을 볼 수 있다면 좋겠다. 빛을 향해 눈을 뜬 당신의 모습을 보고 죽을 수 있다면 좋겠다. 절대 이루어질 수 없을 바람과 함께. 유리가 눈을 감았다.

*

"이제 눈을 뜨셔도 됩니다, 전하."

긴장한 목소리에 카사르가 천천히 눈꺼풀을 들어 올렸다. 희뿌연 시야가 점차 선명해졌다. 몇 개월 만에 처음으로 본 풍경임에도 그의 눈빛은 텅 비어 있었다.

"앞이 보이십니까?"

긴장한 목소리에 그가 고개를 돌렸다. 그와 눈이 마주친 의사의 얼굴에 기쁨이 어렸다.

"경하드립니다, 전하. 경하드립니다!"

의사의 선언에 다른 신하들의 얼굴도 환희로 물들였다. 그를 향해 연신 축하 인사를 건넸다. 카사르는 그 모든 것이 자신과 상관없다는 듯 메마른 시선을 내렸다. 유리가 사라졌다. 유리가 그를 떠났다. 그가 천천히 침대에서 내려왔다. 두 다리를 땅에 딛곤 몸을 세웠다. 한 걸음 내딛는데 어지럼증이 밀려왔다. 비틀거리며 벽을 짚는 그를 향해 의사가 말했다.

"조심하십시오, 전하. 아직 원근감이 다 회복되신 건 아니니 넘어지실 수 있습니다."

─내가 부축할게요. 나를 믿어요. 넘어지지 않을 거예요.

기다렸다는 듯 습격하는 기억에 그의 입매가 고통스럽게 일그러졌다. 잔악한 괴물이 그의 심장을 할퀴었다. 그의 회복을 기뻐하는 사람들 앞에서 비탄을 꺼내놓을 수도 없어서 그는 이를 사리 물었다.

─전하. 죄송합니다. 그분께선 스스로 떠나신 것 같습니다. 그분께서 남기신 편지를 발견했습니다.

─그럴 리가 없어, 루한. 그 여자, 내 아이를 가졌을지도 모른다고. 그랬던 여자가 나를 떠나는 게 말이 돼?

─그분이 전하 곁에 남기신 편지를⋯⋯ 발견했습니다. 죄송합니다, 전하.

─내 눈으로 보기 전까진 믿지 않아. 절대로!

카사르의 절박한 시선이 사람들 틈 사이를 맴돌았다. 눈을 떴으니 이제 확인을 해야 했다. 아니라는 증거를 봐야 했다. 루한은 사람들 뒤쪽에 서 있었다. 카사르의 눈빛이 한결 간절해졌다. 눈이 마주치자 루한이 침통하게 고개를 숙였다. 그게 확고한 선언인 듯 쿵 심장이 내려앉았다. 카사르가 질끈 눈을 감았다.

그의 회복 소식은 빠르게 궁 전체에 퍼졌다. 황궁은 축제 분위기였다. 마침 바론도 궁을 비웠기에 궁엔 순수한 기쁨이 넘쳐 흘렀다. 오직 당사자인 카사르만 물 위에 뜬 기름인 듯 섞이지 못했다.

황제는 특히 아들의 회복을 기뻐했다. 아들은 짓무른 속은 숨긴 채 마른 웃음으로 아비에게 화답했다. 두 부자의 모습을 보는 드펜의 눈빛은 송곳처럼 뾰족했다. 그 와중에도 지독한 그리움은 그의 속을 좀먹었다. 유리야, 유리야, 어디에 있어. 내가 다시 앞을 보는데 네가 웃는 걸 봐야 하는데 너는 대체 어디에 있는 거야. 마음을 추스를 여유도 없이 그는 원래의 자리로 돌아갔다. 그의 위치 때문에 어쩔 수가 없었다. 허리를 세운 채 태자 자리의 묵직한 짐을 견뎌냈다. 버티는 와중에도 순간순간 돌아버릴 것 같았다. 이 상태가 지속되면 언젠가 무너질 거라는 걸 알았다. 약한 소리를 낼 수도 없었다. 그 상태를 정확히 아는 건 루한뿐이었다.

—미안해요. 행복해야 해요.

유리가 남긴 편지의 문구는 시도 때도 없이 그를 괴롭혔다. 정무를 보다가도 불쑥 그녀의 속삭임이 들려왔다.

—태자 전하께서 계신 곳입니다. 앞을 보지 못하십니다. 전하를 도울 사람이 곁에 없습니다. 전하를 부탁합니다.

그를 버린 여자는 또 한 장의 편지를 남겼다. 그 편지가 그를 살린 셈이었다. 나란히 놓인 편지 앞에서 그는 말문을 잃었다. 그녀를 닮은 정갈한 글씨체 아래로 정반대의 마음이 담겨 있었다. 그를 살려 놓고 그를 떠났다. 그 간극이 점점 그를 미치게 하였다. 유리가 그를 버렸다고 그녀를 이대로 놓을 순 없었다. 그는 그녀를 찾아내기 위해 제일 먼저 초상화를 그리기로 했다.

"이마는 이 정도고 콧날의 높이는 손 마디와 마디 사이 정도. 여기에서 쭉 미끄러지면……."

화공에게 유리의 움직임을 설명하던 카사르가 말을 멈추었다. 그는 멍하니 제 손의 상흔을 내려다보았다. 유리가 남겨준 유일한 흔적. 그는 정해진 수순인 듯 눈을 감았다. 마치 방 안에 그 혼자 있는 듯 손끝에 집중했다. 그의 손은 금세 익숙한 궤적을 그려 냈다. 그때 거짓말처럼 손끝에 온기가 느껴졌다. 그가 움찔했다.

카사르. 낮은 웃음소리와 함께 그녀의 부름이 들렸다. 그의 심장이 빠르게 뛰었다. 손끝의 감촉은 여전히 생생했다. 긴장한 그의 목울대가 길게 움직였다. 머뭇대던 손이 그녀의 뺨을 감쌌다. 보드라운 뺨의 감촉에 왈칵 눈물이 치밀어 올랐다. 유리야, 너구나. 역시 너는 내 곁에 있었구나. 나를 떠난 건 착각이었구나.

"전하, 저기 그다음은……."

조심스러운 목소리에 찬물을 뒤집어쓴 듯 정신을 차렸다. 퍼뜩 눈을 뜨자 손안에 담겨 있던 온기도 스르르 흩어졌다. 카사르의 망연한 시선이 방 안을 훑었다. 어디에도 여자는 없었다. 지독한 상실감에 그의 눈매가 붉어졌다. 속이 터져 버릴 것 같았다. 기름이 섞인 유화 냄새에 가슴이 저렸다.

"입술은 그러니까……."

그는 잠긴 목소리로 다시 설명을 시작했다. 설명만으로 초상화를 그리는 건 처음이라 화공도 감을 잡지 못했다. 십 수 명의 화공들이 태자궁을 드나들었다. 그보다 많은 숫자의 초상화가 쓰레기통으로 갔다. 시간이 갈수록 갑갑함이 밀려왔다. 그에겐 이토록 생생한 여자가 다른 이에겐 전달조차 되지 않는다는 걸 받아들일 수가 없었다.

결국 그는 초상화를 그리는 걸 포기했다. 화공마다 결과물이 다르니 어쩔 수가 없었다. 잘못된 초상화가 오히려 탐색에 방해될 수 있었다.

그에게 남은 건 이제 기억뿐이었다. 기억이란 얼마든지 흐릿해질 수 있었다. 그 생각을 하면 초조함이 발밑을 휘감았다. 혹시라도 유리를 찾지 못할지도 모른다는 두려움에 미칠 것 같았다. 발작처럼 일어나는 절망에 숨이 멎는 듯했다. 오롯이 그 홀로 감당해야 할 몫이었다. 날뛰는 감정은 온 힘을 다해 삼킨 뒤 다시 태연한 얼굴로 사람을 대했다. 아직은 버틸 수 있다. 버텨 내야만 한다. 주문처럼 자신에게 속삭였다.

―카사르, 여자를 잃었다면서? 아직도 못 찾았다고? 혹시 죽은 건 아니야?

카사르가 물끄러미 손등을 내려다보았다. 손 마디가 살짝 찢어져 있었다. 바론과 몸싸움을 하다 그러했다. 더 정확히는 바론을 죽이려는 그를 말리던 기사들과 실랑이 중에 다쳤다.

―아무래도 죽은 것 같아. 진작에 숨이 끊어졌겠지. 살아 있으면 네가 황태자인 걸 알면서 숨어 있겠어? 이게 다 너 생각해서 하는 말이야. 형제, 그따위 계집은 이제 잊으라고.

바론은 얼마 전에 궁에 돌아왔다. 페주르 지방에 여행 목적으로 머물렀다고 했다. 불과 몇 달 전까지만 하더라도 바론을 마주할 때마다 불쾌감이 일었다. 자객의 습격 직후엔 그 이름을 떠올리는 것만으로 살의가 끓어 올랐다.

하지만 이제는 아니었다. 그는 수개월 만에 다시 만난 바론을 향해 그 어떤 감정도 느끼지 못했다. 유리를 잃은 후론 그의 모든 감각이 그 여자에게 향한 것 같았다. 그러나 바론이 유리의 죽음을 입에 담은 후엔 상황이 달라졌다. 유리의 죽음이라니. 말이 명치를 후려치는 듯했다. 그 정도로 끔찍했다. 한동안 숨을 쉴 수도 없었다. 손끝이 차게 식었다. 바론은 끝까지 그녀를 향한 조롱을 멈추지 않았다.

―혹시 그 계집을 안 건 아니지? 미천한 계집이 황손을 잉태하다니 역겹잖아. 진짜 뒈져 버리는 게 낫겠어. 지금 이상으로 황가의 핏줄을 더럽히면 곤란하잖아?

그 말을 듣곤 결국 이성을 잃었다. 정신 차리고 나니 천장을 보고 누워 있었다. 궁인들이 땀을 뻘뻘 흘리며 그의 사지를 누른 채였다. 바론이 낄낄 웃는 소리가 멀어져 갔다. 시뻘건 살의에 숨조차 쉴 수 없었다.

"내가 드디어 미쳐 가는 건가."

그가 쓰게 웃으며 주먹을 말아 쥐었다. 손등으로 눈을 덮은 채 눈을 감았다.

'유리야, 정말 네가 내 아이를 가졌던 걸까.'

그가 이를 사리 물었다. 고개를 저었다. 그럴 리가 없다. 그랬으면 안 된다. 그는 이 이상은 견딜 수가 없었다. 그녀의 안위를 걱정하는 것만으로 벅찼다. 그의 여자가 아이를 가진 채 다치다니 상상만으로 비명이 터질 것 같았다.

"유리야……."

악문 잇새로 억눌린 목소리가 흘러나왔다. 그의 눈시울이 뜨겁게 달아올랐다. 손을 감싼 붕대가 차츰 젖어 들어갔다.

"아이 따윈 상관없어. 그러니 제발……."

그녀가 떠난 후에도 그녀의 아이를 포기하지 못했음을 인정한다. 그가 상상하는 재회가 둘이 아닌 셋이기를 바랐던 욕심도 인정한다. 하지만 이젠 아니었다. 더는 희망을 품고 있을 자신이 없었다. 결국 그는 제 손으로 그날의 설렘을 짓밟았다. 마지막 남은 가능성까지 외면했다. 그래야 버틸 수 있기 때문이었다. 네가 내 아이를 가졌을 리 없다. 영영 너의 아이를 안지 못해도 좋다.

그러니 제발 살아만 있어 줘, 유리야.

외전 2

그는 한겨울에 태어났다. 지독하게 추운 날이었다. 흰 눈이 온 천지를 뒤덮었다. 모든 것이 얼어붙었다. 눈부신 풍광 아래로 사람들이 얼어 죽었다. 바론은 그 겨울 한복판에서 태어났다.

"……시끄러워."

그것이 그의 어머니가 그를 보고 처음으로 한 말이었다. 아름다운 얼굴은 오랜 출산의 고통으로 일그러져 있었다.

"아."

냉정한 산모의 반응에 잠시 당황했던 산파가 애써 표정을 가다듬곤 아기를 내밀었다. 아기는 목이 터질 듯이 울어 댔다.

"황자 아기씨께서 아주 건강하시단 증거입니다. 한번 안아 보시지요."

"피곤해. 저리 치워."

그리고선 눈을 감아 버렸다. 어미의 냉대를 느꼈기 때문일까. 아기의 울음소리가 잦아들었다. 방 안엔 당황스러운 침묵만이 맴돌았다. 어쩔 줄 몰라 하던 산파가 아기를 데리고 나갔다.

"폐하께서는 어디 계십니까. 소식은 전하신 겁니까."

"오시지 않는다고 합니다."

"그래도 아기씨 얼굴은 보셔야지요."

산파의 채근에 궁인이 어두운 얼굴로 고개를 저었다.

"이미 여러 번 말씀을 드렸습니다."

"하."

산파가 혀를 찼다. 평생 수백이 넘는 아기를 받았지만 부모 모두에게 환영받지 못한 아기는 처음이었다. 황제와 황비의 사이가 좋지 않다는 건 알고 있었지만 이 정도일 줄은 몰랐다.

"첫 아기씨께서 태어나셨을 땐 분명 출산 전부터 기다리고 계셨지 않습니까."

"쉿. 이곳은 황비 궁입니다. 그런 말씀 함부로 하셨다간 큰일 납니다."

궁인은 혹여 누가 들을세라 목소리를 낮추었다. 산파는 착잡함을 삼키며 궁인의 뒤를 따랐다. 아기는 여전히 제대로 울지 못했다. 아기를 감싼 황금빛 천만이 쓸쓸히 빛났다.

*

한겨울에 태어났기 때문일까. 그의 세계는 처음부터 몹시 추웠다. 그의 곁에 사람이 부족한 건 아니었다. 사람은 늘 차고 넘쳤다. 그가 헛기침만 하면 그의 앞으로 달려올 이들이 줄을 섰다.

다만 그를 사랑하는 이가 없을 뿐이었다. 처음엔 사랑받지 못한다는 사실조차 몰랐다. 막연히 꼭 필요한 무언가가 없다는 것만 느꼈다. 그건 마치 본능 같은 것이다.

—갓 태어난 아기씨를 보고 저리 치우라는 말을 하셨다면서요.

―어떻게 자기 아이보고 그런 말을 해요?

―그분이 그런 분인 걸 이제 알았어요?

―지금도 다를 것이 없잖아요.

―잘 만나 주시지도 않고.

―만나도 웃어 주지도 않고.

그들의 목소리는 아주 작았다. 그러나 그 속에 담긴 의미까지 작은 건 아니었다.

―전하가 안되셨어요.

바론은 물끄러미 가지고 놀던 작은 나무토막을 바라보았다.

"저리 치워."

작게 읊조리던 그가 인상을 찡그렸다. 가슴 한구석이 기분 나쁘게 아팠다. 괜히 화가 치밀어 올라 애꿎은 나무토막으로 바닥만 쳐댔다. 그래도 분이 풀리지 않았다. 그는 결국 그 나무토막을 벽으로 던져 버렸다.

"에구머니나!"

그쪽으로 들어오던 궁인이 깜짝 놀라 자리에 멈추었다. 바론이 씩씩대며 궁인을 노려보았다. 어린 주인의 갑작스러운 분노에 그들은 영문을 몰랐다. 노련한 궁인답게 얼른 나무토막을 치우곤 바론을 달래기 시작했다.

"전하. 혹 시장하신 거세요?"

"달콤한 케이크를 가지고 올까요?"

"혹 장난감에 질리셨어요?"

"다른 놀이기구를 가져올까요?"

"저리 치워!"

그가 턱을 한껏 치켜든 채 말했다. 궁인들이 흠칫하며 그를 보았다.

"저리 치우라고."

"네, 전하."

궁인들은 금세 상황을 눈치챘다. 얼른 시선을 내리깔고 밖으로 나갔다. 그들이 사라질 때까지 어린 바론은 눈 하나 깜빡하지 않고 그들을 노려보았다.

"아무도 들어오지 마!"

버럭 소리를 지르곤 침대로 뛰어 들어갔다. 두 눈을 감고 두 귀를 꼭 막아 버렸다. 아무 소리도 듣고 싶지 않았다. 그러면서 한편으론 누군가의 목소리가 간절히 고팠다. 그는 힐끔 닫힌 눈을 보았다. 그 문을 열고 어머니가 들어오는 환영이 보였다.

"아니, 다 필요 없어."

그가 낮게 속삭이며 배게 속으로 얼굴을 파묻었다. 작은 귀엔 그의 심장 소리만 쿵쾅대었다. 어둠이 찾아올 때까지 그의 방엔 아무도 들어오지 않았다.

*

"모성애가 뭐야?"

"어머니가 자식을 사랑하는 마음이지요."

"흐음."

유모의 설명에 바론이 다시 책으로 시선을 돌렸다.

모성애. 어머니가 자식을 사랑하는 마음. 그곳에도 그 뜻이 적혀 있었다. 사실 뜻이 궁금해 물은 말이 아니었다. 그가 힐끔 유모 쪽을 돌아보았다.

"어마마마한텐 모성애가 없어?"

"예?"

"전에 유모가 다른 사람하고 하는 말 들었어."

"그, 그게 무슨 말씀이신지……."

당황한 유모가 말을 버벅거렸다. 바론은 빤히 그녀를 보았다. 유모가 억지웃음을 지으며 상황을 모면하려 했다.

"제가 그런 말을 했을 리 있겠습니까. 잘못 들으신 겁니다."

"흠. 진짜? 그럼 어머니께서 날 사랑하시는 건 맞아?"

"그럼요. 세상에서 가장 귀하게 여기십니다. 전하께서 태어나신 날이 눈에 선합니다. 얼마나 기뻐하시던지. 눈에 넣어도 아프지 않을 것 같다면서 요람에서 눈을 떼지 못하셨어요."

유모가 호들갑을 피우며 목소리를 높였다. 혹시나 싶어 유모의 변명을 듣던 바론이 고개를 돌렸다. 유모는 지금 거짓말을 하고 있었다. 어머니는 그를 사랑하지 않았다.

'역시 어머니는 나를 사랑하지 않는구나.'

그는 풀이 죽어 책상에 엎드렸다.

'역시 그랬어. 나는 어머니께 아무것도 아니야.'

사실 바론뿐 아니라 대부분의 사람이 드펜을 어려워했다. 첫째론 그녀가 파헤트 황실의 사람이기 때문이었다. 아살론은 경제의 많은 부분을 파헤트에 의존하고 있었다. 경제뿐만이 아니었다. 파헤트는 대륙 최고의 무기 생산국이었다. 파헤트와 사이가 나빠지면 전쟁에 대비할 수 없었다. 나라의 존립이 위태로워질 수도 있는 것이다. 드펜의 등 뒤엔 파헤트가 있다. 이것 하나만으로 그녀에게 굽신거릴 수밖에 없었다.

그녀가 어려운 이유는 또 있었다. 그녀는 지독한 완벽주의자였다. 게다가 용서를 몰랐다. 그녀에게 실수는 곧 실패였다. 궁의 분위기는 자연스레 살얼음판이었다. 바론 역시 어머니 앞에만 서면 자꾸 위축되었다. 다른 사람들보다 훨씬 증상이 심했다.

어머니를 사랑하기 때문이었다. 그의 가장 큰 꿈은 어머니에게 인정받는 것이다. 비록 드펜은 그를 사랑하지 않았지만 그녀는 그의 세상에서 가장 중요한 사람이었다. 그는 아주 어릴 적부터 어머니를 동경했다. 그럴 수밖에 없었다. 그녀는 그가 알고 있는 사람 중, 아니, 이 세상 여자 중 가장 완벽했다. 단지 그녀가 파헤트 황족이기 때문만은 아니었다. 혈통은 그녀를 더 완벽하게 만드는 액세서리에 불과했다. 바론이 그의 어머니에게 빠지게 된 계기는 따로 있었다.

―황비마마께서 한 목걸이 보셨어요?

―붉은색 보석 목걸이 말이죠.

―크기가 주먹만 하던데요. 전 무슨 무도회인 줄 알았어요.

―말도 안 되는 일이죠. 돌아가신 황후마마 추모제에 어떻게 그런 목걸이를.

―그러니까 일부러 더 그렇게 한 거죠. 그분을 모욕하기 위해.

선대 황후의 기일에 있었던 일이다. 드펜이 커다란 보석 목걸이를 하고 식장에 간 것이다. 그 보석의 의미는 '아주 좋은 날'이었다. 그 일로 황제가 불같이 화를 내고 행사는 엉망이 되었다. 혼란스러운 식장 안에서 드펜은 전혀 흔들림이 없었다. 자신이 만들어 낸 갈등을 즐겁게 감상하기까지 했다.

그녀는 분명 해서는 안 되는 짓을 했다. 아직 어린 바론의 눈에도 그게 보였다. 그런데 황제를 제외하곤 그 누구도 항의하지 못했다. 오히려 황제가 떠난 식장에 홀로 남은 드펜 곁으로 와 굽신거렸다. 제대로 눈도 마주치지 못했다. 그 모습이 마치 그들을 지배하는 여왕 같았다. 바론은 그날 처음으로 압도적 존재감을 느꼈다. 당당한 어머니 곁에서 어머니처럼 되고 싶단 마음이 풍선처럼 부풀어 올랐다. 그쯤 되자 어머니가 그를 사랑하지 않는 것도 받아들일 수 있었다. 전부 그가 너무 부족해서 그런 거다. 어머니의 잘못이 아니었다.

그래도 종종 힘들 때가 있었다. 그는 심지어 황비 궁에 마음대로 가지 못했다. 드펜이 허락하지 않았기 때문이었다. 어머니의 거부를 느낄 때마다 자신이 먼지처럼 하찮아지는 것 같았다. 열패감이 반복될수록 인정받고 싶은 욕구가 커져만 갔다.

'제발 나를 좀 봐 주셨으면.'

그의 소원은 거의 이루어지지 않았다. 만나는 일도 거의 없었다. 그 적은 만남마저도 그를 향한 힐난이 대부분이었다.

─여전히 부족하구나. 완벽한 파헤트가 아니어서 그런 거니?

─아살론은 열등해. 네 몸속에도 그 피가 흐르고 있지.

─부족한 걸 뛰어넘으려면 최선을 다해야 해. 물론 재능의 차이는 어쩔 수 없지만.

─최악이구나. 믿을 수 없을 만큼 어리석어. 설마 진심으로 한 말은 아니겠지?

어머니가 무슨 말을 하든 그는 열심히 고개를 끄덕였다. 그럼 어머니가 조금은 웃어 주는 것 같았다. 아주 자세히 보지 않으면 알아채기 어려운 희미한 미소였다. 사람들은 드펜이 아들에게도 웃어 주지 않는다며 그녀의 냉정함을 탓했다.

'아니야, 웃어 주신 거야.'

웃어 주신 것이어야 했다. 그래야만 했다. 그는 그렇게 자신만의 애정을 만들어 나갔다.

*

아버지는 어머니보단 대하기 편했다. 아버지도 그에게 별 애정을 보이진 않았다. 어머니와는 달리 굳이 사랑하려 애쓰지 않았다. 그에게 아버지는 어머니를 힘들게 하는 나쁜 사람이었다.

'저 사람이 내 아버지인 것이 싫어.'

아주 어릴 때부터 아버지를 향한 비난을 듣고 자랐다. 평민 여자에게 눈이 멀어 드펜을 홀대하는 사람. 파헤트의 미움은 받고 싶지 않아 드펜과의 결혼은 유지하는 이기주의자.

'나를 사랑하든 말든 상관없어.'

그가 아버지의 무관심을 무시할 수 있는 이유는 또 있었다. 아버지는 그 외의 다른 자식도 똑같이 대했다. 마치 자식에 대한 애정이 없는 사람 같았다. 예전엔 성격이 조금 달랐다고 했다. 잘 웃고 감정 표현도 잘했다고. 다만 아내가 죽고 마음이 망가졌다고 했다. 사람들은 그가 그렇게 된 것이 드펜 때문이라고 수군댔다. 드펜이 황후를 죽였다는 거다. 처음 그 말을 들었을 땐 그 말을 지껄인 궁녀를 흠씬 두들겨 팼다.

─넌 어머니를 모욕했어! 어머니께서 그깟 평민 계집 때문에 더러운 수를 쓰실 것 같아? 아니, 그랬어도 상관없어! 이유가 있었겠지! 죽을 만하니까 죽은 거야!

충동적으로 저지른 일은 큰 문제가 되었다. 드펜의 황후 시해를 옹호하는 것이기 때문이었다. 바론이 어리기 때문에 일이 덮이긴 했지만 황제는 무척 노여워했다. 바론은 신경 쓰지 않았다.

'화를 내든 말든. 어차피 오래 살지도 못하잖아.'

아살론 황궁의 공공연한 비밀이었다. 현 황제는 젊은 시절에 있었던 일 때문에 건강이 좋지 못했다. 나쁜 건강에 비해 일은 꽤 잘했다. 아랫사람들에게도 잘해 주는 모양이었다. 궁 사람들은 대부분 황제를 좋아했다. 심지어 드펜 궁 사람들도 그랬다. 그래서 더 배알이 뒤틀렸다.

"폐하, 평안하셨습니까."

싫어하는 아버지이지만 안 보고 살 순 없었다. 일주일에 한 번씩

꼬박꼬박 황제에게 인사를 올렸다. 아살론 황실의 전통이기 때문이었다. 바론과의 만남은 황제에게도 불편해 보였다. 그는 마치 업무를 처리하듯 몇 마디 던지고선 입을 다물었다. 아들을 빨리 내보내고 싶어 하는 것이 눈에 보였다. 바론은 일부러 차가 다 식을 때까지 버텼다. 마시지도 않고 그 자리를 나왔다. 아버지가 바라는 대로 해 주고 싶진 않았다.

'카사르한테도 똑같네. 아니, 더 심하잖아.'

종종 카사르와 함께 황제를 만날 때가 있었다. 황제는 바론보다 카사르에 훨씬 냉정했다. 눈길조차 주지 않았다. 죽도록 사랑했던 여자의 아들인데 왜 저러는지 알 수 없었다. 확실한 건 황제의 냉대를 확인할 때마다 우월감에 어깨가 으쓱했다는 거다.

'우리 어머니 때문에 날 무시하지 못하는 거겠지. 내가 위대한 파헤트의 핏줄이니까. 역시 난 쟤보다 훨씬 나아. 쟨 어머니도 없잖아. 우리 어머닌 아살론, 아니 대륙 최고의 여인이시라고.'

비록 그 어머니께서 그를 사랑하시진 않지만.

'아니, 언젠간 사랑해 주실 거야. 알아주실 거야.'

그는 재빨리 마음속 목소리를 눌러 버렸다.

'그나저나 저 녀석, 손이 왜 저래?'

그는 지금 카사르와 함께 식사 중이었다. 포크를 잡는 형제의 오른손이 떨렸다. 힘이 잘 들어가지 않아 보였다.

'뭐야. 포크도 못 쥐는 거야?'

몇 번 애를 쓰던 카사르가 결국 포기하고 빵을 집어 들었다. 그마저도 힘이 잘 들어가지 않는지 살짝 인상을 썼다.

'그때 그 사고 때문인가.'

얼마 전 샹들리에가 무너져 카사르가 그 아래 깔린 일이 있었다. 아슬아슬하게 피했지만 팔을 심하게 다쳤다고 했다. 얼핏 그를 지키려다 기사 한 명이 죽었다고도 했다. 샹들리에를 연결한 밧줄엔 예리하게 잘린 자국이 있었다. 사고가 아니라는 것이다.

'나쁜 인간들. 또 우리 어머니 짓이라고 하겠지.'

바론이 사납게 인상을 구겼다.

'증거도 없는데 말이야.'

카사르가 사고를 당할 때마다 반복되는 일이었다. 다들 드펜이 꾸민 일이라 생각하지만 절대 증거는 나오지 않았다. 결백이 밝혀진 뒤엔 드펜과 그녀를 따르는 귀족들이 궁을 뒤집고 파헤트에선 항의 서한이 날아왔다. 암살 의혹은 쏙 들어갔다. 간혹 선을 넘은 인간들은 자신이 저지른 짓의 몇 배로 돌려받곤 수도에서 쫓겨났다.

'어머니가 그런 짓을 저지르실 리 없어.'

그런 치졸한 짓을 할 필요가 없었다. 어머니는 이미 충분히 고귀하니, 아들인 그는 카사르가 죽지 않아도 황제가 될 수 있었다.

'그리고 말이야. 어머니가 정말 죽이려고 했으면 뭐 어때. 그 여자 아들이잖아. 저렇게 불쌍하게 살 바엔 차라리 죽어 버리는 것이 낫지 않아? 왜 아직 살아 있는 거람?'

그는 어느새 어머니의 증오에 물들어갔다.

'그래. 확 죽어 버렸으면 좋겠어.'

그는 죽음의 무서움은 몰랐다. 어머니의 바람에 맹목적으로 따를 뿐이었다. 온갖 저주와 함께 카사르를 보던 바론이 인상을 썼다.

'재수 없어.'

카사르는 손이 불편한 와중에도 자세를 흐트러트리지 않았다. 바론은 일부러 턱을 괴곤 우유를 휘저었다. 저런 놈과 같아지고 싶지 않았다. 그때 바론의 눈에 이상한 게 보였다. 반듯하게 접힌 카사르의 소매 위에 짧은 털이 붙어 있었다.

'갈색? 머리카락인가?'

사람의 머리카락치곤 짧고 구불거렸다. 바론이 눈을 깜빡이며 집중했다.

'머리카락은 아니야. 저건 마치…….'

떠오를 듯 말 듯하다 생각이 났다. 바론의 눈이 커졌다.

'강아지 털이잖아?'

*

강아지를 키우는 건 바론의 오랜 소원이었다. 그는 귀여운 것을 꽤 좋아했다. 어릴 땐 인형을 가지고 놀기도 했다. 제 몸집만 한 인형을 끌어안고 자기도 했다. 그 인형은 드펜이 모두 버렸다. 그의 친구들이 활활 타오르는 걸 보며 그가 울먹거렸다. 드펜이 차갑게 말했다.

―이런 것 따위에 의지하지 마세요. 약해지지 말란 말입니다.

인형을 빼앗긴 것보다 어머니의 경멸 어린 눈빛이 더 상처였다. 그는 그 뒤론 인형 근처에도 가지 않았다.

겨우 인형에도 그런 반응이었으니 강아지 소리는 꺼내지도 못했다. 단번에 사람의 숨통을 끊어 버릴 수 있는 맹수라면 모를까 한 품에 폭 들어오는 강아지는 절대 불가능했다.

그런데 카사르가 강아지를 키운다니? 그는 자신이 늘 카사르보다 낫다고 생각했다. 어머니의 사랑을 제외하면 바라는 건 모두 얻을 수 있었다. 카사르는 그렇지 못했다. 심지어 제 아버지에게까지 외면받았다. 카사르의 결핍은 그의 우월감으로 이어졌다.

그런데 그는 가질 수 없는 것을 카사르가 갖고 있다니? 그는 며칠 동안 그 생각에서 벗어날 수 없었다. 이젠 그깟 강아지가 중요한 게 아니었다. 이건 그의 근본을 위협하는 일이었다. 우월감은 그를 지탱하는 기둥 중 하나였다. 무너지게 둘 수 없었다. 그러니 확인해야겠다.

"카사르의 개 말이야. 본 적 있어?"

"아, 큰 황자 전하가 키우는 강아지요?"

은근슬쩍 던진 물음을 궁녀가 덥석 베어 물었다. 치욕이 밀려왔다.

'하녀 따위가 알고 있는 것을 내가 몰랐다니.'

바론은 가라앉는 기분을 억지로 끌어 올리며 아무렇지 않게 물었다.

"어. 무슨 갈색 털 뭉치 같던데. 품종이 뭐야?"

"아, 전하께서도 보셨군요……."

말끝을 흐리더니 애매하게 웃었다.

'뭔가 있어.'

확신한 바론이 승부수를 던졌다.

"마음에 들더라고. 내 궁으로 데려올까 해."

"그, 그건 좀……."

"왜? 카사르 개니까? 상관없어. 그 개가 마음에 든다니까? 어머니께 말씀드릴 테야. 당장 빼앗아 오겠다고."

"하지만 그건 폐하께서 선물하신……."

"……폐하께서?"

바론의 안색이 확 변했다.

"그 개를 폐하께서 주셨다고?"

*

바론은 황궁 생활이 만족스러웠다. 그의 말 한마디면 그에게 달려올 자들이 차고 넘쳤다. 높은 자리에 있는 귀족들도 그랬다. 그들은 바론이 황제가 될 것이라 확신했다. 그들 모두 카사르가 오래 버티지 못할 것이라 여겼다. 운 좋게 살아남긴 하지만 곧 죽을 것이라고. 언제 꺼질지 모르는 바람 앞의 촛불보단 드펜이라는 든든한 지원군이 있는 바론에 줄을 서는 게 맞았다. 그래도 종종 궁이 몹시 스산하게 느껴질 때가 있었다. 어머니의 외면을 실감할 때 주로 그랬다. 그래도 그는 참을 수 있었다. 홀로 겪는 겨울이 아니기 때문이었다.

더 춥고 황량한 곳에서 버티는 카사르가 있었다. 하지만 카사르엔 궁이 봄이었다면? 이 거대한 궁이 그에게만 겨울이었다면? 황제가 선물한 강아지에 대해 알게 된 이후 그는 그 생각에서 벗어날 수 없었다.

'카사르에게는 말도 걸지 않았잖아. 눈빛도 주지 않았잖아. 사랑하지 않았잖아. 애정이 없잖아! 그런데 아니었어? 나를 속인 거야? 나만 외면했던 거야? 그 자식은 사랑하면서?'

결국 어느새 일상생활에도 지장이 왔다. 공부는 당연히 뒷전으로 밀렸다. 그가 수업에 집중하지 않는단 소식은 어머니의 귀에 들어갔다. 어머니는 곧바로 바론을 찾아왔다.

"실망이다."

어머니는 평소보다 훨씬 싸늘했다. 그는 어머니의 눈도 마주치지 못한 채 차가운 바닥에 무릎을 꿇었다.

"역시 아살론은 어쩔 수 없는 게로구나."

그의 몸속에 흐르는 아살론의 피에 대해 말하는 것이다. 어머니는 늘 그의 핏줄을 공격했다. 그건 그가 어쩔 수 없는 부분이었다. 원해서 아살론의 핏줄로 태어난 게 아니었다. 작은 주먹이 바르르 떨렸다.

'저도 아살론이 싫어요. 완벽한 파헤트인이 되고 싶어요. 어머니

가 경멸하는 황제의 아들이 아니라 위대한 파헤트가 되고 싶다고요!'

그 말은 늘 그렇듯 입 밖으로 나오지 못했다.

'어머니, 알고 계세요? 폐하께서 그 자식에게 강아지를 선물로 주셨다고 해요. 내 이름도 잘 불러 주지 않으시는 분이 그 자식에게! 평민 계집의 아들 따위에게!'

그렇게 하소연할 수도 없었다. 어차피 좋은 소리 못 들을 테니까 경멸로 끝난다면 다행이다. 그는 애꿎은 카펫만 노려보았다. 눈시울이 뜨겁게 달아올랐다. 얼른 눈을 깜빡여 눈물을 떨구었다. 눈물을 들킬 순 없었다. 드펜은 차갑게 그를 일별하곤 밖으로 나갔다. 옆으로 스치는 바람에 가슴이 욱신거렸다.

*

그는 터덜터덜 걸음을 옮겼다. 평소와는 달리 혼자 움직였다. 걸리적거리는 것이 싫어 시종들은 모두 물렸다. 그러던 중 카사르를 보았다.

'왜 하필 지금 저 새끼를.'

바론의 얼굴이 딱딱하게 굳었다. 카사르 역시 혼자였지만 이전과 달리 안도감은 없었다. 오히려 열패감에 가슴이 싸늘하게 식었다.

'청승맞게 저기에서 대체 뭐 하는 거야? 죽은 여자 초상화를 보는 거야?'

카사르가 보고 있는 것은 죽은 황후의 초상화였다. 바론은 회랑에 걸려 있는 그 초상화를 정말 싫어했다. 드펜이 그곳을 지나갈 때마다 진저리를 쳤기 때문이었다.

'그림을 보고 웃어? 미친 거 아니야?'

그림을 보던 카사르가 희미하게 웃었다. 그러더니 붕대가 감긴 손을 뻗었다. 그의 손이 닿은 치맛자락 위를 힐끔 보았다. 황후의 미소를 본 바론이 인상을 구겼다.

'재수 없어. 저 여자는 왜 웃고 난리야.'

그저 그림일 뿐이지만 황후의 미소는 참 따뜻했다. 카사르도 웃고 있으니 마치 모자가 마주 미소 짓는 것 같았다. 바론이 이를 갈았다. 그는 어머니에게 온갖 비난을 듣고 왔는데. 하필 저런 모습을 보게 되다니.

'어?'

그때였다. 그의 눈에 이상한 게 들어왔다.

'뭐지?'

멀찍이 누군가 카사르를 보고 있었다. 체구가 낯이 익었다. 갑자기 등에 소름이 돋았다.

'저기 누가 있어.'

누구인진 알 수 없지만 확인하고 싶지 않았다. 그는 본능적으로 한걸음 물러났다. 보면 안 될 것을 보게 될 거 같았다. 그는 얼른 돌아서려 했다. 하지만 그렇게 하지 못했다.

그때 바로 돌아섰다면 미래가 조금은 달라졌을까.

'······폐하잖아?'

아니, 달라지지 않았을 것이다. 운명의 방향은 정해져 있었으니까 결국 알게 되었을 것이다. 황제의 진심을 말이다. 멀지 않은 곳에 황제가 서 있었다. 카사르는 눈치채지 못했다. 바론이 충격에 눈을 깜빡였다. 아내와 아들을 바라보는 황제의 눈빛은 평소와 완전히 달랐다.

'저건 뭐야.'

황제는 두 사람에게서 눈을 떼지 못했다. 애가 끓는다는 것이 저런 것일까. 가까이 가고 싶지만 그렇지 못하다는 게 여실히 느껴졌다.

머리를 한 대 얻어맞은 것 같았다.

'왜 저런 눈으로 보는 거야?'

잠시 후 황제가 휙 몸을 돌렸다. 평소처럼 차가운 뒷모습이었다. 그러나 걸음걸음마다 미련이 뚝뚝 떨어졌다. 바론은 깨달았다.

저것이 황제의 진심이구나. 카사르를 사랑하고 있었구나.

'말도 안 돼!'

눈물이 왈칵 나올 것 같았다. 그는 아프도록 눈을 부릅떴다. 휙 몸을 돌려 마구 뛰어갔다. 당장 이 자리를 떠나고만 싶었다.

'거짓말이야!'

숨이 턱까지 차올랐다.

'이건 다 거짓말이라고!'

어디로 가는 줄도 모른 채 달렸다. 어두운 정원 위로 노란 불빛이 빠르게 지나갔다. 이대로 세상에서 사라져 버리고 싶었다. 그때였다.

"앗!"

갑자기 튀어나온 작은 털 뭉치에 앞으로 넘어질 뻔했다. 가까스로 바닥을 짚어 나뒹구는 것은 면했다. 털 뭉치가 와락 그에게 달려들었다.

"깡!"

낯선 소리에 그의 눈이 커졌다. 갈색의 강아지였다.

"헥헥!"

강아지의 까만 눈이 그를 올려다보았다. 고동색의 코엔 촉촉한 물기가 어려 있었다. 앙증맞은 혀가 살짝 나와 있었다. 바론은 얼어붙은 채 다리 위에 앉아 있는 강아지를 보았다.

"요히!"

카사르의 목소리였다. 벼락을 맞은 듯 굳어 있던 바론이 속삭이듯 말했다.

"너였구나."

"요히! 어디 있니!"

주인의 목소리에 강아지가 귀를 쫑긋거렸다. 바론은 저도 모르게 손을 뻗었다. 이대로 사라져 버리진 않을까 털을 움켜쥐었다. 보드라운 털의 감촉에 전기에라도 감전된 것 같았다.

"네가 카사르의 강아지구나."

황제가 카사르에게 준 선물이기도 했다. 그는 받지 못한, 오직 형제에게만 허락된 것이었다.

'너를 죽여 버린다면.'

남색의 눈동자가 어둡게 일렁였다. 강아지의 목을 조르고 그 시체를 카사르의 궁 앞에 던져 두면 어떻게 될까. 그 피로 황제의 침실 앞에 욕을 써 두는 것은 어떨까. 그럼 이 마음이 풀릴 것 같았다.

'나를 원망하지 마. 나도 어쩔 수 없어.'

할딱이는 개를 보며 그가 이를 악물었다. 그의 손이 강아지의 뒷목으로 향했다.

"헤헥, 헥."

그의 손은 짧은 목을 조르는 대신 뾰족한 귀의 뒤를 긁었다. 서툰 손길도 만족스러운지 개가 귀를 비볐다. 그는 계속 귀를 긁어 주었다. 개의 입 모양이 마치 웃는 것처럼 되었다. 잔뜩 굳어 있던 그의 표정이 조금 풀렸다.

"개도 웃는구나."

손을 내밀자 마구 손등을 핥짝거렸다. 따듯하고 얇은 혀가 닿는 느낌이 신기했다.

"나랑 같이 가자."

그가 조심스럽게 강아지를 안아 들었다. 보드라운 온기에 가슴이 지끈거렸다.

"냄새 좋다."

풍성한 털 사이에선 시트러스 향기가 났다. 카사르의 옷에서 나던 것이었다. 평소엔 싫어하던 그 향마저 마음에 들었다.

"네 이름은 바니야."

바론의 친구라는 말이었다.

"요히!"

다시 카사르의 목소리가 들렸다. 그는 얼른 개를 옷 속에 집어넣었다. 꼬물거리는 바니를 꼭 끌어안은 채 몸을 숙였다. 사람들의 눈을 피해 방에 들어오는데 심장이 터질 것 같았다.

"너를 어디에 숨기지?"

그가 정신없이 방안을 살폈다. 그동안 침대 위에 놓은 바니가 귀를 긁었다.

"여기가 좋겠어."

침대 옆은 문을 열었을 때 보이지 않았다. 그는 그곳에 있는 서랍장을 살짝 옮기고 옷장 속에 있는 옷을 꺼냈다. 바니가 작아 큰 공간이 필요하지 않았다. 공간 사이에 옷을 깔고 바니를 안아 그 위에 놓았다.

"일단 이곳에 있어."

"끼잉."

새 보금자리가 낯선 듯 바니가 낑낑거렸다. 그가 얼른 바니의 코를 눌렀다. 강아지의 코를 만지면 조용해진단 이야길 읽은 적 있었다.

"조용, 절대 짖으면 안 돼."

약간의 실랑이 후 바니가 옷 위에 몸을 웅크렸다. 그는 그 옆에 주저앉고 앞으로 어떻게 할지 생각했다.

'일단 시간을 벌어야 해. 이곳에 아무도 들이면 안돼.'

매일 아침 그의 방을 치우는 시종들이 문제였다.

'내일 확 화를 내버리자. 아무나 트집을 잡고 벌을 내리는 거야. 다들 꼴도 보기 싫으니 꺼지라고 하면 돼.'

그가 평소에도 종종 하는 일이었다. 당장 내일이 해결되니 마음이 좀 놓였다.

"내일은 네 집을 찾아줄게."

웅크린 강아지가 눈을 깜빡였다. 바론은 바닥에 엎드린 채 강아지와 눈을 마주쳤다. 까만 눈동자에 밤하늘이 담긴 것 같았다. 강아지가 하품하는 모습에 그가 빙그레 웃었다.

"눈이 참 예쁘다."

잠시 후 바니가 스르르 눈을 감았다. 잠든 강아지의 숨소리가 들려왔다. 바론은 밤이 깊을 때까지 바니를 보았다. 용기를 내 자그마한 발을 만졌다. 바니는 여전히 깊게 잠들어 있었다. 두 팔로 강아지를 끌어안았다. 혹시라도 깰까 봐 세게 안지도 못했다. 보드라운 털에 볼을 비볐다. 그 온기 속에서 그는 아주 낯선 감정을 느꼈다.

'내 강아지.'

오직 그만을 바라보는, 그밖에 모르는, 온전한 그의 것이다.

'너는 내 거야.'

그가 아니면 살아남을 수 없는 작은 생명체. 카사르만 아끼는 아버지, 그를 사랑하지 않는 어머니와는 전혀 달랐다. 이 작은 생명체만 있으면 그들이 없어도 상관없을 것 같았다. 바니가 그의 품으로 파고들었다.

'기분이 이상해.'

마치 깨진 것이 제대로 붙는 듯한 기분이었다. 그는 동이 터울 때까지 바니를 바라보았다. 이내 가슴 벅찬 충만감과 함께 잠에 빠져들었다.

＊

일탈은 오래가지 않았다. 아침 노크 소리에 바니가 짖은 것이다. 얼른 바니의 입을 막았지만 캑캑대는 소리에 놀라 손을 놓은 것이 화근이었다.

"이게 무슨 소리야?"

"강아지잖아?"

"이건 설마 큰 황자 전하의……"

"어제 사라졌다고 들었는데!"

"전하, 이게 어찌 된 일이에요!"

정신이 하나도 없었다. 목이 바짝바짝 말랐다. 할 수 있다면 저 자들을 모두 없애고 싶었다. 그가 바니를 끌어안으며 필사적으로 버텼다.

"얜 내 거야. 카사르 강아지 아니야! 바니란 말이야!"

그의 노력은 아무 소용이 없었다. 하녀들이 수군거렸다.

"그분의 강아지가 맞아요."

"폐하께서 선물하신 거라고 했어요."

"큰 문제가 될지도 몰라."

"우리가 벌을 받을 거예요."

"당장 황비마마께 알려!"

"큰일이 생길지도 모르니!"

누군가 밖으로 뛰어나갔다. 바론은 얼어붙은 채 그 모습을 보았다. 바니를 끌어안은 팔에 저도 모르게 힘을 주었다. 강아지가 답답한 듯 낑낑거렸다.

그리고 어머니가 오셨다. 그 뒤론 모든 것이 뒤죽박죽이었다. 강아지와 함께 있는 바론을 본 드펜의 얼굴이 사납게 일그러졌다.

"카사르의 강아지를 훔쳤단 말이니?"

이렇게 무서운 어머니의 얼굴은 처음이었다. 바론의 심장이 내려앉았다. 아주 끔찍한 일이 벌어질 게 분명했다. 큰 뱀이 목을 조르는 것 같았다.

"잘못했어요!"

그가 바닥에 무릎을 꿇었다. 앞으로 어떤 일이 벌어질지 누가 말해 주지 않아도 알 수 있었다. 안 돼, 싫어. 그것만은 제발!

"살려 주세요! 잘못했어요! 더 잘할게요! 제발! 어머니!"

"하, 살려 달라고."

으득. 이 갈리는 소리가 났다. 눈앞이 깜깜해졌다. 이건 사형 선고였다. 미래는 바뀌지 않았다. 바론의 숨이 짧아졌다. 절망감이 밀려왔다. 머릿속 퓨즈가 끊어져 버렸다. 그가 비명처럼 소리쳤다.

"싫어!"

그가 바니를 끌어안았다. 개가 그의 품속에서 버둥거렸다. 열린 문으로 뛰쳐나갔다. 멈춰! 어머니의 목소리가 들렸지만 무시했다. 생애 최초의 반항이었다. 그리고 마침내 일이 벌어졌다.

*

"승자가 모든 걸 가지는 법이지."

그는 넋이 나간 채 긴 손가락 끝을 바라보았다. 한때는 따뜻했던 피가 차갑게 식어 말라붙어 있었다.

"오늘 일을 잊지 마. 승리하지 못하면, 이 개처럼 될 거야."

드펜이 상냥하게 웃으며 축 늘어진 바니를 가리켰다. 갈색의 털 곳곳이 붉었다. 어제 그가 한참이나 망설이다 용기를 내 쓰다듬은 바로 그 털이었다.

"크르릉!"

바로 곁에서 개 짖는 소리가 났다. 드펜이 데리고 온 사냥개였다. 순식간에 벌어진 일이었다. 시종들에게 잡히고 바니를 빼앗기고 사냥개가 오고⋯⋯. 바론의 눈앞에서 그 일이 벌어졌다.

"이번 일이 네게 좋은 경험이 되었으면 좋겠구나."

드펜이 히스테릭한 웃음을 지었다. 바론의 몸이 부들부들 떨렸다. 그녀가 테이블 위에 놓인 와인 잔을 집어 들었다. 그녀가 기분이 좋을 때 마시는 술이었다.

"꼭 승리하렴. 승리자가 되어 내게 관을 가져와야 한단다."

술 냄새와 함께 낮은 웃음소리가 들렸다.

"싫어!"

그 웃음과 동시에 그는 드펜에게 달려들었다. 상대에게 닿기 전기사가 먼저 그를 잡았다.

"아악! 놔!"

"가당찮은 짓을 하는구나."

발악하는 바론을 보며 그녀가 피식 웃었다. 비현실적으로 아름다운 미소였다. 파헤트와 아살론 최고의 미녀라며 자랑스러워하던 그 얼굴이 이젠 괴물처럼 느껴졌다.

"살려 내! 살려 내란 말이야!"

그의 악다구니에 드펜이 웃으며 손을 들어 올렸다.

"이런, 아직 정신을 못 차렸구나. 교육이 더 필요하겠네."

"살려⋯⋯. 악!"

눈앞에 불이 번쩍했다. 한쪽 머리가 얼얼했다. 처음엔 무슨 일이 있었는지 알지 못했다. 그러다 몇 번 더 비슷한 일이 있었다. 또다시 뒤죽박죽이었다. 어느새 그는 축 늘어졌다.

"다시는 이런 어리석은 짓은 하지 말길."

드펜이 웃으며 밖을 나갔다. 텅 빈 남색의 눈동자에 차게 식은 바니가 담겼다. 그날, 그의 세계가 부서졌다. 운명의 길은 완전히 틀어졌다. 그는 브레이크 없이 그 길을 달렸다.

*

그날 이후 어머니와의 관계는 파국으로 치달았다. 그는 사사건건 어머니에게 반항했다. 드펜은 여러 수단으로 아들을 통제하려 했다. 하지만 쉽지 않았다. 전쟁 같은 날들이 이어졌다. 드펜은 다시 바론을 움켜쥐기 위해 힘을 썼다. 그 긴 싸움 중 어느 날 바론은 깨달았다.

어머니에겐 반드시 그가 필요했다. 절대 그를 버릴 수 없었다. 그가 없다면 그녀는 절대 원하는 것을 얻을 수 없었다. 그가 이 싸움에서 무조건 이기게 될 거란 뜻이었다. 그 뒤로 그는 한결 여유로워졌다. 여유롭게 일탈을 즐겼다는 것이다. 무조건 이기는 싸움은 이래서 좋았다. 황자로서 해서는 안 될 나쁜 짓만 골라 했다. 처음엔 그가 친 사고를 어머니가 수습하는 것이 재미있었다. 나중엔 일탈 자체의 매력에 빠졌다. 도덕적 금기를 깨부수는 쾌락에 빠진 것이다. 시간이 지날수록 그는 점점 더 그의 삶에 만족했다.

그를 막을 수 있는 것은 아무것도 없었다. 카사르만 제외한다면. 카사르는 그의 삶에 존재하는 유일한 방해물이었다. 그는 당연히 황제가 되고 싶었다. 황제가 되어 꿈을 이룬 기쁨에 즐거워할 어머니를 쫓아내고 싶었다. 평생을 바라 온 자리에서 끌려 내려올 때 느낌이 어떨까. 상상만으로 짜릿함이 밀려왔다.

카사르는 그의 방해물이었으니, 시간이 지날수록 카사르를 미워하게 되는 것은 당연했다. 할 수만 있다면 카사르를 완전히 눌러 버리고 싶었다. 하지만 그러기엔 능력이 부족했다. 그의 형제는 빌어먹을 정도로 성실했다. 하루가 다르게 그와 멀어져 갔다.

어느 날 문득 그 차이를 절감한 날이 있었다. 그때에서야 무의미하게 흘려보낸 과거가 후회되었지만 돌이킬 순 없었다. 그는 금세후회를 털어 버렸다. 후회는 능력 없는 이들이나 하는 것이다. 그는두 제국의 피를 이어받은 몸이었다. 그가 길을 잘못 들었다면 그건그의 잘못이 아니라 잘못 놓인 길이 문제였다. 물론 드펜은 그가 길을 잘못 들었다며 수시로 그를 비난했다. 하지만 어릴 때와는 달리아주 쉽게 무시할 수 있었다. 그에게 드펜은 더는 완벽한 이상형이아니었다. 한 걸음 떨어져 보니 그녀의 한계가 더 잘 보였다.

'애당초 완벽한 사람이 그깟 황후 자리에 연연할 리 없잖아. 능력이 없으니 자기가 경멸하는 남자 곁을 지키는 거지.'

그는 마음껏 어머니를 조롱하며 그녀의 한계를 즐겼다. 미래가두렵지도 않았다. 아무리 막 나가도 그는 자신 있었다. 그의 아버지는 절대 파헤트를 무시할 수 없었다. 황위는 그의 것이었다. 카사르는 끈 떨어진 연일 뿐이었다. 형제의 노력은 무의미할 뿐이었다.

그런데 아니었다. 완벽한 착각이며 오만이었다. 하루아침에 그의 형제가 태자가 되었다. 날치기 통과였지만 어쨌든 일은 벌어졌다. 드펜조차 황제의 계획을 몰랐다. 잘못된 것을 다시 원래대로 돌리려고 했지만 불가능했다. 어느새 카사르의 세력이 그만큼 커진것이다. 갑작스러운 뒤통수에 바론은 충격에 빠졌다. 충격은 이내두려움으로 변했다.

'설마 이러다 일이 잘못되는 건 아니겠지.'

그는 얼른 걱정을 털어 버렸다.

'의미 없는 발악이야. 결국 이기는 건 나야.'

마음을 다스리긴 했지만 마냥 손 놓고 있을 순 없었다. 카사르의 세력이 더 커지면 상황이 더 나빠질 것이다. 이 혼란스러울 판을 뒤집을 묘수가 필요했다.

'내 세력을 키워야 해. 카사르가 뒤집을 엄두도 내지 못하게 확실히.'

그래서 그는 결혼을 고려하기 시작했다. 그동안 그에게 들어온 혼담은 많았다. 성년이 지났을 때부터 드펜이 그를 혼인시키기 위해 안달 냈기 때문이었다. 그는 일부러 혼담을 다 어그러트렸다. 어머니가 바라는 건 다 망치고 싶었다. 드펜이 데려온 여자들이 하나같이 그녀를 닮아서 더 싫었다. 그러다 마음을 바꾸자 약혼은 수월하게 이루어졌다. 문제는 결혼까지 가는 길이었다. 그의 지독한 여성 편력 탓에 약혼이 자꾸 어그러졌다. 그때마다 드펜은 난리를 쳤다. 그러다 일이 벌어졌다. 그의 약혼녀가 죽기 위해 약을 털어 넣은 것이다. 그의 외도 때문이었다. 사실 바론에겐 그 사달을 막을 기회가 있었다. 약혼녀가 약을 먹기 전 그를 찾아온 것이다.

"벌써 다 잃으신 겁니까?"

"이번 판은 좀 무리하셨군요, 전하."

"무리라니, 이 사람. 전하가 어떤 분인데. 위대한 바론 전하께 이 정도 손실은 아무것도 아니야."

문제는 하필 그녀가 그를 찾아온 것이 그가 도박 중이었다는 데 있었다.

"역시 전하께선 멈추지 않으시는군요."

"황금으로 된 광산을 가지셨다면서요."

"듣던 대로 대단합니다."

얼마 전 유명한 도박사들이 아살론에 들어왔다. 워낙 이름이 높아 귀족들 사이에 그들을 초청하는 붐이 일었다. 바론 역시 그 소식을 들었다.

'그들이 그렇게 도박을 잘해?'

'잘하긴 합니다만 감히 전하의 실력에 비할 수 있겠습니까.'

'그럼요. 바론 전하의 손은 신이 내린 손 아닙니까.'

그즈음 바론 곁엔 아부꾼들만 남아 있었다. 그들의 말에 넘어간 바론은 결국 도박꾼들을 궁에 불러들였다. 첫판을 제외하고는 내리 져 버렸다. 한 시간에 저택 하나가 날아갔고 반나절엔 광산 셋이 사라졌다. 그쯤 되자 눈에 보이는 것이 없었다. 그들이 외국인이 아니었다면 괜한 트집을 잡아 손을 잘라 버렸을지도 모른다. 그때 하필 그의 약혼녀가 찾아왔다.

"엘비라 영애가 아직 기다리고 계십니다."

"돌아가라고 해."

"나오실 때까지 기다리시겠다고……."

"제기랄! 당장 꺼지라고 해!"

하지만 그녀는 돌아가지 않았다. 약혼녀를 까맣게 잊고 도박에 빠진 결과는 처참했다. 본전을 찾기는커녕 수년 동안 모아온 보석까지 빼앗겨 버렸다.

"왜 일어나는 거야! 멈춰. 아직 판은 끝나지 않았어!"

"전하, 저희도 남아 있고 싶습니다."

"판돈이 없는 판을 지키는 건 도박가가 할 일이 아닙니다."

"판돈이 준비되면 부르십시오. 언제든 달려오겠습니다."

그들은 온갖 예를 차려가며 궁을 떠났다. 그들을 잡지 않은 건 외국인인 그들을 함부로 건들면 안 된다는 마지막 이성이 남아 있기 때문이었다. 억지로 화를 참아서인지 분노로 머리가 핑핑 돌았다.

"저 여자 왜 저기에 있는 거야."

하필 그때 약혼녀를 보았다.

"꺼지라고 했잖아! 그 말 안 했어?"

"몇 번이나 전해 드렸습니다. 그런데 한사코 고집을 피우시며……."

"하!"

그가 약혼녀를 노려보았다.

"내가 오늘 왜 이렇게 재수가 없었는지 알겠네. 다 저 여자 때문이었어!"

갈 곳 잃은 분노가 그녀에게 향했다. 그가 성큼 그녀 쪽으로 다가갔다. 약혼녀가 하얗게 질린 얼굴로 그를 돌아보았다.

"전하! 또 다른 여자를 만나셨다고……."

"지금 몇 시인지 아시오."

그가 히죽 웃으며 그녀의 말을 잘랐다.

"이 깊은 밤에 남자를 찾아오다니. 그동안 얌전한 척 다하더니 뜻밖에 대범하시네. 혹 나랑 자고 싶어서 왔소? 그런데 이를 어쩌지. 난 당신 얼굴만 봐도 구역질이 나는데."

그가 주머니를 뒤졌다. 몇 장 남지 않은 지폐를 움켜쥐었다.

"혹 화대가 필요하다면 가져가시오."

그리고선 그녀의 가슴팍에 돈을 쑤셔 넣었다. 이내 확 밀쳐 버렸다. 영애의 얼굴이 하얗게 질려갔다. 숨도 쉬지 못하는 것 같았다. 그녀에게 이런 끔찍한 모욕은 처음 겪는 일이었다.

"꺼져. 역겨우니까."

그렇게 여자를 뒤로하곤 다시 술독에 빠졌다. 술을 먹으면 기분이 좋아졌다. 밤새 부어라 마신 후 다음 날 오후가 되어서야 일어났다. 어제 무슨 짓을 저질렀는지는 까맣게 잊고 있었다.

그날, 잠에서 깨자마자 황제에게 끌려갔다.

"술 좀 깨고 가겠다고! 그렇게 전하란 말이야!"

"당장 모셔 오라는 폐하의 명이 있었습니다."

"에이, 무슨 일인데!"

"엘비라 영애께서 자진 시도를 하셨습니다."

"자진? 왜? 겨우 그 말 좀 들었다고?"

바론은 기가 막혔다. 대체 얼마나 귀하게 자랐으면 그 말도 참지 못하나 싶었다. 아니, 애당초 외도를 따지러 온 것도 이해가 안 되었다.

"내가 자기만 바라볼 거로 생각한 건가?"

미치지 않고서야 그런 기대를 하다니. 그는 툴툴거리며 내관의 뒤를 따랐다.

"엄청나게 피곤해지겠네."

황제의 침실이 가까워지자 그가 인상을 썼다. 아무리 막 나가는 인생이지만 이번 일이 꽤 번거로워질 거라는 건 알았다.

"아주 날 잡아 잡수시겠군."

근래 황제와 그의 관계는 최악이었다. 카사르의 '유리' 때문이었다. 바론이 그 여자를 죽였다는 소문을 들은 황제가 직접 바론을 불렀다. 제가 죽였을까요? 죽였습니다. 농담입니다. 그런데 그 여자 죽었겠지요? 카사르가 그 뒤를 따라가는 건 어떨까요? 행복할 것 같은데요? 바론은 실실 웃으며 황제의 성질을 긁었다. 정말 그녀를 죽였다는 말 말고 해서는 안 될 말은 다 했다.

당연하게도 황제는 바론의 말에 불같이 화를 냈다. 황제는 몇 년 전부터 아주 대놓고 카사르를 편애했다. 바론은 히죽 웃으며 승자의 여유를 즐겼다.

'사실 내가 죽였지.'

그때 일을 생각하니 기분이 좋아졌다. 그의 걸음이 한결 여유로워졌다.

'이번 일이 크긴 하지만 그 여자의 죽음에 비할 건 아니지.'

전보다 더 금방 해결될 것이다. 당당하게 알현실로 들어갔다.

"백작 영애에게 한 말이 사실이냐!"

황제는 바론을 보자마자 어젯밤 일을 강하게 질책했다. 다 죽어가는 늙은이가 무슨 그런 힘이 나오는지 모르겠다. 바론은 시계를 보며 적당히 딴짓했다.

"지금 당장 수도를 떠나거라."

"예, 예, 알겠습니다."

무슨 말을 하든 대충 성의 없이 고개를 끄덕였다.

'수도를 떠나? 웃기시네. 내가 미쳤어? 할 수 있다면 날 쫓아내 보시지?'

어차피 황제는 아무것도 하지 못했다. 그의 어머니가 그를 구할 테니까. 그의 어머니는 늘 자신의 욕망에 충실했다. 그게 그녀의 유일한 장점이었다. 그 욕망 덕분에 수도 없는 위기를 넘겼다. 도덕 따윈 때려치우고 막살 수도 있었다. 그러니 수도를 떠날 일도 없을 것이라 확신했다.

착각이었다. 드펜이 그를 버린 것이다. 드펜이 변한 건 엘비라 영애 때문이었다. 바론의 이번 약혼은 쉽지 않았다. 그는 이미 세 번의 파혼을 한 전력이 있었다. 이제 대귀족 중엔 자기 딸을 가시밭길로 밀어 넣을 자가 없었다. 결국, 그에게 혼담을 넣는 건 권력에 눈이 먼 찌꺼기들뿐이었다. 드펜의 눈에 그런 자들이 찰 리 없었다. 그러다 엘비라 영애와 연이 닿았다.

'아직 보석이 남아 있구나.'

엘비라 가문은 드펜의 기준에 제법 들어맞았다. 그녀는 무척 흡족해하며 약혼을 추진했다. 그 약혼으로 카사르는 더욱 불리해졌다. 엘비라 가문에는 우호적인 귀족이 많았다. 그녀의 약혼자에게 힘을 실어 주려는 목소리가 높아졌다. 심지어 황태자를 바꿔야 한다는 세력까지 생겼다.

"네가 또 일을 그르쳤어."

그 약혼을 바론이 망친 것이다.

"정신을 차리게 해 주어야겠구나."

드펜은 황제의 알현실 밖에서 그를 기다리고 있었다. 새파랗게 그를 노려보며 말했다.

"폐하의 명대로 당장 수도를 떠나거라."

"뭐요? 내가 미쳤습니까? 아니, 지금 제정신입니까? 카사르가 궁에 버티고 있는데 나보고 수도를 떠나라고요?"

"그래. 돈 한 푼 없이 말이지."

모든 경제적 원조를 끊겠다. 이 말이었다. 찬물을 뒤집어쓴 듯 정신이 들었다. 드펜이 차갑게 웃으며 말했다.

"그때처럼 내게 덤벼들 것이냐? 별 소용은 없을 거다. 너는 내게 없으면 안 돼. 내 아들이기 때문에 지금 그 자리에 있는 것이지. 아마 너는 반대로 알고 있는 것 같다만. 이젠 슬슬 네 위치를 제대로 깨닫고 돌아오는 것이 좋겠구나."

그렇게 드펜은 모든 경제적 원조를 끊어 버렸다. 날벼락도 이런 날벼락이 없었다. 도박에서 잃은 것만 없어도 버티겠는데 그렇지도 못했다. 온갖 방법으로 드펜의 마음을 바꾸려 했지만 소용없었다. 결국 바론은 빈털터리가 되어 수도를 떠났다. 돈만 없는 것이 아니었다. 사람도 없었다. 바론 곁엔 드펜의 수하들이 득실거렸다. 아들의 손발을 묶기 위해 아주 작정을 한 것이다.

'진정해. 이건 별거 아니야. 사자가 발톱을 잃었다고 고양이가 돼? 나는 아살론의 황제가 될 사람이야. 어머니는 날 절대 포기하지 못해. 시간이 지나면 전부 다 제자리로 돌아갈 거야. 게다가 카사르, 그 새끼. 절대 일어나지 못할 거라고. 죽을 때까지 그 여자를 찾

지 못할 테니까.'

그 여잔 그 손에 죽었으니까 말이다. 그 생각을 하자 마음이 좀 풀렸다. 기분도 안 좋겠다. 그는 여자의 마지막을 떠올리기로 했다.

'그 계집의 마지막 순간은 아무리 생각해도 질리지 않아.'

어둠 속에 잠긴 그 며칠이 그에겐 가장 행복한 기억 중 하나였다. 엉망진창이었던 얼굴은 거의 기억나지 않았다.

오직 눈빛. 스러져 가던 눈빛만은 선명했다.

'그 눈이 뭐랄까…… 그 사슴 같았어.'

몇 년 전 사냥에서 사슴을 잡은 적 있었다. 그가 쏜 화살이 가느다란 목을 꿰뚫었다. 사슴은 바로 죽지 못하고 쓰러져 바르작거렸다. 헐떡이며 큰 눈으로 그를 올려다보았다. 주변에선 고통을 줄여주기 위해 숨을 끊어 주라 했다. 그는 모두 무시하고 사슴이 마지막 숨을 거둘 때까지 지켜보았다. 재미 때문이었다.

'눈이 맑다는 게 그런 걸까.'

그는 종종 그녀가 멀쩡했을 때 모습을 상상하곤 했다. 얼굴은 매번 바뀌었지만 눈빛 만은 일정했다. 단정하면서도 고요한, 그런 눈이었다. 풍랑과는 전혀 어울리지 않는 눈빛이었다. 그리고 그 고요함을 그가 끝장냈다.

'그래서 더 마음에 들어.'

그의 웃음이 진해졌다. 그 여잔 평생 선하게 살며 소박한 미래를 꿈꿨을 것이다. 그와는 달리 남을 괴롭히는 일 따윈 하지 않았겠지. 그 순결함을 그가 처참히 부숴버렸다는 게 짜릿했다.

'그러면 뭐하냐고. 지금 당장은 돈이 없잖아. 아무것도 할 수 없어.'

좋았던 기분은 금세 나빠졌다. 돈이 없다는 건 그가 상상했던 것보다 훨씬 끔찍했다. 궁에선 황금 욕조에 최고급 와인을 채워 넣고 미녀들과 향락을 즐겼는데 지금은 낡은 나무 욕조뿐이었다.

목적지에 도착하자 상황은 더 나빠졌다. 드펜은 그를 촌구석에 박아 버렸다. 유흥을 즐길 만한 곳이 어디에도 없었다. 쓸데없는 생각 말고 반성하란 것이다. 드펜의 선택은 바론뿐 아니라 그곳 영주까지 불행하게 만들었다.

"침대에서 소리가 나잖아. 내가 불면증으로 죽어 버렸으면 좋겠나? 당장 침대를 바꿔라!"

"커튼을 빨기는 한 건가? 냄새가 지독해! 나 때문에 일부러 바꾸었다고? 하! 당신네 영지에선 천을 다 소똥으로 염색하는 모양이지?"

"음식이 최악이야. 당장 이 끔찍한 것을 만든 요리장을 데리고 와라. 당신 어머니? 영주 어머니면 내 평이 달라질 줄 알았어? 연로? 웃기고 있네. 늙었으면 죽어야지. 안 그래?"

하루에 몇 번씩 부리는 패악에 영주의 노모가 쓰러지기까지 했다. 노모의 상태가 위독해져 성이 한바탕 뒤집혔으나 바론은 변하지 않았다. 그에게 이곳은 지옥이었다. 지옥에서 이성적으로 행동하면 그게 이상한 것이다. 모두의 지옥이 이어지던 중 영주가 그를 찾아왔다.

"전하, 돈 문제를 해결할 방법이 있을 것 같습니다."

영주가 해쓱해진 얼굴로 말을 이었다. 다크서클은 턱까지 내려왔다. 머리 곳곳이 하얗게 세 있었다. 불과 한 달 사이에 십 년은 늙어 보였다.

"혹 프리우스 공작을 아십니까?"

바론이 인상을 찌푸리며 되물었다.

"프리우스 공작?"

당연히 잘 알고 있었다. 프리우스 공작은 어머니의 충실한 개 중 하나였다. 멀쩡하던 사람이 하루아침에 식물인간이 되었다. 멍청한 그의 아들, 미하엘 프리우스 때문이었다.

'공작이 그렇게 되어서 내가 불리해졌지.'

그는 당시 태자 책봉을 뒤집기 위해 애를 쓰고 있었다. 그런데 하필 그때 그의 가장 큰 세력인 프리우스가 쓰러진 것이다. 결국 그 싸움은 카사르의 승리로 끝났다. 그때 생각을 하자 더 기분이 나빠졌다. 그가 화풀이하기 전 영주가 선수를 쳤다.

"이곳에 프리우스 공작의 사생아가 있습니다."

"뭐라고?"

분노가 쏙 들어가고 놀라움이 그 자리를 채웠다. 사생아라니. 그 꼿꼿한 노인네에게 사생아가 있었던 말인가?

"전하께서도 아시다시피 사생아에겐 상속권이 없습니다. 하지만 예외는 어디에나 존재하는 법이지요. 마침 그녀가 제 안사람과 친분이 있습니다. 원하신다면 연결해 드릴 수 있습니다."

영주는 그의 눈치를 보며 우물쭈물 말을 했다. 그렇다고 행간의 의미까지 사라지는 건 아니었다.

영주가 하는 말은 이거였다. 사생아를 이용해 프리우스를 집어삼켜라. 바론의 눈이 번뜩였다. 프리우스의 사생아. 그 말이 한 줄기 빛처럼 느껴졌다.

"당장 그 사생아를 데리고 와."

*

"도착한 건가?"

달그락거리는 마차 소리에 바론이 창밖을 바라보았다. 마차가 분수대 옆에 멈추어 섰다.

잠시 후 검은 옷을 입은 여자가 모습을 드러냈다. 베일을 쓰고 있어 얼굴은 보이지 않았다. 베일은 그의 명령 때문에 쓴 것이다. 혹시라도 계획이 새어 나가 일이 어그러지지 않기 위해서였다.

"칙칙하게 검은색이 뭐야."

베일 쓴 여자를 보며 그가 혀를 찼다. 자고로 여자란 화사해야 했다.

"몸은 좀 괜찮아 보인다만."

가느다란 몸 선은 그의 취향이었다. 여자를 훑는 그의 눈에 탐욕이 어렸다.

"게다가 내 돈줄이잖아."

그가 씩 입매를 올렸다. 일이 잘 성사된다면 그녀는 그의 가장 강력한 패가 될 것이다. 주머니 두둑하게 환궁하며 드펜의 뒤통수를 칠 생각을 하자 벌써 기분이 좋아졌다. 그는 한결 너그러운 마음으로 여자를 품평하였다.

"저건 또 뭐야?"

그때 저택 입구에 서 있던 사람이 그 여자에게 달려갔다. 덥석 끌어안았다.

"영주 부인이잖아?"

그의 눈에 이채가 돌았다. 영주 부인하고 친하다더니 정말인가 보다. 사생아의 할머니는 이 지역에서 이름난 산파였다. 꽤 실력 있는 의사라고도 했다. 영주 가족들의 목숨도 여러 번 살렸다고 했다. 그러다 자연스럽게 친분이 생긴 듯했다.

"내 욕이라도 하는 건가?"

영주 부인이 그 여자를 향해 뭐라고 말을 하고 있었다. 대화 소리는 들리지 않았다. 여자는 가끔 고개만 끄덕였다.

그는 피식 웃었다.

'완전히 미친놈이니 조심하라 이거겠지.'

그는 세상이 자신을 어떻게 보는지 잘 알았다. 다만 무시할 뿐이었다. 벌레들의 평에 연연하기에 인생은 너무 짧았다.

'어쩌면 반대일지도.'

영주 가족들에겐 바론에 벗어날 생각밖엔 없을 것이다. 저 여자를 소개하기로 한 것도 영주 부인의 생각이었다. 그의 욕을 했다가 사생아가 도망가면 영주 가족은 지금보다 더 깊은 수렁에 빠질 것이다.

'그럼 저 사생아가 악마에게 바쳐진 제물, 뭐 그런 건가? 재미있네.'

그렇게 피식피식 웃고 있을 때였다. 여자가 몸을 돌렸다. 그는 여자에게서 시선을 떼지 않았다. 그때까지만 해도 별생각이 없었다. 가느다란 손이 위로 올라갔다. 검은색 베일을 천천히 걷어 냈다. 정확히 눈이 마주쳤다. 바론이 눈을 깜빡였다.

'설마 녹안?'

눈동자 색이 같기 때문인 걸까. 그는 그 눈에서 시선을 떼지 못했다. 아니, 그저 색이 같기 때문만은 아니었다. 여자의 눈빛이 무척 묘했다. 그가 마주한 그 누구보다도 담담하고 고요했다. 마치 이 세상 사람이 아닌 것 같았다.

'지금 뭐야.'

그가 얼른 정신을 차렸다. 여자가 시선을 돌렸다. 그에게 보이는 건 단정한 얼굴뿐이었다. 여자가 다시 베일을 내렸다. 그를 놀라게 한 눈동자는 베일 뒤로 사라졌다.

'뭐지?'

낯선 상태에 경계심이 들었다. 목에 소름이 돋아 있었다. 그는 반쯤 넋을 놓고 목만 매만졌다. 한참이나 그렇게 얼어붙어 있었다.

*

"정말 가족이 없어?"

"조모가 한 명 있긴 합니다만……."

"언제 죽을지 모르는 늙은이 말고. 좀 멀쩡한 가족 말이야."

바론의 짜증에 영주가 땀을 뻘뻘 흘렸다.

"말씀드렸던 대로 모친을 어렸을 때 잃었습니다."

"미하엘 프리우스 때문이랬지."

"그렇습니다. 그 일 때문에 귀족에 대한 불신이 큽니다. 딸로 인정해 준다는 공작의 제안까지 무시하고 프리우스를 떠났으니까요. 가족을 건들면 마음을 바꿀 겁니다. 그러니 혀, 협박은 좀."

"아, 알았어. 어차피 안 통한다고. 오히려 안 좋다고. 안 할 거야. 안 할 거라고."

바론이 짜증 내며 영주의 말을 잘랐다.

"그러니까 꼭 계약서를 써야 한다는 거잖아."

계약 약혼. 이런 걸 하게 될 줄이야.

"진짜 별짓을 다 하네."

그가 인상을 쓴 채 영주가 가져온 계약서를 집어 들었다. 이게 다 프리우스의 재산을 얻기 위한 것이다.

아살론에선 사생아의 재산 상속권을 인정하지 않았다. 사생아 이외에 가문의 후계자가 없을 때도 그랬다. 그 경우 가문의 재산은 황실에 귀속되었다. 재산을 지키기 위해 사생아를 본처 소생으로 입양하는 경우도 있었다.

바론에겐 프리우스 공작 가문의 재산이 필요했다. 그에게 있는 패는 재산 상속권이 없는 사생아뿐이었다. 그 틈을 메우기 위해 영주가 아이디어를 냈다. 사생아와 바론의 약혼. 처음 그 이야기를 들었을 땐 펄쩍 뛰었다. 어디 사생아 따위와 약혼을 한단 말인가.

─전하, 사생아가 재산을 상속받을 가장 확실한 방법은 이것뿐

입니다. 그녀가 지금은 비록 일개 사생아지만 만일 전하와 약혼한다면 예비 황자비가 됩니다. 프리우스 가문에서도 결코 그녀를 무시할 수 없습니다. 결국엔 그녀를 사생아가 아닌 프리우스 공녀로 인정하게 될 겁니다. 그 뒤엔 전하가 바라시는 대로 될 겁니다. 얼을 것을 모두 얻으신 뒤 파혼하시면 됩니다.

영주는 바론이 무서워 벌벌 떨면서도 그 긴말을 단번에 쏟아 냈다. 아무래도 연습을 한 것 같다고 생각하며 바론은 영주의 반질반질한 정수리를 바라보았다. 처음 봤을 땐 제법 풍성했던 머리카락이 거의 사라져 있었다.

'흠, 일리가 있군.'

영주의 제안은 파격이긴 하지만 말은 되었다. 아니, 효과만 보자면 제법 괜찮은 계획이었다. 사생아와 약혼한다는 찝찝함만 빼자면 이 상황을 뒤집을 수 있는 가장 빠른 길이었다. 바론은 재빨리 머리를 굴렸다.

'사생아랑 약혼하면 뭐가 손해지? 파혼 경력이 늘어나는 거? 뭐, 내가 파혼이 처음이야? 어머니의 반대? 소식을 들으면 아마 거품 물고 쓰러지시겠지. 그건 마음에 드는데.'

그는 나름 신중히 장단점을 짚어 보았다.

'어차피 카사르는 끝이야. 그럼 내가 무슨 여자와 약혼하든 무슨 상관이야? 치마만 입었으면 그 새낄 이기는 거 아니야?'

생각할수록 장점이 많았다.

'프리우스를 가질 수 있다고. 3대 공작 가문의 재산이 내 것이 된단 말이야!'

어느새 마음속 결정까지 내려버렸다.

―만일 그 여자가 마음을 바꾸면?

가장 큰 문제가 남아 있었다. 그 여자와 계약 약혼을 하고 그녀가 프리우스의 인정을 받는다 치자. 그쯤 되면 미하엘 프리우스는 얼마든지 처리할 수 있을 것이다. 그런데 만일 그녀가 갑자기 재산을 욕심내면 무척 골치 아파진다. 그를 배신하면 여자는 분명 죽겠지만 프리우스의 재산은 국고로 귀속될 것이다. 그는 닭 쫓던 개 신세가 되어 버릴 것이다. 그의 의심에 영주는 뜻밖에 단호히 대답했다.

─그럴 일은 절대 없을 겁니다. 그녀가 재물을 욕심냈다면 프리우스 가문에 남았을 겁니다. 안사람의 평도 같습니다. 욕심이 없는 사람입니다. 바라는 것이 없으니 대하기 쉬우실 겁니다. 몇 가지만 지켜 주시면 분명 전하의 뜻대로 움직일 겁니다.

그러면서 영주가 덧붙였다.

─정 마음에 걸리시면 계약서를 쓰시는 건 어떻습니까. 제가 공증을 하겠습니다. 계약을 위반하면 제국법을 어기는 것이 되니 범법자가 되고 싶지 않다면 전하의 말에 따르겠지요.

그 말에 설득당해 계약서를 쓰기로 했다. 그때 일을 떠올리던 바론이 살짝 인상을 썼다. 영주가 한 말 중에 마음에 걸리는 것이 있었다.

'욕심이 없는 사람이라.'

처음 그 말을 들었을 땐 코웃음을 쳤다. 세상에 욕심이 없는 사람이 어디에 있단 말인가. 게다가 사생아 따위가. 지금쯤 그를 붙잡아 한몫 거하게 챙길 생각일 거다. 여자를 보기 전까진 그렇게 확신했다. 그 뒤엔 생각이 달라졌단 뜻이다.

'정말 그런 사람이 세상에 있을 수 있나.'

딱 한 번 그녀를 만났다. 창문 너머로 마주한 것이 아닌 그의 방에서 얼굴을 본 것이다. 가까이에서 보았을 땐 또 다른 느낌이었다.

'얼굴은 꽤 예뻤지.'

그녀는 생각했던 것보다 훨씬 미인이었다. 죽은 어머니가 수도에서 유명한 살롱의 무희라고 했다. 프리우스 공작도 제법 미남 소리를 들었다. 그 덕인지 별로 꾸미지 않았는데도 치장한 느낌이 났다. 투명한 피부에 오밀조밀한 이목구비가 균형 있게 자리하고 있었다.

'그리고 그 눈.'

가까이서 본 그녀의 눈에 또 심장이 내려앉았다. 단순히 죽은 여자와 눈동자 색이 같기 때문만이 아니었다. 여자의 눈빛은 죽어 가던 녹안과 비교하는 것이 미안할 정도로 생생했다. 그리고 고요했다. 마치 바람 없는 바다를 보는 것 같았다. 파도조차 잠든 먼 수평선. 그는 그 말간 눈동자에서 아무것도 읽어낼 수 없었다. 그게 그를 더 안달 나게 했다.

─리디아 프리우스입니다.

그 말을 끝으로 그녀는 더는 말을 하지 않았다. 살짝 시선을 내리깐 채 고개만 끄덕였다.

'왜 고개를 숙이고 있는 거야?'

왜인지 자꾸만 목이 바싹바싹 말랐다. 그녀가 다시 고개를 들고 그를 봐 주었으면 했다. 그 묘한 눈빛을 다시 한번 마주하길 원했다. 그 속에 숨어 있는 걸 밝혀내고 싶었다. 그녀가 느리게 눈을 깜빡였다. 풍성한 속눈썹이 눈에 들어왔다. 불현듯 그 위로 입을 맞추고 싶다는 욕망이 들었다.

'내가 미쳤나.'

사생아 따위에게 대체 무슨 생각을. 그는 화들짝 놀라 얼른 그녀를 내보냈다. 그녀의 몸은 그 자리를 떠났지만 그는 그녀의 생각에서 벗어날 수 없었다.

'뭔가 마음에 걸려.'

그녀를 대하는 것이 편치는 않았다. 자꾸 죽은 여자 생각이 났다. 그러면서도 자꾸 확인하고 싶은 뭔가가 있었다.

'투박한 조개껍데기 속에 진주가 숨어 있는 법이니까.'

그는 그녀에 대한 자신의 흥미를 인정했다. 이 낯선 끌림이 어색하면서도 벗어나고 싶진 않았다.

'뭐, 재미없는 것보단 낫잖아.'

그는 더는 깊게 생각하지 않기로 했다. 이제 그녀와는 한 배를 탔다. 아마 한동안 같이 지내게 될 것이다. 재산을 얻기 전까진 행복한 커플 행세도 해야 했다. 여자에게 끌리는 것이 그렇지 않은 것보다 나을 것이다. 물론 얄팍한 흥미 따위 곧 사라져 버리겠지만.

'그때까진 좀 친절하게 대해 주도록 할까.'

그는 그답지 않은 다짐까지 하게 되었다. 그리고 그런 자신의 변화는 그녀가 가져다줄 거대한 재산 때문이라며 합리화했다.

'그래, 당분간 잘해 주도록 해야겠어.'

안타깝게도 그 결심은 얼마 가지 않았다.

*

"으악!"

바론이 소리를 질렀다. 바닥엔 유리 조각이 나뒹굴고 있었다.

"빌어먹을!"

드펜이 그에게 편지를 보냈다.

"다 죽여 버릴 거야!"

그는 자기 어머니를 참 많이 닮았다. 그래서 서로의 약점도 잘 알았다. 어디를 어떻게 찌르면 치명적일지 꿰고 있었다.

이번엔 드펜이 그를 찔렀다.

"아아악!"

드펜은 그나마 남아 있는 바론의 돈줄까지 막아 버렸다. 바론을 지지하는 귀족을 협박해 수도 밖으로 쫓아냈다. 심지어 은근슬쩍 카사르에게 힘을 실어 주기도 했다. 그 모든 것이 담겨 있는 편지는 한 문장으로 요약할 수 있었다.

'복종하라.'

그렇지 않으면 너의 모든 것을 빼앗을지도 모른다. 나에게는 충분한 힘이 있다. 그거였다.

"제기랄!"

화가 머리끝까지 치솟았다. 눈앞이 아찔할 정도였다. 어머니가 그를 마음대로 휘두르려 한다는 사실 자체가 싫었다. 그게 가능하다는 건 더 싫었다. 설마 아직도 나를 개새끼 앞에서 벌벌 떨던 코흘리개로 보는 걸까? 엿 같은 아침이었다. 그 기분 나쁜 아침에, 영주 부인이 찾아와 한 말은 그의 기분에 기름을 부었다. 그 앞에서 벌벌 떨더니 한다는 말이 가관이었다.

"리디아 양과 약혼하신다고 들었습니다."

목소리가 기어들어 갔다. 짜증이 날 정도였다. 멱살을 잡고 탈탈 털면 목소리가 커질 텐데. 바론은 손을 뻗지 않기 위해 애썼다. 그가 목을 움켜쥐면 기절해 버릴지도 모른다.

"혹시 그녀와 진짜 밤을 보내실 생각은……."

이건 또 무슨 개소리야?

"지금 내게 내가 사생아랑 잘 것인지 묻는 건가?"

이 여자가 미쳤나 하는 마음이 표정에 고스란히 드러났나 보다. 벌벌 떨던 영주 부인의 안색이 하얗게 질렸다.

'아니, 그냥 묻는 게 아니잖아. 혹시 내가 사생아를 건들까 봐, 그걸 걱정하는 건가?'

설마 하며 그녀를 보는데 그 설마가 현실이 되었다.

"그렇습니다. 진짜 약혼도 아니고 관계에는 그녀의 의사가 자발적 의사가 중요하니……."

그는 할 말을 잃었다. 그러니까 정리하면 이거였다. 그 여자에게 손대지 말라는 거다. 사생아 따위를 억지로 덮치지 말라고 경고하는 것이다.

"하, 기가 막히네."

분노는 뒤늦게 찾아왔다.

"정말 재미있어."

오늘은 시작부터 엉망진창이었다. 그런데 겨우 사생아 따위가 그의 심기를 거슬렀다. 이만큼 참았는데 더 참아야 하는 걸까? 그 빌어먹을 돈 때문에? 따지자면 그 돈이 필요한 것도 드펜 때문이었다. 결국 그는 드펜 때문에 사생아의 눈치를 봐야 한다는 것이다.

거지 같았다. 다 끝내고 싶었다. 그렇게 이성은 날아가 버렸다.

"그 여자를 안고 싶어졌어."

"전하!"

기겁하는 영주 부인에게 그가 상냥히 웃었다.

"오늘 밤, 준비를 시켜."

"하지만 계약은!"

"그까짓 돈 없어도 상관없어. 오늘 밤 그 여자를 안을 거야. 그 여자를 가질 거라고. 엉망으로 만들어 버릴 테니까. 기대해."

그가 킬킬 웃어댔다. 영주 부인이 털썩 바닥에 주저앉았다. 그의 웃음이 더욱 커졌다.

*

구제불능의 촌구석에도 술집은 있었다. 오랜만에 여자들을 끼고 진탕 마셔댔다. 당장 이 더러운 기분을 없애기 위해서였다. 온종일 그렇게 술독에 빠져 있다 보니 영주 부인에게 내린 명령도 잊고 있었다.

"……뭐야."

텅 비어 있을 줄 알았던 방 안에 낯선 그림자가 있었다. 가느다란 몸 선이 낯이 익었다. 달빛에 비친 얼굴을 본 그의 눈이 살짝 커졌다. 그 여자다. 리디아 프리우스, 프리우스의 사생아.

그가 들어온 걸 안 그녀가 자리에서 일어났다. 일순 공기가 고요해졌다. 그 동작만 보면 그녀가 입은 옷이 얇은 망사가 아닌 수녀복 같았다. 망사 아래 비친 얇은 살결에 그가 웃음을 터트렸다.

"이런 때에도 여전히 단정하네."

어떻게 세상에 이런 사람이 있을 수 있을까. 반쯤 헐벗은 주제에 그림자마저 정결했다. 그가 피식피식 웃으며 그녀에게 다가갔다.

"잘났어. 아주."

저런 인간이 그의 곁에도 하나 있었다. 카사르. 그의 배다른 형제.

'유리'가 죽기 전까지 그는 형제의 흐트러진 모습을 단 한 번도 본 적 없었다. 늘 빳빳하게 주름이 잡혀 있던 소매를 떠올리자 기분이 확 가라앉았다.

"앞으로 계속 이렇게 잘날 수 있을까."

어느새 그녀의 바로 앞까지 다가갔다. 침대 쪽으로 고갯짓했다. 잠시 그를 바라보던 그녀가 천천히 침대에 앉았다. 그가 어깨를 지그시 눌렀다. 긴 흑발이 흰 시트 위로 물감처럼 번져 나갔다. 얇은 빗장뼈를 바라보는 그의 입가에 심술궂은 웃음이 배어 나왔다. 그래, 사생아치곤 꽤 특별했다. 하지만 앞으론 그렇지 않을 것이다. 얇은 눈꺼풀이 스르르 감겼다. 투명한 녹안이 그 아래로 사라졌다. 그는 그녀의 위에 올라탄 채 몸을 숙였다. 그녀의 관자놀이에 입술을 대었다. 속삭이듯 물었다.

"이야기는 들었겠지?"

여자에게선 좋은 향기가 났다. 향수를 쓴 것 같진 않은데. 그는 느리게 숨을 쉬며 여자의 향을 음미했다. 이 여자를 안기로 한 건 백 퍼센트 충동적이었다. 조금이라도 이성이 남아 있다면 그렇게 하진 않았을 것이다. 그에겐 프리우스의 재산이 필요했다. 사생아와의 하룻밤으로 날려 버릴 만한 것이 아니었다. 하지만 지금 이 순간만큼은 제 결정에 만족했다.

"부인께 말씀은 들었습니다만."

나직한 목소리가 들리기 전까진 그랬다.

"제게 거부권이 있습니까?"

"거부권?"

그가 눈을 깜빡였다. 달콤한 꿈에서 갑자기 깨어난 것 같았다. 그가 천천히 몸을 일으켰다. 어느새 여자가 그를 올려다보고 있었다. 또 그 눈빛. 그가 인상을 썼다.

"거부권이라고?"

거부권이라니 말이 되나. 그럼 설마 그를 거부하고 싶은데 억지로 여기에 있다는 건가.

"대체 무슨 말도 안 되는 소리를 하는 거야?"

여자의 물음이 마치 그를 억지로 여자를 짓밟는 짐승 취급하는 것 같았다. 그 짐승 같은 짓을 종종 하긴 하지만 지금은 아니었다.

오늘 밤은 이 여자도 원하는 것이 아닌가. 그의 명령이 있긴 했지만 제 발로 이곳에 기어 들어왔다. 심지어 이런 옷 같지도 않은 옷을 입고선. 그와의 하룻밤이 그녀에게도 매력적이란 뜻이다.

"설마 나랑 자는 게 싫어? 너, 내가 누구인지 몰라?"

그의 목소리가 낮아졌다.

"알고 있습니다."

"그럼 혹시 사랑하는 남자가 있나?"

"……아니요."

대답이 조금 늦는 것이 묘했다. 그는 꽤 취했고 그 간격을 금세 잊어버렸다. 그가 비릿하게 웃으며 말을 이었다.

"너한테도 좋은 일이야. 너, 욕심이 없다면서? 웃기고 있네. 세상에 그런 사람이 어디에 있어? 나는 다 알아. 인간은 다 똑같아. 앞으론 초연한 척해도 뒤론 챙길 거 다 챙기잖아. 너도 그래서 여기 온 거잖아?"

그가 무어라 말하든 여자는 말이 없었다. 그저 고요히 그를 보기만 했다. 잔뜩 떠들어 대던 그가 입을 다물었다. 무어라 말해도 반응 없는 여자가 마음에 들지 않았다.

"설마 진짜 싫은 거야?"

감히 사생아 따위가 날 거부하는 거야?

"똑바로 말해. 정말 싫은 거냐고."

그의 기세가 사나워졌다. 빤히 올려다보던 여자가 눈을 감았다. 그리고선 살짝 고개를 저었다. 그걸 신호로 그가 거칠게 입을 맞추었다. 다문 입술 사이를 억지로 파고들었다. 아플 정도로 강하게 빨아들였다. 여전히 그녀의 눈은 꼭 감겨 있었다. 표정에도 별 변화가 없었다. 그래서 더 기분 나빴다. 아무리 애써도 그녀를 흔들지 못할 것 같았다. 목이라도 조를까. 그럼 좀 사람 같은 얼굴을 할까. 저도 모르게 목을 움켜쥐던 그가 멈칫했다.

'뭐지?'

그가 스르르 입술을 떼어 냈다. 손 아래 이상한 게 느껴졌다. 맥이 뛰는 곳이었다. 맥박 소리를 느끼던 그의 눈이 커졌다. 그녀의 심장이 터질 듯 빠르게 뛰고 있었다.

"이건 또 뭐야."

그녀가 스르르 눈꺼풀을 들어 올렸다. 여전히 이 모든 상황이 아무렇지 않단 얼굴이었나. 그런데 심장 소린 그렇지 않았다. 그가 몸을 숙여 그녀의 명치에 귀를 대었다. 터질 것 같은 맥박 소리가 들렸다. 그리고 또 하나.

"떨고 있잖아?"

그녀는 분명 떨고 있었다. 담담한 태도 탓에 전혀 눈치채지 못했다. 그제야 비슷한 신호들이 보였다. 잔뜩 굳은 몸과 이불을 움켜쥔 손. 그는 그 모든 것들과 그녀의 얼굴을 번갈아 보았다. 기가 막혔다.

"네 진심이 이거였어?"

아무렇지 않으면서 겁먹은 척 구는 여자들은 본 적 있었다. 약한 척해야 보호받을 수 있을 테니까. 그런데 이 여자는 정반대였다. 잔뜩 겁먹은 주제에 아무렇지 않은 척 허세를 부렸다. 그녀가 깊은숨을 내쉬며 눈꺼풀을 들어 올렸다. 담담하다 여겼던 녹색의 눈동자가 이제야 힘겨워 보였다. 눈꼬리엔 눈물이 맺혀 있었다.

"재미있네."

그가 피식 웃으며 그 눈물에 손을 대었다. 잔뜩 곤두섰던 마음이 스르르 녹았다.

"너, 재미있어."

역시 그의 눈은 틀리지 않았다. 이 여잔 보통 여자가 아니었다. 그래서 더 흥미가 갔다. 그가 씩 입꼬리를 올렸다. 녹색의 눈동자가 잠시 흔들렸다. 그의 웃음이 진해졌다. 이 여자가 흔들리는 모습을 보는 것이 재미있었다. 그때였다.

구름에 가려져 있던 달이 모습을 드러냈다. 환한 빛이 창문으로 들어왔다. 주변이 일순 밝아졌다. 그녀의 얼굴이 환해졌다. 그 역시 같았다. 그때 그를 마주하고 있던 그녀의 눈이 살짝 커졌다.

"······른색?"

그녀가 입술을 달싹였다. 무슨 말인지는 듣지 못했다. 달빛이 더욱 밝아졌다. 그녀의 표정이 홀리기라도 한 듯 멍해졌다. 바론이 미간을 좁혔다. 그때 그녀가 손을 뻗더니 그의 뺨을 감쌌다. 갑작스러운 접촉에 그가 깜짝 놀랐다. 다음 그녀의 말을 듣곤 그 놀라움마저 잊어버렸다.

"······예쁘다."

"······뭐?"

"눈이 참, 예뻐요."

그러더니 배시시 웃었다. 심장이 쿵 내려앉았다. 달빛 때문인지 그 미소에서 빛이 나는 것 같았다.

"누구, 내 눈이?"

"참, 예쁘다."

낮게 중얼거리더니 또 부드럽게 웃었다. 그는 할 말을 잃곤 그녀를 보았다. 그의 눈동자는 짙은 남빛이었다. 카사르의 청안이라면 모를까 그의 눈은 예쁘다는 것과는 거리가 멀었다. 심지어 잔인해 보인다는 말을 들은 적도 있었다.

"······하늘 같아. 예뻐."

하늘? 밤하늘? 보름달이 다시 구름 속으로 숨었다. 방 안을 채우던 밝은 빛도 사라졌다. 남빛의 눈동자가 다시 짙게 일렁였다.

"아······."

그녀의 얼굴에 옅은 상실감이 어렸다. 녹색의 눈엔 맑은 눈물이 고였다. 그녀는 애달피 웃으며 속삭였다.

"아프지 마요."

가느다란 팔이 그를 끌어안았다. 보드랍게 토닥였다.

"난 괜찮으니까. 아프지 마요, 제발."

바론은 굳어 움직이지 못했다. 방금 그녀의 말을 듣고 갑자기 떠오른 기억 때문이었다. 그의 인생을 바꾸었던 바로 그 사건. 아름다운 어머니, 작은 개, 잠시의 행복, 처음 느낀 충만감. 그리고 죽은 개 앞에서 아무것도 하지 못하던 그의 모습까지.

"너……."

그가 혼란스럽게 여자를 보았다. 그녀의 얼굴에서 아까의 눈물은 사라져 있었다. 그저 환한 미소뿐이었다. 분위기가 완전히 바뀌었다. 전혀 다른 사람 같았다.

"설레네요."

"뭐가?"

"그냥, 모든 것이……."

그녀의 심장은 여전히 빠르게 뛰고 있었다. 아무렇지 않은 듯 웃고 있으면서 그랬다. 멍하니 그 박동을 느끼던 그가 손을 뻗어 그녀의 뺨을 만졌다. 손끝에 묻어나는 물기를 입술에 대었다.

"너, 정말 재미있어."

목소리가 떨렸으나 그는 눈치채지 못했다. 여자가 더 환히 웃었다. 그녀의 뺨을 감쌌다. 눈을 감으며 그의 손에 얼굴을 기대었다. 그 온기에 말로 설명할 수 없는 감정이 가슴을 채웠다. 그녀를 억지로 안고 싶단 마음은 사라졌다. 대신 이 묘한 여자와 온전히 닿고 싶다는, 낯선 욕망이 싹트기 시작했다.

*

묘한 날들이 이어졌다. 그는 그녀를 안진 않았다. 연인으로 삼은 것도 아니었다. 멀리 떨어뜨리지도 않았다. 눈 닿는 곳에 둔 채 그 미묘함을 즐겼다. 여자는 무척 조용했다. 그는 점점 그 분위기에 매

료되었다. 그녀의 곁에 있으면 편안했다. 마치 아무 자극도 없는 것 같았다. 그는 종종 그녀의 방에 머물렀다. 그녀가 책을 읽는 동안 침대에 누워 있는 식이었다.

"이리 와 봐."

책을 내려놓곤 물끄러미 그를 바라보았다. 여전히 그녀의 눈빛에 무엇이 담겼는진 알 수 없었다. 알진 못해도 예전처럼 조급하진 않았다. 그녀는 계속 그의 곁에 있을 거라는 확신이 든 것이다. 곁에 두고 보고 있자니, 그녀가 품고 있는 보석도 알 수밖에 없었다. 그녀가 얌전히 자리에서 일어났다. 그녀는 그가 시키는 무엇이든 했다. 마치 입속의 혀 같았다. 그런데도 비굴한 느낌은 없었다. 처음 겪는 일이었다. 그녀만이 특별했다. 시간이 지날수록 점점 더 마음에 들었다. 온통 예쁜 구석뿐이었으니까.

"잠이 오세요?"

"조금."

그녀가 조금 망설이더니 그의 머리맡에 앉았다. 그의 머리를 다리에 받치곤 조심스럽게 쓰다듬었다. 그 손길이 담백하면서도 신중했다. 그가 깊은 호흡을 내쉬었다. 그녀의 손길에 온몸의 긴장이 풀려갔다.

"필요한 것 있으세요?"

"아니."

"언제든 말씀하세요."

그는 대답 대신 피식 웃었다. 이 여자 곁에선 꼭 아이가 된 것 같았다. 자꾸만 자잘한 것을 챙겨주려 했다. 그 작은 배려가 자꾸만 귀엽게 보였다.

"너는 바라는 것 없어?"

별 생각 없이 한 말이었다. 눈을 뜨려고 하는데 보드라운 손이 그의 눈매를 덮었다. 그녀의 소매에선 좋은 향기가 났다. 몸을 일으키려다 포기해 버렸다. 지금 이대로도 마음에 드니까.

"바라는 것……."

여자의 목소리가 조금 잠겨 들었다. 그가 귀를 쫑긋 세웠다.

"아무것도 없어요."

"아무것도?"

"네, 아무것도."

"왜?"

"욕심이 크면 벌을 받는다고 해요."

"뭐?"

이건 또 무슨 헛소리야. 살면서 들은 가장 웃긴 말 중 하나였다. 그가 그녀의 손을 떼어 내곤 자리에서 일어났다. 말도 안 된다며 따지려 했는데. 투명한 미소에 멈칫해 버렸다.

"제가 바라는 건 정말 없어요."

그녀가 부드럽게 웃으며 속삭였다. 그는 숨을 죽인 채 미소에서 눈을 떼지 못했다. 또 눈물이다. 녹색 눈동자에 말간 눈물이 차올랐다.

"지금 이대로가 좋아서요."

낮은 속삭임과 함께 그의 가슴에 얼굴을 묻었다. 눈물은 그의 눈앞에서 사라져 버렸다. 그는 반쯤 홀린 기분으로 그녀의 고백을 들었다.

"전하를 뵙게 된 건 제 인생 가장 큰 행운이에요. 그러니 더 바라는 건 없어요."

*

"상처?"

"그렇습니다. 당연히 알고 계실 줄 알았는데……."

영주가 그의 눈치를 보며 우물쭈물 말을 이었다.

"그러니까 그녀가 다쳤어?"

"그, 그게 말입니다."

"제대로 말 안 해!"

버럭 소리를 질렀다. 영주의 얼굴에서 핏기가 사라졌다. 요즘 그의 정수리엔 새 머리가 돋는 중이었다. 귀한 머리카락이 또 사라질지도 모른단 공포가 밀려왔다.

"그게 말입니다. 전하의 호위 기사들이 그녀를 그냥 두면 안 된다고 하시며……."

"내 호위 기사라고?"

바론이 기가 막혀 되물었다. 그러니까 일의 경위는 이랬다. 지금 바론을 지키는 것은 드펜의 수하들이었다. 그들은 바론의 호위뿐 아니라 감시하는 일도 하고 있었다. 처음엔 바론의 일거수일투족을 드펜에 보고하기도 했다. 그 보고서를 발견한 바론이 기사 두 명의 손을 잘라 버리고 나서야 멈추었다. 그들은 요즘 바론이 관심을 두는 여자가 있다는 걸 알고 있었다. 바론도 굳이 숨기지 않았다.

그동안 그에게 여자는 많았다. 드펜이 그 여자들에게 손댄 적은 없었다. 손을 댈 필요가 없었다. 바론은 취향이 까다롭고 쉽게 질렸다. 조금이라도 거슬리는 것이 있으면 그가 먼저 여자들을 쳐냈다. 억지로 끊어 놓을 필요가 없었다. 그래도 교제하는 여자에 대해 알아 놓긴 했다. 기사들은 평소 주인의 명령을 충실히 이행하기 위해 리디아 프리우스에 접근했다. 그러다 의외의 상황이 생겼다.

"언쟁이 있었어?"

언쟁이라니. 그 여자와 전혀 어울리지 않는 단어가 아닌가.

"그렇습니다. 그 기사들이 전하께 예를 좀 갖추지 않았다고 합니다. 리디아 양이 그 부분을 지적했더니 사생아 따위가 나설 자리가 아니라 하며……."

영주의 목소리가 점점 더 쭈그러들었다. 바론의 표정이 점점 더 험악해졌기 때문이었다.

"어, 어쨌든 리디아 양이 잘 해결하긴 했습니다만 실랑이가 있었던 것 같습니다. 안사람 말로는 손목을 다친 것 같다며……."

그는 잠시 숨을 멈추었다. 그러다 화들짝 놀라 심장에 손을 대었다. 심장이 빠르게 펄떡거렸다.

'지금 나 왜 이래?'

그가 꿀꺽 침을 삼켰다.

'내가 지금 왜 이러는 거야?'

설마 그 여자가 다쳤단 소리에 놀란 걸까. 그는 얼른 고개를 저었다. 말도 안 돼. 그럴 리가 없다.

'계집 따위에게 무슨 생각을 하는 거야. 정신 차려. 그녀는 수단일 뿐이야. 한번 쓰고 말 장난감일 뿐이라고.'

자기 암시는 꽤 효과가 있었다. 놀란 심장이 점차 가라앉았다. 오래가진 않았지만.

"언제 있었던 일이지? 어제? 오늘?"

"일주일쯤 되었다고 합니다. 큰 부상이 아닌 줄 알았는데 어제 보니 여전히 손을 잘 쓰지 못…… 끅."

영주는 차마 말을 다 잊지 못하고 딸꾹질을 시작했다. 바론의 표정이 너무 무서웠기 때문이었다.

"……일주일?"

이번엔 침착하기 어려웠다. 일주일? 그게 말이 되나? 그가 그 여자 때문에 놀란 것보다 더 말이 안 되었다. 그는 그 여자를 어제도 보았고 그제도 보았다. 전혀 눈치채지 못했다. 그 여자는 그를 볼 때마다 말그레하게 웃었다. 그가 짜증을 내면 내는 대로 푸념하면

하는 대로 다 받아주었다. 한참 쏟아 내고 그녀의 무릎을 베고 누웠다. 머리를 쓰다듬으며 낮은 노래를 불렀다. 그럼 자꾸만 입꼬리가 올라갔다. 휙 몸을 돌려 가느다란 허리를 끌어안았다. 배에 얼굴을 파묻으면 간지럽다며 낮게 웃었다. 그럼 확 침대에 눕혀 버렸다. 눈을 접으며 웃으면서도 막상 입술을 댄 피부 아래에선 심장이 터질 듯 뛰는 것이 느껴졌다.

'싫어?'

'아니에요. 다만.'

가느다란 팔이 그의 목을 끌어안았다. 눈앞에서 표정이 사라진 대신 떨리는 숨소리가 그녀의 진심을 알려 주었다. 이쯤 되면 더 괴롭히고 싶진 않았다. 그 떨림이 잦아들 때까지 그는 가만히 있었다. 뭔가 몽글몽글한 것이 차올랐다.

'다친 손이었다고?'

그 손으로 그를 쓰다듬고 그를 안고 그를 토닥였다. 그동안 전혀 눈치채지 못했다.

'그래 놓고 나한테 말을 안 해?'

그의 어머니였다면 절대 있을 수 없는 일이다. 아니 다른 귀족 영애들이었어도 비슷했다. 그들은 자그마한 불편도 참지 못했다.

"다쳤다면서. 왜 내게 말을 하지 않았지?"

결국, 그는 여자를 찾아갔다. 묻지 않을 수 없었다. 그녀는 평소처럼 환한 미소로 그를 맞이하다가, 그가 다짜고짜 소매를 걷어 올리자 안색이 변했다.

"보지 마세요."

평소답지 않게 잔뜩 긴장한 얼굴이었다 움켜쥔 소매 아래로 얼핏 흰 붕대가 보였다. 어이가 없었다. 제대로 봐야겠단 생각에 확 잡아끌었다.

"윽!"

"뭐, 뭐야."

낮은 신음에 놀라 손을 떼었다. 그녀가 재빨리 손을 거두어들였다. 대체 얼마나 크게 다친 건지 손끝이 바르르 떨렸다. 그러면서도 얼굴은 금세 침착해졌다.

"놀라게 해서 죄송해요. 별거 아니에요. 좀 삐었을 뿐이에요."

"좀 삐었을 뿐이라고?"

저절로 목소리가 높아졌다. 정말 그저 삐었을 뿐인지 눈으로 직접 봐야겠다. 그런데 막상 손을 뻗긴 그랬다. 아파하던 소리가 자꾸 생각났다. 그는 짜증스럽게 입술을 짓씹다 물었다.

"왜 말하지 않았지?"

그의 기사들 때문에 다쳤다고 왜 말하지 않은 걸까? 왜 상처를 숨긴 걸까? 대신 갚아 달라며 매달리지 않은 걸까?

"왜 말하지 않았느냐고."

"말씀드릴 수 없었어요."

연신 채근하자 겨우 입을 열었다. 그녀가 그의 시선을 피해 고개를 돌렸다. 녹색 눈동자가 불안하게 흔들렸다.

"그러니까 왜 말을 못 했느냐고."

고집스레 다문 입술이 마음에 들지 않았다. 계속 시선을 피하는 것도 짜증 났다. 그녀의 눈동자에 다시 눈물이 차올랐다. 얼른 깜빡이더니 눈물을 떨구어 버렸다. 그제야 그를 돌아보곤 입매를 끌어 올렸다.

"전하께서는 얼마든지 저를 버리실 수 있지요. 하지만 저는 아니에요."

애달픈 목소리였다.

"그분들은 전하의 기사님이세요. 저는 그저 제가 바라는 건 아무것도 없어요. 그저 이 자리에, 전하의 곁에 하루라도 더 머무르길 바라고 있지만……."

감정이 올라오는 듯 말끝이 떨렸다. 그러더니 금세 마음을 추스른 듯 단정해졌다.

"이 자리가 제 몫이 아니라는 걸 잘 알고 있습니다. 전하는 한없이 고귀하신 분이고 저는 그저 일개 사생아일 뿐이니. 떠나야 한다면 언제든 말씀해 주세요. 제가 바라는 건 하나뿐입니다. 전하께서 저를 수단으로 바라는 것을 이루기만 하신다면……."

애써 만들어낸 미소가 허물어졌다. 내리깐 속눈썹 아래로 소리 없는 눈물이 뚝뚝 떨어졌다.

"그걸로 충분하니까요."

바론이 입술을 달싹였다. 당장 무슨 말을 해야 할지 알 수 없었다.

─그녀는 욕심이 없습니다.

그는 이제 그 말에 완벽히 동의했다. 그 말대로 이 여잔 욕심이 없다. 아마 그동안 욕심이 무엇인지도 모르고 살아왔을 것이다.

아니, 바라는 것이 있어도 그저 꾹꾹 누르며 살아왔겠지. 지금처럼. 그의 어머니와는 달리.

"나한테 왜 그렇게까지 하고 싶은 건데?"

그가 그녀의 턱을 들어 올리며 물었다.

"리디아."

처음으로 그녀의 이름을 불렀다. 눈물이 그의 손을 타고 흘러내렸다. 젖은 온기에 짜릿함이 밀려왔다. 그가 고개를 숙여 입술을 맞대었다. 그녀가 바르르 떨며 질끈 눈을 감았다.

"……제가."

붉은 입술이 떨리는 목소리를 만들어냈다. 그는 눈 한번 깜빡이지 않고 그 모습을 망막에 담았다.

"전하를 연모하기에……."

그 말을 듣자마자 입을 맞추었다. 보드라운 입술을 부드럽게 빨았다. 벌어진 입술 사이로 혀를 밀어 넣었다. 치열을 훑고 말캉한 혀를 핥았다. 깊은 입맞춤에 그녀가 다시 몸을 떨었다. 눈꼬리에서 눈물이 흘러내렸다.

"나를, 연모한다고."

남색의 눈동자가 깊게 일렁였다. 그 어느 때보다 강렬한 욕망이 그를 휘감았다. 안고 싶다. 이 여자를 완전히 갖고 싶었다. 어디에도 가지 못하게 꽁꽁 묶고 전부 집어삼키고 싶었다. 한편으론 웃는 모습을 보고 싶기도 했다. 긴 입맞춤이 끝나자 그녀가 받은 숨을 내쉬며 그를 올려다보았다. 발갛게 달아오른 뺨 곳곳에 입을 맞추었다.

"이제 제겐 아무것도 남지 않았어요."

그녀가 낮게 속삭였다.

"정말 아무것도 없어요."

그래, 그렇겠지. 그렇게 믿어왔겠지. 그런 삶을 살아왔겠지.

'하지만 앞으로는 아니야.'

그는 홀로 생각하며 다시 입을 맞추었다. 이 욕심 없는 여자에게 무엇이든 주고 싶었다. 그래서 늘 이 여자의 처음이 되고 싶었다. 강렬하면서도 낯선 욕망이었다. 그는 더는 거부하지 않고 그 욕망을 받아들였다.

'어차피 언젠간 끝날 테니까.'

늘 그렇듯 시간이 지나면 이 마음에 끝이 찾아올 것이다. 그동안 그가 금세 질렸던 모든 것들처럼. 이 여자도 예외는 아닐 것이다. 지금은 조금 특별하게 느껴져도, 결국 지나가 버릴 것이다.

그렇게 그는 어느새, 독화(毒花)를 품었다.

외전 3

　마약은 달콤하다. 비록 그가 원한 적은 단 한 번도 없지만. 히온이 눈을 가늘게 뜬 채 손을 휘저었다. 끈에 묶인 팔이 힘없이 움직이다 툭 떨어졌다. 팔뿐이 아니었다. 사지가 모두 결박당해 있었다. 그는 의미 없는 몸부림을 치다 축 늘어졌다. 잠시 후 늘 그렇듯, 낮은 목소리가 들렸다.

　"반시간 후엔 의식을 잃으실 겁니다."

　"그렇게 오래 걸린단 말인가?"

　"폐하께서도 아시다시피 전하의 의지력이 워낙 강하셔서……."

　"쓰레기 주제에 당치도 않아."

　혀 차는 소리에 히온이 느리게 눈꺼풀을 들어 올렸다. 익숙한 얼굴이 그를 내려다보았다. 남빛의 눈동자가 얼음처럼 차가웠다.

　"쓸데없이 오래 버티는군. 포기하면 편하다는 걸 왜 모르지?"

　쓸데없이 버티는 사람, 당신 아들입니다만.

　약에 취해 말은 나오지 않았다. 사내는 히온이 뻐끔거리는 모습을 인상을 쓴 채 바라보다 몸을 돌렸다. 의사들이 얼른 깊게 몸을 숙여 인사를 했다. 흐려지는 말소리들을 들으며 멍하니 그 뒷모습을 바라보던 히온이 잠에 빠져들었다.

*

아살론엔 두 종류의 사람이 있다.

히온이 황자라는 걸 인정하는 사람과 그렇지 않은 사람. 그의 아버지는 후자에 속했다. 더 정확히 말하자면 히온이 황자인 걸 인정할 수 없지만 어쩔 수 없이 그 자리에 두는 거다. 히온을 없앨 계기를 기다리면서 말이다. 그의 아버지는 원래 황제가 될 수 없는 사람이었다. 건강하고 매사에 잘난 형이 있었기 때문이었다.

그런데 정작 보위에 오른 것은 동생이었다. 그가 형을 죽였기 때문이었다. 그는 형보다 재능은 부족했지만 야심은 컸다. 권모술수에 능하고 도덕성은 없었다. 결국, 욕심 많은 귀족들과 손을 잡고 형을 암살했다. 그렇게 보위에 올랐지만, 마냥 안도할 수 없었다.

그가 찬탈자이기 때문이었다. 그는 자신의 힘으로 보위에 오른 것이 아니었다. 귀족들의 도움이 있었기에 가능한 일이었다. 그가 아니라 다른 사람이었어도 아살론의 핏줄이기만 하면 황제가 될 수 있다는 뜻이었다. 그래서 늘 두려웠다. 역사는 반복될 수 있으니까.

그러다 아들, 히온이 태어났다. 히온은 어릴 때부터 범상치 않은 재능을 보였다. 심지어 그가 천재라며 추켜세우는 교수들도 있었다. 평범한 아비라면 기쁘게 들었을 칭찬이 전혀 기쁘지 않았다.

오히려 끔찍했다. 히온에게서 죽은 형의 모습을 본 것이다. 뛰어난 아들은 황제에게 경계의 대상이었다. 만일 귀족들이 그를 버리고, 히온을 선택하면 그는 끝이었다. 혈육의 피를 손에 묻혀 움켜쥔 보위였다. 그 자리를 빼앗길지도 모른단 두려움이 그를 좀먹었다.

시간이 지날수록 망상은 점점 커졌다. 그는 결국 아내와 형의 부정을 의심하기에 이르렀다. 히온이 죽은 형을 많이 닮긴 했다. 웃는 얼굴을 보면 심장이 섬뜩할 정도였다. 그는 도저히 제 아들을 사랑할 수 없었다. 그래서 아들을 망치기로 했다. 아주 적당히, 그가 보위를 유지하는데 쓸모 있을 정도로만. 깔끔하게 없애 버리고 싶었지만 그럴 순 없었다. 후계자가 없는 황제란 또 바람 앞의 촛불처럼 위태롭기 때문이었다.

그의 아내는 그런 그를 견디지 못하고 본국으로 떠나 버렸다. 어린 아들이 홀로 아비의 미움을 견디게 된 것이다. 그는 아주 교묘하게 아들을 망가트리기 시작했다. 이를 테며 히온의 스승을 한꺼번에 전부 갈아 치우는 식이었다. 아들의 인간관계에까지 손을 뻗었다. 물론 쉽게 무너지지 않았다. 아들은 지나치게 뛰어났다. 마치 진흙 속에 처박힌 진주 같았다. 아무리 오물을 부어도 자꾸만 빛을 냈다.

그래서 마약까지 사용하게 되었다.

마약은 아주 효과가 컸다. 강한 의지로도 마약을 이겨낼 순 없었다. 아주 조금씩, 히온은 망가져 갔다. 찬란했던 빛은 차츰 사그라들었다. 거의 돌이키기 어려운 지경까지 이르렀다. 히온도 어느 순간 자신의 상황을 깨달았다. 그의 아버지는 그를 사랑하지 않았다. 오히려 증오했다. 아들을 망치기 위해서라면 무슨 짓이든 할 것이다. 히온의 편은 아무도 없었다. 그에겐 이겨낼 힘도 수단도 없었다. 희망은 점점 사라져 갔다. 그가 있는 곳은 지독한 늪이었다. 그는 점점 그 늪에 적응하기 시작했다.

*

"완전히 잠드셨습니다."

"한 번 더 확인하지."

"확실합니다."

"좋아, 폐하께 보고드리러 가세."

탁, 문이 닫히는 소리와 함께 웅성거리는 소리가 사라졌다. 잠들었다던 히온의 눈꺼풀이 움찔했다. 열, 아홉, 여덟, 일곱…… 셋, 둘, 하나. 열을 센 뒤에 히온이 눈꺼풀을 들어 올렸다. 몽롱한 시야로 아무것도 없는 것을 확인했다. 그가 웃었다. 아니, 웃으려 했다. 근육이 굳어 바람 빠지는 소리만 났다.

'오늘도 버티긴 했네.'

그가 픽픽하며 손을 들어 올렸다. 지독한 졸음이 쏟아졌다. 그가 온 힘을 다해 눈꺼풀을 들어 올렸다. 의식을 잃으면 안 된다. 그럼 또 빌어먹을 약에 당하고 마니까.

'아버지가 원하는 대론, 되지 않을 겁니다.'

손 하나를 움직이는 데에도 땀이 비 오듯 쏟아졌다. 가까스로 베개 밑에 숨겨 두었던 주사기에 손이 닿았다. 움켜쥔 채 주사기를 몸에 내리찍었다. 피스톤을 누르고 나서야 긴장이 풀렸다.

—약을 약으로 누르는 건 몸을 망치게 될 겁니다. 오래 버티지 못할 게 분명합니다.

의사의 경고를 떠올리며 그가 히죽 웃었다.

—상관없소. 어차피 내겐 미래가 없으니까.

그의 아버지가 살아 있는 한, 미래는 없었다. 아이러니하게도 그렇기에 죽을 걱정은 안 했다. 설령 그가 위험한 상황에 부닥친다 하여도, 또 다른 아들이 태어나지 않는 한 그의 아버지는 무슨 수를 써서든 그를 살려낼 테니까.

"아하."

약 기운이 퍼지자 몽롱했던 정신이 맑아졌다. 그는 대충 땀을 씻고는 힐끔 시계를 보았다. 너무 빨리 나가면 의심을 받을 수 있었다. 정말 약에서 깨어난 것처럼, 최대한 자연스럽게 움직여야 했다. 노을이 질 무렵에 그는 자리에서 일어났다. 머리는 흐트러트린 채 대충 옷을 꿰입었다. 슬렁슬렁 걸어가는데, 멀리한 무리의 사람들을 보았다. 가운데 있는 여자의 얼굴을 확인한 그가 활짝 웃었다. 그가 반색하며 손을 흔들었다.

"어머니!"

기뻐하는 그와 달리 여자는 그를 보자마자 굳어 버렸다. 곁에 있는 사람들도 마찬가지였다. 그는 씩 웃으며 발걸음을 빨리했다.

"어머니, 접니다. 기쁘지 않으세요?"

"태, 태자 전하."

"요즘 몸은 좀 괜찮으시고요?"

여자가 어찌 반응하든 말든 그는 싱글벙글 웃었다. 그녀는 아버지가 새로 맞이한 황후였다. 네 번째, 혹은 다섯 번째. 나이는 그보다 다섯 살이나 어렸다.

'다른 여자들은 모두 쫓겨났지. 자식이 없어서.'

그 여자들은 아비가 아들을 죽이기 위해 데려온 것이다. 새 후계자가 태어난다면, 그 즉시 히온을 완벽히 죽일 수 있도록. 하지만 그 많은 여자 중 누구도 아들을 낳지 못했다. 임신조차 하지 못했다. 시간이 지나자 사람들은 황제에게 문제가 있는 것 아니냐며 수군댔다. 그러자 황제는 더욱 히온을 증오하게 되었다. 히온이 죽은 형의 아들이라 확신한 것이다.

'이번에도 역시 실패군.'

황제는 새 황후를 들인 뒤 하루가 멀다 하고 침소에 들었다. 그 노력에도 여자의 배는 여전히 납작했다. 잔뜩 주눅이 든 여자를 보며 히온이 차갑게 웃었다. 그녀도 곧 자신의 운명이 어찌 될지 알고 있는 게 분명했다.

"곧, 좋은 소식이 들려오길 바랍니다."

그럴 일은 없겠지만. 그는 과장된 인사와 함께 몸을 돌렸다. 하늘은 무척 맑았다. 콧노래가 흘러나왔다. 등 뒤에서 여자의 울음소리가 들려왔다. 참, 좋은 날이었다.

*

"아이들을 판다고."

그가 쪽지를 구겼다. 면도 안 한 수염이 까슬했다.

"위대한 아버지께서, 이번엔 고아들을 팔고 계신다는 거지. 외국의 변태 귀족들에게."

그가 피식 웃었다. 푸른색 눈동자가 얇게 접혔다.

"거리의 부랑아들에겐 공부를 시켜 준다며 거짓말을 하고, 여자, 남자아이 가리지 않고……. 큭, 참 대단하시네. 역시 더러운 돈 버는 덴 천부적인 능력이 있어."

대륙엔 여전히 아동 매춘이 성행했다. 그중엔 부모가 자식을 파는 경우도 있었다. 하지만 제국의 황제가 자국의 아이들을 파는 건 듣지도 보지도 못했다. 그것도 코흘리개들 뒤통수를 쳐가며.

"그냥 둘 순 없잖아?"

히온이 외출 준비를 시작했다. 방 안엔 그 혼자뿐이었다. 시종은 없었다. 그를 모시던 이들 중에는 그를 병신으로 만들려던 자가 너무 많았기 때문이었다. 전부 쫓아내고 혼자 해결했다.

"이번에도, 내가 있다는 걸 알려 드려야지."

그는 아이들을 구하기 위해 길을 나섰다. 딱히 도덕심으로 그러는 건 아니었다. 도덕, 그딴 것에 관심을 잃은 지 오래다. 그에게 삶이란 구렁텅이의 연속이었다. 어느 순간부턴 될 대로 되라는 심정으로 살았다. 펄럭이는 소매 아래로 앙상한 팔목이 드러났다. 수십은 될 법한 주사 자국들. 얼마나 더 살 수 있을까. 십 년? 이십 년?

복도를 걷던 그가 힐끔 시선을 옮겼다. 거울 장식에 마른 얼굴이 비쳤다. 그는 잠시 자리에 멈추어 섰다. 어릴 적엔 성군이 될 거란 이야길 참 많이 들었다. 아무리 안 좋은 일이 있어도 늘 방긋방긋 웃었다. 아랫사람들의 실수에도 늘 괜찮아, 별거 아니야, 라는 말을 입에 달고 살기도 했다. 온화한 어머니를 꼭 빼닮았단 말도 들었다.

'다 지난 일이지.'

거울 속에 비친 얼굴에서 어머니의 흔적을 찾던 그가 픽 웃으며 고개를 돌렸다. 과거는 이제 아무 의미가 없다.

'아버지의 일을 망치기 위해 혈안이 된 예비 성군이라.'

아버지가 그를 망치려 하는 것처럼, 그 역시 틈만 나면 아비의 일을 어그러트렸다. 유일한 후계자 자리란 참 좋았다. 아무리 큰일을 벌여도 죽지는 않았다.

'진심으로 저를 죽이고 싶으실 텐데, 아쉬우시겠어요. 아버지.'

야심가 중에는 히온을 죽이려는 자들도 있었다. 우습게도 그 암살자들을 황제의 기사들이 막았다. 그리고 그 황제는 아들을 겉만 멀쩡한 시체로 만들기 위해 약을 썼다. 그가 노래처럼 흥얼거렸다. 발걸음은 깃털처럼 가벼웠다.

"참으로 정신 나간 황실이로다."

*

"전하! 제발 이러지 마십시오. 신은 정말 모르는 일입니다!"

"그럴 리가 있을까. 경이 모르면 누가 안단 말이오."

히온의 눈매가 부드럽게 접혔다. 나름 예의도 갖추었다. 미소는 예쁘게, 말투는 정중하게. 상대는 그렇게 받아들이는 것 같진 않지만.

"아이들이 어디 있는지만 말하면 됩니다. 외국으로 넘기기 전에 모아 두는 곳이 있을 것 아닙니까?"

"저, 저는 아무것도 모릅니다."

"하, 요즘 모르쇠가 유행인가 봅니다."

이 궁 사람들은 참 하나같이 똑같다. 무엇을 물어도 다 모른다뿐이다. 결국엔 다 말하게 될 거면서.

"폐하가 무서워 그렇다는 건 알겠는데……."

그가 비스듬히 시선을 내렸다.

"그 폐하가 얼마나 버티실 것 같습니까? 혹 경께서도, 다른 후계자가 태어날지도 모른다는 헛된 희망을 품고 계신 겁니까?"

"저, 전하! 어찌 그런 말씀을……."

상대의 얼굴이 하얗게 질렸다.

"그게 아니라면 아실 텐데요. 다음 황제는 제가 될 거라는 걸. 이번에 제 말을 무시하시면 과연 그때, 살아남으실 수 있을까요?"

발설하면 황제에게 죽고, 입을 다물면 태자에게 죽는다. 늘 하는 협박인데, 늘 통했다. 상대의 눈빛이 흔들리는 걸 확인한 히온이 만족스럽게 웃었다. 이내 쐐기를 박았다.

"걱정하지 마십시오. 반드시 비밀은 지켜드리겠습니다. 다른 분들에게 확인하시면 되지 않습니까? 이번 일도 저 혼자 뒤집어쓸 것입니다."

물론 그가 입을 다문다 하여도 정말 비밀이 지켜지진 않을 것이다. 어딘간 구멍이 있겠지. 만일 발각되면 황제는 이 사내를 반드시 죽일 것이다. 그러든 말든, 히온은 신경 쓰지 않았다.

'어차피 살 만큼 살았잖아. 안 그래?'

그는 이미 너무 많은 것을 잃었다. 다른 이를 신경 쓸 만큼 여유롭지 못했다. 그리고 그마저도 얼마 남지 않았다.

─신전입니다. 그곳 수련원에 아이들이 있습니다.

참 대단했다. 그의 아버지는 늘 상상을 뛰어넘었지만, 이번엔 더 대단했다. 변태 귀족들에게 팔 아이들을 신전에 모아 두다니, 신이 두렵지도 않은 걸까.

─출발은 이틀 뒤입니다.

일단 협박이 성공하자 그 뒤는 일사천리였다. 아는 것을 몽땅 불면서도 머리가 핑핑 도는 게 보였다. 뒤집어씌울 사람을 찾고 있는 것이리라. 누구에게 뒤집어씌우든, 누가 억울한 일을 당하든 히온이 알 바 아녔다.

'일단 돈이 필요해.'

히온이 보석함을 뒤집었다. 그 안에 들어있던 장신구가 우르르 쏟아졌다. 그는 그 중 연두색 보석을 집어 들었다. 어머니가 남긴 것이었다. 한때는 늘 품고 있었다. 어머니가 떠나신 직후엔 매일 품고 울기도 했다. 보석을 품에 넣는 그의 눈매는 말라 있었다. 이젠 그리움이란 낭만에 빠질 여유도 없었다. 보석은 제법 값이 되었다. 보석을 받아 드는 보석상의 손이 덜덜 떨렸다. 보석상이 내미는 돈을 받아 들곤 골목으로 들어갔다. 미로 같은 길을 걷는 그의 발걸음엔 거침이 없었다. 간판도 없는 상점이 모습을 드러냈다. 담배를 피우며 기대어 서 있던 배불뚝이 사내가 히온을 보며 몸을 일으켰다.

"젊은 양반이, 또 사고를 치시려고?"

"또 만나서 좋잖아?"

히온의 넉살에 사내가 혀를 차며 집 안으로 들어갔다. 사내가 물건을 찾을 동안 히온을 주변을 둘러보았다. 주변은 온통 회색빛이었다. 무너질 것 같은 벽도, 낡은 건물도 전부. 하늘은 눈이 시리게 푸르렀다.

"불장난하지 딱 좋은 날이지."

그의 입매가 곡선을 그린 듯이 올라갔다.

"화상 조심하시오."

사내는 시답잖은 소리를 하며 주머니를 내밀었다. 히온은 고개를 주억거리곤 입구를 열었다. 새까만 가루가 모습을 드러냈다. 화약이었다.

"그 정도면 신전 정도는 날려 버릴 수 있을 거요."

"아주 좋아."

사내가 뭘 알고 말한 건 아닐 거다. 그래도 히온은 킬킬 웃었다. 아주 기분이 좋았다. 시작부터 일이 잘 풀릴 것 같았다.

"사람 살려!"

붉은 불길이 뱀처럼 창밖으로 날름거렸다. 스테인드글라스가 펑펑 소리를 내며 곳곳에선 검은 연기가 모락모락 피어올랐다.

"빈 경!"

"살몬트!"

"살려 줘요!"

"아이들이 도망가고 있어!"

"너희는 그쪽으로 가면 안 돼!"

난리가 따로 없었다. 귀한 옷을 입은 귀족들이 엉망이 되어 신전에서 쏟아졌다. 그중엔 부상이 꽤 심각한 이들도 있었다. 반면 아이들은 멀쩡했다. 히온이 미리 수배한 신관이 아이들을 이끈 것이다.

"큭, 끝내준다!"

아비규환 속에서 오직 히온만이 즐거웠다. 펑! 또다시 건물 한쪽이 터져 나갔다. 이내 우르르 소리를 내며 무너졌다. 그가 웃음을 터트렸다. 부패한 신전의 몰락이었다.

그의 웃음소리에 자연스레 시선이 쏠렸다. 히온이 씩 웃으며 그들에게 손을 흔들어 주었다. 그중 여자 한 명이 겁에 질린 듯 눈을 동그랗게 떴다. 두 손에 양동이를 들고 있었다. 신전에서 일하는 사람인 듯싶었다.

"이상한 사람 아닙니다. 살짝 미쳐있긴 하지만."

히온이 싱긋 웃었다. 여자가 움찔하다, 양동이에 있는 물이 쏟아지자 화들짝 놀랐다.

"불 끄러 가는 거면 입 가려요. 연기, 몸에 안 좋거든. 천 있어요? 물에 적셔요."

그의 상냥한 말에 여자가 눈을 깜빡였다. 그의 웃음이 진해졌다. 여자가 조금 망설이는 듯싶더니 머리를 싼 수건을 풀었다. 물에 적셔 입을 막고는 그에게 살짝 고개를 숙였다. 다시 신전으로 달려갔다.

"행동력 참 빠르네."

그래서 마음에 들었다. 그는 씩 웃고 다시 그의 작품을 바라보았다. 여자는 까맣게 잊은 채였다.

*

결국, 공개 재판이 열렸다. 당연한 일이었다. 그는 자신이 저지른 짓을 숨기지 않았다. 불타는 신전 옆에서 한참을 웃어대던 그를 참 많은 사람이 보았다. 아이들을 빼돌린 신관은 자신의 행동이 그의 협박 때문이라 털어놓았다. 소식을 들은 황제는 진노했다. 마구간에 늘어져 있던 히온을 기사들이 찾아냈다.

"냄새 안 나?"

히온이 해맑게 웃었다.

"일부러 여기 있었는데."

기사들은 아무 대답도 않고 그를 질질 끌고 갔다. 히온이 킁킁거리며 소매에 코를 대었다. 냄새가 지독한데. 그가 힐끔 시선을 들다가 탄성을 내질렀다. 기사들은 모두 천으로 코를 막고 있었다.

"와, 머리 좋네. 그런데 폐하께서도 그러고 계실까? 다른 귀족들은?"

기사들은 묵묵부답이었다. 그러거나 말거나, 히온은 쉼 없이 떠들었다. 재판장에 도착할 때까지 입을 쉬지 않았다. 어차피 한동안은 약에 취해 몇 시간은 닥치고 있어야 할 거다. 말할 수 있을 때 신나게 해야 했다.

"폐하께서 이번엔 나를 어찌하실까? 죽이지는 못하실 텐데. 참 속상하시겠어. 얼마나 죽이고 싶으실까. 그런데 너무하지 않아? 난 폐하의 아들이잖아. 아들이 사고 좀 칠 수 있는 거 아니야? 아버지가 너무 매정하지 않아? 혹시 친아들이 아니어서 그런 걸까? 아, 실수. 나는 그렇다고 생각하는데, 폐하께서 의심하시니. 혹 경들도 내가 폐하의 친아들이 아니라고 생각하나? 뭐, 그건 신이 아니면 말해 줄 수 없는 거긴 하지. 돌아가신 어머니께서 관을 뚫고 나오시지 않는 한. 물론 관 밖으로 나오셔도 진실을 말하지 않으실 수도 있지만. 그런데 솔직히 말한다고 해서, 폐하께서 믿기는 하시겠어?"

한참을 떠들다 보니 어느새 회장에 도착했다. 굳게 닫힌 문을 보자 히온이 싱글벙글 웃으며 몸을 일으켰다. 여전히 몸에선 말똥 냄새가 진동했다. 이 정도면 폐하께서도⋯⋯.

최악! 소리와 함께 물이 쏟아졌다. 히온이 제자리에 멈추어 서 눈을 깜빡였다. 무슨 상황이 벌어진 건지 조금 늦게 이해되었다. 물이 뚝뚝 떨어지는 머리를 쓸어 넘기며 그가 눈만 움직였다. 다시 한번 물세례가 그를 덮쳤다.

"무례를 용서해 주십시오, 태자 전하. 전하의 준비를 도와 드리라는 폐하의 명이 있으셨기에."

"음, 그렇겠네."

준비는 계속되었다. 헛웃음이 나왔다. 어깨에 힘을 뺐다. 부글거리는 속을 꾹 눌렀다. 아버지다운 복수지 싶었다. 물에 빠진 생쥐꼴로 그는 안으로 들어갔다. 그의 등장에 사람들의 웅성거림이 잠시 가라앉았다 커졌다. 히온은 자신을 향한 시선을 피하지 않았다. 그러던 중 유독 자주 눈이 마주치는 이가 있었다. 자연스레 그를 바라보게 되었다.

'누구지?'

그의 눈이 가늘어졌다.

'아, 라쉬르 발렌타인.'

상대와 관련된 정보가 주르륵 떠올랐다. 발렌타인은 아살론 남부에서 꽤 세력이 큰 가문이었다. 라쉬르 발렌타인은 수년 전 연회에서 딱 한 번 본 적 있었다. 그의 형과 함께 소개받은 기억이 있었다.

'외국에서 공부한다고 했나. 곧 교수가 될 거라고도 했고.'

그의 형은 입에 침이 마르도록 동생 자랑을 했다. 후계 싸움이 치열한 귀족 가문에서 형제간에 우애가 돈독한 경우는 드물기에 인상적이었다.

'왜 형이 안 오고 저자가 온 거지?'

이곳은 각 가문의 대표들에게만 허락된 자리였다. 희미한 기억에 발렌타인 가문의 후계자는 라쉬르의 형이었다.

'아우를 대신 보냈나? 아니, 그럴 리가 없는데.'

황제가 그런 걸 허락할 리 없다. 히온이 고개를 갸웃했다.

'그나저나, 왜 저렇게 쳐다봐?'

하필 라쉬르 발렌타인과 눈이 마주친 건 이유가 있었다. 옆 사람과 수군거리다 훔쳐보듯 히온을 보는 다른 귀족들과 달리, 라쉬르는 처음부터 지금까지 그에게서 눈을 떼지 않았다.

'거슬리네.'

한번 눈이 마주쳤을 땐 그러려니 하겠는데, 계속 겹치는 시선에 짜증이 났다. 히온도 피하지 않고 상대를 노려보았다.

'그쪽, 누군지 알거든.'

자기를 모른다 여겨 저러는 거면 그를 우습게 보는 거다. 한때 아살론 최고 천재라 불린 그였다. 비록 지금은 마약에 뇌가 녹고 있지만.

'지나간 일은 왜 자꾸 떠올리는 거야.'

그의 재능을 향한 과거의 찬사가 떠오르자 확 기분이 나빠졌다. 지금의 초라한 몰골과 비교되어 더 그랬다. 이게 다 저, 집요한 인간 때문이었다.

―그만 좀 쳐다봐.

히온이 인상을 쓰며 입 모양으로 말했다. 발렌타인의 눈이 가늘어졌다. 무시하고 고개를 돌리려던 차였다.

―다시 한번 말씀해 주십시오.

―뭐?

―또박또박, 천천히 말입니다.

히온이 눈을 깜빡였다. 저 인간이 뭐라는 거야? 발렌타인이 다시 입을 열었다.

―또박또박, 천천히.

입 모양을 알아본 히온이 헛웃음을 쳤다.

'기가 막히네. 이 상황에 뭘 또박또박 말하라는 거야? 웃기는 인간이네.'

기분이 나쁘진 않았다. 어이가 없어 웃음이 나왔다. 그때, 발렌타인이 손을 들어 올렸다. 반사적으로 손끝을 따라간 히온이 멈칫했다.

황제가 회장으로 들어오고 있었다. 황제의 등장과 함께 귀족들이 깊게 몸을 숙였다. 히온의 눈빛이 차게 식었다. 남빛의 눈동자가 그에게 향했다. 히온이 입매를 끌어 올렸다. 그의 미소에 상대의 기세가 험악해졌다. 히온이 입을 열었다.

"당신이 아무리 날 망치려 해도 상관없습니다."

또박또박, 천천히 속삭였다.

"나도 당신을 망쳐 버릴 테니까."

*

어머니가 계셨다면 상황이 조금 달라졌을까. 쓸데없는 가정이지만 꿈꿔본 적 있었다. 그를 미워하는 아버지를 어머니가 막아선다. 어쩌면 아버지를 설득할지도 모른다. 히온은 큰 욕심 있는 아이가 아니니 걱정하지 말라고. 폐하의 보위를 위협하는 존재가 아니라 더 든든하게 해 줄 수 있을 거라고. 설득이 성공했다면 그에게 친구가 생겼을 것이다. 그를 진심으로 생각하는 신하도. 위대한 성군 곁엔 뛰어난 인재가 있기 마련이니. 물론 좋은 인재를 얻기 위해선, 그가 좋은 자질을 보여야 한다.

히온은 자신이 아주 뛰어나진 않아도 부족하진 않다고 여겼다. 어릴 적 사람들이 호들갑을 떤 것처럼 천재는 아니었을지 몰라도 타고난 근성은 있으니 보통 이상은 되었겠지. 그는 검에도 소질이 있었다. 운동 신경은 뛰어난 편이었으니까. 검술 수업 시간을 특히 좋아했다. 옛 영웅들의 이야기를 들으며 설레기도 했다. 다 지난 일이었다. 운동을 그만둔 뒤 몸은 점점 약해져 갔다. 약의 영향으로 체력은 바닥을 쳤다. 예전으로 돌아갈 가능성은 전혀 없었다. 그러니 꿈도 꾸지 말자. 그렇게 다짐했는데도, 종종 그때 꿈을 꾸었다.

밝은 햇살 아래에서 검을 들고, 온몸이 땀에 흠뻑 젖을 때까지 뛰어다녔다. 잔뜩 지친 몸을 뜨거운 물 속에 집어넣으면 순식간에 피로가 풀렸다. 수업 때 졸면 어찌하느냐는 유모의 걱정은 뒤로한 채 도서관으로 달려갔다. 엄격하면서도 인자한 스승이 그를 맞이했다. 새로 배울 내용이 궁금해 눈을 반짝이며 그가 물었다.

스승님, 오늘은…….

"황제가 되고 싶으십니까?"

순식간에 꿈이 깼다. 여기가 어디지.

히온이 멍하니 주변을 둘러보았다.

"제가, 전하를 도와 드릴 수 있습니다."

"으아……."

히온이 이마를 붙잡았다. 머리가 깨질 것 같았다. 춥기까지 했다. 그가 정신없이 몸을 문질렀다.

"여기가 어디야."

혼잣말에 낯선 목소리가 멈칫했다.

"……차 리프 광장입니다만."

한숨 소리가 들린 것 같기도 하다. 히온은 관자놀이를 누르며 눈을 깜빡였다. 불투명했던 시야가 맑아지며 익숙한 나무들이 보였다.

'내가 언제 여기까지 왔지.'

회장에서의 일까진 기억이 났다. 늘 그렇듯 황제는 온갖 수단으로 그를 공격했다. 히온은 늘 그렇듯 절대 지지 않았다. 회장 분위기는 엉망진창이 되어갔다. 그러거나 말거나, 히온은 마음대로 입을 놀렸다. 진노한 황제는 그를 연못에 던지라고 했다. 정신을 차리게 하겠다며. 지금은 한겨울이었다. 그 연못은 반쯤 얼어 있었다. 얼어 죽으란 뜻이었다. 히온은 낄낄 웃어 댔다.

─정말 저를 죽이시려 하십니까? 그게 가능하긴 하십니까? 날씨

가 끝내주네요. 얼어 죽기 좋은 날입니다!

황제가 뭐라고 악을 써댔다. 기사들이 달려왔다. 히온이 스스로 걷겠다며 손사래를 쳤다. 억센 손이 그의 사지를 결박했다.

―멀쩡히 걷는 꼴은 못 보시겠다는 거군요? 덕분에 편하게 가겠네요. 감사합니다, 폐하!

겨우 이까짓 일을 망신스럽게 여길 거라니. 그의 아버지는 그를 몰라도 한참 몰랐다. 그는 온몸에 힘을 뺀 채 연못까지 갔다. 편하게 가긴 했지만, 연못은 끔찍하게 추웠다. 빠지자마자 정신을 잃었다.

'그런데 내가 왜, 여기에 와 있지?'

그가 오들오들 몸을 떨었다. 입고 있는 옷은 달랑 셔츠 한 장이었다. 그나마 다행인 건 몸이 말라 있다는 것이다. 대체 언제 말랐는지는 모르겠지만. 히온은 답을 알 것 같은 상대를 올려다보다 멈칫했다.

"라쉬르 발렌타인? 자네가 왜 여기에 있어?"

"……설마 기억이 나지 않으십니까?"

"응, 전혀."

"저와 대화 중이셨습니다만."

"아아."

이제야 상황을 알겠다. 이게 다 그 빌어먹을 마약 때문이었다. 그가 정신을 잃은 새에 또 약을 쓴 거다. 당연히 해독은 하지 못했고. 그는 약에 취하면 종종 기억을 잃곤 했다. 라쉬르 발렌타인은 아마 그때 만난 거겠지.

"무례를 용서하십시오."

덜덜 떨며 기억을 되짚는데, 온기가 그의 어깨를 덮었다. 히온이 힐끗 옆을 보았다. 발렌타인의 재킷이었다.

"아, 고마워. 따뜻하네."

재킷에선 좋은 향이 났다.

"이거 익숙한데, 발롱도르?"

"아십니까?"

"몇 년 전에 한 번, 맡아본 적 있지."

"한 번이요?"

"응."

"그걸 기억하신단 말입니까?"

"뭐, 그렇지. 그 디자이너 콧수염이 인상적이었는데."

히온에게 재킷을 넘긴 백작은 얇은 서츠 차림이었다. 그 아래 단단한 몸이 고스란히 드러났다. 히온이 힐끔 시선을 기울였다. 백작의 손에 굳은살이 박여 있었다.

'운동했나? 책상머리 인재인 줄 알았더니. 검 좀 쥐었나 보네.'

백작과 달리 그의 주먹은 이제 말랑말랑했다.

─최고의 검사가 되지는 못해도, 최고의 검사를 다스릴 수 있을 정도는 될 겁니다.

무뚝뚝한 그의 스승은 칭찬도 참 무뚝뚝했다. 히온은 그 담백함을 참 좋아했다. 그 때문에 스승은 황제의 눈 밖에 나 지방으로 쫓겨나고 말았다.

"제가, 태자 전하께 알현 요청을 했습니다."

"흠."

"대화 중에 날이 덥다며 나가자 하셨습니다."

"이 날씨에?"

"예."

"그리고?"

"술을 사 오라고 하셨습니다."

그제야 주변에 나뒹구는 술병이 보였다. 히온이 인상을 찌푸렸다. 약에서 깰 때쯤엔 지독한 갈증이 찾아왔다. 그래도 버티려 애썼다. 약에 술은 최악이니까. 이번엔 정말 정신을 놓았나 보다.

"그 뒤에 제법 긴 대화를 했습니다만, 아마 기억하지 못하실 것 같고."

발렌타인이 힐끔 히온을 보았다.

"요약해서 말씀드리겠습니다. 전하께서 황제가 되고 싶다 하셨습니다."

"……응?"

"그래서, 제가 돕겠다고 했습니다."

응? 이건 또 무슨 개소리야?

히온은 황태자였다. 큰 이변이 없는 한 보위에 오를 것이다.

"허울뿐인 황제가 아니라, 제대로 된 황제가 되고 싶다 하셨습니다."

히온이 입을 뻐끔거렸다. 말문이 턱 막혔다. 등골이 서늘했다. 그런 꿈을, 품기는 했다. 이미 포기했지만. 불가능하니까. 그런데 그걸…….

"발렌타인 따위가 돕겠다고?"

결국, 속마음이 나오고야 말았다. 대놓고 무시하고 싶진 않지만. 현실이 그런걸. 남부에서야 잘 나갈지 몰라도 수도에선 아니었다. 지방 유지일 뿐이다. 한데 무슨 수로 황제에게 맞선단 말인가?

"게다가 자넨 가문의 대표도 아니잖아? 백작도 아닌 자가 무슨 수로?"

"그건 걱정하지 않으셔도 됩니다."

발렌타인 백작이 피식 웃었다. 처음 보는 그의 웃음이었다.

"제가 바로 발렌타인 백작이니까요."

*

"아버지께서 돌아가신 후 형이 백작이 되었습니다. 하지만 일 년도 되지 않아 그 자리에서 내려와야 했지요."

"왜?"

"죽었습니다. 먹으면 안 될 음식을 먹었습니다. 일종의 과민반응이었죠. 기도가 부어 질식사했습니다."

"저런."

너무 허무한 죽음이었다. 히온이 혀를 찼다. 제국의 백작씩이나 되는 이가 고작 음식을 잘못 먹어 죽다니.

"허무한 죽음이자 성공적인 살해였지요."

"살해?"

"형은 어릴 적부터 자신은 그 음식을 먹으면 안 된다는 걸 알고 있었습니다. 심지어 향조차 맡지 않으려 노력했지요. 가문의 요리사 중엔 모르는 이가 없었습니다. 그런데 일이 벌어졌습니다. 그 요리를 만든 요리사는 죽었고요."

"범인은 누군데?"

"일은 제가 외국에 있는 사이 벌어졌습니다. 장례에 참석조차 하지 못했죠. 숙부께서 일을 수습해 주셨죠. 수장 자리를 오래 비워두면 안 된다면서 스스로 작위에 오르기까지 하셨더군요."

"아아, 그랬군."

뻔한 상황이었다. 작위에 눈이 먼 숙부가 조카를 죽인 것이다. 히온이 힐끔 라쉬르를 보았다.

'숙부가 조카를 죽여서 백작이 되었는데, 죽은 조카의 아우가 백작이라는 건…….'

숙부는 아마도 죽었겠지.

"숙부는?"

"그 일이 있고 얼마 지나지 않아 돌아가셨습니다. 불행히도 음식을 잘못 드셨습니다. 기도가 부어 돌아가셨지요. 음식을 만든 요리사는 자진했습니다. 안타깝게도."

예상하긴 했지만 직접 듣는 건 달랐다. 술이 확 깨는 기분이었다. 발렌타인이 어깨를 으쓱하며 덧붙였다.

"더 좋은 방법이 떠오르지 않아 그랬습니다."

지나치게 당당하니 말문이 막혔다.

"일단 일어나시지요."

라쉬르가 히온에게 손을 내밀었다. 히온이 인상을 찌푸리며 그 손을 잡았다. 미친놈 손 따위 뿌리치고 벌떡 일어나고 싶었지만 하도 오래 앉아 있어 다리에 힘이 없었다.

"이젠 제가 발렌타인 가문의 수장이라는 걸 믿으시겠습니까?"

"그건 믿겠는데 말이지."

"마음에 걸리시는 것이 있습니까?"

마음에 걸리는 것? 당연히 있다. 방금 숙부 살해를 자백하지 않았나? 그래 놓고 왜 저리 뻔뻔한 거지?

아니, 그런 건 별로 중요하지 않을 수 있다. 발렌타인은 그를 돕겠다고 했다. 제대로 된 황제가 될 수 있게 해 주겠단다. 그러기 위해선 현 황제와 대립해야 한다. 그의 세력을 무너트려야 했다. 대체 무슨 수로?

"일단 폭탄으로 시작할까 합니다."

"뭐?"

"전하께서 화끈한 걸 좋아하시는 것 같아 말입니다."

"화끈, 뭐라고?"

화류계 종사자들이나 할 법한 말이었다. 히온은 기가 막혔다. 표정 하나 변하지 않은 채, 귀족적인 얼굴로 그런 말을 해?

그게 발렌타인과 첫 만남이었다.

✦

히온은 결국 발렌타인과 손을 잡았다. 그저 충동적인 선택이었다. 고상한 얼굴로 화끈 어쩌고 하는 게 웃겼다. 형을 죽인 복수 방법도 그렇고, 겉만 멀쩡할 뿐 속은 정상이 아닌 것 같았다. 마음에 들었다. 히온 역시 제정신은 아니었으니까.

미친놈, 그래 어디까지 가나 한번 보자. 잠깐 즐기면 되겠지 싶었다. 그런데 발렌타인은 그의 예상을 훌쩍 뛰어넘었다. 더 과격하고, 더 뛰어났다. 발렌타인은 우선 황제 쪽 귀족의 힘을 약화해야 한다고 했다. 그걸 위해 정말 폭탄을 썼다. 한 달에 한 번꼴로 일이 터졌다. 폭탄은 물론이거니와 그보다 더한 수를 쓰기도 했다. 한편으론 무척 신중했다. 여러 번 일을 저지르면서 한 번도 증거를 남기지 않았다. 황제와 결탁한 부패 귀족들 사이에 자연스럽게 두려움이 퍼져나갔다. 처음엔 히온이 범인으로 의심받았다. 발렌타인의 계책으로 금세 그 의심에서 벗어났다. 일이 진행되자 사망자가 나오기도 했다. 소식을 들은 발렌타인은 여상히 답했다.

"그들에겐 마땅한 죽음이지요."

히온 역시 그에 동의했다. 그는 점점 발렌타인이 마음에 들기 시작했다. 두 젊은이의 패기에 황제는 엄청난 피해를 보았다. 히온 혼자 불장난 좀 할 때와는 차원이 달랐다. 히온은 어느새 진심으로 감탄했다. 발렌타인은 천재였다. 함께 하는 시간이 늘어날수록 확신했다. 저런 자가 어떻게 내게 손을 내밀었을까.

발렌타인의 계획엔 늘 흠잡을 곳이 없었다. 발렌타인의 재능에 질투가 나진 않았다. 그는 머리부터 발끝까지 열등감으로 똘똘 뭉친 아버지와는 달랐다. 그는 그고, 발렌타인은 발렌타인이었다. 시간이 지날수록 죽어 버린 희망이 되살아나는 걸 느꼈다.

'정말 모든 걸 바꿀 수 있는 걸까.'

발렌타인의 이야기를 듣다 보면 불가능 따윈 없어 보였다. 심지어 구렁텅이에 빠진 그의 인생도 변할 수 있을 것 같았다. 그의 팔엔 여전히 주사 자국이 남아 있었다. 그중엔 영영 없어지지 않을 것들도 있었다. 약의 부작용은 평생 갈 것이다. 그걸 깨달은 순간, 돌이킬 기대는 버렸다. 하지만 어쩌면 가능할지도 모른다. 그의 인생을, 아살론을 바꿀 수 있을지도 모른다. 라쉬르 발렌타인과 함께라면.

그런 생각이 들기 시작했다.

*

산처럼 쌓인 쓰레기를 없애는 데에는 강력한 한방이 필요하다. 마치 모든 것을 태워 버리는 불처럼. 히온은 한참 전부터 그 불이 되고 싶었다. 그러나 주변 환경들이 자꾸만 그를 붙잡는 족쇄가 되었다. 발렌타인은 상상도 못 한 방법으로 그 족쇄를 끊어 버렸다. 그리고 자신이 직접 쓰레기를 태워 버렸다. 황제나 귀족들은 처음엔 제대로 대응하지 못했다. 그 방법이 지나치게 폭력적이었으니까. 시간이 지나서 정신을 차릴 때쯤엔 다른 것이 문제가 되었다. 두 젊은이의 행동이 연쇄 작용을 일으킨 것이다. 몇몇 영지에서 폭동이 일어났다. 영지민들이 영주를 살해하기도 했다.

"이번 일은 단호히 대처하셔야 합니다. 폭동이 번지게 되면 우리조차 통제할 수 없습니다. 중립인 귀족들도 흔들리겠지요. 설령 개혁파라 할지라도 제 노예가 저를 죽이길 원하는 자는 없습니다. 전하께서 직접 주인을 죽인 영지민들을 엄히 벌하십시오. 선을 넘지 않은 자들은 포용하면서 말입니다."

히온은 그의 말을 그대로 따랐다. 직접 영지에 내려가 일을 수습했다. 죽은 영주의 장례를 지르고 살해범들을 처형시켰다. 단순 가담자들에겐 관용을 베풀었다. 그 일은 히온에게 엄청난 이득을 주었다. 그를 따르는 귀족들이 생겨나기 시작한 것이다.

"이제부터는 젊은 귀족들을 모을 겁니다. 그들에겐 힘이 없지만, 분노와 가능성이 있지요. 잘 맞는 기폭제만 찾으면 엄청난 폭발력을 낼 겁니다. 바로 화약처럼요."

"왜 하필 지금 움직이는 거지?"

"이젠 전하의 이름이 알려졌으니까요. 사사건건 황제와 대립하는 힘없고 감정적인 황태자가 아니라, 성군이 될 가능성이 있는 예비 황제로 말입니다."

현 황제는 선택과 집중형 인간이었다. 밀어줄 귀족만 밀어주었다는 거다. 자연히 홀대받는 귀족들이 생겼다. 특히 젊은 귀족들은 자신을 외면하는 주류에 깊은 불만이 있었다. 한편으론 주류가 되고 싶단 열망도 있었다. 발렌타인은 그들의 이중적인 욕망을 공략했다. 젊은 귀족들의 모임을 만든 것이다. 그 소식을 들은 히온이 나서고자 했다. 발렌타인은 즉시 그를 말렸다.

"전하께서는 절대 오시면 안 됩니다. 이 세상에 영원한 비밀은 없지요. 누군가 모임을 배신할 수도 있습니다. 그때 만일 전하를 본 누군가가 입을 놀린다면 끝장입니다."

"하지만 자네는 그들과 함께하잖아."

"저는 황제가 될 사람이 아니잖습니까. 일이 꼬이면 제 선에서 자를 수 있는 지금이 낫습니다."

아무렇지 않은 어조였지만 내용은 그렇지 못했다. 히온의 얼굴이 굳었다. 일이 잘못되면 발렌타인 혼자 뒤집어쓰고 죽겠단 소리였다. 함께 한 일인데, 용납할 수 없었다. 이젠 나름 한배를 탄 동지였다.

"그건 안돼. 자네를 희생양으로 삼을 순 없어."

"만일 그런 일이 생긴다면 물론, 저는 최선을 다할 겁니다. 이제껏 그랬듯, 어떻게든 해결 방법을 찾아내겠죠. 아마 완벽할 겁니다. 늘 그랬듯."

발렌타인이 씩 웃으며 말했다. 여유로운 모습에 잠시 마음이 놓였다.

"하지만 제 형도 제게는 완벽했습니다. 순간의 방심 때문에 그렇게 된 겁니다. 저도 예외일 순 없지요. 작은 구멍도 얼마든지 거대한 둑을 무너뜨릴 수 있습니다. 그럼 그동안 우리가 해 왔던 모든 일이 허사가 됩니다. 아살론은 다시 쓰레기들의 소굴로 남을 테고요. 그러니 대비를 해야 합니다."

"어떻게 말인가?"

"전하께서는 가장 높은 곳에 계십시오. 설령 둑이 무너져 세상이 전부 물에 잠기더라도, 안전할 수 있도록."

가장 높은 곳, 그 말을 하는 발렌타인의 표정엔 흔들림이 없었다. 아주 오랫동안 생각해 왔단 거다. 히온은 새삼 충격을 받았다. 대체 언제부터였을까. 언제부터 그를 위해 희생할 다짐을 한 걸까. 설마, 처음 만났을 때부터? 대체 왜? 마약에 취해 있는 그에게 무슨 가능성을 보았길래?

"전하는 반드시 보위에 오르셔야 합니다. 제가 그렇게 만들 겁니다."

*

시간이 지나자 관계는 쌓여 갔다. 처음엔 공동의 목표를 달성하기 위한 동료였다. 그다지, 동등하진 않았지만. 대부분의 일은 발렌타인이 주도했으니까. 물론 히온도 마냥 놀지만은 않았다. 오직 그만이 할 수 있는 일들이 많았다. 허울뿐인 황태자란 이름도, 조력자가 생기니 꽤 쓸만해 졌다. 어느새 사적인 대화도 늘었다. 공유하는 것들이 워낙 많으니 당연했다. 이런 게 우정인 걸까. 히온은 막연히 생각했다. 정말 우정이 맞다면, 발렌타인은 좋은 친구였다. 그는 알면 알수록 괜찮은 사람이었으니까. 배울 것도 많았다.

그러던 중, 일이 생겼다.

'무슨 일이 있는 건가?'

어느 날부터인가 발렌타인의 안색이 어두워졌다. 그가 그리 감정을 드러내는 편이 아닌데도 그랬다. 처음엔 물을 생각이 없었다. 발렌타인이 먼저 말하지 않는다면, 그가 알 필요 없는 일인 거니까. 두 사람이 그동안 꽤 가까워지긴 했지만, 여전히 선은 남아 있었다.

'내가 도울 수 있는 게 있을지도.'

선을 넘을까 말까, 한참을 고민하다 결국 결론을 내렸다. 그러면서도 답을 들을 거란 기대는 하지 않았다. 그런데 뜻밖에 순순히 대답했다.

"상사병입니다."

"뭐?"

"여자에 빠져서 말입니다."

그 답에 머리를 한 대 맞은 기분이었다. 발렌타인이 쓰게 웃었다. 그에 또 충격을 받았다. 그 잘난 발렌타인이, 저렇게 약한 모습을 보이다니.

"제 손이 닿지 않는 여자를 사랑하게 되었습니다."

발렌타인은 그녀에게 첫눈에 반했다고 했다. 히온은 세 번째로 놀랐다. 평소 발렌타인은 감정을 믿지 않았다. 지나치게 변덕스럽고 비효율적이라고 했다. 그는 마치 이성만 있는 기계 같았다.

그런 그가 첫눈에 반했다고? 그게 말이 돼?

"그녀의 아버지가 절 반대합니다. 이유는 아주 많지만…… 그중 하나는 제가 차남이라는 겁니다."

"그게 무슨 상관이지? 자네는 발렌타인 백작이잖아."

"차남이 작위에 오른 과정이 마음에 들지 않는다고 하십시다."

"아…… ."

숙부를 죽이고 작위에 오른 걸 말하는 거다. 히온이 입맛을 다셨다. 그건 어쩔 수 없는 일이었다. 소중히 키운 딸을 살인자에게 보내고 싶진 않을 테니까.

"하지만 자넨 어쩔 수 없는 사정이 있었잖아."

"그 말을 들어주지도 않으시니, 어쩔 수 없지요."

"그럼 이대로 포기하는 건가?"

"포기하지 않고 싶습니다만, 세상 모든 일이 제 마음대로 되는 건 아니더군요."

발렌타인이 힘없이 웃었다. 아마, 그 표정이었을 것이다. 히온이 발렌타인을 돕겠노라 결심하게 된 계기가. 히온이 놀랄 일은 더 남아 있었다. 발렌타인을 극구 반대하는 그의 예비 장인은 히온이 아는 사람이었다. 어릴 적 히온을 가르쳤던 교수 중 하나였다.

히온은 발렌타인 몰래 계획을 세웠다. 자신이 직접 교수를 설득하기로 했다. 꽤 험난한 과정을 거쳐 계획은 성공했다. 교수가 결국 발렌타인을 받아들이기로 한 것이다. 히온은 이 좋은 소식을 말해 주지 않았다. 연인에게 직접 들으면 더 기쁠 것으로 생각한 것이다. 근질거리는 입을 꾹 다물고 휴가를 떠났다. 수도에 돌아오면 발렌타인이 어떤 얼굴을 하고 있을지 상상하는 건 그의 가장 큰 즐거움

중 하나였다.

"전하!"

그 상상은 중간에 깨졌다.

"전하! 접니다. 라쉬르 발렌타인입니다."

별장에 도착한 첫날이었다. 풀잎조차 잠든 깊은 밤이었다. 오밤 중에 거칠게 문 두드리는 소리가 났다. 깜짝 놀라 나가보니 수도에 있어야 할 발렌타인 백작이 그곳에 있었다.

"자네가 왜 여기에 있어?"

발렌타인이 잔뜩 상기된 얼굴로 그를 보았다.

"전하께서 저를 도와주셨다고 들었습니다."

"뭐?"

"마르디네 말입니다."

"아, 그거."

히온이 얼떨떨하게 고개를 끄덕였다.

"음, 그랬지."

그제야 이 갑작스러운 방문이 이해가 갔다. 기뻐할 일인 건 맞다. 그런데 이렇게까지 좋아할 일인가? 물론 발렌타인이 몇 달 동안 마음고생을 하긴 했다. 그래도 이렇게까지…….

"마르디네에게 이야기 들었습니다."

"무, 무엇을?"

"그녀의 아버지를 설득하기 위해, 전하가 무엇을 감수하셨는지."

"아…….."

꽤, 큰일들을 하긴 했다. 어려운 고비들도 있었다. 그중엔 위험 부담을 감수해야 할 것들도 있었다. 쉽지 않은 일이었던 건 맞았다. 하지만 그렇다고 해도…….

'민망한데.'

헛기침을 했다. 이렇게까지 감격할 일인가 싶었다. 농담으로 분위기를 좀 풀어 볼까 하다 입을 다물었다. 발렌타인의 표정이 너무 진지했다. 당황스러우면서도 한편으론 기분이 묘해졌다. 연모가 무엇이길래, 저런 얼굴을 할 수 있게 하는 걸까.

"기회를 주십시오."

"무슨 기회?"

"제가 전하께, 은혜를 갚을 기회 말입니다."

히온은 떨떠름했다. 은혜랄게 있나. 손사래를 치는데 발렌타인이 고개를 저었다.

"아니, 반드시 갚겠습니다. 전하가 보위에 오르실 수 있도록 하겠습니다. 제 모든 걸 바쳐 그렇게 할 겁니다."

히온은 뭐라 대꾸하지 못했다. 상대의 눈빛이 무척 진지했기 때문이었다. 히온이 뺨을 긁적이던 손을 내렸다. 발렌타인이 그의 생각보다 훨씬 더 간절히 그녀를 바랐다는 걸 깨달았다.

'그 간절함을 내가 이루어 준 거구나.'

그는 탄식을 삼켰다. 이제야 발렌타인의 반응이 이해 갔다. 발렌타인이 무릎을 꿇었다. 그가 다시 충성 맹세를 했다. 히온은 어색하게 그 맹세를 받았다. 한편으론 소름이 돋았다. 그가 대수롭지 않게 여긴 일이, 누군가에겐 이렇게 큰 의미가 될 수 있다니……

그 날 이후 발렌타인은 더욱 맹목적이 되었다. 원래부터 히온을 위해서라면 뭐든 했지만 이젠 목숨이라도 버릴 기세였다. 고마운 일이지만 마음에 걸렸다. 약혼녀 입장에선 서운할 수 있을 테니까. 그의 걱정에 발렌타인은 별걸 다 묻는다는 투로 말했다.

"마르디네도 알고 있습니다. 제게 가장 중요한 건 전하를 황제로 만드는 것이라고요. 목표를 이루기 위해서는 무엇이든 할 거라고도 했습니다."

"고맙긴 한데, 정말 차이는 거 아니야?"

"걱정하지 마십시오. 마르디네는 충분히 저를 이해할 수 있는 여자입니다. 그러니까 사랑했지요."

"너무 자신만만해 하지 말라고. 사람 마음 아무도 모르는 거야."

"제가 틀린 적 있습니까?"

"음."

결국, 히온은 입을 다물었다. 발렌타인은 틀린 적 없었다. 그리고 그 사실을 발렌타인도 잘 알았다. 처음엔 절대적 자기 확신이 신기하기도 했다. 한편으론 부러웠다. 자기 확신은 자기애가 바탕이 되어야 한다. 대체 어떤 성장 과정을 거쳤길래 저리 단단한 사람이 되었을까 싶었다. 환각에 시달릴 땐 특히 그랬다.

히온에겐 비밀이 있었다. 아무리 발렌타인과 가까워져도 말할 수 없었다. 그는 종종 환각을 보았다. 마약 때문이었다. 발렌타인은 그가 약에서 벗어나는 방법을 알려 주었다. 계획은 꽤 괜찮은 편이었다. 실행만 잘한다면 충분히 성공할 수 있었다.

하지만 히온은 그렇게 하지 않았다. 그가 생각했던 것보다 훨씬 더, 깊이 중독되었기 때문이었다. 빌어먹게도, 제 아들을 약장으로 만들겠다는 황제의 계획이 성공하고 만 것이다. 약을 오래 끊으면 손이 덜덜 떨리고 심지어 환각까지 보았다. 환각을 보지 않기 위해 다시 약을 쓰고, 그럼 더 끔찍한 걸 보게 되었다.

결국 다시 약에 손을 댔다. 히온은 차마 자신의 증상을 고백할 수 없었다. 환각도 이기지 못하는 나약함을 들키고 싶지 않았다. 환각은 다양한 모습으로 나타났다. 어릴 적 동화책에서 읽은 귀신에서부터 그가 죽인 사람들까지. 머리부터 발끝까지 썩은 내를 풍기며 피를 흘려댔다. 히온에게 달려들며 악을 써 댔다.

—네가 황제가 된다고? 나를 죽여 놓고! 네가 감히 그따위 꿈을 꿔!

솔직히 무서웠다. 숨이 턱턱 막혔다. 예전처럼 약에 취해 잠들 때가 나았다. 황제에게 달려가고 싶었다. 전처럼 의사를 보내라고. 무슨 약을 써도 좋으니, 잠만 자게 해 주면 무슨 짓을 해도 상관없다고. 처음엔 그래도 견딜 만했다. 시간이 지나면 괜찮아졌으니까. 일단 약에서 깨기만 하면 다음 금단 증상이 찾아올 때까진 멀쩡했다. 그래서 종종 고민하곤 했다. 차라리 솔직히 말하고 도움을 요청할까. 발렌타인이라면 그를 돕지 않을까. 물론 무척 실망하긴 하겠지만. 결국, 그것마저도 하지 않았다. 마르디네. 그녀 때문이었다.

히온은 사랑을 믿지 않았다. 사랑이 사람을 변화시킨다는 것은 더 믿지 않았다. 그의 부모님 때문이었다. 사랑해서 결혼한 사람들의 끝이, 참 처참했다. 그런데 생각을 바꿀 수밖에 없었다. 발렌타인이 변한 것이다. 그는 요즘 진심으로 행복해 보였다. 전혀 다른 사람 같았다. 그 변화가 좋아 보이면서도 한편으론 거리감이 느껴졌다. 그 행복에 끼어들고 싶지 않았다. 결국, 그는 제 증상에 대해 입을 다물었다. 그의 힘으로 해결해 보기로 했다. 별로 좋은 선택은 아니었다. 끔찍한 갈증은 시도 때도 없이 찾아왔다. 점점 더 심해졌다.

히온이 벌떡 자리에서 일어났다. 다급히 연 서랍 안엔 텅 빈 병뿐이었다. 그는 초조하게 제자리를 맴돌다 침대에 누웠다. 잠이라도 들면 좋을 텐데. 안타깝게도 정신은 점점 더 선명해졌다.

"빌어먹을……."

절로 욕이 새어 나왔다. 목이 바싹바싹 마르겠다. 아무리 물을 마셔도 소용없었다. 약, 약이 필요했다. 앞에 주사기가 어른거렸다. 미쳐버릴 것 같았다. 자꾸만 눈가가 뜨끔거렸다. 어떻게든 끝까지 버티고 싶었다. 버텨 보고 싶었다. 그러다 결국 실패했다. 약을 구할 방법은 이제 하나뿐이었다. 그가 비틀거리며 자리에서 일어났다. 문밖에 서 있던 호위가 그를 따라나서려 했다. 그는 손을 들어제지했다.

"잠시 혼자 있어지고 싶다. 따라오지 마라."

히온은 종종 사람들을 물리고 혼자 길을 나서곤 했다. 기사는 바로 고개를 숙이며 물러났다. 황제에겐 여전히 아들이 없었다. 아마 앞으로도 영영 없을 것이다. 그러니 호위는 필요 없었다. 히온은 안전했다. 억지로 자세를 바로 하곤 궁을 나섰다. 하늘에선 눈이 내리고 있었다. 옷깃을 파고드는 추위가 매서웠다. 그는 그렇게 온통 새하얀 세상 속으로 스며들었다.

"이번이 마지막이야."

수도 없이 그렇게 생각했다. 그러나 단 한 번도 마지막인 적이 없었다.

"빌어먹을"

자괴감이 목 끝까지 차올랐다. 자신이 쓰레기처럼 느껴졌다. 쓰레기가 되지 않으려면 여기에서 멈추어야 했다. 멈출 수가 없었다. 질끈 눈을 감고 걸음을 옮겼다. 날씨 때문에 거리엔 사람이 없었다. 골목엔 여전히 눈이 쌓여 있었다. 소복이 쌓인 눈을 밟으며 익숙한 길을 걸었다. 그리고 간판도 없이 허름한 '그곳'이 등장했다. 이제 돌아갈까. 닫힌 문을 보며 그는 마지막으로 갈등했다. 그때였다. 다른 골목에서 눈 밟는 소리가 들렸다. 그가 화들짝 놀라 돌아섰다.

사내 한 명의 모습을 드러냈다. 그 모습을 본 히온의 얼굴이 고통으로 일그러졌다. 때가 잔뜩 낀 낡은 옷에 머리는 새집이었다. 제대로 걷지도 못했다. 덜덜 떨리는 손에 지폐가 쥐어져 있었다. 다른 곳은 다 엉망진창인데 돈을 쥔 주먹만 멀쩡했다. 약을 사러 온 것이다.

사내의 동공은 만취한 사람의 그것처럼 잔뜩 풀려 있었다. 그가 문을 두드렸다. 세 번, 두 번, 한 번 그리고 세 번. 이곳에 두 번 이상 온 사람들은 누구나 알고 있는 암호였다. 초조함 때문인지 사내가 마구 고개를 흔들었다.

잠시 후, 살짝 문이 열렸다. 사내가 다급하게 문틈으로 손을 집어넣었다.

"야, 약 좀. 돈은 여기 있으니, 제발."

"알았어. 잠시만 기다려."

히온은 결국 고개를 돌려 버렸다. 더 보고 있을 수가 없었다. 사내의 모습이 그의 미래였으니까. 그는 어디로 가는지도 모른 채 걸음을 옮겼다. 골목에서 한참 벗어난 후에야 털썩 주저앉았다. 들이마시는 공기가 속이 시릴 정도로 차가웠다. 추위로 갈증을 잊을 수 있으면 좋으련만. 끔찍한 갈증은 여전했다. 그가 허탈하게 웃으며 몸을 웅크렸다. 눈물이 날 것 같았다. 하늘은 지독하게 새파랬다.

'그냥, 포기해 버리자.'

의사는 그의 증상은 인간이 버틸 수 있는 정도가 아니라고 했다. 그만큼 오래 약에 중독되었기 때문이었다. 최소한 일 년은 치료에만 매달려야 가능성이 있다고 했다. 히온은 치료를 거부했다. 그에겐 시간이 없었다. 그를 따르는 사람들이 생겨나긴 했지만, 아직 걸음마 수준이었다. 자신들이 모시는 주군이 약에 중독되어 쩔쩔맨다는 걸 알면 금방 발을 뺄 것이다. 겨우 궤도에 올려놓은 걸 무너트릴 순 없었다.

"하."

한참 후 그가 자리에서 일어났다. 꽁꽁 언 발엔 감각이 없었다. 갈림길이 나왔을 때, 그는 힘없이 웃었다. 자신의 발자국을 되짚어 갔다. 결국, 이렇게 굴복할 거면서. 다시 한번 닫힌 문이 나왔다. 사내의 모습은 보이지 않았다. 아마 어딘가서 약에 취해 널브러져 있을 것이다. 히온이 천천히 손을 들어 올렸다. 이제 두드려야 했다. 세 번, 두 번, 한 번 그리고……

"하지 마요."

그때였다. 작지만 단호한 목소리가 그를 막았다. 히온이 놀라 옆을 돌아보았다. 상대를 확인한 그의 눈이 조금 더 커졌다.

'여자? 머리가…….'

여자는 짧은 커트 머리를 하고 있었다. 아살론에서 머리를 자르는 건 평민 중에서도 가장 천한 사람만 하는 일이었다. 그러나 히온은 함부로 그녀를 무시할 수 없었다. 흔들림 없는 여자의 눈빛 때문이었다. 그녀가 그를 똑바로 바라보며 그의 손을 붙잡았다. 언 피부에 와 닿는 온기에 퍼뜩 정신을 차렸다.

"하지 마요. 하고 싶지 않잖아요."

차분한 목소리였다. 히온은 멍해졌다. 처음 본 여자가 어떻게 그의 마음을 안 걸까? 그때, 집 안의 문이 벌컥 열렸다. 험악한 인상의 사내가 모습을 드러냈다.

"당신, 왜 문을 두드리다 말…… 뭐야?"

문 앞의 두 사람을 확인한 사내의 얼굴이 사나워졌다. 더 정확히는, 히온을 붙잡은 여자를 보고였다. 그가 버럭 소리를 질렀다.

"이 나쁜 년! 너 지금 뭐하는 거야. 또 내 장사 방해하는 거야? 내가 말했지. 한 번만 더 이러면 죽일 거라고!"

"빨리 이리 와요. 원치 않잖아요."

"야! 내 말 안 들려?"

"빨리요. 어서 움직여요."

여자가 그를 잡아끌었다. 사내는 폭발 직전처럼 보였다. 결국, 번쩍 손을 들어 올렸다.

"너, 오늘은 진짜 죽일……!"

"저기, 잠깐만 기다리십시오."

히온은 얼떨결에 사내의 손목을 붙잡았다.

"왜 이러시는지 모르겠지만, 우리 말로……."

"제기랄! 당신은 빠져! 야, 이 미친년아! 약을 파는 게 뭐 어때서! 넌 애새끼들을 팔고 있잖아!"

"개소리 마. 그 아이들은 매춘부가 아니야."

"웃기시네. 돈만 있다 싶으면 치마를 들어 올리는 것들이……."

"닥쳐."

여자가 차갑게 말했다.

"돈에 눈이 멀어서, 마약에서 벗어나려고 발버둥 치는 사람에게까지 약을 파는 쓰레기보단 낫지. 당신보단 걔들이 훨씬 치열하게 산다고."

사내의 욕설에도 여자는 흔들림이 없었다. 비록 그 모습이 사내를 더 열 받게 한 것 같지만.

"너 오늘은 정말 끝이야. 내가 그 개미 소굴에 불을 질러 버릴 테니까. 어디 상도덕도 없이, 남의 장사를 방해……."

"실례하겠습니다."

"……큭!"

사내는 끝까지 말을 잇지 못했다. 히온이 사내의 턱을 후려친 것이다. 제 체구의 세 배는 될법한 거구가 픽 쓰러지는 모습에 여자가 깜짝 놀라 그를 보았다. 히온은 그녀의 시선을 피하며 입을 열었다.

"이대로면 끝나지 않을 것 같아서 말입니다."

"아, 고마워요."

여자가 생긋 웃었다. 어쩐지 그 웃음을 마주하기 힘들었다.

"여기 계속 있으면 다시 약이 사고 싶어질 거예요."

다시 그의 손을 잡아끌었다. 여자의 손이 무척이나 따뜻했다. 여자는 그를 다른 골목으로 이끌었다. 그는 어디로 가는지도 모른 채 작은 여자의 뒤를 따랐다. 가느다란 뒷모습을 보는 그의 눈빛에 혼란이 어렸다.

여자가 향한 곳은 공원이었다. 벤치에 쌓인 눈을 치우더니 자신의 목도리를 풀었다. 언 벤치 위에 깔더니 히온을 그 위에 앉히려 했다.

"자, 앉아요."

히온은 당황했다. 의자에 손수건을 까는 건 신사가 숙녀에게 하는 행동이었다.

"이, 이게 무슨……."

히온이 허둥지둥 잡힌 손을 빼내려 했지만 실패했다. 금단 증상과 추위 때문에 힘이 들어가지 않았다.

"앉으라니까요."

여자가 얼른 그의 어깨를 눌러 앉혔다. 일어나려는 그의 눈을 똑바로 바라보았다. 그가 일어날 사이도 없이 물었다.

"약을 몇 년이나 했어요? 십 년은 넘은 것 같은데."

"맞습니다만……."

"약 끊고 싶은 거 맞죠?"

"그렇긴 한데."

"그럼 내가 아까 당신을 도와준 거네요. 맞죠?"

"네, 음, 그렇지요."

"그럼 나한테 인사해야죠. 감사 인사."

여자가 생긋 웃었다. 마구 밀려드는 물음에 정신없이 대답하던 히온이 눈을 깜빡였다. 여자의 말이 맞았다. 여자 덕분에 약을 사지 않을 수 있었던 거다. 그는 어색하게 입을 열었다.

"도와주셔서…… 감사합니다."

"단약 시도, 얼마나 된 거지요? 일 년? 일 년 반?"

이 여자는 대체 뭘까. 대체 누구길래 이렇게 잘 알고 있을까. 히온이 입술을 달싹였다.

"……일 년입니다."

이상하게도 이 여자 앞에선 말이 술술 나왔다.

"일 년이면, 아주 잘 버텼네요."

"……그건."

히온이 가까스로 입을 다물었다. 여자와 눈을 마주칠 수가 없었다. 방금 그는 욕망에 굴복하고 약을 사려 했다. 여자도 분명 그 모습을 보았다. 그런데 잘 버텼다니. 도저히 그 말에 고개를 끄덕일 순 없었다.

"처음부터 저 쓰레기 약에 손댄 건 아닐 거고. 원랜 다른 약이었죠? 그 약을 끊기 위해 대체재를 찾다가 이렇게 된 거고. 맞아요?"

그 말에 히온이 얼음처럼 굳었다. 아무에게도 말한 적 없는데. 대체 어떻게 알았을까. 가만히 그를 응시하던 여자가 차분히 말했다.

"당신을 비난하려는 게 아니에요. 원래 다들 그래요. 지금이 제일 힘들 때잖아요."

그의 머리를 끌어안으며 속삭였다. 히온은 홀린 듯 그녀의 품에 파묻혔다. 은은한 향기가 제일 먼저 느껴졌다. 부드러운 손길이 그의 머리를 쓰다듬었다. 낯선 온기에 심장이 쿵쿵 뛰었다. 모든 것이 너무 이상했다.

"벗어나려고 하는 것만으로 충분해요. 참 잘했어요."

그녀가 부드럽게 미소 지었다. 얼떨결에 따라 웃으려다 입매를 굳혔다. 여자가 쿡 하고 웃었다.

"당신, 귀엽네요."

그의 얼굴이 벌겋게 달아올랐다. 갈증은 온데간데없어졌다. 그녀가 빨갛게 언 귀를 안쓰럽게 바라보았다. 살며시 귓불을 감싸가 그가 화들짝 놀라 그녀를 보았다.

"저기, 갈색 간판 보여요? 저 건물 바로 뒤에 우리 집이 있어요. 또 힘들어지면 그곳으로 와요. 도와주고 싶어요."

"……나를, 말입니까?"

히온은 쉽게 고개를 끄덕일 수 없었다. 그는 황태자였다. 금단 증상을 이기지 못하고 뒷골목 마약상을 찾아갔다는 것부터가 문제였다. 이 여자와는 두 번 다시 만나지 않는 게 최선이었다.

"한 번만 믿어 봐요. 약속이에요. 꼭 찾아와요."

그녀는 여전히 웃고 있었지만, 묘하게 절박해 보였다. 몇 번이고 그에게 말했다.

하지만 히온은 끝내 아무 약속도 하지 못했다.

*

그날 이후 그는 다시 일상으로 돌아갔다.

그리 무난하게 흘러가진 않았다.

금단 증상은 잊을라치면 순간순간 튀어나와 그를 괴롭혔다. 심지어 귀족들과 만날 때도 그랬다.

환각도 점점 심해졌다. 그럼 숨도 못 쉬고 식은땀만 흘렸다.

가끔 발렌타인이 그의 상태가 이상하다는 걸 눈치채긴 했다. 그는 몸이 좋지 않다며 둘러댔다.

솔직히 말할 수는 없었다. 발렌타인은 그에게 모든 것을 걸었다. 포커로 치면 올인이었다. 그가 건 패가 스트레이트 플래시가 아니라는 걸 고백할 순 없었다.

자연스레 그 여자 생각이 났다.

이름조차 모르는, 그 여자.

짧은 흑발, 새까만 눈동자, 고양이를 닮은 눈매, 오똑한 콧날, 체리 색 입술 그리고 그를 붙잡던 작지만 단단한 온기까지.

ㅡ도와주고 싶어요. 도와줄 수 있어요. 당신에 대해 아무것도 묻지 않을 테니 걱정하지 마요. 힘들면 꼭 우리 집으로 와요. 기다리고 있을게요.

찾아가지도 못할 거면서 자꾸만 그 말이 귀에 울렸다. 증상 때문에 극도로 힘들 땐 더욱 그러했다. 에라 모르겠다 싶어 무작정 길을 나서기도 했다.

뼈가 시릴 정도로 찬바람 몰아치는 밤에 그녀의 집 근처를 서성였다. 혹시나 인기척이 느껴지면 얼른 자리를 피해 버렸다. 정말로 마주칠까 두려웠다.

그날은 야시장이 열렸다. 노점상 지붕엔 알록달록 조명들이 달려 있었다. 추위에도 거리엔 사람들이 넘쳤다.

다들 약속이나 한 듯 활짝 웃고 있었다. 행복이 그만 빗겨 가는 것 같았다. 기분이 바닥을 쳤다. 배가 아팠다. 그는 치졸한 제 모습에 자조하며 자리에 주저앉았다.

누군가 그의 곁으로 다가와 소매를 붙잡았다.

"아저씨. 혹시 여자 필요해요?"

어린 소녀였다.

"저, 싸게 해 드릴 수 있는데."

열다섯, 아니 열셋. 어쩌면 그보다 어릴지도 모른다. 앳된 얼굴에 화장이 진해 나이를 가늠하기 힘들었다. 소녀는 밑단이 해진 붉은 드레스를 입고 있었다.

"싸게 해 준다니. 그게 무슨 말이지?"

붉은 드레스를 보자마자 알아챘지만, 혹시나 싶었다. 여자애가 다 알면서 뭘 묻느냐는 투로 되물었다.

"여자요, 여자. 저 괜찮을 것 같지 않아요?"

마치 유혹이라도 하듯 한쪽 눈을 찡긋거리더니, 앙상한 팔로 머리까지 쓸어넘겼다. 제 딴에는 도발적으로 보일 셈이었을 거다.

"하. 기가 막히네."

기분이 팍 상했다. 안 그래도 증상 때문에 힘들 때라 더 그랬다. 어린애나 탐하는 쓰레기로 보이다니. 소녀에게 짜증이 치밀어 올랐다. 그녀가 어떤 사정으로 이 자리에 섰는진 관심이 없었다.

'경비대로 끌고 가 버릴까.'

그의 눈빛이 차가워졌다. 제국 법상 매춘은 불법이니, 분명 처벌을 받을 거다. 태형 정도는 각오해야겠지. 한 달은 앓아누워야 할 거다. 최소한 그동안은 이런 불쾌한 짓은 안 하겠지. 매춘부 따위가. 그때, 그 목소리가 들렸다.

─말조심해. 그 아이들은 매춘부가 아니니까.

그 말이 놀랍도록 선명했다. 소녀의 얼굴 위로 그 여자의 얼굴이 겹쳤다. 그는 깜짝 놀라 눈을 깜빡였다. 그 여자의 얼굴은 신기루처럼 사라졌지만, 목소리는 계속 들렸다.

─당신보단 걔들이 훨씬 치열하게 산다고.

그는 새삼스러운 눈으로 소녀의 마른 팔을 보았다. 그의 눈빛이 가라앉았다.

'이 아이가 이렇게 된 데에도 사정이 있겠지.'

조금 정신이 들었는지 이성적인 판단이 가능했다. 길에서 몸을 파는 많은 아이가 그러하듯, 부모의 버림을 받았을 것이다. 어쩌면 부모가 아이에게 직접 이런 짓을 종용했을 수도 있다.

"잠시 기다려라. 줄 것이 있으니."

그가 손에 끼고 있던 반지를 빼내었다. 장식 하나 없는 단순한 디자인의 은반지였다. 그에겐 그리 비싼 물건은 아니었다. 그러나 소녀에겐 아닐 것이다.

"이거 가져가라. 잘 팔면 적어도 석 달은 먹고 살 수 있을 거야. 그동안은 이런 짓 하지 마라."

그저 싸구려 동정일 뿐 반지 하나에 소녀의 인생이 변하는 건 아니다. 석 달 후엔 분명 다시 거리로 나올 거다. 어쩌면 그 전에 돈을 탕진할지도 모른다. 평소라면 절대 하지 않을 짓이었다. 그걸 다 알면서 히온은 반지를 주었다.

"자, 어서."

"정말 가져도 돼요?"

그리 물으면서 정작 반지를 빼앗지는 않을지 두려워하는 기색이 역력했다. 그가 작게 고개를 끄덕이자 소녀는 급히 자리를 떠나버렸다. 소녀가 떠난 뒤에도 그는 그 자리에 있었다. 아무렇게나 앉아 야시장 구경을 했다. 사실 구경이랄 것도 없었다. 똑같은 풍경 아래로 비슷한 얼굴을 한 사람들이 지나갔다. 엉덩이는 점점 차갑고 바람은 매서워졌다. 그는 벌렁 드러누워 버렸다. 자꾸만 가슴이 허했다.

"하. 역시 당신이었네요."

익숙한 목소리에 그가 벌떡 몸을 일으켰다. 순간 숨이 멎는듯했다. 그 여자였다.

"어떻게 여기에……."

"당신이 날 불렀잖아요."

그녀가 내미는 반지에 그의 얼굴이 달아올랐다.

"아무리 그래도 그렇지, 이런 걸 애한테 주면 어떻게 해요."

그의 속내를 그대로 읽은 여자의 말에 그가 움찔했다.

맞다. 반지를 준 건 소녀를 위한 것이 아니었다. 그녀가 붉은 치마를 입은 소녀들을 돕는다 했으니 혹시라도, 닿지는 않을까. 우연에 우연이 겹쳐 닿고 나면, 당신이 날 찾아오지는 않을까. 그쯤 되면 나도 당신에게 다가가도 되지 않을까……. 하지만 정말 될 거라 여기지도 않았다.

"그 애가 당신 외모를 말해 줬어요. 그걸 듣고 얼마나 놀랐는지 알아요?"

"……"

"내 말 듣고 있어요?"

"정말 왔네요."

그가 그녀의 손을 붙잡았다. 기억처럼, 그녀의 손은 여전히 따뜻했다. 손등에 이마를 대었다. 마음이 벅차올랐다. 자꾸만 눈꼬리가 시렸다. 그 모습에 그녀가 피식 웃어 버렸다.

"잘못한 사람이 이러는 게 어딨어요. 뭐라고 하지도 못하게."

"……미안해요."

"몸이 왜 이렇게 차가워요? 얼음장 같아. 대체 밖에 얼마나 오래 있었던 거예요?"

"잘, 몰라요. 지금 몇 시인데요?"

역시, 그때와 같다. 이 여자 앞에선 말이 술술 잘 흘러나왔다.

"자정이 넘었어요."

"그럼……. 여섯 시간쯤?"

"뭐라고요?

그녀가 화들짝 놀라 그를 일으켰다.

"미쳤어요?"

"아니, 그런 건 아닌데."

실실 웃음이 나왔다. 그녀가 앞에 있다는 게 꿈만 같았다. 그는 늘 기적을 바랐지만, 희망은 없었다. 그런데 기적이 일어났다.

"어서 우리 집으로 가요."

그녀가 그의 손을 꼭 잡았다. 야시장의 불빛이 별처럼 반짝여 보였다. 마음속엔 훈풍이 불었다. 설레는 마음으로 그녀의 집에 도착했다. 그도 자신이 왜 이렇게까지 들떴는지 알 수 없었다. 마치 마법에 걸린 것 같았다.

"밥은 먹었어요?"

갈증 때문에 배는 전혀 고프지 않았다. 오히려 뭘 먹었다간 속이 거북할 것 같았다. 그래도 그는 고개를 젓지 않았다. 그녀가 내어주는 것은 무엇이든 받고 싶었다.

"……아니요."

"다 큰 남자가 이 시간까지 밥도 안 챙겨 먹고 뭐 하는 거예요."

아무리 그를 타박해도 밉지 않았다. 늘 생긋 웃고 있어 그런가 보다.

"조금 기다려요. 끓이기만 하면 돼요."

낡은 조명 아래로 스튜가 보글보글 끓었다. 잘 익은 토마토 냄새가 퍼져 나갔다. 그는 물끄러미 자신을 위한 요리를 준비하는 여자의 뒷모습을 바라보았다. 가슴 속이 자꾸만 간질간질했다.

"먹을 수 있는 만큼만 먹어요. 억지로 참으면 안 돼요."

숟가락을 들어 올리려던 그가 멈칫했다. 그녀는 여전히 상냥히 웃고 있었다. 붉은 수프를 한 숟가락 떠보았다. 제발, 잘 먹을 수 있기를. 간절히 바라며 입에 넣었다.

'……윽.'

음식이 들어가자마자 속이 뒤집혔다. 가까스로 삼켰다. 그는 얼른 시선을 내리깔고 다음 숟가락을 떴다. 실망하게 하고 싶지 않았다. 참는 건 그가 제일 잘하는 일 중 하나였다. 할 수 있었다.

"그만."

그때, 그녀가 나직한 한숨과 함께 그의 손을 잡았다.

"억지로 참지 말랬잖아요."

"억지로 참는 것 아닙니다."

"내 생각이 짧았어요. 이 정도는 괜찮을 줄 알았는데."

"아니요. 정말 괜찮습니다."

"아니, 괜찮지 않아요."

그녀가 스튜 그릇을 들고 일어났다. 개수대에 그대로 쏟아버렸다. 엉거주춤 따라 일어나던 히온이 놀라 그녀를 보았다. 그녀는 부드럽게 웃으며 그 앞에 마주 앉았다.

"미안해요."

어떤 답을 해야 할지 모르겠다. 그는 마른침만 삼켰다.

"나는 당신이, 감정 표현을 잘하는 사람이라 생각했어요. 싫으면 싫다고 쉽게 말하는 사람요. 처음 볼 땐, 그런 모습이어서."

"처음, 이요?"

히온은 혼란스러워졌다. 그녀와 처음 만난 날 그는 약 때문에 쩔쩔매고 있었다. 그녀는 그의 의문을 눈치챈 듯 입을 열었다.

"숨길 생각은 아니었어요. 말할 기회가 없었을 뿐. 사실, 난 그 전에 당신을 본 적 있어요."

"언제 말입니까?"

"안테르요."

"안테르?"

익숙하고도 희미한 이름에 그가 멍해졌다.

"안테르 신전 말입니까?"

아이들을 구하기 위해 불을 질렀던 신전 이름이었다. 불과 몇 년 전 일인데 아주 예전 같았다. 당시 그는 인생의 늪에 빠져 있었다. 올라갈 일 따윈 없다 여겼다. 하루하루가 지옥이어서 불을 질렀다. 활활 타오르는 신전을 보며 미친 사람처럼 웃어댔다.

─이상한 사람 아닙니다. 살짝 미쳐 있긴 하지만.

히온의 눈이 커졌다. 완전히 잊고 있던 얼굴이 떠올라 그녀 위로 겹쳐졌다. 그때보다 훨씬 성숙하고 머리도 짧지만, 그녀가 맞았다.

"설마, 그때 그……."

"정답이에요. 덕분에 연기 조심할 수 있었어요. 고마워요."

여자가 씩 웃었다. 한쪽 볼에 패는 보조개가 예뻤다. 그는 허둥대며 말했다.

"저, 지금도 그때처럼 막사는 건 아닙니다."

대체 그날 무슨 짓을 했지. 기억나는 장면마다 부끄러움에 열이 올랐다. 쥐구멍이 있다면 들어가 숨고 싶었다. 어처구니없는 잘못을 저지르고 엄마한테 혼나는 여섯 살이 된 것 같았다. 결국, 그는 또 기어들어가는 목소리로 사과했다.

"……잘못했습니다."

이번에도 그녀는 웃음을 참지 못했다.

*

"고향은 다른 곳이에요. 동생을 찾기 위해 볼테르네 잠시 갔었죠. 몇 년 전 헤어졌거든요. 그때 당신을 봤고. 수도에 온 것도 동생 때문이었어요. 막상 와 보니 동생은 이미 이 세상 사람이 아니었지만. 동생처럼 어린 애들을 내가 도와야 한다고 생각했죠."

그녀의 부엌엔 그릇이 많았다. 구걸이나 매춘을 하는 아이들이 종종 찾아온다고 했다.

"아이들에게 허기를 달랠 것을 주고, 일자리를 찾는 걸 도와줘요. 뭐, 대부분 그만두고 원래 하던 일로 돌아가 버리긴 하지만."

여자가 어깨를 으쓱했다.

"그래도 밉진 않아요. 나름으로 열심히 사는 애들이에요. 내 맛없는 음식도 맛있게 먹어 주니 고맙죠. 보다 보면 동생 생각도 나고. 걔들이 다른 일을 찾아도 상관없어요. 아무래도 익숙해져서 그렇겠죠. 편하고 돈도 되니까. 당장 그 아이들이 변할 거라고도 생각하지 않아요. 나는 신도 아니고. 다만 내 자리에서 내가 할 수 있는 일을 하는 거죠."

실패를 말하면서도 그녀는 웃었다. 여유로운 웃음에서 눈을 뗄수 없었다.

"당신이 신전에 불을 지르고, 몇 년 뒤에 그곳에서 본 아이를 만났어요. 별로 잘살고 있진 않았어요. 예전 길거리 생활로 돌아간 거죠. 그래도 그 아이는 만족하더군요. 그 불이 아니었다면 평생 귀족의 노리개로 살았을 거라고. 배는 좀 곯아도 지금의 자유로운 삶이 좋다고 했어요. 당신 덕분에 인생이 바뀐 거죠. 그 뒤로 당신 생각을 꽤 했어요. 좋은 사람이니, 다시 만나고 싶었죠."

"그렇게 좋은……."

좋은 의도로 한 건 아닙니다만. 그는 얼른 하려던 말을 삼켰다. 그나마 있는 호감을 무너트리고 싶진 않았다.

"아이가 잘살고 있다니 다행입니다."

"그러게요. 그 아이는 잘살고 있는데."

여자가 그를 보았다.

"당신은 너무 힘들게 살고 있네요."

그녀의 눈빛에 안쓰러움이 어렸다. 그는 시선을 피했다. 눈을 마주할 때마다, 명치가 저린 느낌이었다.

"사실은 내 동생도 마약을 했어요. 아주 오래 힘들어했죠. 벗어나려 애썼지만, 실패했어요. 나는 돕지 못했고. 결국, 동생을 잃었죠. 그래서 그를 돕고 싶었어요."

그녀의 목소리가 낮아졌다.

"지금도 여전히 갈증이 심해요?"

"……조금은 남아 있습니다."

사실 조금이 아니었다. 아주 심했다. 그는 바싹 마른 입술로 억지로 미소를 만들었다. 그녀는 그를 도와준다 했지만, 큰 기대는 안 했다. 의사에게도 어려운 일이니까. 그저 한 번 더 만나고 싶었을 뿐이다.

그때, 그녀가 몸을 일으켰다.

"그럼······."

그 뒤로 일어난 일들은 아주 오랫동안 히온의 기억 속에 남아 있었다. 드르륵 의자 끌리는 소리, 가까워지는 향기, 드리워지는 그림자, 볼을 감싸는 온기. 그리고 입맞춤.

"어때요?"

보드라운 바람이 그의 입술을 간지럽혔다. 히온은 손 하나 까딱하지 못하고 숨을 죽였다. 한 뼘도 되지 않는 거리에 새까만 눈동자가 반짝였다. 그의 것과는 달리 생기가 넘쳤다. 그리고 사랑스러웠다.

"괜찮으면 한 번 더 할까요?"

그녀는 그의 대답을 듣지 않고 고개를 숙였다. 심장에서 천둥소리가 났다. 쪽, 입술 떨어지는 소리가 났다. 머리가 어지러울 정도로 피가 빠르게 돌았다.

"갑자기 미안해요. 많이 놀랐죠?"

그녀가 웃으며 그의 머리를 쓰다듬었다.

"이렇게 하면 갈증을 좀 잊을 수 있을까 싶어서."

그 미소에 또 홀려 버렸다. 사람의 미소가 저렇게 아름다울 수 있구나.

"좀 괜찮아요?"

괜찮다마다. 오늘 온종일 그를 괴롭히던 갈증이 이 순간만큼은 완전히 지워졌다. 그러나 그는 쉽게 고개를 끄덕일 수 없었다. 대신 더 지독한 갈증이 가슴을 채웠기 때문이었다.

"아직 부족한가."

그의 침묵을 달리 해석한 그녀가 고개를 갸웃했다. 다시 한번 입술을 대었다. 이번엔 그도 정신을 차리고 호응할 수 있었다. 제법 깊은 입맞춤이었다. 첫 키스도 아닌데, 당황한 탓인지 끔찍하게 서툴렀다. 무릎에 얹은 손이 자꾸 움찔거렸다. 상대에게 뻗고 싶었다.

테이블만 아니었다면, 완전히 끌어안았을 텐데. 더 깊이 닿았을 텐데……. 그리고 그다음엔…….

"어때요?"

초승달처럼 눈을 접으며 웃었다. 애교에 심장이 녹아 버릴 것 같았다.

"사실 잘 모르겠습니다."

그는 반쯤 넋이 나가 말했다.

"당신 입술이 너무 달아서……."

지금 대체 무슨 말을 한 거야, 내가 미쳤구나 싶었었다.

"쿡, 당신 정말 귀엽네요."

그런데 그녀가 웃었다. 걱정은 눈 녹듯이 사라졌다. 그녀에게서 빠져나올 수 없을 거란 예감이 들었다. 그는 벗어나려 하지 않았다. 아주 기꺼이, 새롭고도 황홀한 늪에 빠졌다.

*

그 뒤로도 금단 증상은 나타났지만 별문제가 되지 않았다. 그녀의 예상이 맞아떨어진 것이다. 갈증이 날 때마다 그녀 생각이 났다. 지독하게 달콤하던 그 밤을 떠올리면, 갈증이고 뭐고 상관없어졌다.

문제는 자꾸만 넋을 놓는다는 것이다.

"전하. 제 말 듣고 계시는 겁니까?"

히온은 얼른 눈앞의 서류를 쳐다보았다. 회의 중 멍을 때리다니. 소년 시절에도 안 하던 짓이었다. 대체 무슨 이야기 중인지 찾아내려 했지만 불가능했다. 흰 것은 종이이고 검은 것은 글씨였다.

―언제든 찾아와요. 여기 있을게요.

처음과 달리 어느 순간부터 증상은 핑계가 되었다. 그녀를 만나기 위해서였다. 그녀와 함께라면 무엇을 해도 좋았다. 그저 손만 잡고 있는 것도 좋았다.

―애니가 일을 그만두겠대요. 전에 당신이 만났던 그 애. 세탁소 일을 돕기로 했나 봐요. 그동안 모아 둔 돈도 제법 되고. 나한테 선물을 사 왔어요. 나중에 당신과 함께 만났으면 좋겠네요.

대화는 주로 그녀가 주도했다. 그는 할 수 있는 이야기가 별로 없었다. 자신이 누구인지 말할 수 없기 때문이었다. 그녀는 굳이 캐묻지 않았다. 그게 미안하면서 한편으론 고마웠다. 자유롭기도 했다. 그녀와 함께라면 평범한 사내가 된 것 같았다.

―벌써 봄인가 봐요.

정원에 움튼 노란 꽃망울을 보고 그녀가 속삭였다. 잎보다 꽃이 먼저 나는 그 꽃은 발렌타인 영지에 많이 피는 것이기도 했다. 그걸 깨달았을 땐 조금 유치한 생각도 했다. 그와 가장 가까운 사람의 영지에서 자라는 꽃이 사랑하는 여자의 정원에 있다니. 이게 바로 운명인 걸까.

―눈이 녹아서 좋아요.

닫힌 창으로 보드라운 햇빛이 쏟아져 들어왔다. 아이들이 자주 오는 집이라 아무리 청소를 해도 먼지가 많았다. 햇빛 속으로 보얗게 올라오는 먼지가 몽환적이었다. 그가 그녀의 어깨에 얼굴을 묻었다. 마주 잡은 손에 힘이 들어갔다.

―왜 그래요?

—꿈인 거 같아서…….

—꿈?

—눈 뜨면 깰 것 같아요.

머리 위에서 낮은 웃음소리가 들렸다. 좋은 꿈인가요, 웃음기 어린 목소리로 물었다. 영원히 깨고 싶지 않은 꿈이기에, 그는 고개를 끄덕였다. 사실 그녀와 함께 보내는 시간이 늘 평안하기만 한 건 아니었다. 약을 끊는 기간이 길어질수록 금단 증상이 심해졌다. 이성을 잃고 폭력적인 행동을 하기도 했다.

—설마 내가 이곳을 이렇게 만든 건가요?

—진정해요. 다치진 않았어요.

—다신 이곳에 오지 않을 겁니다. 어떻게 이런 끔찍한…….

처음 그 일이 있었을 땐, 정신이 든 후 벌벌 떨었다. 도저히 말로 표현할 수 없을 정도로 끔찍했다. 운이 나빴다면 그녀를 다치게 했을지도 모른다. 흉기가 될뻔한 자기 자신을 용서할 수 없었다.

—정말 괜찮았어요. 당신이 금방 잠들었으니까. 원래 이런 거라는 거, 다 알고 있었어요. 다음엔 더 좋아질 거예요. 그러니까 너무 자책 말아요.

그녀는 그런 그의 모습까지 받아 주었다. 그러니 그녀의 곁에 있을 수밖에 없었다. 매달린다는 표현이 더 어울렸다. 밑바닥을 모두 보여 줄 수 있다는 게 이렇게 자유로운 일인지 몰랐다. 빌어먹을 황태자로 살 필요도 없었다. 시간이 지날수록 그녀가 유일한 숨구멍이 되었다. 이게 사랑이 아니라면 대체 무엇이 사랑일까. 그는 이보다 더 깊은 감정을 상상할 수 없었다. 그는 친우의 선택을 이해했다. 이 여자와 함께할 수 있다면 무엇이든 할 거다.

하지만 불가능했다. 그는 황태자이고 그녀는 평민이니까. 역사상 평민 황후가 한 번도 없었던 건 아니다. 노력하면 가능할지도 모른다. 그런데 문제는 그녀가 아니라 그였다. 그는 도저히 자신이 황태자라는 걸 밝힐 수가 없었다. 황제가 될 사람이 신전에 불을 지르고 약을 이기지 못해 손을 덜덜 떨었다. 그녀가 이 사실을 알면 어떻게 변할지 두려웠다. 그녀와 닿을 수 없는 이유는 또 있었다. 그에겐 여전히 적이 많았다. 만일 그녀를 탐냈다간 적들의 화살이 그녀에게 향할 것이다…… 아직 그에겐 그녀를 완벽히 지킬 힘이 없었다.

"파헤트 황실에서 혼담이 들어왔습니다."

그렇게 이룰 수 없는 인연에 애타 하는 와중에 일이 생겼다. 파헤트 황실에서 혼인 제의를 한 것이다. 협상 테이블엔 황제가 앉았다. 아들 일이라는 그럴듯 한 명목을 내세워서였다. 명목은 핑계고 실은 아들을 팔아 뭐라도 얻어내려는 꿍꿍이였다

"폐하께서 아주 적극적이십니다. 그쪽에서 조건을 꽤 후하게 제시한 듯싶습니다. 우리에겐 고마운 일이지요. 이 혼담은 전하께 매우 유리하니까요."

혼담이 오가는 상대에게는 황녀에 가까운 힘이 있었다. 파헤트 황실의 유일한 여인이기 때문이었다. 황제가 단기간의 이익에 눈에 멀어 적극적인 것일 뿐, 길게 보면 히온에게 백번 이득이었다. 하지만 히온은 쉽게 고개를 끄덕일 수 없었다. 혼담이란 말을 들은 순간부터 그 여자가 떠올랐다.

'보고 싶어.'

히온이 마른침을 삼키며 발렌타인을 보았다. 그에게 솔직히 털어놓을까. 털어놓고 도와 달라 해 볼까. 발렌타인이라면 분명히 도와줄 것이다. 그도 비슷한 괴로움을 겪었으니까.

'……안 돼.'

그의 혼인은 한낱 감정으로 결정할 수 있는 게 아니었다. 오직 그

만을 바라보고, 그를 위해 희생할 준비가 되어 있는 사람이 줄 서 있었다. 멀리 갈 것도 없다. 발렌타인이 보여 준 희생은 어찌할 것인가.

'게다가 그녀가 나를 원한다는 보장이 없어.'

제일 큰 이유였다. 그에겐 그녀가 절실히 필요하지만, 그녀는 아니었다. 그가 없어도 충분히 살 수 있을 것이다. 그녀가 그를 사랑하는지도 알 수 없었다. 그는 종종 자신과 그녀가 돕는 아이들 사이에 무슨 차이가 있나 생각하곤 했다. 그녀의 보살핌을 받는다는 점은 같지만, 돈을 벌지 못한다는 점에선 오히려 못한 것 같기도 했다.

이 상황에서 그가 누구인지 말하고 마음을 고백하는 건 강요 그 이상도 그 이하도 아닐 것이다. 그럼 이 찬란한 관계는 완전히 깨지고 말겠지. 수도 없이 되짚어 본 일이지만, 답은 정해져 있었다. 받아들이는 건 고통스러웠지만. 그가 힘겹게 고개를 끄덕였다. 긍정적으로 검토해 보겠단 말과 함께.

*

"혹, 마음에 드신 이가 따로 있으십니까?"

봄맞이 황궁 연회 중이었다. 커다란 샹들리에 아래로 화려한 옷을 입은 귀족들이 삼삼오오 모여 있었다. 잠시 음악이 멈추고, 지휘자가 새 악보를 펼쳤다. 부드러운 왈츠가 시작되었다. 댄스 타임의 시작을 알리는 예비 음악이었다. 사람들은 담소를 나누며 벽 쪽으로 이동했다.

"마음에 둔 사람……."

히온은 아직 혼담에 대한 답을 하지 않았다. 마냥 미룰 수는 없었다. 파헤트가 상대였기 때문이었다. 그런데도 하도 답을 미루니 결국 발렌타인이 눈치채고 만 것이다.

"정말 연모하시는 이가 있으셨던 겁니까?"

히온의 침묵을 긍정으로 해석한 발렌타인이 놀라 물었다. 히온은 쓰게 웃으며 고개를 저었다.

"아니, 그건 아니야. 마음의 준비가 필요해서 그래."

다른 여자와 결혼할 마음의 준비라. 그런 것이 가능할 날이 오긴 올까 싶지만.

"이게 다 자네 때문이야. 마르디네를 만난 후 사람이 달라졌잖아. 하도 자랑을 해서 나도 헛바람이 든 거야. 정략결혼이라니. 손해 보는 기분이라고."

그는 일부러 장난스럽게 말했다.

"아…… 역시, 그랬군요."

어설픈 변명이 통하긴 통했다. 발렌타인이 이해한 듯 고개를 끄덕였다.

"사실 저도 그 부분이 마음에 걸리긴 했습니다. 그래서 말입니다."

부쩍 조심스러워진 기색에 히온이 힐끔 발렌타인을 보았다. 발렌타인이 손에 낀 반지를 매만졌다. 약혼한 후 생긴 버릇이었다. 어려운 일이 있을 땐 마치 부적처럼 그 반지를 만지며 생각을 가다듬었다. 히온은 반지를 못 본 척 고개를 돌렸다.

"혼담을 너무 빠르게 진행한 것 같습니다. 전하께서 준비되실 때까지 최대한 미루어 보도록 하겠습니다. 물론 상대가 파헤트이니 아무리 저라도 쉽지는 않겠지만. 만일 마음에 드신 분이 있다면 ……. 꼭 말씀해 주십시오. 전하의 뜻이라면, 반드시 돕겠습니다."

의외의 말에 히온의 눈이 커졌다. 발렌타인이 이런 말을 하다니. 예전 같았다면 무조건 파헤트와의 혼담을 밀어붙였을 것이다. 그도 참 많이 변했지 싶었다. 아마 마르디네 때문일 거다. 입 안이 썼다.

히온은 진심으로 발렌타인이 마르디네와 잘 되길 바랐다. 조금

부럽기도 했다. 그런데 시간이 지날수록 그 마음이 달라졌다. 부러움을 넘어서 고통스럽기까지 했다. 사랑하는 여자와 닿지 못하는 날이 길어져 더 그랬다.

"전하께서 보위에 오르시기 위해선 앞으로 황후가 되실 분이 중요한 건 사실입니다. 그 점만 본다면 파헤트는 완벽한 선택이 되겠지만, 그게 전부는 아니니까요."

히온은 쓴웃음을 삼켰다. 발렌타인은 분명 그를 도울 것이다. 단, 그 여자가 귀족 이상일 경우에만. 연고도 과거도 불분명한 평민 여자는 해당하지 않을 것이다.

"그래. 고마워."

다 알지만, 히온은 아무렇지 않게 웃었다. 그는 잔 속의 포도주를 내려다보았다. 그녀가 내민 와인을 마신 날이 생각났다. 시장에서 파는 싸구려 와인이 평생 마신 그 어떤 술보다 달았다. 그는 평소보다 훨씬 빨리 취했다. 어쩌면 그녀의 분위기에 취했는지도 모르겠다.

—벌써 잠들었어요? 오늘도 귀엽네요. 고양이 같아.

술이란 참 우스웠다. 그리 취했는데 그때 느낀 감각만은 생생했다. 웅크린 그의 머리를 쓰다듬던 그녀가 몸을 숙였다. 관자놀이에 와 닿은 숨결에 소름이 돋았다. 저도 모르게 숨을 멈추었다. 그가 깨어 있다는 걸 눈치챈 그녀가 낮게 웃었다. 꿀꺽 마른침을 삼켰다. 만일 지금 그가 손을 뻗으면 어찌 반응할까. 애들 장난 같은 입맞춤이 아니라, 더 짙은 것, 깊은 마음을 바란다면 어떻게 되는 걸까.

"마르디네!"

발렌타인의 목소리가 그를 현실로 이끌었다. 멀리서 마르디네가 두 사람을 향해 손을 흔들었다. 발렌타인의 얼굴에 환한 웃음이 퍼져 나갔다. 가슴이 죄어들었다. 히온이 한 걸음 뒤로 물러나며 입매를 올렸다.

"어서 가 봐. 마르디네가 기다리잖아."

"전하를 뵈러 오는 걸 겁니다."

"댄스 타임 시작이야. 첫 춤은 함께 해야지."

히온은 발렌타인의 등을 떠밀었다. 잠시의 실랑이 후 발렌타인이 자리를 떠났다. 연인을 만나는 것에 잔뜩 들뜬 얼굴이었다.

"그럼 잠시 다녀오겠습니다."

"그래."

만일 예전의 발렌타인이었다면 히온의 미소가 자연스럽지 않다는 걸 눈치챘을 것이다. 하지만 그가 누리는 완벽한 행복이 잠시 그의 눈을 가렸다. 멀어지는 뒷모습을 보며 히온이 단번에 술을 털어넣었다. 망설임 없이 다음 잔을 쥐었다. 댄스 타임의 시작을 알리는 종이 울렸다. 연인들이 손을 잡고 움직였다. 히온은 또 한 번 잔을 비웠다.

"무슨 일로 술을 이렇게 마셔……. 앗! 제대로 서지도 못하잖아요! 여기까진 어떻게 왔어요?"

"그냥, 오고 싶었어……."

키득 웃으며 그녀의 어깨를 끌어안았다. 자꾸만 휘청거리는 몸에 그녀가 기겁했다. 억지로 몸을 일으켜 벽을 짚었다. 작은 집이 자꾸만 빙빙 돌았다. 몇 걸음 걷다 주저앉았다. 그 와중에도 붙잡은 손은 놓지 않았다. 결국, 이곳으로 왔다. 취한 채 오고 싶진 않았는데. 오늘은 정말 어쩔 수 없었다. 가슴이 터질 것만 같았다. 하고 싶은 말을 품고 사는 게 이렇게 힘든 일인 줄 몰랐다.

"있잖아요. 내가 사실은……."

그녀의 손에 얼굴을 묻고 속삭였다. 코끝에 느껴지는 익숙한 체취에 콱 목이 멨다. 잘 참아왔는데. 얼굴을 보니 울고 싶어졌다. 그가 이를 악물었다. 그녀가 그의 앞에 마주 앉았다. 걱정스럽게 그를 바라보았다.

"무슨 일 있군요. 맞지요?"

아주 많은 일이 있었다.

그러나 그중 단 하나만이 중요했다. 내가, 당신을 사랑한다는 사실. 그가 간절히 그녀를 바라보았다. 나를 어떻게 생각하는지, 미치도록 묻고 싶었다. 동시에 절대 말하고 싶지 않았다. 입을 떼자마자 그녀에 대한 마음을 들키게 될 것이다. 상냥한 이 여잔 금세 난처해하겠지. 어쩌면 그를 안쓰러워할지도 모른다. 동정하게 될지도. 그가 불쌍해 마음에도 없는 입맞춤을 했으니, 사랑도 없이 더한 것을 내어 줄지도 모른다. 그건 정말 끔찍했다.

만일 그를 사랑한다면, 그건 더 큰 문제였다. 그녀가 그를 사랑한다 해도 그는 해 줄 수 있는 게 없었다. 오히려 독이었다. 함께할수록 위험해질 테니까.

"왜, 나한테 다가온 겁니까?"

끝까지 함께할 수도 없으면서. 괜히 원망스러운 마음이 들었다. 어린애나 할 법한 투정을 쏟아 놓고야 말았다.

"왜, 나한테 다가왔습니까? 정말 동생 때문인 겁니까?"

정말 그게 다일까? 그녀에게 그는 보살펴야 할 존재 그 이상도 이하도 아닌 걸까? 연인이 될 가능성은 없는 걸까?

"……그게 왜 궁금해요?"

그저 의미 없는 투정일 뿐이었다. 그녀의 눈빛이 흔들리지만 않았다면 그는 또 다음 투정을 쏟아 냈을 것이다. 그런데 평소답지 않게 당황한 모습에 차츰 정신이 들었다. 그녀가 딱딱하게 굳은 얼굴로 그를 보았다. 묘한 예감이 그를 휘감았다.

"동생 때문에 나를 도운 것이 맞습니까?"

그녀의 손목을 붙잡은 손에 힘이 들어갔다. 초조감이 밀려왔다.

동생 때문이 아니면 무엇일까. 그는 특별한 답을 기대했다. 처음부터 그를 사랑했다는 고백 같은 것을. 언제부터였을까. 혹 볼테르에서 내가 기억하지 못하는 무언가가 있었던 건 아닐까.

그의 심장이 빠르게 뛰었다. 완전히 사라졌던 희망이 빛을 되찾은 듯했다. 술 때문에 판단력이 엉망진창이었다. 가까스로 맛본 희망이 지독하게 달콤한 탓도 있었다. 그래, 무조건 안 되는 건 세상에 없다. 노력하면 얼마든지 불가능을 가능케 할 수 있었다. 오늘 연회에서 발렌타인이 그를 도와줄 거라 하지 않았나. 어쩌면 이 여자를 완벽하게 지킬 방법을 찾아낼 수 있을지 모른다…….

"……미안해요. 사실은 동생 때문이 아니었어요. 내겐 동생이 없어요."

그녀의 답은 그의 기대와 전혀 달랐다.

"사실은, 사랑하는 사람이 있어요. 첫사랑이에요. 정말 오래 사랑했어. 그런데……."

그녀의 눈에 눈물이 고였다.

"그런데 죽어 버렸어요. 나만 두고 떠나 버렸어. 그런데 당신이 그 사람을 닮아서. 그래서 당신을 도왔어요. 도저히 지나칠 수 없었어요. 속여서 정말 미안해요."

마치 망치로 뒤통수를 얻어맞은 것 같았다. 미안해요, 미안해요. 사과가 거듭될수록 정신이 번쩍 들었다. 속이 싸하게 식었다. 그녀는 그저 그를 속여 이러는 게 아니었다. 그녀를 향한 그의 마음을 전부 알고 있었던 것이다. 그러면서 그를 이용했던 거다. 그를 보면 죽은 연인을 떠올릴 수 있으니까. 히온의 안색이 하얗게 질려갔다.

"정말 미안해요."

그녀의 눈에서 후두둑 눈물이 쏟아졌다. 그 눈물이 송곳이 되어 히온의 가슴을 후벼 팠다.

＊

"나는 사실 귀족이었어요. 아버지는 자작이셨죠. 가문의 역사가 나름 깊었어요. 풍족하진 않아도 부족한 건 없었어요. 행복했어요. 사랑하는 사람도 있었고. 그런데 세상에 영원한 건 없더군요"

약혼자와의 결혼을 앞둔 어느 날, 정정하던 그녀의 아버지가 사고를 당해 겨우 목숨만 건졌다. 활을 잘 다루어 사냥에서 꿩을 스무 마리씩 꿰어 오던 아버지가 눈만 겨우 끔벅였다. 근방에 내로라하는 의사들은 전부 불러 모았지만, 소용없었다. 그래도 그녀는 포기하지 않았다. 약혼을 미룬 채 가문의 재산을 모두 쏟아부었다. 하지만 기적은 일어나지 않았다.

"어머니는 아버지를 포기하자고 하셨죠. 그럴 순 없었어요. 여전히 방법은 보이지 않았어요. 그때, 백작 한 명이 내게 청혼했어요. 나를 돕고 싶다고 하더군요."

그녀는 그 백작의 이름을 말하진 않았다. 다행이었다. 만일 그 이름을 들었다면, 백작을 죽여 버렸을지도 모르니까. 그게 누구든 그녀와 엮인 사내는 모두 없애 버리고 싶었다.

"조건은 좋았어요. 아버지의 치료비 걱정은 하지 않아도 되니까. 그런데 받아들일 수가 없었어요. 내겐 사랑하는 사람이 있으니까. 약혼자가 있다고 하니 한동안 잠잠했죠. 그런데……. 그 사람이 갑자기 죽어 버렸어요. 그 뒤로 다시 청혼서가 날아왔죠. 처음엔 거부했지만, 내가 바라는 대로 되진 않더라고요. 그 뒤로 별로 겪고 싶지 않은 일들을……. 아주 많이 겪었죠. 정부 취급을 당하며 파혼당하기도 했고. 그 시기를 건디던 중에 부모님이 돌아가셨어요. 나는 가문을 버리기로 했어요. 힘없는 여자가 가문을 움켜쥐어 봤자 좋을 게 없으니까. 그러면 백작과의 악연도 끝날 거라 생각했어요. 착각이었죠."

그녀가 평민이 된 후에도 백작의 집착은 끝나지 않았다. 자꾸만 그녀를 쫓는 이들이 나타났다. 처음엔 도망치다 이대론 끝이 나지 않겠다 싶었다. 어떻게든 결판을 보기 위해 수도로 왔다. 그녀의 짧은 머리가 눈에 들어왔다. 아살론 귀족들은 금기시하고 천하게까지 여기는 그 머리. 그녀가 왜 머리를 잘랐을지 깨달았다. 사람들 눈을 피하기 위해서였다. 어떤 심정으로 머리를 잘랐을까 생각하자 가슴이 조여들었다.

"내 약혼자, 약 때문에 죽었어요. 마약이었죠. 마약에 손을 댄 건 백작 때문이었어요. 나를 얻으려 그 사람에게 접근한 거죠. 그때 난 아버지 때문에 정신이 없었어요. 상황을 깨달았을 땐 이미 늦었고. 아무것도 못 했어요, 난."

그때의 이야기를 하며 그녀는 하염없이 눈물을 쏟았다. 늘 강한 것 같던 그녀의 약한 모습을 보며 히온은 깨달았다.

"그럼 그때 나를 구한 게 아니었군요."

그가 속삭였다. 그녀가 눈물 젖은 얼굴로 그를 보았다.

"나를 구한 게 아니었어요. 당신 약혼자를 구하고 싶었던 거예요. 그렇지요?"

그녀는 부정하지 않았다. 지독한 고통이 밀려왔다. 이제야 비어 있던 것들이 채워졌다. 달콤했지만 갑작스럽던 입맞춤도 그를 향한 것이 아니었던 거다. 한없이 다정한 위로와 속삭임도 전부, 죽은 약혼자를 위한 것이다. 끔찍했다.

"미안합니다. 가 봐야겠어요."

"지금, 말이에요?"

"갈게요."

그가 자리에서 일어났다. 놀란 그녀가 반사적으로 그를 붙잡았다. 히온이 멈칫하며 그 손을 내려다보았다. 아마 잡은 줄도 모르는 듯했다. 그는 천천히 그녀의 손을 떼어 내었다. 이전까진 단 한 번도 상상할 수 없는 일이었다.

"붙잡지 마요."

차가운 목소리에 그녀의 눈에 충격이 퍼져 나갔다.

"어떻게……."

그녀의 목소리가 떨렸다. 그 충격을 이해할 순 있었다. 약혼자의 죽음은 그녀에게 여전히 큰 상처였다. 분명 위로를 바랐을 것이다. 그동안 받은 걸 생각하면 위로를 해야 옳았다. 그러나 지금 그에겐 불가능했다. 그녀를 향한 원망에 숨이 턱턱 막혔다. 이런 것이라면, 왜 그를 도와주었을까. 망가지든 말든 그냥 둘 것이지. 왜 그에게 입을 맞추었을까. 왜 그에게 이 지독한 감정을 알게 한 걸까. 왜, 대체 왜. 그래서 그곳을 떠났다. 도저히 감당할 수 없었다.

"히온! 아직 전부……!"

다급한 목소리가 들렸다. 그가 걸음을 빨리했다. 그림자 속으로 몸을 숙였다. 갑자기 사라진 그의 모습에 당황한 그녀가 다시 그를 불렀다. 그는 반대쪽으로 몸을 돌렸다. 바람결에 다시 애타는 부름이 들려왔다. 그는 돌아보지 않았다.

＊

그는 그날 이후 그녀를 찾아가지 않았다. 생각조차 하지 않으려 했다. 다행히 금단 증상은 한동안 잠잠했다. 자극은 자극으로 잊으라던 그녀의 말처럼, 더 큰 고통 때문인 듯싶었다. 파헤트와의 혼담은 느리지만 착실하게 시작되었다. 발렌타인은 이전에 약속한 대로 히온에게 시간을 주었다. 공식적인 약혼은 뒤로 미루고, 두 사람의 만남을 먼저 추진했다. 곧 파헤트 쪽의 방문 일정이 잡혔다. 히온은 에스코트를 준비하기 시작했다.

그는 눈앞의 목표에만 몰두했다. 과거의 괴로움을 잊는 방법이었다. 별 소용은 없었다. 자꾸만 그녀가 떠올랐다. 명치를 찌르는 듯한 고통도 함께였다. 원망과 그리움이 뒤섞여 그조차 통제할 수 없는 감정이 되었다. 그녀는 아주 향기로운 독버섯과 같았다. 곁에 둘 땐 정신을 차릴 수 없을 정도로 매혹적이지만 너무 가까이하면 중독되어 죽어 버렸다. 지금 히온이 심정이 딱 그랬다. 그러던 중, 그녀가 말한 '백작'을 만나게 되었다.

"드디어 그 여자를 찾아냈어."

별로 중요하지도 않은 모임에서였다. 시간이 비면 잡생각이 너무 많이 들어 발렌타인의 만류에서 참석했다. 번잡스러운 것이 싫어 사람들에게서 떨어져 있는데, 낮은 목소리가 들렸다.

"로피오 거리에 살고 있더군. 창녀처럼 머리까지 짧게 자르고. 몸 파는 아이들 뒷바라지를 한다지. 뭐, 사실 뭘 하든 상관없어. 얼굴은 여전히 죽여줬으니까. 기가 막힌 건 뭔지 알아? 그 계집이 제 발로 수도에 기어 들어왔다는 거야."

로피오 거리, 짧은 머리, 아이들의 뒷바라지. 그 정도만 들어도 충분했다. 히온은 얼어붙은 채 목소리의 주인을 확인했다.

볼타 백작. 포악한 성격으로 악명 높은 이였다.

"조만간 만나야지. 전에 못 해 줬던 걸 해 줘야 할 거 아니야. 대접은 제대로 해 줄 거야. 한때 귀족이었던 년이잖아. 적당히 가지고 놀다 약혼자 곁에 묻어 줘야지."

이어지는 음담패설에 피가 차갑게 식는 듯했다. 낄낄거리는 웃음소리와 함께 볼타의 목소리가 멀어졌다. 히온은 꼼짝도 못 한 채 굳어 있었다. 머릿속엔 오직 하나의 생각뿐이었다. 지금, 그 여자가 위험했다. 히온은 즉시 모임에서 빠져나왔다. 연미복도 벗지 못한 채 말에 올라탔다. 새까만 밤길에 미친 사람처럼 말을 몰아 그녀가 있는 집으로 향했다.

쨍그랑! 쉼 없이 달렸는데도 늦은 걸까. 그가 굴러떨어지듯 말에서 내렸다. 문으로 달려갔다. 마구 두드렸다.

"문 열어요! 나예요!"

소란스럽던 집 안이 순식간에 조용해졌다. 심장이 철렁 내려앉았다. 그가 악을 썼다.

"안에 있는 거죠! 거기 누가 있는 거예요? 무슨 짓이든 당장 멈춰! 털끝 하나라도 건들면 당장 죽여 버릴 테니까!"

미친 사람처럼 문손잡이를 흔들었다. 힘껏 몸으로 문을 밀었다. 나무 걸쇠가 덜컹거렸다. 그가 다급히 주변을 훑었다. 단단한 것이 필요했다. 주먹만 한 돌을 움켜쥐고 내리쳤다. 잘못 쳤는지 손가락에서 피가 터졌다. 하지만 아픔도 느껴지지 않았다. 안에서 부산스럽게 움직이는 소리가 들렸다.

쨍그랑 소리와 함께 걸쇠가 부서졌다. 강한 바람과 함께 문이 활짝 열렸다. 정신없이 안으로 뛰어들어 갔다. 깨진 창문이 제일 먼저 눈에 보였다. 마구 펄럭이는 커튼 아래로 그녀가 앉아 있었다. 모든 것이 엉망진창이었다. 숨을 쉴 수 없었다. 그와 눈이 마주치자 검은색 눈동자에서 눈물이 주르륵 흘러내렸다. 그는 다급히 그 앞으로 다가갔다. 손을 뻗으려다 피투성이인 걸 깨닫고 주먹을 움켜쥐었다. 그녀가 쓰러지듯 그에게 안겼다. 품에 안긴 몸이 바들바들 떨렸다. 찢어지기 직전의 옷이 보였다. 조금만 더 늦었다면. 머리가 핑 돌았다. 숨 막히는 살의가 솟아올랐다.

"죽여 버리겠어."

"히온."

"개새끼들. 지금 당장 죽일 거야. 기다려요. 다 죽여 버리고 올 테니까."

"히온, 제발."

일어나려는 그를 그녀가 붙잡았다. 옷자락도 제대로 쥐지 못했다. 쉽게 그 손을 뿌리치자 온몸으로 그에게 매달렸다.

"가지 마요. 그냥 여기에 있어요."

"잠깐만 기다려요. 금방 끝낼게요."

"위험해요! 무섭단 말이에요. 제발!"

절박한 목소리에 그가 멈칫했다. 그녀가 마구 고개를 내저었다. 두려움을 억누르는 기색이 역력했다. 도저히 외면하고 자리를 뜰 수 없었다.

"내가 어리석었어요. 내 불찰이에요. 이런 짓까지 할 줄은 몰랐는데. 너무 안일하게 생각했어요. 문을 열지 말았어야 했는데."

"······역시 그자군요."

그가 미친 사람처럼 주변을 훑었다. 낡은 집에 어울리지 않는 장식이 떨어져 있었다. 몸싸움 중에 떨어진 것이리라. 그가 재빨리 그 위에 새겨진 문양을 확인했다.

"볼타."

새까만 속삭임이었다. 그녀의 눈이 커졌다.

"어떻게 그걸······."

혼란스러운 눈동자가 그의 복장으로 향했다. 낯선 연미복 차림에 그녀의 눈이 커졌다. 표정이 딱딱해졌다. 금세 무언갈 깨달은 것이다.

'이제 결정을 해야 해.'

그동안 그는 마지막 결론을 내고 있었다. 어설프게 이 여자를 탐내면 안 된다. 위험해질 테니까. 그렇다면 차라리, 완벽히 내 사람으로 만들자. 미친 짓일지라도.

"일어날 수 있겠어요?"

"당신, 대체……."

"안아 볼게요."

그가 조심스레 그녀의 몸을 들어 올렸다. 얼떨결에 그의 그가 안쓰럽게 웃었다. 이렇게 약하고 작은 사람인데. 그것도 모르고 늘 기대기만 했다. 그러니 이젠 그가 그녀를 지켜야 했다. 집 앞엔 어느새 커다란 마차가 서 있었다. 그녀의 눈이 휘둥그레졌다. 그가 다가가자 기다리고 있던 기사가 문을 열었다. 그녀를 안에 태우고 가볍게 바닥으로 내려왔다.

"먼저 가 있어요. 이따가 만나요."

"이게, 대체, 다 무슨……."

"곧 갈게요."

그녀의 손등에 입을 맞추었다. 아쉬움을 삼키며 문을 닫았다. 열린 창으로 겁에 질린 얼굴이 보였다. 그는 달래듯 웃은 뒤 입을 열었다.

"궁에서 기다리고 있어요. 곧 갈게요."

*

그는 그길로 볼타를 죽였다. 달리 다른 결말이 없었다. 당연히 해야 할 일이었다. 황태자의 방문에 볼타는 금세 놀라움을 가라앉히고 활짝 웃었다. 비굴하게 고개를 숙였다.

"태자 전하께서 이 누추한 신의 저택엔 어쩐 일로……. 컥!"

단도를 뽑아 그대로 내리그었다. 목에서 피가 분수처럼 솟았다.

볼타는 잠시 멍하니 있다 놀라 상처를 틀어막았다.

"무슨……!"

왜, 어쩌고 하는 말과 함께 피거품이 흘러나왔다. 휘청거리는 몸을 걷어찼다. 바르작거리는 상대의 가슴을 밟았다.

"크크 흑, 헉, 왜, 왜."

죽음의 이유조차 말해 주지 않았다. 고통스러운 신음이 노랫가락처럼 달콤했다. 볼타는 곧 숨이 끊어졌다. 피를 뒤집어쓴 채 방을 나왔다. 그에 밖에 있던 시종들이 놀라 비명을 질렀다. 로비에서 기다리던 신하들이 그 소리를 신호로 재빨리 올라왔다. 도망가는 자들을 전부 붙잡았다. 히온은 그 난리 통 속을 차분히 걸었다.

"닦으십시오, 전하."

누군가 그에게 물에 젖은 수건을 내밀었다. 무시하고 지나가려다 받아들었다. 곧 그녀를 만나야 하니까. 두 손만 문질렀을 뿐인데 수건이 금세 붉게 변했다. 힐끔 벽에 걸린 거울을 보다 헛웃음을 쳤다.

"악마가 따로 없네."

피를 뒤집어쓴 얼굴 위로 눈동자의 푸른빛만이 형형했다. 그는 낮은 한숨을 내쉬며 욕실로 향했다. 빨리 돌아가고 싶은 마음이 굴뚝이지만 그녀에게 이런 꼴을 보일 순 없었다. 그는 방금 살해한 자의 욕실에서 피를 닦아낸 후 궁으로 향했다. 방문을 열었을 때 그는 잠시 움직일 수 없었다. 그녀가 여전히 그곳에 있었다. 그 짧은 시간에도 그녀가 사라져 버릴까 봐 두려웠다. 그의 신분을 오늘 처음 알게 되었으니, 감당할 수 없다며 떠났을지도 모른다고 의심했다. 그런데 그녀가 여전히 그곳에 있었다.

"오래 기다리게 해서 미안해요."

역시 그녀는 강한 사람이었다. 그가 누구인지 알면서도 그를 피하지 않았다. 그가 그녀 앞에 무릎을 꿇었다. 그녀가 결국 떨리는 목소리로 그를 불렀다.

"히온."

"이번엔 내가 낭신을 돕고 싶어요. 제발, 내게 기회를 줘요."

손등에 이마를 기대었다. 온기에 눈시울이 시큰했다. 이 온기가 없으면 안 돼. 나는 죽어 버릴지도 몰라.

"그럼 정말 당신이 그……."

그녀는 말끝을 잇지 못했다. 히온은 그녀가 자신에 대해 알고 있었다는 걸 직감했다. 그의 현재뿐 아니라, 과거까지도. 하긴 한때 귀족이었으니, 당연한 일일 거다.

"맞아요. 내가 그 황태자입니다. 그동안 내가 어떻게 살아왔는지는, 당신도 잘 알겠죠."

그는 희미하게 웃었다. 그녀의 눈에 눈물이 고였다. 그녀에겐 안쓰러울 과거가 지금은 고마웠다. 그 과거가 아니었다면 이 여자를 만날 수 없었을 테니까.

"방금 볼타를 죽였어요."

"……그런!"

"그래서 연극이 조금, 필요합니다. 잠깐이면 됩니다."

그가 간절히 그녀를 올려다보았다. 이제 남은 건 그녀의 선택뿐이었다. 그의 제안을 받아들여 준다면, 그녀를 지킬 명분이 조금은 생길 것이다.

"당신을 내 약혼녀라 소개할 겁니다."

히온이 몸을 일으켰다. 그녀는 여전히 굳어 있었다. 조금 망설이다 흰 이마에 달래듯 입을 맞추었다. 피에 젖은 외투를 벗어 한쪽으로 치웠다. 천천히 셔츠 단추를 풀었다.

"아침이 되면 사람들이 올 겁니다. 목격자가 필요해요."

담담한 척하지만, 손이 떨릴 정도로 긴장했다.

"그저, 연극일 뿐이에요. 우리 깊은 관계라는 걸, 누군가는 봐야 해요. 멋대로 결정해서 정말 미안해요. 다만 방법이……."

"……알겠어요."

그녀가 고개를 끄덕였다. 그녀가 옷을 벗는 동안 그는 돌아서 있었다. 스륵 천이 스치는 소리가 났다. 긴장으로 그의 목울대가 길게 움직였다.

"그런데 굳이 연극일 필요 있을까요."

그때였다. 나직한 목소리에 히온이 숨을 죽였다.

"연극이 아니어도 될 거 같아요."

"……네?"

그는 홀린 듯 돌아섰다. 그녀가 잔뜩 긴장한 채 그를 보고 있었다.

"연극이 아니어도, 될 것 같다고요."

그에게 내민 흰 손이 빛나는 듯했다. 손뿐만이 아니었다. 달빛을 받은 피부가 모두 빛이 났다. 그는 시선을 떼지 못하고 그녀에게로 향했다. 꿈을 꾸는 걸까.

"그동안 정말 힘들었겠어요."

그녀가 그의 팔을 매만졌다. 오래된 주사 자국을 보며 눈물을 흘렸다. 히온이 질끈 눈을 감았다. 가슴이 너무 아파 숨을 쉬기가 힘들었다. 억눌린 흐느낌이 들렸다. 그녀가 자신 때문에 울고 있다는 게 소름 끼치도록 행복했다.

"히온."

나직한 부름에 그가 눈을 떴다. 그녀가 몸을 숙였다. 서로의 입술이 닿았다. 첫 입맞춤 때와 같았지만, 마음은 그때와 전혀 달랐다. 드디어 완전히 닿았다는 충만감이 가슴 속을 채웠다.

깊고 황홀한 밤이었다.

*

　그 다음 날 궁은 발칵 뒤집혔다. 히온이 태자궁에 여인을 들인 선 이번이 처음이었으니까. 그는 그녀가 제 약혼녀라 선언했다. 비밀 약혼을 했다는 것이다. 그와 동시에 죽은 볼타를 고발했다. 황태자 의 정인을 겁간하려 했다는 이유였다. 파헤트엔 사과 서신을 보냈 다. 쉽지 않은 일이었으나, 간절히 바라던 여인과 닿았기에 하지 못 할 일이 없었다. 그런데 단 하나 예상하지 못한 것이 있었다.

　발렌타인의 반대였다.

　"전하께서 진심으로 사랑하는 여인을 만나셨으면 했던 건 사실 입니다. 하지만 이건 아닙니다. 어떻게 이럴 수가 있습니까! 평민이 라니요! 게다가 귀족의 정부였던 여자가 아닙니까! 그런 여자와 비 밀 결혼이요? 그게 말이 됩니까!"

　"가문이 몰락했을 뿐 그녀는 분명 귀족이야. 게다가 그건 볼타 가 낸 헛소문일 뿐이고! 그녀의 어머니가 동의도 없이 약혼을 허락 해서 어쩔 수 없이 교제하다, 결국 파혼을 요구하니 그렇게 한 거였 어. 자네까지 헛소문에 흔들릴 거야?"

　"소문이 실체를 대신하는 법입니다. 바로 지금처럼!"

　최초의 갈등이었다. 언쟁은 계속되었다. 누구 하나 포기하기 전 까진 끝나지 않을 듯싶었다.

　"난 절대 물러설 수 없어. 포기 못 해."

　그가 손을 놓으면 그녀는 분명히 죽는다. 볼타를 죽인 이상 돌이 킬 수 없었다. 복수의 칼날이 그녀를 향할 테니까.

　"지금 내가 네 눈앞에 있는 건 다 그 여자 덕분이야. 그 여자가 나 를 도왔어."

　결국, 그는 약에 대해 전부 이야기했다. 지독한 금단 증상, 몇 번이나 찾아간 마약상 그리고 그녀와 처음 만났던 눈 오는 날까지. 발렌타인은 잠시 흔들리는 듯했으나 금세 되돌아왔다.

"그래도 이건 안됩니다. 보위를 포기하실 겁니까? 제가 전하를 포기하길 바라십니까?"

그건 안 된다. 그는 이제 반드시 황제가 되어야 했다. 그래서 무슨 수를 써서든 그녀를 지켜야 했다. 그러기 위해선 반드시 발렌타인이 필요했다.

"파헤트엔 이미 서한을 보냈어. 혼담은 깨질 거야."

"이미 들었습니다. 저와 상의도 없이, 그렇게 하셨지요."

발렌타인이 짓씹듯 말했다.

"그건 나도 미안하게 생각해. 하지만 어쩔 수 없었어. 당장 시간이……."

"제게 미리 말 한마디만 해 주셨어도 이 지경이 되지는 않았을 텐데 말입니다."

그의 목소리가 낮아졌다.

"알았다면 제가 그 여자를 처리했을 테니까요."

주먹이 나가지 않은 건 그 말을 한 상대가 발렌타인이기 때문이었다. 히온이 이를 사리물었다. 발렌타인은 그에게 모든 것을 걸었다. 그러니 그의 분노를 이해해야 했다.

"절대 그 여자를 버리실 수 없다는 거지요. 알겠습니다."

발렌타인의 눈이 음울하게 일렁였다.

"버려도 상황은 달라지지 않아. 파헤트가 날 거부할 테니까!"

"만일 혼담이 깨지지 않으면 어쩌실 겁니까?"

"……드펜이 약혼자가 있는 나와 결혼하려 할 것 같아?"

"미천한 약혼녀와의 파혼을 요구할 수도 있겠죠."

"그건 내가 절대 받아들이지 않을 것이고!"

"그렇다면 이건 어떻습니까. 어쩌면 파혼을 요구하지 않을 수도 있습니다. 그 여자의 존재를 인정할 테니 혼담을 계속 진행하자 할 수도 있겠죠. 만일 그렇다면 말입니다, 혼담을 받아들이십시오."

히온이 인상을 찡그렸다. 그의 상식으론 말이 안 되었다. 드펜이 대체 뭐가 아쉽다고 여자가 있는 사내에게 매달린단 말인가.

"이게 제 마지막 선입니다."

발렌타인은 그의 반박은 듣고 싶지 않다는 듯 빠르게 말을 이었다.

"그렇지 않으면, 정말 끝입니다."

발렌타인의 목소리가 낮아졌다.

"제가 전하를 떠나겠습니다. 그러니, 선택하십시오."

*

그 뒤론 폭풍같은 날들이 이어졌다. 히온은 순식간에 식을 올렸다. 황태자의 국혼이 이렇게 날림일 수 없다는 항의는 묵살했다. 다행스럽게도, 그 항의는 오래 가지 않았다. 황제의 지병이 갑자기 악화된 것이다. 황제가 사경을 헤매는 동안 태자비에 대한 논란은 쏙 들어가 버렸다. 평생 그를 괴롭히던 황제의 도움을 받은 셈이었다.

황제는 결국 자리에서 일어나지 못했다. 황제가 죽자마자 히온은 보위에 올랐다. 그가 사랑하는 여자는 황후가 되었다. 히온에게 지난 몇 달은 전쟁과도 같았다. 그는 그녀가 황후의 관을 쓴 후에야 안도했다. 황후의 관이 그녀를 안전하게 지켜줄 것 같았다. 그래도 불안의 씨앗은 남아 있었다. 드펜 때문이었다.

발렌타인의 말이 맞았다. 드펜은 혼담을 받아들였다. 그에게 여자가 있어도 상관없다는 것이다. 이해할 수 없는 선택이었다. 히온은 어떻게든 뒤집기 위해 애썼다. 파헤트와는 대화가 되지 않았다.

그 혼자 힘으론 불가능했다. 수도 없이 깨졌지만, 그는 포기하지 않았다. 그가 사랑하는 여자에게 다른 여자와 결혼하는 모습을 보여주고 싶지 않았다.

"너무 무리하지 마요. 당신은 최선을 다했잖아요. 나는 괜찮아요."

"내가 괜찮지 않아요. 당신 옆에 또 다른 누군가 서야 한다면, 난 견딜 수 없을 거예요. 그자를 죽여 버릴지도 몰라요. 아니 분명히 그럴 거예요. 당신은 정말 괜찮은 거예요? 내가 다른 여자와 결혼해도 아무렇지 않아요?"

당연하다는 듯 말했지만 결국은 투정이었다. 그녀가 어쩔 수 없다는 듯 웃었다.

"살다 보면 어쩔 수 없는 일도 있는 거예요. 받아들일 수 없다면 즐겨야겠죠. 몰락 귀족 출신 평민에서 당신 옆자리를 차지했다고 다들 나를 부러워해요. 이 정도 출세했으면 나도 관용을 베풀어야 하지 않겠어요?"

그녀가 장난스럽게 눈을 찡긋했다. 그렇게 시간이 지났다. 그는 포기하지 않았다. 견디는 건 자신 있었다. 그런데 그의 여자는 더 집요했다. 수도 없이 혼담을 받아들이라며 설득했다. 결국, 그는 그녀에게 지고 말았다. 그렇게 그는 두 번의 결혼 서약을 연달아 했다. 드펜은 황비가 되었다. 발렌타인은 드펜과의 결혼에만 참석했다. 그의 외면은 큰 상처가 되었다. 그때도 그녀가 그를 감쌌다.

"내가 더 잘할게요. 시간이 지나면 다 해결될 거예요."

그녀는 자신이 한 말을 지켰다. 매사에 최선을 다했고 또 잘했다. 그녀를 실제로 본 사람들은 금세 그녀의 신분을 잊게 되었다. 히온이 그랬던 것처럼, 온전히 그녀의 매력에 빠진 것이다. 안타깝게도 발렌타인만은 예외였다. 그는 그녀를 제대로 보려 하지도 않았다. 히온이 몇 번이고 설득하려 했지만, 소용없었다. 이러다 관계

자체가 어그러질 판이었다.

결국, 그는 설득을 포기했다. 그러다 그녀가 아이를 가졌다. 그는 뛸 듯이 기뻐했다. 온 세상을 가진 것 같았다. 발렌타인에게도 소식을 전했다.

"경하드립니다. 폐하. 황후…… 마마께도 안부 전해 주십시오."

발렌타인이 애매한 축하 인사를 건넸다. 그 정도도 감사했다. 히온이 활짝 웃었다. 역시 그녀의 말이 맞았다. 시간이 지나면 다 해결될 일이었다. 발렌타인도 결국 그녀를 인정할 것이다. 그의 우정도 예전처럼 돈독해질 거다. 그러다 하루아침에 그의 행복이 깨졌다. 그녀가 쓰러진 것이다. 멀쩡히 아침 식사를 하던 도중 그리되었다. 음식에 독이 들어 있었다. 천만다행으로 목숨을 위협할 정도는 아니었다. 다만 한동안 통증으로 괴로워해야 한다고 했다.

"황비마마께서 축하의 의미로 보내신 재료였습니다. 설마, 이런 일이 있으리라곤……."

요리사들이 벌벌 떨며 한 말을 도저히 믿을 수가 없었다. 드펜에 그녀가 거슬린다는 건 알았다. 하지만 대놓고 이런 짓을 하는 건 말이 안 되었다. 설마, 뭔가 착오가 있었겠지. 그는 직접 드펜에 묻기로 했다.

"폐하, 안 그래도 사람을 보내려던 차였습니다."

드펜이 그를 보자마자 눈을 접으며 웃었다. 고동색 눈동자에 즐거움이 가득했다.

"장미궁의 주인이 쓰러졌다지요?"

"……그걸 어떻게."

그녀가 쓰러진 건 오늘 아침에 있었던 일이었다. 혹시 몰라 관련자들에게 전부 입단속까지 시켰다. 그런데 대체 어떻게 알고 있는 걸까?

"그러게요, 어떻게 알게 되었을까요."

낮은 웃음소리가 들렸다. 고동색 눈동자가 인간 같지 않았다. 소름이 돋았다. 정말 드펜이 그녀를 해치려 한 걸까? 그의 아이를 가진 여자를?

"정말 황비께서 하신 일입니까?"

그의 목소리가 떨렸다. 설마, 아닐 것이다. 아니어야만 했다.

"정말 황후를 해치려 하신 겁니까?"

드펜은 부정하지 않았다.

"내가, 황비께 좋은 남편이 아니라는 건 압니다. 그런데 아살론에 올 때부터 알고 있었던 것 아닙니까? 내가 분명히 부탁했을 텐데요. 사랑하는 여자가 있으니 혼담은 없던 일로 하자고. 오욕은 전부 내 몫으로 하겠다고. 그 제안을 거절한 건 황비 아니십니까?"

"사람은 누구나 실수를 하니까요. 시간이 지나면 제대로 된 판단을 하실 수 있을 것이라 생각했습니다."

드펜이 왜 그리 당연한 걸 묻느냐는 투로 말했다.

"그런데 시간이 지나도 달라지는 게 없어서요. 평민 계집 따위에게 홀려 그까짓 걸 황후 자리에 앉히시고 저는 뒷전이시니. 정신을 차리실 수 있게 도와 드려야지요."

드펜의 입매가 비틀렸다.

"그래서 제가 손을 쓴 것뿐입니다."

눈앞에 불이 번쩍했다. 정신을 차렸을 땐 그녀의 멱살을 잡고 있었다. 상대가 여인이라는 건 안중에도 없었다.

"역시, 당신 짓이었어."

"맞아요."

드펜이 키득거렸다. 지독한 살의가 피어올랐다.

"그 여자, 내 아이를 가졌어. 내 아이라고! 그런데 그 여자를 해치려 해? 음식에 독을 타?"

"그래서요, 나를 죽일 건가요? 불가능할 텐데요."

드펜이 입매를 올렸다. 복이 졸린 와중에도 독기어린 눈빛은 여전했다.

"날 벌하면 그 여자가 죽을 테니까. 파헤트가 그녀를 갈가리 찢어 버릴 거거든."

그와 동시에 종소리가 들렸다. 깜짝 놀란 히온이 반사적으로 손을 놓았다. 드펜이 피식 웃으며 옷매무새를 매만졌다. 승리자의 여유가 느껴졌다. 손에 든 종을 대충 내던지자마자 노크 소리가 났다.

"황비마마, 부르셨습니까."

"그래. 잠시 기다려라."

드펜은 말을 잇는 대신 히온을 보았다. 밖에 사람이 있는데 하던 짓을 계속할 수 있겠느냐는 투였다. 히온의 얼굴이 일그러졌다.

"흠. 오늘 날씨가 참 좋네요."

그녀가 자리에서 일어났다. 흠잡을 것 없이 우아했다. 소매를 살랑이며 창가로 다가갔다.

"좋은 소식을 들어 더 기쁘고요."

새처럼 가벼운 발걸음이 그에겐 악마처럼 보였다. 두 손으로 배를 감쌌다. 굳어 있는 그에게 노래하듯 말했다.

"폐하, 저 역시 회임했답니다. 아살론과 파헤트의 황손이지요. 오라버니께도 소식을 알렸답니다. 무척 기뻐하시더군요. 조만간 축하 선물이 올 겁니다. 폐하께 안부를 전해 달라고 하시네요. 그런데 만일 제가 다치면, 오라버니께서 크게 실망하시겠지요?"

맙소사, 이번엔 머리가 텅 비어 버렸다. 저 뱀 같은 여자가 그의 아이를 가졌다고? 드펜과 밤을 보낸 건 단 하룻밤뿐이었다. 초야의 의무는 지켜야 했기 때문이었다.

"폐하, 역시 하늘은 제 편인가 봐요"

드펜은 그의 의심을 눈치채곤 또 웃음을 터트렸다. 히온이 비틀거리며 한걸음 물러섰다. 소름 끼치는 공포가 등을 타고 올라왔다.

"이젠 더 간절히 기도하셔야겠네요. 장미궁의 주인이 건강한 아이를 낳을 수 있게 말이에요."

*

그는 그날의 대화를 누구에게도 말하지 못했다. 멀쩡히 아이를 낳을 수 있길 바랍니다, 그 말이 꼭 저주처럼 들렸다. 반드시 그 아이를 해치고 말겠다는 선언처럼 들리기도 했다. 아내와 아이를 완벽하게 지키는 방법은 드펜을 없애는 것뿐이었다. 그러나 파헤트가 가만있지 않을 것이다. 아내의 식사, 마시는 것, 입는 것까지 전부 그가 미리 점검했다. 아내의 곁에 둘 사람은 최소한으로 줄였다. 그 누구도 믿을 수가 없었다. 태어날 아이를 상상하며 행복에 빠져 있어야 할 그 시기가 그에겐 지옥이 된 것이다.

"히온, 당신 정말 괜찮은 거예요?"

그의 현명한 아내는 금세 그의 변화를 눈치챘다. 그녀를 붙잡고 엉엉 울고 싶었다. 당신을 잃을지도 몰라 두려워 미치겠다며 매달리고 싶었다.

"처음이라 그래. 걱정되어서. 곧 괜찮아질 거야."

아무렇지 않은 척 웃는 게 배는 힘들었다. 그는 그렇게 잔뜩 곤두선 채 수개월을 보냈다. 혹시라도 드펜이 이미 일을 저지른 건 아닐까, 아이가 잘못된 건 아닐까 수도 없는 불면의 밤을 보냈다.

"폐하, 축하합니다. 건강한 아드님이십니다."

"다 괜찮은 건가? 아픈 곳은 없고?"

"아픈 곳이라니, 무엇을 말씀하시는 것인지⋯⋯."

"내가 직접 보겠네. 아이를 이리 주시게."

그는 직접 포대기를 풀고 아이의 상태를 확인했다. 사지가 모두 멀쩡하게 움직이는 걸 확인하고 나서야 긴장이 풀렸다. 털썩 주저앉아 버렸다. 수 개월간 눌러왔던 불안이 한 번에 터졌다. 결국, 그는 눈물을 보이고야 말았다.

"고생은 내가 했는데 왜 당신이 울어요⋯⋯."

"그러게, 윽."

산통에 잔뜩 부은 손을 붙잡고 눈물을 참아냈다. 위험 속에서 그의 아이를 지켜준 아내가 너무나도 미안하고 고마웠다. 할 수 있다면 그의 심장이라도 내어주고 싶었다.

"백합궁에 안 가요? 곧 산달이잖아요. 드펜 님께서 아주 적적하실 거예요. 나는 괜찮으니 자주 찾아가요."

완벽한 아내에게도 딱 하나 단점은 있었다. 그의 아내는 자꾸 드펜과 그를 엮으려 했다. 그것만큼은 도저히 받아들일 수가 없었다.

'그 악마는 몇 번이나 당신을 죽이려 했어.'

그날 이후에도, 드펜은 몇 번이나 같은 시도를 반복했다. 그의 아내는 영문도 모른 채 가까스로 위험에서 벗어나야 했다. 그런 일이 있을 때마다 그는 드펜을 죽이고 싶었다. 배 속에 아이를 품은 여자가 어찌 이리 잔인한지 이해할 수 없었다. 그 빌어먹을 여자는 머리까지 좋았다. 절대 돌이킬 수 없는 선은 넘지 않았다. 마치 그에게 경고하는 것 같았다.

'나는 마음만 먹으면 얼마든지 네 여자를 죽일 수 있어. 그러니 날 거스를 생각 마.'

그는 도저히 솔직히 말할 수가 없었다. 그러니 대화가 자꾸 돌았다.

"당신이 가지 않으면 내가 갈 거예요."

"그러지 마요. 그 여자가 당신을 어떻게 생각하는지 알잖아요. 좋은 소리 듣지 못할 거예요."

"그럼 당신이 가면 되잖아요. 정말 이렇게 억지를 부릴 거예요? 아무리 불편해도 이건 아니잖아요! 곧 있으면 당신 아이가 태어날 거란 말이에요!"

결국, 그는 그날도 아내를 이기지 못했다. 쫓겨나듯 궁을 나섰다. 백합궁 근처까지 갔다. 궁은 평소답지 않게 부산스러웠다. 드펜이 산통을 시작했기 때문이었다. 그는 사람들 눈을 피해 몸을 숨겼다. 그가 이곳에 있다는 걸 그 누구에게도 알리고 싶지 않았다. 괜히 드펜에 힘을 실어주는 꼴이 되기 때문이었다.

'제발 딸이기를, 제발.'

그는 간절히 바랐다. 드펜은 종종 아이를 무기로 그를 협박했다. 그 아이에게 애정이 생기려야 생길 수가 없었다. 안타깝지만 어쩔 수 없었다. 그래도 만일 딸이라면, 사랑할 수 있을지도 모른다. 그는 다시는 드펜을 안지 않을 테니까. 그 여잔 제 꿈이 절대 이루어질 수 없다는 걸 알게 될 거다. 어쩌면 아살론을 떠날지도 모른다. 그럼 그의 가족은 안전할 거다. 그런데 드펜이 아들을 낳았다.

그는 절망했다. 그 악마 같은 여잔 분명 제 아들을 쥐고 흔들 것이다. 분명 보위를 노리겠지. 그의 아내와 어린 아들은 드펜을 방해하는 가장 큰 장애물일 것이다. 드펜은 무슨 수를 써서든 두 사람을 죽일 것이다. 공포가 목 끝까지 차올랐다. 절대 견딜 수 없었다. 혼자서는 감당할 수 없었다. 그의 아내에게 달려갔다. 산실을 지키라며 내보냈는데 사색이 되어 돌아온 남편의 모습에 아내가 깜짝 놀랐다.

"아들이에요. 빌어먹을. 왜 하필 그런 여자에게!"

"당신 지금 무슨 소리 하는 거예요?"

그녀가 놀라 그를 붙잡았다.

"지금 그 아이를 원망하는 거예요? 죄 없는 아이를? 정말 그런 거예요?"

그녀의 목소리가 매서워졌다. 그는 꾹 입을 다물었다. 그를 바라보는 그의 눈빛에 실망이 어렸다.

"어떻게 이럴 수가 있어요. 당신이 이런 사람인 줄 몰랐어요. 이건 아니에요. 나를 사랑해서 그런단 말 말아요! 드펜 님께서는 연고도 없는 곳에……!"

"드펜 님이라고 부르지도 마요!"

결국, 참을 수가 없었다.

"그 여자는 악마야. 몇 번이고 당신을 죽이려고 했어요. 한번이 아니었어. 몇 번이나, 몇 번이나 그랬다고. 내가 그때마다 어떤 심정이었는지 알아요? 그 여자를 죽이고 싶었어. 배 속의 아이를 빌미로 날 협박할 때도! 그런데 손을 쓸 수도 없었어. 파헤트가 당신을 가만두지 않을 테니까!"

한번 풀린 빗장은 닫힐 줄을 몰랐다. 가슴이 터질 것 같았다. 모두 쏟아 내 버렸다. 드펜의 협박, 소름 끼치던 웃음, 그가 보낸 불면의 밤 그리고 첫 아이가 태어났을 때 그가 흘렸던 눈물이 진짜 의미까지.

"……그랬군요."

그가 마지막 말을 끝냈을 때, 그녀의 안색은 하얗게 질려 있었다. 그녀의 두려움이 미안하면서도 안도감이 들었다. 차라리 이편이 낫겠지 싶었다. 그 악마를 감싸는 꼴은 더 이상은 못 보겠다. 그런데 그녀의 반응은 그의 생각과는 달랐다.

"그래도 나는 역시 안 되겠어요. 백합궁의 주인이 나를 싫어하는 거 알겠어요. 증오하겠죠. 죽이고 싶겠지만, 하지만 아이는 죄가 없잖아요. 당신 어린 시절을 생각해 봐요."

그녀가 속삭이듯 말했다.

"나는 아직도 당신을 처음 본 날을 잊지 못해요. 그래서 구하고
싶었어. 그런데 그 아이가 당신처럼 자라면 어떻게 해요. 그럼 아마
난 절대 날 용서하지 못할 거야……."

울 듯한 목소리에 그가 할 말을 잃었다. 그 과거를 어찌 잊을 수
있을까. 아직도 그의 팔엔 그 시절의 흔적이 남아 있었다.

"당신은 좋은 아버지가 되었으면 좋겠어요. 당연히 그럴 거로 생
각해요. 내가 선택한 사람이니까."

"……알겠어요."

결국, 그는 아내의 뜻을 따를 수밖에 없었다. 비록 드펜은 경계할
지언정 그 아들은 사랑해 보려 했다. 다행인지 불행인지 드펜은 아
들을 내팽개치다시피 했다. 덕분에 그는 종종 아이를 보고 올 수 있
었다. 첫아이보단 덜했지만, 드펜의 아들도 그를 참 많이 닮았다.

"아내는 네가 행복했으면 좋겠다고 하는구나."

그가 속삭였다.

"나도, 그렇단다. 나와는 달리……. 그러려면 나도 좋은 아버지
가 되기 위해 노력해야겠지."

아기가 손을 뻗었다. 망설이다 손가락을 내밀었다. 작은 손이 그
의 손가락을 움켜쥐었다. 꼭 쥔 힘에 피식 웃음이 나왔다. 작은 손
을 살며시 쓸었다. 참 잘했어요, 아내의 속삭임이 들리는 듯했다.
그가 웃었다. 약간 비틀리긴 했지만, 꽤 행복한 삶이었다. 그날이
오기 전까진, 그랬다.

*

그리고 다시 봄이 되었다. 올해는 봄이 한결 일찍 왔다. 마른 가지 곳곳에 노란 꽃망울이 움텄다. 히온은 어느 때보다 그 꽃이 훨씬 반가웠다. 그의 아내 때문이었다.

"그냥 가지 말고 당신 곁에 있을까."

"출발 준비 끝났잖아요. 사람들 기다리지 않아요?"

"며칠은 미룰 수 있어요. 당신이 허락만 한다면."

그녀가 부드럽게 웃으며 고개를 저었다.

"그러지 마요. 민폐 끼치기 싫어요."

결국, 그리 대답할 줄 알았지만. 막상 답을 듣고 나니 속상했다. 그는 말없이 그녀의 손을 매만졌다. 부쩍 여윈 손가락을 보자 가슴이 아팠다.

"더 마른 것 같아."

"그래요? 살이 찐 줄 알았는데. 너무 잘 먹어서 문제예요. 어제도 쿠키 한 바구니를 몽땅 비웠는걸."

"거짓말. 다 들었어요. 제대로 입도 대지 못했잖아요."

이번엔 대답 대신 웃기만 했다. 그녀의 미소는 여전히 가슴 시리 가 아름다웠다. 아름답지 않을 날이 올까 싶었다. 그리고 창백했다.

한 달 때쯤 되었을까. 내내 싱그럽던 그녀에게 이상이 생겼다. 갑자기 시작된 감기가 통 낫지 않았다. 잔기침이 계속되고 식욕도 줄었다. 안색도 나빠졌다. 처음엔 그저 감기니까 금세 좋아질 거라 여겼다. 그런데 아니었다. 시간이 지나도 나아질 기미가 보이지 않았다. 그는 점점 초조해졌다. 몇 번이나 의사를 불렀다. 감기엔 쉬는 게 답이라는 말뿐이었다. 그는 답답해 죽겠는데 정작 당사자는 아무렇지 않아 했다.

—사람들 너무 괴롭히지 마요. 아마 날이 추워서 그럴 거예요. 내가 원래 추위에 약해요. 곧 봄이 오면 좋아지겠죠.

―너무 대수롭지 않아 하는 거 아니에요?

―큰 병이 아니라잖아요. 의사 말을 믿어봐요. 걱정도 병이 되는 거예요. 두고 봐요. 날이 풀리면 펄펄 날아다닐 테니까.

그렇게 봄이 찾아왔다. 그녀 말대로 날이 풀리니 상태가 조금 좋아졌다. 기복이 있긴 하지만 한창 추울 때보단 나았다. 겨우내 그녀의 곁을 지키던 그에게도 변화가 생겼다. 그동안 미뤄두었던 일을 시작해야 했던 것이다. 이번 남부 지역 시찰도 그중 하나였다.

"남쪽이면, 발렌타인 영지도 가는 거예요?"

"맞아요."

"나도 함께 가면 좋을 텐데. 그 아이가 보고 싶어요."

"누구?"

"유리엘이요."

"아."

히온의 입가에 부드러운 미소가 번졌다. 유리엘은 발렌타인과 마르디네의 딸이었다. 결혼은 두 사람이 먼저였지만 아이는 더 늦었다. 그의 아내는 마르디네의 출산 소식에 무척 기뻐했다. 영지에 직접 찾아가 아이를 보기도 했다.

"유리엘을 처음 봤을 때 정말 놀랐어요. 아직 아기인데, 눈동자가 꼭 보석 같았어."

"맞아, 그랬어요."

"유리엘 이름을 내가 지어서 기뻐요."

그녀의 얼굴에 환한 미소가 어렸다. 과거를 떠올릴 때면 그녀는 한층 싱그러워졌다. 행복한 회상이 아픔을 잊게 하는 것 같았다. 그래서 그는 요즘 일부러 과거 이야기를 자주 했다.

"그 아이 이름이 무슨 뜻인지, 정말 안 알려줄 거예요?"

"안돼요. 마리랑 약속했단 말이에요. 백작님도 모를걸요."

"흠, 냉정하네."

"두 사람이 제대로 화해하면 알려줄게요."

"화해는 이미 했나니까……."

"거짓말. 다 들었어요. 며칠 전 연회 때도 인사만 했다면서요."

그 말에 결국 웃어 버렸다. 그녀의 미소가 진해졌다. 함께 있는 공간의 공기조차 달콤했다. 그녀가 몸을 일으켰다. 새까만 눈동자에 그의 모습이 비쳤다. 쪽, 입을 맞추었다.

"역시 마리보단 우리 남편이 더 좋으니까."

"흠."

"이번에 돌아와요. 그럼 알려줄게요. 마리한텐 비밀이야."

그가 웃으며 고개를 끄덕였다. 마른 입술을 살며시 물었다. 낮은 웃음소리가 들렸다. 이대로면 또 그녀 곁에 주저앉게 생겼다. 그가 아쉬움을 뒤로한 채 자리에서 일어났다. 다시 만날 거라는 걸, 단 한순간도 의심한 적 없었다. 그리고 이틀 뒤. 그녀가 죽었다고 했다.

그녀는 마지막으로 본 모습과 별로 다를 것이 없었다. 얼굴이 한결 창백하다는 것만 빼면. 그리고 아름다웠다. 그녀를 바라보는 그의 눈매가 바르르 떨렸다. 갑자기 피를 토한 후 쓰러졌다고 했는데. 그가 오기 전에 전부 닦아내 지금은 없었다. 그래서 더 믿을 수가 없었다. 그저 가벼운 감기였는데. 분명 웃고 있었는데. 의사들이 손 쓸 틈도 없이 죽었다는 게……. 말이 안 되잖아.

"내가 왔어요."

그는 그녀의 얼굴에서 눈을 떼지 못했다. 나예요, 눈 좀 떠봐요. 금방이라도 눈을 뜰 것 같은데. 굳게 닫힌 눈꺼풀이 너무 이상했다. 그가 더듬더듬 그녀의 손을 찾았다. 잡은 순간 굳어 버렸다. 그는 한동안 움직이지 못했다. 맞닿은 곳이 지독하게 차가웠다. 손을 떼지도 못하고 고개만 돌렸다. 몇 번이나 눈을 감았다 떴다. 변하는 건 없었다.

"……아."

그가 주저앉았다. 차가운 손을 붙잡았다. 검게 변한 손끝을 보며 입술만 달싹였다. 눈물이 떨어졌다. 그가 끄덕거리는 숨을 몰아쉬었다. 이건 아니었다, 정말, 이런 어처구니없는 이별은 상상조차 하지 못했다.

제발……. 간절한 기도에도 기적은 일어나지 않았다. 그녀는 눈을 뜨지 않았다. 그 뒤는 아주 끔찍했다. 그녀의 죽음을 받아들이는 데 꼬박 하루가 걸렸다. 온몸이 조금씩 부스러지는 것 같았다. 감각이 전부 날뛰어냈다. 호흡이 자꾸 가빴다. 무너지고 싶었지만 그럴 수 없었다. 장례를 치러야 했다. 그러다 그녀의 장례식에서 조금 이상한 말을 들었다. 그 말을 하는 발렌타인의 표정을 보자마자 설마 하는 생각이 들었다. 그는 금세 의혹을 억눌렀다. 그녀를 잃은 지금은 감당할 수 없었다. 인정했다간 겨우 붙잡고 있는 것조차 붕괴할 것 같았다. 그래서 눈을 감아 버렸다.

그 뒤론 어두운 터널을 지나는 듯했다. 빛 한 점 보이지 않았다. 하지만 일어나야 했다. 그에겐 어린 아들이 있었다. 아내가 죽은 지금 그가 그 아이를 지켜야 했다. 시간이 약이긴 했다. 슬픔은 조금씩 무뎌졌다. 대신 지독한 허무감이 그를 채웠다. 함께 했던 침실에 혼자 누워 잠을 채울 때면 거대한 무저갱이 그를 삼키는 것 같았다.

아내가 죽은 뒤, 드펜은 황궁이 제 세상이라도 된 양 굴었다. 그 모습을 보아도 별 느낌이 없었다. 그와 전혀 상관없는 세상에서 벌어지는 것 같았다.

그러다가 불쑥 분노가 치밀어 올랐다. 마치 감정을 억누른 반작용 같았다. 죽은 아내를 조롱하는 드펜을 죽이고 싶었다. 그렇게 감정이 극단으로 치달았다. 그 이상은 없을 줄 알았다.

그런 데 있었다. 아내의 죽음의 진실을 알게 된 후였다. 또다시 시간이 흐르고, 드디어 그는 아내의 죽음에 대한 조사를 시작했다. 이젠 진실이 무엇이든 감당할 준비가 되었다 생각했다. 하시만 그게 전부가 아니었다. 그의 아내가 증거를 없앴다. 그녀가 그에게 자기 죽음을 숨긴 것이다.

─경이 나를 이렇게 만든 범인이라는 거, 알고 있었어요. 분명 폐하를 위한 일이라고 하겠죠. 좋아요. 비밀을 지켜 드리지요. 대신 평생 충신으로 남으세요. 남은 목숨 전부를 바쳐 그분을 지키세요. 그리고 절대 들키지 마세요. 절대, 죽을 때까지 나를 해쳤다는 걸 들키지 마세요.

아내의 치료를 담당했던 황궁의가 있었다. 그는 아내를 제대로 치료하지 못한 걸 자책하며 궁을 나갔다. 다시 만난 궁의는 불과 반년 만에 머리가 하얗게 세어 있었다. 그는 굵은 눈물을 뚝뚝 흘리며 그녀의 마지막을 고백했다.

"돌아가시기 전날, 발렌타인 백작을 불러 그리 말씀하셨습니다. 으흑, 백작은 아무 말도 하지 못했습니다. 일을 벌인 자들은, 으흑, 황후 마마께서 직접 단죄하셨습니다. 시체는 백작에게 치우라 명하셨고⋯⋯. 절대 폐하께 들켜서는 안 된다고, 폐하께서 돌아오시기 전에 모든 것을 마무리해야 한다며, 그것이 당신의 조건이라 몇 번이고 강조하셨습니다."

"그럼 그녀가 이미 자신이 죽을 거라는 걸 알고 있었단 건가?"

"흑, 그렇습니다. 회생이 어렵다는 걸 알게 되신 후부터⋯⋯. 제게 부탁하셨습니다. 증상을 숨길 방법을 찾아 달라며⋯⋯. 황후 마마께서 워낙 간곡히 부탁하셔서 어쩔 수 없었습니다. 신을 죽여 주십시오, 폐하."

그러니까 진실은 이거였다. 가벼운 기침을 하다 갑자기 상태가 악화된 줄 알았는데 그게 아니었다. 진즉부터 검은 피를 쏟아 냈다. 그에 죽음을 예감했으리라. 그 죽음이 정상이 아니라는 것도 알았을 테고. 하여 죽어가는 내내 고민했을 거다. 어떻게 하면 제 죽음이 그에게 덜 치명적일 수 있을지.

―두 사람이 제대로 화해하면 알려 줄게요.

그는 얼어붙은 채 그녀의 마지막을 떠올렸다. 그가 사랑했던 여자는 참 지독할 정도로 치밀하고 냉정했다. 그때 이미 죽음을 준비하고 있었던 것이다. 그런 주제에 그를 보고 웃었던 거고, 입을 맞추며 미래를 이야기했다.

'발렌타인 백작과 사이좋게 지내라고? 자기를 죽이려 하는 걸 뻔히 알면서? 복수해 달라 하지 않고? 진실을 말하지 않고?

왜?

'나 때문이었겠지!'

눈앞이 캄캄했다. 머리가 터져 버릴 거 같았다. 다시 아침이 되었다. 아주 긴 복수가 시작되었다.

*

시간은 무심히도 흘러 다시 봄이었다. 또다시 발렌타인의 노란 꽃이 지천으로 피었다. 히온은 우두커니 선 채 그 노란 물결을 바라보았다.

―저 꽃을 보면 히온을 처음 만난 날이 생각나요.

그의 숨이 조금 가빠졌다. 또다시 스물둘로 돌아갔다. 십 년이 지났는데도, 그때의 기억은 여전히 선명했다. 꽃향기를 맡으며 천천히 걸음을 올랐다. 오르막을 오르는 게 제법 숨이 찼다. 그동안 몸을 엉망으로 관리했다는 것이다.

"미안해요."

그녀는 그의 마음을 지키기 위해 홀로 죽어 갔는데. 그는 그녀가 지켜낸 것을 낭가트리기만 했다.

"그러게, 왜 그런 짓을 했어요."

오래된 원망이 또다시 고개를 들었다. 그의 눈가가 붉어졌다. 눈물은 흐르지 않았다. 마음대로 울 수 없게 되었는지도 꽤 되었다. 그때 소녀, 유리엘을 보았다. 저택에서 들었던 대로 소녀는 언덕 위, 나무 그늘에 앉은 채 꽃밭을 보고 있었다. 이곳은 소녀가 가장 좋아하는 장소 중 하나였다. 꽃향기 때문인지 고운 미소에서 봄이 느껴졌다. 소녀는 그를 좋아했다. 그를 볼 때면 부끄러움에 볼을 붉히면서도, 자꾸 새어 나오는 입꼬리를 내리기 위해 애썼다. 그 앞에 선 정숙한 숙녀로 보이고 싶은 것이다.

그는 일부러 소녀의 이것저것을 칭찬했다. 아름다운 숙녀가 되겠구나, 예법이 뛰어나구나. 그의 말 한마디에 좋아 어쩔 줄을 몰랐다. 소녀의 어머니가 흐뭇하게 그 모습을 보았다. 그 모습을 보며 소녀의 마지막을 상상했다. 어떻게 하면 가장 잔인하게 저 아이를 끝낼 수 있을까. 어떤 죽음이 발렌타인을 가장 고통스럽게 할 수 있을까. 그의 머릿속에서 소녀는 수도 없이 살해당했다. 반쯤 실행에 옮긴 적도 있었다. 그를 위해 화관을 만들어 준답시고 돌아서 있는 그녀에게 손을 뻗었다. 가느다란 목은 조금만 힘을 주면 부러질 것 같았다. 축 늘어진 시체를 상상했다. 조금만 더, 조금만 더 손을 뻗으면. 그 거리를 좁히지 못했다.

―유리엘 이름을 내가 지어서 기뻐요.

빌어먹게도 그 이름 때문에. 소녀를 보면 자연스레 아내의 마지막이 떠올랐다. 소녀가 죽어 버리면 그 기억이 피로 물들 것 같았다. 결정적 순간마다 그가 끝내 그만두고 만 이유였다. 하지만 그

망설임도 이젠 끝이다. 더는 미룰 수 없는 이유가 생겼으니까.

꽃밭 위 소녀는 생기가 넘쳤다. 그의 예언대로 참 아름다운 숙녀로 자랄 거다. 만일 오늘 밤을 무사히 넘긴다면.

"하지만 그럴 일은 없을 거야."

히온이 낮게 속삭였다. 그의 눈빛이 낮게 가라앉았다. 미련 없이 몸을 돌렸다.

*

하늘은 여전히 새파랬다. 히온이 힐끔 창밖을 보았다. 이곳에선 노란 꽃밭이 잘 보였다. 꽃밭 위를 뛰어다니던 소녀가 제자리를 빙글빙글 돌았다. 분홍빛 치마가 핑그르르 펼쳐졌다.

"유리엘, 예쁜 딸이잖아. 자네는 죽어도 그 아이는 살려야 하지 않겠어? 아직도 생각할 시간이 필요해?"

무릎을 꿇은 발렌타인은 대답하지 못했다. 그가 이렇게 흔들리는 모습은 처음이었다. 그 곁에 마르디네가 하얗게 질린 채 앉아 있었다. 마지막으로 보았을 때보다 훨씬 말랐다. 결 좋던 머리가 푸석거렸다. 병이 훨씬 깊어졌단 뜻이었다. 그래서 더 미룰 수가 없었다.

그녀가 죽어 버리면 복수를 완성할 수 없으니까.

"딸이 아주 잘 자랐던데. 그러고 보면 십 년이 참 길어. 올해로 열두 살이랬지?"

발렌타인이 질끈 눈을 감았다.

"폐하, 그 아이는 아직 어립니다. 부디 자비를……."

"열두 살, 부럽네. 자식의 열두 살 생일을 축하해 줄 수 있었다니. 내 아내는 아들의 다섯 살 생일도 챙기지 못했는데. 자네 생각에도 자네는 참 행운인 것 같지?"

히온이 빙그레 웃었다. 발렌타인이 고개를 떨구었다. 마르디네 가 그의 어깨를 끌어안았다. 그녀가 흐느낌을 참았다. 히온이 옅은 한숨을 내쉬었다. 괴로워하는 부부의 모습에서 아무 감흥도 느껴 지지 않았다. 서로의 죽음에 대비할 시간이 있다니, 충분히 축복받 은 삶 아닌가.

"딸은 살려 주겠다고 했어. 내 말대로 하기만 한다면."

대신 그 딸은 지옥에서 살겠지만 말이지.

*

마르디네가 딸을 보며 웃었다. 아마 통곡하고 싶을 것이다. 소녀 는 아무것도 모른 채 연신 재잘댔다. 히온이 말을 걸면 볼을 붉히며 부끄러워했다. 그러면서도 대답은 또박또박 잘했다.

"이번에 배우기 시작한 악기는 바이올린입니다, 폐하. 새 선생님 께서 무척 친절하셔서 즐겁게 배우고 있습니다."

"악기를 다루는 건 참 멋진 일이지. 음악이 그런 것 같아. 사람의 마음을 치료하는 힘이 있어."

"저도 그렇게 생각합니다. 많은 사람을 행복하게 해 주고 싶어 열심히 연습하고 있습니다. 나중에 실력이 늘면 아버지께서 연주 회를 열어 주신다고 하셨습니다."

"멋진 일이구나. 나도 초대해 주겠니?"

"아……. 정말, 그래도 될까요? 아니, 그래도 되겠습니까? 와 주 시기만 한다면……. 정말 감사합니다. 최선을 다하겠습니다."

소녀가 눈을 반짝이며 미래를 말했다. 발렌타인의 얼굴이 고통 으로 일그러졌다. 히온은 피식 웃으며 고기를 썰었다. 한입 입으로 넣었으나 맛이 느껴지지 않았다.

"그래, 나도 네 연주를 들을 수 있다면 좋겠구나."

그 뒤는 그가 계획한 대로 흘러갔다.

그는 쓰러졌다. 준비해 둔 피주머니를 터트렸다. 엄마! 놀란 비명이 들렸다. 엎드린 채 웃지 않기 위해 애썼다. 기사가 발렌타인을 비난했다. 발렌타인이 억울함을 호소했다. 고성이 오갔다. 누군가 히온을 부축했다. 웃기는 연극 속에서 그는 잠시 눈을 뜨고 싶었다.

소녀의 지옥을 눈으로 직접 확인하고 싶었다. 애당초 그의 목표는 유리엘, 그 아이였다. 그 소녀가 발렌타인의 일원 중 가장 오래 살아남을 수 있기 때문이었다. 가장 오래 고통받을 거란 소리였다.

게다가 그를 무척 좋아했다. 진실을 알면 배신감에 몸부림칠 것이다. 아직 시작도 안 했는데 소녀는 잔뜩 겁에 질려 있었다. 발렌타인이 몸부림을 쳤다. 두 눈의 핏줄이 터져 제정신이 아닌 것처럼 보였다. 목이 터지도록 딸 이름을 불렀다. 마르디네는 그가 일러준 대로 소녀를 벽장에 숨겼다. 그녀에겐 별다른 선택지가 없었다. 그나마 딸의 목숨이라도 구하려면 그 방법뿐이었다. 한참 시간이 지나 히온은 그 방으로 갔다. 기사들이 긴장한 채 그를 기다리고 있었다. 굳게 닫힌 벽장 문을 보자 그 안에 있을 소녀의 모습이 선했다. 그는 천천히 소녀의 인생에 독을 부었다.

"사냥개를 풀어. 무슨 수를 써서든 찾아내. 발렌타인의 핏줄은 절대 살려 두어서는 안 돼."

소녀는 분명 그의 목소리를 알아들었을 것이다. 벽장에 이마를 기대었다.

"말도 안 돼……."

억눌린 속삭임이 들려왔다. 그가 몸을 일으켰다. 그의 손짓에 기사들이 방을 나갔다. 문이 닫혔다. 잠시 후 끅끅거리는 울음이 들려왔다. 그는 벽장에 몸을 기대었다. 소녀의 흐느낌 위로 떠오르는 장면이 있었다. 아주 차갑고 낯설던, 그 여자의 손. 곁에서 소리 죽여 울던 그 자신. 끝이 밀지 않아서일까. 급격한 피로감이 몰려왔다. 한숨을 삼키며 눈을 감았다.

'언젠가 오늘을 후회할 날이 올까.'

그는 너무도 쉽게 그 답을 알 수 있었다. 분명, 그럴 것이다. 죄 없는 아이를 복수의 대상으로 삼은 자신이 악마처럼 느껴질 날이 올 것이다. 뒤늦게 참회하며 그 아이를 찾아내려 할지도 모른다.

'하지만 지금은 그렇지 않아.'

지난 십 년간 타오른 복수의 불길이 너무도 맹렬했다. 발렌타인의 피를 보지 않고는 꺼지지 않을 것이다. 어둠 속에 소녀를 홀로 둔 채 그는 방을 나섰다.

*

그러다 아들에게 십 년 가까이 품고 있던 과거를 털어놓았다. 아들 역시 발렌타인에게 소중한 사람을 잃은 피해자였기 때문이었다. 아들이 원한다면 얼마든 복수에 참여시키려 했다.

―저라면…… 후회할 것 같습니다.

카사르의 목소리가 떠올랐다.

―저는 아직 어려 모르는 것이 많습니다. 하지만 제 생각에는 그런 식의 복수는 폐하께 독이 될 것 같습니다.

한때는, 그녀의 아이를 잃을지도 모른다는 두려움에 일부러 외면했었다. 그렇게라도 하면 드펜이, 파헤트가 그 아이를 덜 경계할 것 같았다. 지금도 크게 다르지는 않았다. 그는 이 세상 무엇보다 그의 아들을 사랑했지만 다가가긴 힘들었다. 그가 사랑했기에 죽은 그녀의 마지막 모습이 생각나 자꾸만 겁이 났다.

—어머니를 해친 것이 사실이라면, 그는 분명 벌을 받아야 합니다. 하지만 다른 방법이 있을 것이라 생각합니다. 정당한 법의 심판을 내릴 방법이 말입니다.

아들의 선택은 그의 예상과 달랐다. 큰 충격을 받은 듯했지만 금방 원래대로 돌아왔다. 그리고 최선을 다해 자신의 의견을 말했다.

—그래. 네가 옳구나. 내 생각이 짧았다. 다른 방법을 찾아보는 게 좋겠구나.

히온은 아들의 의견에 고개를 끄덕였다. 인자한 아버지가 되어 웃었다. 아들은 안심하며 자리를 떴다. 문이 닫히자마자 그의 미소는 거짓말처럼 사라졌다. 정당한 법의 심판, 그딴 건 아무 의미가 없었다. 아들은 역시 그녀를 많이 닮았다. 만일 그녀가 살아 있었다면 분명 아들과 같은 말을 했을 거다. 그녀가 살아 있었다면 그도 그 말을 들었을 거다. 그런데 결론은 뭔가. 그녀를 잃었지 않나. 그녀의 말을 듣지 않았다면, 드펜을 좀 더 경계했다면, 드펜의 아들에게 정을 줘 파헤트의 야심을 부추기지 않았다면, 발렌타인을 믿지 않았다면…….

그리고 얼마 후 그에게 기회가 찾아왔다. 발렌타인의 딸이 지독한 열병에 사경을 헤맸다. 발렌타인 영지에서 급히 도움을 요청했다. 황궁의 의료 기술이라면 충분히 고칠 수 있었다. 히온은 의사를 불러 은밀히 명령했다.

—일시적으로 치료 효과가 보이는 독이 필요하네.

발렌타인에겐 빠른 복수도 사치였다. 아주 서서히 가진 것을 빼앗을 것이다. 그래야 그가 느낀 절망을 고스란히 되돌려줄 수 있었다. 딸의 회복이 얼마나 기쁠까. 히온을 은인처럼 여기겠지. 그리고 얼마 지나지 않아 딸은 죽을 것이다. 운이 좋다면 작별 인사도 하지 못하겠지. 딸의 시체를 붙잡고 통곡을 해야 할 거다. 그 진저리치는 감촉을 느낀 후엔 말해 줘야겠지. 이 꽃 같은 아이가 죽은 건 너 때문이라고.

—발렌타인에게 보낸 약이 바뀌었단 말인가?

그의 첫 복수는 조금 어처구니없이 실패했다. 누군가 개입해 약을 바꿔치기한 것이다. 그는 곧 약을 바꾼 것이 카사르라는 걸 알게 되었다. 그 일은 히온에게 큰 충격을 주었다. 복수 때문에 죄 없는 소녀를 은밀히 살해하려는 아비가 어찌 보였을까. 아들이 그의 가장 추한 부분을 알게 된 게 부끄러웠다. 한편으론 그렇기에 더 빨리 끝을 내야 한다고 생각했다. 비가 지독하게 많이 내렸다. 그는 창밖으로 손을 내밀었다. 봄비가 제법 차가웠다. 그는 광장에 걸어둔 시체를 떠올렸다. 더 정확히는 시체를 찾아올 사람을.

"얼어 죽을 수도 있겠군."

소녀는 분명 부모를 찾아올 것이다. 시체를 보곤 충격을 받겠지. 쓰러질지도 모른다. 거기까진 좋았다. 문제는 날씨였다. 소녀가 그대로 얼어 죽으면 제대로 된 복수가 아니었다. 그는 기사를 불렀다. 그 소녀를 제때 구하라는 명령을 내리기 위해서였다. 쓰러져 있다면 의사에게 데려가고, 죽지 않을 만큼만 치료해 주라 말할 셈이었다. 명령을 들은 기사가 난처하게 말했다.

"폐하, 실은 말입니다. 카사르 전하께서 손을 쓰셨습니다."

"손을 쓰다니?"

"쓰러진 반역자의 딸을……. 구하셨다고 합니다. 영지 내에서 움직이던 비야를 저희 쪽에서 발견하였습니다."

카사르가 직접 구한 것은 아니었다. 그는 지금 영지에 없으니까. 대신 수하들에게 쓰러진 소녀를 구하게 했다. 히온은 기가 막혔다. 카사르가 뭘 알고 움직인 건 아닐 거다. 아마 계속 아버지 곁을 지키라 했겠지. 돌이킬 수 없는 선택을 막기 위해.

'네가 벌써 이렇게 자랐구나.'

히온이 쓰게 웃었다. 아들의 성장이 자랑스러우면서도 착잡했다. 그의 선택을 알면 분명 안타까워하겠지. 그러면서도 어리석은 아비를 이해해 주리라. 모든 것을 받아 주던 그의 아내처럼.

"죄인의 딸을 빼내도록 할까요."

"아니, 그럴 필요 없다."

빼내고자 한다면 얼마든지 가능하지만. 그러고 싶지 않았다. 어차피 카사르는 그 아이 앞에 나타날 수 없다. 제 아비가 무슨 짓을 했는지 알 테니까. 도움에도 한계가 있을 것이다. 소녀는 또 다른 지옥을 살게 될 뿐이고.

"……그만 나가 보아라."

이젠 복수는 끝이었다. 카사르가 나선 이상 그가 할 일은 없었다. 기사가 나가자 방안은 침묵만이 가득했다. 그리 간절히 바라던 복수가 이루어졌는데, 기쁘지 않았다.

창밖엔 여전히 비가 쏟아졌다. 회색빛 하늘을 바라보다 눈을 감았다. 지친 한숨을 내쉬었다. 이젠 무엇을 위해 살아야 할지, 알 수 없었다. 그저 한 번만 더, 만나고 싶을 뿐이었다. 만개한 노란 꽃이 차디찬 비에 젖어 갔다.

*

그리고 아주 긴 시간이 지났다. 그동안 정말 많은 일도 있었다. 히온은 수도 없이 삶을 포기하고 싶은 충동과 싸웠다. 복수가 끝난 후에도 그녀는 살아 돌아오지 않았으니까. 종종 아주 강한 약이 필요하기도 했다. 마약이었다. 약의 힘을 빌리지 않으면 몇 날 며칠 잠들 수 없는 날도 이어졌으니까. 돌이킬 수 없을 정도로 몸이 망가져 버렸기 때문이었다. 마약이 없으면 살 수 없는 지경에 이르렀으니까. 마약의 힘을 자주 빌리는 건 아니었다. 일 년에 한두 번 정도. 정말 힘들 때만. 의사들은 그게 더 대단하다고 했다. 이미 약 없이는 살 수 없는 몸이 된 히온이, 그 하루 이틀을 제외한 날들은 충동을 참고 있다는 거니까. 대단한 의지력이라고 했다.

히온에겐 당연한 일이었다. 그에겐 반드시 지켜야만 할 사람이 있었다. 그녀의 유일한 혼적, 카사르. 그녀의 아름다운 푸른 눈을 꼭 빼닮은 그의 아들. 너무 소중한데 지킬 힘이 부족해서, 차마 사랑한다는 말도 해 주지 못했던 그 아들. 그 아들을 지키기 위해서, 제국을 지키기 위해서 평생을 살아왔다. 수도 없이 포기하고 싶었지만, 언젠가 이 매우 곤란한 삶이 끝날 거라 믿으며…….

'드디어 끝이 왔구나.'

그리고 드디어 그 날이 멀지 않았다.

"폐하. 몸의 병은 마음에서 온다는 말이 있습니다. 절대 포기하시면 안 됩니다. 반드시 회복되실 겁니다."

"그런가."

울먹이는 황궁의의 말을 들으며 히온이 열없이 웃었다. 그가 숨을 쉴 때마다 색색거리는 소리가 났다. 마치 바람 빠진 풍선처럼 죽어가는 사람의 소리가 났다.

"쿨럭."

웃다 보니 기침이 났다. 별생각 없이 소매로 입을 닦았는데 피가 묻어났다. 검붉은 피가 불길했다.

"폐하. 닦아 드리겠습니다."

방금까지 희망을 이야기하던 황궁의가 어쩔 줄 몰라하며 그의 손을 닦았다. 워낙 자주 겪는 일이라 히온은 놀라지도 않았다. 그가 눈을 감으며 벽에 머리를 기대었다.

"드펜의 움직임은, 후우. 여전한가?"

호흡이 짧아 말을 한 번에 이어 할 수 없었다.

"폐하께서 예상하셨던 것처럼 완벽히 방심하고 있습니다. 이번 계획은 분명 성공할 겁니다."

"카사르 전하의 명을 받은 지방 영주들이 속속들이 도착하고 있습니다. 조용히 몸을 숙인 채 폐하의 명을 기다리고 있습니다. 폐하께서 한 말씀만 하시면, 이 수도 전체를 쓸어버릴 겁니다. 썩은 부분도 전부 도려낼 테고요."

히온이 빙그레 웃었다.

'내가 아니라 카사르의 명령에 따라야지.'

그 말을 하고 싶었지만, 숨이 너무 가빴다.

"곧 폐하께서 바라시는 날이 올 겁니다. 그러니 꼭 옥체를 회복하셔야 합니다. 폐하."

"그렇습니다. 신들을 믿으시옵소서."

방 안에 있는 사람들은 모두 희망을 말했다. 히온은 그들의 생각을 고쳐주고 싶었다. 희망은 아무 소용 없다. 그는 곧 죽을 거다.

다들 믿고 싶지 않은 것뿐이다.

'충성심 때문이겠지.'

모두 평생 그를 위해 일해온 사람들이다. 그동안 죽을 고비도 여럿 넘겼다. 평생을 모신 주군이 죽어가는 걸 쉽게 받아들일 순 없을 거다.

'어리석은 주인을 만나 다들 고생이 많았지.'

히온이 물끄러미 그의 종들을 바라보았다. 그는 좋은 주군이었을까? 잘 모르겠다. 다들 좋은 왕이라고 말하지만. 히온은 평생 자신이 최악의 인간이라 생각하며 살아왔다. 지켜야 할 사람을 지키지 못했으니까.

'카사르. 그 녀석은 나와 다른 삶을 살겠지.'

히온의 입가에 미소가 맺혔나. 카사르는, 그녀의 아들은 그와는 달리 행복할 수 있을 거다. 사랑하는 사람을 지키며, 단란한 가정을 이루고, 좋은 남편이, 좋은 아빠가 될 수 있겠지.

'그 아이 이름이 유리라고 하였지.'

히온의 눈빛에 회한이 어렸다.

'유리엘 발렌타인.'

마르디네의 딸. 유리엘 발렌타인. 발렌타인 부부는 그의 딸을 '유리'라고 불렀다. 그 역시도……

─저를 유리라고 불러 주셔도 돼요.

─유리?

─부모님께서만 불러 주시는 거예요. 하지만 폐하는 특별한 분이시니까.

─내가 특별하니?

나직한 물음에 수줍게 웃으며 고개를 끄덕이던 그 아이.

─부모님께 소중한 분이시잖아요. 제게도 소중해서, 그래서 특별해요.

히온이 천천히 눈을 감았다. 발렌타인의 딸이 정말 그 아이일까? 카사르의 연인일까? 그래서 카사르를 떠난 걸까? 히온은 확신할 수 없었다.

확인할 방법이 없는 건 아니었다. 유리와 유리엘, 두 사람의 접점을 찾았으니 좀 더 조사를 해나가면 흔적을 찾을지도 모른다.

'카사르에 물어도 되는 거고.'

아비는 곧 죽을 테니, 아마 솔직히 이야기해 줄 거다. 하지만 히온은 묻지 않았다. 확인하고 싶다는 마음이, 유리가 발렌타인의 딸이었으면 하는 간절함이 목 끝까지 차올랐지만…… 참았다.

그에게 확인할 자격이 없었다. 발렌타인의 딸이 살아있다는 걸 알고 안도하고, 그 아이에게 잘 해 주는 것으로 마음의 빚을 갚을 자격도 없었다…….

'지금은 그저 내가 할 수 있는 일을 해야겠지. 카사르를 위해서 도, 그 아이를 위해서도.'

히온이 천천히 눈을 감았다. 요즘엔 자꾸만 잠이 쏟아졌다.

"폐하?"

벽에 기대어 꾸벅꾸벅 졸던 히온의 몸이 스르르 옆으로 기울었다.

'이제 조금만 더 기다리면…….'

*

그는 꿈을 꾸었다. 요즈음 그가 계속 꾸는 꿈이었다. 노란 꽃이 온 천지에 가득했다. 그녀가 생긋 웃으며 히온의 뺨을 감쌌다.

"또 만났네요."

"그러게요."

히온이 웃음을 터트렸다. 꿈속에서 히온은 그녀를 처음 만났을 때 나이로 돌아가 있었다. 마약 중독에서 막 벗어나, 사랑하는 여자 와의 행복에 취해있던 그때.

"우리 정말 앞으로도 계속 함께할 수 있는 거예요?"

"그럴 거라고 했잖아요. 내 말이 틀린 적 있어요?"

"아니요."

틀린 적 없지. 당신 말은 늘 옳았어. 히온이 얌전히 고개를 내밀 었다. 그녀가 웃으며 히온의 머리를 쓰다듬었다.

"힘든 건 곧 끝날 거예요."

"그럴까요."

"내일도 기다리고 있을게요."

"정말이지요?"

"그럼요."

"언제까지 기다릴 거예요?"

"우리가 영원히 함께할 수 있을 때까지요."

히온이 웃으며 그녀의 무릎을 베고 누웠다. 바람이 불었다. 더는 꿈속에서 보는 그녀의 모습에 마음이 아프지 않았다.

오직 우리 둘뿐인 공간. 그 누구의 방해도 받지 않고, 행복할 수 있는 그런 곳. 행복했다.

"어?"

히온이 눈을 깜빡였다.

"왜요?"

"어라."

히온이 당황하여 몸을 일으켰다. 분명 우리 둘뿐인 줄 알았는데. 멀지 않은 꽃밭에 웅크려 있는 작은 인영이 있었다.

'저 아이는 누구지?'

다섯 살, 혹은 여섯 살 때쯤 되었을까. 양 갈래머리를 어여쁘게 묶은 소녀가 고사리손으로 화관을 만들었다. 히온이 눈을 깜빡였다. 분명 처음 보는 아이인데, 가슴 한쪽이 아려왔다.

"아, 소개가 늦었네요. 아가, 이리 온."

그녀가 환히 웃으며 꼬마를 불렀다. 꽃밭에 파묻혀 있던 아이가 팩 고개를 들었다. 빤히 히온을 쳐다보았다. 무척이나 익숙한 새파란 눈동자. 히온이 숨을 멈추었다.

"잠시 이곳에 머물고 있어요. 곧 떠나겠지만요. 저 아이 이름은 엄마가 지어주었다고 하더군요. 이름은 아르……."

*

우르릉.

히온이 스르르 눈을 떴다. 창밖은 번쩍번쩍 천둥 번개가 몰아쳤다. 이내 파도처럼 쏟아지는 빗줄기 소리. 회색빛 하늘을 보며 꿈의 여운에서 차츰 깨어났다.

'꿈이었구나.'

그런데 여전히 꿈속에 있는 것만 같았다. 히온은 몽롱하게 어둑한 하늘을 바라보았다. 방에는 오직 그 혼자뿐. 늘 그를 지키던 의원이 잠시 자리를 비운 듯했다. 직접 몸을 일으키려던 히온이 멈칫했다.

움직일 수가 없었다. 손끝만 겨우 까닥거릴 뿐이었다. 그마저도 점점 어려워질 거란 걸 본능적으로 알 수 있었다. 오랫동안 기다려 온 마지막 순간이 온 거다. 기묘하게도 두렵기보단 편안함이 느껴졌다. 히온은 긴 숨을 내쉬며 곧 다가올 끝을 기다렸다. 꿈속에서 본 꼬마의 얼굴이 어른거렸다.

'정말 닮았어.'

그가 알고 있는 누군가를 참 많이 빼닮았다. 그 천진함과 사랑스러움까지…….

'아. 드디어 끝이구나.'

아니야. 그 아이가 곧 제자리로 갈 테니까.

'끝이 아닌, 제대로 된 시작일 거야.'

히온이 스르르 눈을 감으며 부드럽게 웃었다. 그 어느 때보다, 편안한 미소였다.